Libri di Luca

www.mynx.nl

Mikkel Birkegaard

Libri di Luca

Oorspronkelijke titel: *Libri di Luca*
Vertaling: Femke Blekkingh-Muller
Omslagontwerp: Hilden Design, München

Eerste druk juli 2008
ISBN 978-90-225-5037-3 / NUR 330

© 2007 Mikkel Birkegaard and Aschehoug Dansk Forlag A/S
© 2008 voor de Nederlandse taal: De Boekerij bv, Amsterdam
Mynx is een imprint van De Boekerij bv, Amsterdam

I

Luca Campelli's wens om te sterven te midden van zijn geliefde boeken ging in vervulling op een late avond in oktober.

Een dergelijke wens wordt natuurlijk zelden in woord of gedachten geformuleerd, maar iedereen die Luca in zijn antiquarische boekhandel had gezien, wist dat het zo moest zijn. De kleine Italiaan bewoog zich tussen de stapels boeken in Libri di Luca alsof hij door zijn eigen woonkamer wandelde en hij kon zijn klanten zonder de minste aarzeling precies naar de juiste plank of stapel dirigeren waar het boek waarnaar ze hadden gevraagd zich bevond. Luca's liefde voor de literatuur werd al na een kort gesprek duidelijk, en het maakte niet eens zoveel uit of het over een versleten paperback ging of over een van de antieke eerste drukken. Een dergelijke kennis getuigde van een lang leven met boeken en Luca's autoriteit tussen de kasten van het antiquariaat maakte het moeilijk om je hem voor te stellen buiten die veilige, rustige en aandachtige sfeer.

Daarom was deze avond heel speciaal, want behalve dat het Luca's laatste avond zou worden, was het ook een hele week geleden dat hij hier voor het laatst was geweest. Omdat hij zijn winkel zo snel mogelijk wilde weerzien, nam hij een taxi rechtstreeks van de luchthaven naar het antiquariaat in Vesterbro in Kopenhagen. Tijdens de hele rit kostte het hem moeite om stil te blijven zitten en toen de taxi eindelijk stilhield, had hij zo'n haast om af te rekenen, dat hij de chauffeur een wel heel gulle fooi gaf om van het gedoe met het wisselgeld af te zijn. Dankbaar tilde de bestuurder van de taxi Luca's twee koffers uit de kofferbak, waarna hij de oude man achterliet op de stoep.

De winkel was in duister gehuld en zag er allesbehalve gastvrij uit, maar Luca glimlachte bij het zien van de overbekende gevel en de gele letters 'Libri di Luca' die op de etalageruit waren geschilderd. Hij zeulde zijn koffers de paar meter van de stoeprand naar de deur en liet ze

5

met een plof op het stenen opstapje voor de winkel neerdalen. Toen hij zijn jas openknoopte om zijn sleutels uit zijn binnenzak te pakken, kwam de herfstwind onder de panden en ze fladderden onrustig om hem heen.

Hij werd verwelkomd door het geluid van de belletjes die boven de deur hingen. Hij sleepte snel zijn koffers naar binnen en zette ze op het donkerrode tapijt, waarna hij de deur achter zich sloot. Hij strekte zijn rug en bleef met gesloten ogen staan, terwijl hij diep inademde door zijn neus om de hem zo bekende geur van vergeeld papier en oud leer op te snuiven. Zo bleef hij een paar seconden staan terwijl het geluid van de deurbel wegstierf. Toen pas opende hij zijn ogen en deed de kroonluchter aan, hoewel dat eigenlijk niet nodig was. Hij liep al ruim vijftig jaar rond in die winkel, dus hij zou zich moeiteloos kunnen oriënteren in het donker. Toch wipte hij alle schakelaars op het paneel naast de deur naar beneden zodat de lampen boven alle boekenkasten en in de vitrinekasten op het balkon ook aangingen.

Hij liep achter de toonbank om en trok zijn jas uit. Uit het kastje eronder haalde hij een fles tevoorschijn en een glas, dat hij met cognac vulde. Met het glas in zijn hand ging Luca midden in de verlichte winkel staan en keek met een tevreden glimlach om zich heen. Een slok van de gouden vloeistof maakte het moment af. Hij knikte in zichzelf en haalde diep adem.

Met zijn glas in de hand liep hij langzaam door de gangpaden tussen de boekenkasten terwijl hij de rijen boeken aandachtig in zich opnam. Andere ogen zouden de veranderingen vergeleken met de vorige week waarschijnlijk niet opmerken, maar Luca registreerde onmiddellijk iedere kleine verandering: boeken die waren verkocht of verplaatst, nieuwe boeken die tussen de oude waren gezet en stapels die waren verplaatst of samengevoegd. Tijdens zijn inspectieronde duwde Luca boeken op hun plaats zodat ze allemaal strak in het gelid in de kasten stonden en verplaatste hij werken die verkeerd waren teruggezet. Af en toe zette hij voorzichtig zijn glas weg om een boek dat hij nog niet eerder had gezien uit de kast te halen. Hij bladerde er nieuwsgierig in, bestudeerde het lettertype waarin het was gezet en liet zijn vingers over de bladzijden glijden om de structuur van het papier te voelen. Dan deed hij zijn ogen dicht en bracht het boek naar zijn neus om de heel speciale geur van de pagina's op te snuiven, alsof het een wijn van een bepaald jaar betrof, en als hij de voorkant en de omslag nog een keer had bestudeerd, zette hij het werk met een schouderophalen of een waarderend knikje weer zorgvuldig terug op zijn plek. Tijdens zijn wandeling door de winkel waren de knikjes veelvuldiger dan het schouderophalen, dus het leek erop dat de inspanningen van zijn medewerker gedurende de tijd dat de eigenaar van het antiquariaat op reis was geweest, goedgekeurd werden.

De medewerker heette Iversen en hij werkte al zo lang in de winkel dat er eigenlijk meer sprake was van partnerschap dan van een werkgever-werknemerrelatie, maar ook al hield meneer Iversen net zoveel van de winkel als Luca zelf, er was nooit sprake van geweest dat hij daadwerkelijk compagnon zou worden. Luca had het antiquariaat geërfd van zijn vader Arman en het was altijd de bedoeling geweest dat het in handen van de familie Campelli zou blijven.

Er was weinig veranderd sinds Arman de winkel had overgedragen aan Luca. Er was echter wel één opmerkelijke verandering aangebracht. Dat was het balkon van anderhalve meter breed dat ter hoogte van de eerste verdieping de hele winkel rond liep. Het was een uitbreiding van de winkel die door de vaste klanten al snel was omgedoopt tot 'De Hemel', omdat daar de kostbaarste en de meest zeldzame werken stonden, uitgestald in vitrinekasten om ze te beschermen.

Voordat Luca de trap naar het balkon op ging, liep hij terug naar de toonbank om nog een glas cognac in te schenken. Daarna liep hij helemaal naar de achterkant van de winkel, waar een wenteltrap naar het balkon voerde. De trap kraakte vervaarlijk toen hij zijn voeten op de uitgesleten treden zette, maar hij vervolgde onverstoorbaar zijn weg naar boven en was algauw boven aan de trap. Daar draaide hij zich om en liet zijn blik over de winkel glijden. De kasten onder hem leken met een beetje goede wil op een doolhof van keurig gesnoeide hagen, maar hij kende de weg te goed om te verdwalen, en zijn blik vond algauw de weg naar de twee koffers die bij de deur stonden.

Opeens gleed er een donker waas van ernst over het doorgroefde gezicht, de bruine ogen leken verder weg te kijken dan de verdieping eronder. In gedachten verzonken bracht Luca zijn glas omhoog en rook aan de cognac. Toen nam hij een slok en verplaatste zijn blik van de twee vreemde voorwerpen bij de deur naar de vitrinekasten op het balkon.

Het licht in de vitrines was zacht en het legde een romantische, gouden gloed over de banden die erdoor werden beschermd. Achter het glas waren de boeken uitgestald als kleine kunstwerkjes. Sommige waren opengeslagen op kleurige illustraties of fantasierijke afbeeldingen van de verhalen die erin stonden, andere waren dicht zodat je het bewerkte leer kon zien of het prachtige handwerk waarmee het was ingebonden.

Luca liep langzaam, met een hand op de balustrade en de andere om het cognacglas, dat hij voorzichtig in kleine cirkels ronddraaide, en hij liet zijn blik over de inhoud van de vitrinekasten gaan. Er veranderde in de regel maar zelden iets aan de verzameling werken op de eerste verdieping; slechts weinig mensen konden zich veroorloven om ze te kopen en degenen die dat wel konden, kochten meestal een enkel exemplaar dat zorgvuldig bij hun reeds bestaande verzameling was gekozen.

Nieuwe werken kwamen er eigenlijk alleen maar bij door het opkopen van boedels uit nalatenschappen of, minder vaak, uit boekenveilingen.

Daarom verstijfde Luca toen zijn oog op een bepaalde band viel. Er verscheen een rimpel tussen zijn wenkbrauwen. Toen zette hij zijn glas op de balustrade en boog zich over naar de vitrine om het werk nader te bestuderen. Het was gebonden in zwart leer met goudopdruk en het papier was goud op snede. Toen hij dichtbij genoeg was om de titel en de naam van de schrijver te kunnen lezen, sperde Luca zijn ogen wijd open. Het bleek een bewerkte uitgave te zijn van de *Operette morali* van Giacomo Leopari, in zeer goede staat en ogenschijnlijk in de oorspronkelijke taal, het Italiaans – Luca's moedertaal.

Luca liet zich op zijn knieën zakken en maakte, zichtbaar aangedaan, de vitrine open. Met trillende handen zocht hij in zijn borstzak, viste zijn bril eruit, en zette die op zijn neus. Voorzichtig, alsof hij zijn buit niet aan het schrikken wilde maken, boog hij zich naar voren en pakte het boek met twee handen vast. Nu de trofee veilig was gesteld, pakte hij hem uit de vitrine. Hij draaide het werk verwonderd rond in zijn handen. Diepe rimpels verschenen op zijn voorhoofd. Hij kwam met een plotselinge ruk overeind en keek zoekend rond, alsof hij het gevoel had dat hij door iemand werd bekeken, dat er verborgen toeschouwers waren bij deze buitengewone vondst. Toen hij niemand kon ontdekken, richtte hij zijn blik weer op het boek in zijn handen. Hij sloeg het voorzichtig open.

Op het titelblad las hij dat het de eerste druk was, een gegeven dat, samen met het jaar van uitgave, 1827, rechtvaardigde dat het een plek in 'De Hemel' had gekregen. Het papier had een krachtige structuur en hij liet met zichtbaar plezier zijn vingers over de bladzijde gaan. Toen bracht hij het boek naar zijn neus en rook eraan. Het had een licht kruidige geur, het rook naar iets waarvan hij dacht dat het laurier moest zijn.

Hij bladerde verder met een voorzichtige, onderzoekende grondigheid en stopte bij een kopergravure die de dood voorstelde, met een kap en een zeis. De illustratie was heel mooi uitgevoerd en zelfs als hij heel goed keek, kon hij geen foutje in de afdruk ontdekken. De tamelijk ingewikkelde manier van drukken, de kopergravure, werd heel veel gebruikt in de negentiende eeuw en viel op doordat hij zoveel gedetailleerder en fijner was dan zelfs de beste houtsnede. Maar het papier moest in twee keer bedrukt worden, omdat de inkt bij een koperplaat in de groeven lag, terwijl de tekst, die in lood was gezet, juist in reliëf was.

Luca sloeg de bladzijden om en bewonderde enthousiast de overige kopergravures in het boek. Toen hij bij de laatste bladzijde kwam, fronste hij opnieuw zijn wenkbrauwen. Normaal gesproken stopten ze op deze plek een prijskaartje in het boek, ongeveer zo groot als een visitekaartje en met de naam van de winkel erop, maar dat kaartje zat er niet in. Dat Iversen zou hebben geïnvesteerd in zo'n kostbaar werk zonder Luca daar eerst over te raadplegen, vond hij merkwaardig, maar dat hij het exemplaar vervolgens ook zonder prijskaartje te koop zou leggen, leek volkomen in strijd met de anders zo secure manier van doen van de man.

Weer keek Luca onderzoekend de winkel rond, alsof hij verwachtte dat er opeens een welkomstcomité tevoorschijn zou springen en het mysterie zou verklaren, maar er waren slechts heel weinig mensen op de hoogte van zijn reis en zijn thuiskomst en degenen díé op de hoogte waren, wisten heel goed dat er niet bepaald reden was voor een feestje.

Hij haalde zijn schouders op, sloeg het boek open in het midden en begon hardop te lezen. Al snel verdween de twijfel van zijn gezicht en in plaats daarvan kwam het plezier om in zijn moedertaal te lezen, hij verhief zijn stem en liet de woorden vrij door het boekendoolhof van het antiquariaat stromen. Het was een tijdje geleden dat hij voor het laatst Italiaans had gelezen, dus het duurde een paar bladzijden voordat hij het juiste accent te pakken had en mee kon gaan op het ritme van de dichtregels. Maar er bestond geen twijfel dat hij ervan genoot, zijn ogen straalden van geluk en zijn enthousiaste gezichtsuitdrukking stond in scherp contrast met de zwaarmoedigheid van de tekst.

Die toestand duurde niet lang. Opeens veranderde de uitdrukking op Luca's gezicht van enthousiasme in verrassing, hij wankelde twee passen achteruit en stootte daarbij hard tegen de vitrinekast achter hem. Nog steeds met zijn ogen in het boek las hij verder, terwijl de glasscherven op hem neer regenden. De uitdrukking in zijn opengesperde pupillen veranderde van verrassing in angst en zijn knokkels werden wit van de krampachtige greep waarmee hij de band vasthield. Zijn lichaam viel nu naar voren, naar de balustrade. Zijn bewegingen waren stijf, bijna mechanisch, en toen hij het hekwerk raakte, schoot het cognacglas door de schok over de rand en landde op de vloer van de verdieping eronder. Het geluid van brekend glas werd gedempt door het tapijt.

De kracht van Luca's stem was onverminderd, maar het ritme was onregelmatig en haperend geworden. Het zweet stond op het voorhoofd van de oude man en zijn gezicht kleurde roze van de inspanning. Een paar zweetdruppels liepen over zijn voorhoofd naar beneden en verder naar het puntje van zijn neus, vanwaar ze in het boek druppelden. Het dikke papier absorbeerde de zweetdruppels alsof het regendruppels waren die in een uitgedroogde rivierbedding vielen.

Luca's ogen waren nu wijd opengesperd, ze zaten vastgeklonken in de tekst, ze knipperden niet één keer, zelfs niet als er zweetdruppels in liepen. Zijn pupillen volgden onverbiddelijk de regels op de bladzijden en al probeerde hij het wel, Luca kon zijn hoofd niet verder wegdraaien dan tot het punt vanwaar hij nog in staat was om verder te lezen in het boek dat hij in zijn handen hield. Zijn hele lichaam begon hevig te trillen, een gepijnigde uitdrukking verscheen op zijn gezicht, dat zich langzaam vertrok tot een griezelige grimas, waardoor de anders zo vriendelijk ogende man eruitzag als een krankzinnige of iemand die een epileptische aanval heeft.

Ondanks de fysieke verschijnselen bleef Luca's stem door de ruimte golven, stamelend en af en toe onderbroken door een pauze, gevolgd door een nieuwe uitbarsting van de woordenstroom. Er zat geen ritme meer in de gelezen tekst, de zinnen werden opgedreund en aan elkaar geregen zonder acht te slaan op de regels van de grammatica, en naarmate het tempo omhoogging, werd de klemtoon op de afzonderlijke lettergrepen steeds willekeuriger. De woorden waren nog wel te herkennen als opzichzelfstaande woorden, maar de uitspraak en het verband waren niet langer te begrijpen. De zinnen die Luca's stembanden verlieten hadden alle inhoudelijke betekenis verloren. Het tempo was enorm gestegen en de woordenstroom werd nu alleen nog maar onderbroken door panisch happen naar adem, als er geen lucht meer over was in zijn longen. Na iedere ademhaling, steeds piepender, stroomden de woorden en zinnen opnieuw uit Luca's mond, als een watermassa die tijdelijk was ingedamd.

Zijn lichaam trilde nu zo hevig, dat de balustrade waar Luca tegenaan gedrukt stond mee begon te trillen, het houtwerk kraakte luid. Het zweet stroomde langs zijn lichaam, zijn kleren waren op meerdere plaatsen doorweekt en op het tapijt rondom hem hadden zich donkere vochtplekken gevormd.

Opeens stopte de woordenstroom en het trillen hield op. Luca's ogen staarden nog steeds in het boek dat hij in zijn handen hield, maar de uitdrukking van paniek was van zijn gezicht verdwenen. De blik van de Italiaan verzachtte en zijn gezicht kwam tot rust. Langzaam boog het oude lichaam voorover over de balustrade, het boek gleed uit de zwetende handen en viel met fladderende bladzijden op de grond. De balustrade kraakte vervaarlijk onder het gewicht van het lichaam en met een plotseling knappend geluid brak een gedeelte van het hekwerk af, de houtsplinters vlogen in het rond. Luca's lichaam bleef een ogenblik onbeweeglijk stil hangen op de rand van het balkon, waarna het levenloos vooroverviel naar de verdieping eronder. Tijdens de val wapperden de slappe ledematen ongecontroleerd langs zijn lichaam en in hun val sleurden ze boekenplanken en boeken mee in een wolk van stof.

Luca's lichaam raakte met een harde bonk de vloer in een van de smalle gangpaden tussen twee boekenkasten en het werd meteen bedolven onder een landing boeken, hout en stof.

2

Altijd als Jon Campelli naar de rechtbank moest, sliep hij de nacht ervoor onrustig; soms deed hij zelfs helemaal geen oog dicht. Dat was ook die nacht het geval en ten slotte gaf hij het op, ging zijn bed uit en trok zijn donkerblauwe ochtendjas aan. Hij slofte naar de keuken, waar hij koffie zette, en terwijl hij voorzichtig dronk, nam hij het manuscript met zijn slotpleidooi nog eens door. Hij had de bladzijden de avond ervoor al een paar keer doorgelezen, maar nu keek hij ze nog een keer zorgvuldig door. Hij probeerde hardop de zinnen op verschillende manieren uit te spreken. Zo kwam het dat er om vier uur 's ochtends uit het penthouse in de Kompagnistræde een heldere stem klonk die telkens dezelfde alinea herhaalde, als een toneelspeler die zijn rol instudeerde.

Na een paar uur haalde Jon de krant die bij de voordeur lag en bladerde die door terwijl hij een pot verse koffie zette en ontbeet. Het manuscript lag op de tafel naast zijn bord en hij stopte een aantal keren met het lezen van de krant om het manuscript erbij te pakken en een bepaalde passage nog eens te lezen, waarna hij weer verderging met het nieuws van de dag en zijn ontbijt.

Zijn collega's hadden geen idee hoeveel tijd en energie hij in zijn slotpleidooi stopte, maar ondanks zijn relatief jonge leeftijd stond hij er al om bekend dat hij dat onderdeel tot in de perfectie beheerste. Hoewel hij niet ouder was dan drieëndertig, had hij een naam weten te vestigen als verdediger die hem voor zijn collega's tot een bezienswaardigheid maakte, voor zijn tegenstanders tot een uitdaging en voor de oudere rechtsorde tot voorwerp van ongegrond wantrouwen.

Daarom werden zijn zaken bij de rechtbank vaak goed bezocht en ook vandaag zouden er naar alle waarschijnlijkheid aardig wat toeschouwers in de zaal zitten, al leek de uitkomst van tevoren vast te liggen. Jons cliënt, een allochtoon van de tweede generatie die Mohammed Azlan heette, was beschuldigd van heling, maar net als de drie eerdere aanklachten die tegen hem waren ingediend, was deze beschuldiging ongegrond. Het begon zo langzamerhand te lijken op pesterij van de kant van de politie, maar Mohammed nam het verbazingwekkend rustig op. Hij nam er genoegen mee om terug te slaan langs de gerechtelijke weg, dat wil zeggen, door middel van schadevergoedingszaken.

Jon leegde zijn koffiemok en ging naar de badkamer, waar hij de douche aanzette. Hij liet zijn ochtendjas op de grond vallen en terwijl hij wachtte tot het water warm werd, bekeek hij zijn lichaam in de spiegel. Met zijn duim en wijsvinger pakte hij de vetrolletjes vlak boven zijn heupen beet en bekeek ze onderzoekend, alsof het blaren waren die in de loop van de nacht waren komen opzetten. Vijf jaar geleden was zijn buik nog een wasbord geweest, maar de duidelijk afgetekende spieren waren bijna ongemerkt geleidelijk aan weggevaagd, als door opkomend hoogwater; het maakte niet uit wat hij deed om het tegen te gaan.

Toen hij onder de douche stond, ging zijn mobiele telefoon, maar Jon spoelde rustig de shampoo uit zijn haar en werkte de rest van zijn ochtendritueel af voordat hij keek wie er had gebeld. Het was Mohammed. Zijn cliënt had op zijn gebruikelijke nonchalante toon ingesproken dat hij zijn 'wheels' had verkocht en dat hij graag een lift wilde naar de rechtbank. Toen Jon het telefoontje wilde beantwoorden, was het nummer bezet, dus hij sprak een bericht in dat hij eraan kwam.

Het regende. Jon rende naar zijn metallic grijze Mercedes SL, gooide zijn aktetas op de passagiersstoel en stapte vervolgens vlug in de droge auto. Als je door de natte voorruit keek, leek de wereld buiten samen te smelten. Gedaanten in kleurrijke regenkleding vloeiden in elkaar over, het leken fantasiewezens op een kindertekening. Toen hij de auto startte, kwamen de ruitenwissers in beweging en tegelijk met het water verdwenen de fantasiewezens. Daarvoor in de plaats kwamen chagrijnige mensen die zich haastten door de regen of in groepjes stonden te schuilen onder luifels.

Het verkeer richting Nørrebro bewoog zich, zelfs als je de weersomstandigheden meerekende, uitzonderlijk traag en Jon keek een aantal keren op zijn horloge. Te laat komen op een rechtszaak was nooit een goed begin, hoe sterk je ook stond, en Jon had er een erezaak van gemaakt om altijd op tijd te zijn. Eindelijk kon hij van de Åboulevarden afslaan, de Griffenfeldsgade door en verder naar de Stengade, waar Mohammed woonde. De huizen waren opgetrokken in grijs beton en rode baksteen en ieder appartement had een tuin of een balkon. Tussen de huizenblokken lag een grote gemeenschappelijke tuin compleet met afgetrapte grasveldjes, verweerde speeltoestellen en door de zon gebleekte banken.

Het appartement op de begane grond maakte Mohammed tot eigenaar van zes vierkante meter tuin, die werd begrensd door een anderhalve meter hoog mosgroen hekwerk, dat waarschijnlijk ooit wit was geweest. Mohammeds gasten moesten altijd gebruikmaken van de deur naar 'Het Park', zoals hij de tuin graag noemde, dus Jon stak het gras over en ging het krakende tuinhek door. Het grasveldje in Het Park lag bezaaid met lege dozen, kratten en pallets, die hun doel hadden gediend en slechts wachtten op het moment dat de conciërge Mohammed zou opdragen ze weg te halen. Een afdakje over de hele breedte van het appartement gaf beschutting tegen de regen. Bovendien vormde het de opslagplaats voor nog meer dozen, tonnen en een pallet hondenbrokken in zakken van twintig kilo.

Jon klopte op het raam van de woonkamer. Hij hoefde niet lang te wachten tot Mohammed aan de andere kant van het raam verscheen, gehuld in een onderbroek, een t-shirt en, het allerbelangrijkste, de headset van zijn mobiele telefoon. Typisch Mohammed: op zijn t-shirt was in grote letters het woord 'Schuldig' gedrukt. Bij zijn kleine provocaties maakte hij graag gebruik van de meest stereotype vooroordelen, het was een soort hobby van hem om speldenprikken uit te delen aan 'het Denemarken van de sensatiepers' zoals hij het noemde. Dat kwam niet voort uit verbittering of woede, zoals je bij sommige allochtonen wel eens ziet, maar puur uit plezier en zelfironie.

Mohammed deed de deur naar de woonkamer open en gebaarde, terwijl hij zijn gesprek in de headset voortzette, glimlachend naar Jon dat hij binnen moest komen. De taal was Turks, voor zover Jon dat

kon beoordelen. De kamer die hij binnenging, werd door Mohammed voor drie doeleinden gebruikt: woonkamer, kantoor en opslagruimte. Soms leek de ruimte ook wel een sauna. Het was er in ieder
geval altijd erg warm, waarschijnlijk zodat Mohammed het hele jaar
door in een korte broek en een T-shirt kon lopen.

Mohammed was 'beroepswedstrijddeelnemer'. Dat was de naam
die hij zelf voor zijn activiteiten gebruikte en het gaf zijn werk onmiskenbaar een romantischer klank dan het karakter ervan rechtvaardigde. Bij de grote doorbraak van het internet hadden veel bedrijven bedacht dat het uitschrijven van een wedstrijd of een loterij, waarin de
deelnemers producten, geld, reizen en nog veel meer konden winnen,
een uitstekende manier was om bezoekers naar hun website te lokken.
Ook elektronische versies van krasloten en kansspelen bleken effectieve lokkertjes. Aangezien het voor de meeste wedstrijden niet uitmaakt
waar ter wereld de deelnemer zich bevindt, is er een oneindige hoeveelheid mogelijkheden en er komen iedere seconde nieuwe bij.

Waar Mohammed van leefde, in veel gevallen letterlijk, was meedoen aan zoveel mogelijk wedstrijden en spelletjes. Het maakte niet
uit wat hij kon winnen. De prijzen die hij zelf niet kon gebruiken, verkocht hij door, waardoor zijn huis op een winkelmagazijn leek. Overal
stonden dozen met schoonmaakmiddelen, ontbijtproducten, chips,
speelgoed, snoep, wijn, frisdrank, koffie en toiletartikelen en ook enkele grotere artikelen, zoals een Atlas-diepvriezer, een Zanussi-for-
nuis, een hometrainer, een roeiapparaat en twee Weber-barbecues.
Van buitenaf kon het heel goed lijken op een rijk gesorteerde opslagplaats van gestolen goederen en dat was de reden dat hij er met enige
regelmaat van werd beschuldigd dat zijn appartement dat ook was.

'Hoe gaat-ie, chef?' zei Mohammed vrolijk en hij stak zijn hand uit
naar Jon. Hij was kennelijk klaar met zijn telefoongesprek, maar dat
wist je nooit helemaal zeker, omdat hij zijn headset maar zelden af-
deed.

Jon begroette hem.

'Ik ben klaar,' zei Jon met een knikje naar Mohammeds half aangeklede lichaam. 'En jij?'

'Ik hoef daar toch alleen maar te zitten en er onschuldig uit te zien?'

zei Mohammed terwijl hij een afwerend gebaar maakte met zijn handen.

'Dan moet je wel een ander T-shirt aantrekken,' zei Jon droog.

Mohammed knikte.

'Ben al weg. Ga maar even zitten, ik ben in een nanoseconde klaar.'

Jons cliënt liep de kamer uit en de advocaat zocht een plek waar hij kon zitten. Hij haalde een doos met blikken van de bruine leren bank en ging met zijn aktetas op schoot zitten. Aan de andere kant van de kamer stond een grote eettafel, die diende als Mohammeds werkplek. Op de tafel stonden drie platte beeldschermen op een rij, alsof het grafstenen waren. Voor de tafel stond een bureaustoel die ongeveer zo groot was als een tandartsstoel en die, aan de vele hendels te zien, net zoveel verstelmogelijkheden had.

'Hoe zit het met de schadevergoedingszaak?' riep Mohammed uit de slaapkamer.

'We kunnen pas een zaak tegen ze beginnen als we gewonnen hebben,' riep Jon terug.

Mohammed verscheen in de deuropening, hij had een zwart kostuum en een wit overhemd aan en glanzend gepoetste schoenen, wat een ander mens van hem maakte. Hij strikte een grijze stropdas met vingers die duidelijk niet gewend waren om dat te doen.

'Maar het kan dit keer een aardig bedrag worden.' Jon wees naar Mohammeds gezicht.

Mohammed gaf het strikken van de das op en gooide hem neer.

'Ja, dat gaat ze mucho euro kosten!' Hij voelde aan zijn ene wenkbrauw. 'Hoeveel verdient een boksbal per uur?'

Jon haalde zijn schouders op.

Bij het meest recente bezoek aan Mohammed had de politie zes man sterk een inval gedaan. Via de voordeur hadden ze de toegang tot het appartement geforceerd, niet wetend dat de hal helemaal vol stond met dozen tomaten in blik, Pampers, elektrische keukenapparaten en wijn. Ze wisten natuurlijk niet dat bezoekers om die reden altijd door de tuindeur binnenkwamen, dus ze beschouwden de rommel als een poging de deur te barricaderen en de aanhouding die daarop volgde was aanzienlijk gewelddadiger dan redelijkerwijs geoorloofd was. Mohammed had twee gekneusde ribben en een scheur in zijn wenkbrauw opgelopen toen ze hem tegen de grond smeten. De situatie was er niet beter op geworden toen acht van Mohammeds vrienden uit de buurt aan waren komen rennen en zich volgens de politie zo dreigend hadden opgesteld dat ze om assistentie hadden moeten vragen.

Een ochtendkrant had de volgende dag over de inval geschreven: 'Turks helersyndicaat succesvol opgerold'. Maar al zou de uitspraak later die dag iets anders aantonen, ze verwachtten geen van beiden excuses of zelfs maar een rectificatie in de betreffende krant.

Mohammed deed de kraag van zijn overhemd goed en spreidde zijn armen.

'Oké?'

'Netjes,' was Jons commentaar en hij stond op. 'Zullen we gaan?'

'Stop,' onderbrak Mohammed hem. 'Ik kan je niet laten gaan zonder je een aanbod te doen voor een vriendenprijsje.' Hij liep naar een stapel dozen en opende de bovenste. 'Wat dacht je van een paar prachtige boeken?' Hij haalde een stapeltje boeken uit de doos en hield ze Jon voor. 'Je krijgt ze voor een mooie prijs.'

Naar de omslag te oordelen, ging het om doktersromans van de ergste soort, dus Jon glimlachte verontschuldigend en schudde zijn hoofd.

'Nee, dank je. Ik lees niet zoveel meer.' Hij tikte met zijn wijsvinger tegen zijn voorhoofd. 'Ik heb als kind een overdosis gekregen.'

'Mm,' bromde Mohammed teleurgesteld en hij gooide de boeken terug in de doos. 'Er zitten ook detectives tussen, volgens mij zelfs een paar rechtbankdrama's. Is dat wat?' Hij hield zijn hoofd scheef, maar de advocaat veranderde niet van mening.

'Tampons dan?' vroeg Mohammed ijverig. 'Voor je vriendin natuurlijk.' Hij lachte luid. 'Ik heb een jaar lang gratis Tampax tampons gewonnen bij een of ander damesblad. De eerste prijs was een reis naar Tenerife.' Hij haalde zijn schouders op. 'Je kunt niet altijd scoren. Maar het leukste is nog dat ze voor het volgende nummer een foto willen maken van de gelukkige winnares, als ze ze vanmiddag komen brengen. Hij vouwde zijn handen in zijn nek en draaide met zijn heupen. 'Dus ik word fotomodel.' Hij lachte weer.

'Jouw jaarverbruik zal wel meevallen,' zei Jon met een grijns. 'Maar bedankt. Ik heb op het moment geen vriendin.'

'Dat begrijp ik niet,' zei Mohammed hoofdschuddend. 'Dat moet toch geen probleem zijn met jouw latin lover-uiterlijk.'

Jon haalde zijn schouders op. Zijn huid was niet zo donker als die van Mohammed, maar hij had wel een donkerder huidskleur dan de meeste Denen en hij had ook nog eens pikzwart haar. Omdat hij maar half Italiaans was, was hij iets langer, één meter tachtig, en lichter dan je zou verwachten. Misschien dat hij daarom nooit last had gehad van discriminatie, zeker niet van het andere geslacht.

Mohammed knipte met zijn vingers en rende naar een van de beeldschermen toe, ging zitten en pakte met zijn ene hand de muis terwijl hij met de andere iets intoetste op het toetsenbord.

'Ik kan ook een vrouw voor je regelen, chef. Er is een wedstrijd uitgeschreven door een nachtclub hier in Kopenhagen waarbij je een nacht kunt winnen met... hoe heette ze ook alweer...'

'Ho, ho,' riep Jon. 'Zo wanhopig ben ik nou ook weer niet.'

Mohammed haalde zijn schouders op en liet zich terugvallen in de stoel, waarin hij bijna verdween.

'Je hoeft het maar te zeggen. Ik heb een agent voor hun website gemaakt.'

Mohammed had een opleiding in de IT, maar zoals zoveel tweedegeneratieallochtonen had hij geen werk kunnen krijgen in die branche, waar eigenlijk een groot tekort aan arbeidskrachten heerste. Hoewel hij een uiterst competente programmeur was, had hij moeten accepteren dat zijn naam belangrijker was dan zijn kwalificaties en om verder te komen, kon hij maar beter voor zichzelf beginnen. Pizzabakker was een beetje te voor de hand liggend, zelfs voor Mohammed, dus hij besloot beroepswedstrijddeelnemer te worden, wat hem de nodige vrijheid opleverde terwijl hij tegelijkertijd zijn vaardigheden om computerprogramma's te ontwikkelen kon gebruiken. Mohammeds agenten waren kleine computerprogrammaatjes die hij wedstrijdformulieren en aanmeldingen die hij op internet vond kon laten invullen. Als hij een agent eenmaal had geïnstrueerd hoe dat moest, herhaalde die gehoorzaam de procedure en pompte er namen en adressen uit Mohammeds adressenbestand in zodat er een grotere kans op winst was. Dat adressenbestand bestond uit familieleden, vrienden, kennissen, buren en wie hij verder nog kon overhalen, zoals Jon. Zo was Jon op een dag gebeld door een enthousiaste secretaresse van een grote speelgoedketen die hem kon vertellen dat hij een buggy met terreinbanden en een afneembare kap had gewonnen.

Als compensatie voor het feit dat ze in Mohammeds adressenbestand stonden, kregen de mensen regelmatig producten aangeboden die Mohammed zelf niet kon verkopen, of een mooie korting op alles wat hij in voorraad had.

Mohammed maakte zich los uit de stoel en knikte naar de deur.

'Nou, laten we maar gaan.'

De twee mannen verlieten Mohammeds appartement en renden door de regen naar Jons auto.

'Wat is er met je Peugeot gebeurd?' vroeg Jon toen ze in de Mercedes zaten op weg naar de rechtbank.

'Ik ben hem eindelijk kwijtgeraakt. Helaas moest ik zakken naar 100.000 kronen, terwijl hij eigenlijk 200.000 waard was.' Mohammed haalde zijn schouders op. 'Er zijn niet veel mensen die een auto durven kopen van een buitenlander.'

'Maar je houdt er toch nog steeds aardig wat aan over?'

'Ja, het is best oké. Ik moest wel twee pallets cornflakes weggooien die over de datum waren. Maar over het geheel genomen gaat het heel aardig.'

'Wat eet je nu dan?' vroeg Jon lachend.

'Ach, ik heb zat. Ik heb twee weken geleden vijftig kant-en-klaarmaaltijden gewonnen, dus nu hoef ik 's avonds geen ontbijtproducten meer te eten.'

Zoals verwacht was de rechtszaal aardig gevuld. Een aantal van Mohammeds vrienden was aanwezig, maar er waren ook veel collega's van Jon en bekenden van zijn rechtenstudie. In dit stadium van de zaak wachtte iedereen op de slotpleidooien, wat duidelijk te merken was aan de laatste verhoren. Die werden routineus en door beide partijen zonder al te veel bevlogenheid afgehandeld. Zelfs de rechters leken zich te vervelen. De uitspraak zou worden gedaan door een panel van vijf rechters, een methode waar Jon niet echt op gesteld was. Hij was beter als hij tegenover een voltallige jury stond, die niet bevooroordeeld was door eerdere zaken of door Jons eigen persoon.

De aanklager, een magere, kale man met een onvaste stem, hield een zeer sober pleidooi, maar niemand twijfelde nog aan de uitkomst van de zaak. Er was gewoon geen doorslaggevend bewijs en de steeds terugkerende speculaties en gissingen over Mohammeds vermeende helerspraktijk waren in het gunstigste geval twijfelachtig te noemen.

Toen Jon werd gevraagd om zijn samenvatting te beginnen, werd het heel stil in de zaal. Langzaam stond hij op en stapte naar voren zodat hij voor de rechters kwam te staan. Veel van zijn collega's improviseerden hun slotpleidooi, maar daar hield Jon niet van. Hij had zijn verhaal woord voor woord uitgeschreven op de vellen papier die hij in zijn hand hield en het kwam maar heel zelden voor dat hij afweek van zijn manuscript.

Jon begon te lezen, maar voor de toehoorders klonk het niet alsof hij een geschreven tekst oplas. Veel mensen hadden niet eens in de gaten dat hij voortdurend zijn papieren raadpleegde. Dat bedrog was een combinatie van verschillende technieken die hij in de loop der tijd had ontwikkeld. Hij had de tekst bijvoorbeeld zo ingedeeld dat hij de natuurlijke pauzes kon gebruiken om een bladzijde om te slaan, en de alinea's waren zo opgebouwd dat hij de plek waar hij was in de tekst makkelijk kon terugvinden als hij had opgekeken. Hij had ook manieren gevonden om onopvallend in zijn papieren te kijken, met een discrete blik of terwijl hij de toehoorders afleidde met gebaren, net als een goochelaar.

Het doel van die zorgvuldige voorbereiding en het constante raadplegen van zijn tekst was dat Jon zich dan tijdens het voorlezen kon concentreren op de presentatie zelf. De inhoud lag vast, maar hij kon voor zijn toehoorders accenten in de tekst aanbrengen, hij kon sommige alinea's meer benadrukken en andere minder, argumenten sterker of minder sterk kleuren.

De enige keer dat hij had geprobeerd zijn techniek aan een collega uit te leggen, had hij het vergeleken met wat een dirigent doet. Hij was zelf het instrument, maar hij kon de effecten naar behoeven en al naargelang de situatie sterker of zwakker maken, precies zoals een dirigent de beleving van een muziekstuk kan veranderen. Zijn collega had hem aangekeken alsof hij gek was en daarna had Jon nooit meer geprobeerd om zijn methode uit te leggen of te verspreiden, al was die altijd succesvol gebleken.

Ook dit keer bleef het effect niet uit. Binnen de kortste keren was de aandacht van alle aanwezigen op hem gericht. Je kon de stemming aflezen aan de tevreden uitdrukking op de gezichten van Mohammeds vrienden en de goedkeurende knikjes van Jons collega's. Zelfs met zijn rug naar hen toe voelde Jon hun steun, alsof het een thuiswedstrijd was. De rechters zaten rechtop in hun stoelen, hun ongeïnteresseerde houding was verdwenen en hun ogen volgden Jons pleidooi aandachtig. De aanklager daarentegen zonk steeds verder weg in zijn stoel en schoof onzeker zijn papieren heen en weer op de tafel voor hem. De nederlaag straalde van hem af. Jon vatte moed en bracht een vette ironische ondertoon aan in zijn beschrijving van de manier waarop de politie de zaak had onderzocht, wat de nodige vrolijkheid veroorzaakte in de zaal.

Opeens was het voorbij. Jon had de laatste zin van zijn pleidooi voorgelezen en bleef even stilstaan voordat hij zijn papieren opvouwde en terugliep naar zijn plaats, vergezeld door spontane blijken van bijval uit de zaal en pogingen van de rechters om het publiek tot de orde te roepen.

Zijn cliënt gaf hem een klopje op zijn schouders.

'Je was net Perry Mason!' fluisterde Mohammed glimlachend. Jon knipoogde terug, maar zijn gezicht bleef neutraal.

De rechters trokken zich terug om te beraadslagen, terwijl de rest van de zaal opstond, langzaam en met tegenzin zoals een schoolklas aan het einde van een schoolreisje. De aanklager liep aarzelend op zijn opponent af en knikte goedkeurend terwijl hij Jon de hand schudde. Terwijl Mohammed zich bij zijn vrienden voegde, die hem luidruchtig ontvingen, zocht Jon zijn papieren bij elkaar en legde ze in twee keurige stapeltjes.

'Gefeliciteerd, Campelli,' klonk een hese stem achter hem en hij voelde een klap op zijn schouder. Hij draaide zich om en stond oog in oog met een van de drie eigenaren van het advocatenkantoor, Frank Halbech.

Net als Jon droeg hij een zwart kostuum, een Valentino voor zover Jon kon zien, maar zijn manicure verraadde dat deze man niet hoefde te werken, daar had hij mensen voor. Hij was vijf jaar geleden, op een leeftijd van vijfenveertig jaar, vennoot geworden van het advocatenkantoor en te oordelen naar zijn uiterlijk, bracht hij nu het grootste deel van zijn tijd in kapsalons, zonnestudio's en sportscholen door.

'Uitgemaakte zaak, maar goed gepleit,' zei Halbech terwijl hij zijn hand uitstak. Jon schudde die. Halbech boog zich naar Jon toe zonder zijn hand los te laten. 'Hij weet niet waar hij het zoeken moet, die Steiner,' fluisterde hij met een knikje naar de aanklager.

Jon knikte.

'Deze zaak had nooit mogen voorkomen,' fluisterde hij.

Halbech richtte zich op, liet Jons hand los en deed een stap achteruit, alsof hij hem eens goed wilde bekijken. Zijn grijsblauwe ogen namen Jon onderzoekend op, terwijl zich een glimlachje op zijn lippen vormde.

'Wat dacht je van een nieuwe uitdaging, Campelli? Een zaak waar je eens goed je tanden in kunt zetten?'

'Natuurlijk,' antwoordde Jon zonder te aarzelen.

Halbech knikte tevreden.

'Dat dacht ik wel. Je lijkt me een man die wel een uitdaging aandurft, iemand die van aanpakken weet als dat nodig is.' Hij maakte met zijn hand een pistoolgebaar naar Jon. 'De zaak-Remer. Hij is van jou.' Hij glimlachte breed. 'Kom morgen maar even bij me langs op kantoor, dan hebben we het erover.'

Voordat Jon kon reageren, had Halbech zich omgedraaid en liep hij met stevige passen naar de deur. Jon volgde hem stomverbaasd met zijn ogen totdat een kleine, gezette man in een lichtgrijs kostuum voor hem kwam staan en zijn zicht belemmerde.

'Wow, was dat Halbech?' vroeg de man terwijl hij zijn hoofd beurtelings naar Jon en de verdwijnende Halbech wendde. De kleine man was Jons collega, Anders Hellstrøm, die als specialisme verkeerszaken had en dol was op Ierse pubs en Guinness.

'Niemand minder,' antwoordde Jon afwezig.

'Ongelooflijk. Ik kan me niet herinneren wanneer ik hem voor het laatst in een rechtszaal heb gezien,' zei Hellstrøm, onder de indruk. 'Wat kwam hij hier in godsnaam doen?'

'Dat weet ik eigenlijk niet precies,' zei Jon nadenkend. 'Maar ik heb de zaak-Remer gekregen.'

Hellstrøm keek hem ongelovig aan.

'Remer?' Hij floot zacht en keek Jon medelijdend aan. 'Of hij ziet iets in je, of hij wil je dood hebben.'

'Bedankt voor je steun,' zei Jon met een droog lachje.

'Wacht maar tot de rest het hoort.' Hellstrøm wreef in zijn handen en keek zoekend rond. 'Dit was een verdomd goed proces, Jon,' voegde hij er nog aan toe. Toen draaide hij zich om en begaf zich naar de andere kant van de zaal, waar een groepje collega's bij elkaar stond.

Jon had behoefte aan frisse lucht. Hij had het gevoel dat iedereen naar hem keek, terwijl zijn optreden toch voorbij was. Hij baande zich een weg naar de deur, achtervolgd door gelukwensen en schouderklopjes. Even later stond hij buiten op de trap voor de rechtbank. Het regende niet meer en gaten in het wolkendek onthulden kleine stukjes blauwe lucht. Hij stopte zijn handen in zijn zakken en haalde diep adem.

De zaak-Remer was een heel grote belastingfraudezaak. De hoofdpersoon, Otto Remer, was aangeklaagd wegens het ontduiken van belasting bij de verkoop van niet minder dan honderdvijftig bedrijven in de loop van een aantal jaren. Er bestond geen twijfel over of hetgeen hij had gedaan moreel onjuist was, maar het was helemaal niet zeker of het ook onwettig was. De zaak liep al drie jaar en op kantoor heerste de opvatting dat de hoeveelheid informatie en de complexiteit van de zaak het kritieke punt naderden waarop de zaak een eigen leven zou gaan leiden.

Er was een geheel afzonderlijk archief ingericht voor de dossiers, en de telkens wisselende advocaten hadden een speciale Remer-cel gekregen, waar ze ongestoord aan de zaak konden werken. Het was een 'make or break'-zaak en tot nu toe waren alle advocaten die zich eraan hadden gewaagd, gebroken. Maar áls je de zaak tot een succesvol einde wist te brengen, zou je gegarandeerd een aanbod krijgen om vennoot van het kantoor te worden. Dat gerucht deed in ieder geval de ronde onder de advocaten.

De hoeveelheid papieren en de complexiteit van de zaak-Remer was niet de enige uitdaging. Er werd gezegd dat de man zelf, Otto Remer, op zich al een bezoeking was. Een aantal collega's was hem voorgegaan en ze hadden het compleet opgegeven om met hem samen te werken, omdat hij niet van advocaten hield en ook niet van plan was om bewijsstukken van zijn transacties te leveren. Hij gedroeg zich alsof hij geen idee had van de ernst van de zaak en ging doodleuk op skivakantie of op zakenreis op momenten dat het proces in een kritische fase kwam.

De lucht was nog steeds vochtig en koel na de regen en Jon huiverde in zijn dunne jasje. Twee mannen met alleen een overhemd aan kwamen het gebouw uit om te roken. Ze staken hun sigaret op en inhaleerden gretig terwijl ze van het ene been op het andere hupten om warm te blijven.

Er ging een mobiele telefoon en Jon stak automatisch zijn hand in zijn binnenzak om de zijne te pakken. Maar het was zijn telefoon niet. Hij zag wel dat hij in de loop van de ochtend drie oproepen van hetzelfde nummer had gemist. Zonder op de display te kijken, drukte hij de overbekende toetsencombinatie in waarmee hij zijn voicemail kon afluisteren.

Hij luisterde met stijgende verbazing naar het ingesproken bericht. Het was een politie-inspecteur, meneer Olsen, die op zakelijke toon vertelde dat hij een bericht had over Jons vader, Luca Campelli. Jon fronste zijn wenkbrauwen. Hij was wel gewend om gebeld te worden door de politie, maar hij begreep niet wat het verband met zijn vader was.

Voordat hij de kans kreeg om terug te bellen, kwam er een bode naar buiten lopen om hem te roepen. De rechters hadden uitspraak gedaan.

Voor een rechtszaal die nu slechts halfvol was verklaarden de rechters wat iedereen al op voorhand had geweten, namelijk dat er geen zaak was tegen Mohammed, en dat alle aanklachten daarmee kwamen te vervallen. De vrienden van Mohammed die er nog waren, juichten, en Mohammed zelf schudde Jon stevig de hand.

'Zo, Lawman,' zei hij tevreden.

Jon glimlachte terug en knikte naar de uitbundige toeschouwers.

'Wil je een lift terug, of ga je het vieren met je fanclub?'

'Als je toch gaat, wil ik graag meerijden,' zei zijn cliënt. 'Er zíjn mensen die moeten werken.'

Jon zocht zijn papieren bij elkaar. Een aantal collega's en bekenden kwam naar hem toe om hem te feliciteren met het resultaat en Jon moest een paar keer een aanbod om te gaan lunchen afslaan. Normaal gesproken nodigde hij na een overwinning wat mensen uit voor een dinertje, maar hij voelde deze keer niet de energiekick die hij anders altijd had. Het korte onderhoud met een van de eigenaren van het kantoor was zo vreemd geweest dat hij niet in de stemming was voor een feestje.

Misschien voelde Mohammed dat aan. Toen ze weer in de auto zaten, zei hij: 'Hé, we hebben gewonnen, hoor!' en gaf Jon een plagend stootje tegen zijn schouder.

'Sorry,' zei Jon en hij glimlachte. 'Ik denk dat ik gewoon een beetje moe ben.'

Mohammed nam genoegen met Jons verklaring en begon over de schadevergoedingszaak. Hoeveel geld ze zouden eisen voor de schade aan de deur van zijn appartement, de compensatie voor zijn gescheurde wenkbrauw en of ze ook geld konden vragen voor de beschadiging van zijn naam in de buurt.

Jon antwoordde kort terwijl hij de auto in de richting van Nørrebro stuurde. Toen ze er bijna waren, ging zijn mobiele telefoon. Jon deed zijn oortelefoontje in en nam de oproep aan. Aan de andere kant van de lijn stelde politie-inspecteur Olsen zich voor en vertelde hem de boodschap. Jon luisterde naar de monotone stem van de man en gaf korte antwoorden, voornamelijk om aan te geven dat hij er nog was.

Toen het gesprek was afgelopen, deed hij zijn oortelefoontje weer uit. Er ontsnapte een zucht aan zijn lippen.

'Nog een fan?' vroeg Mohammed met een schuin oog op de bestuurder van de auto. Jon schudde zijn hoofd.

'Nee, dat kun je niet echt zeggen. Mijn vader is dood.'

3

Luca zou worden begraven op het kerkhof Assistens, te midden van grote Deense schrijvers, zoals hij zijn leven had geleefd te midden van hun werken.

Jon was laat. Hij werd opgevangen door een zenuwachtige meneer Iversen, die stond te wachten op het grind voor de kapel. Jon herkende hem meteen als zijn vaders assistent, die al heel lang bij hem in Libri di Luca werkte. Ze hadden een paar dagen daarvoor telefonisch contact gehad. Iversen had Luca 's ochtends gevonden, overleden aan een hartstilstand in de winkel, en hij had ook alle praktische zaken rond de begrafenis geregeld. Hij regelde altijd alles en hij nam heel behulpzaam alle zorg rond de begrafenis op zich.

Als Jon vroeger, toen hij nog klein was, in de winkel kwam, wist hij Iversen altijd over te halen om hem voor te lezen als Luca geen tijd had of even weg was. Iversens haar was de afgelopen vijftien jaar witter geworden, zijn gezicht iets voller en zijn brillenglazen iets dikker, maar de glimlach die Jon verwelkomde toen hij met zijn aktetas onder zijn arm haastig naar de wachtende man toe liep, was dezelfde warme glimlach als altijd.

'Goed dat je er bent, Jon,' zei Iversen terwijl hij Jon hartelijk de hand schudde.

'Hallo Iversen. Dat is lang geleden,' antwoordde Jon.

Iversen knikte.

'Nou, en of, je bent flink gegroeid, knul!' zei hij met een grijns. 'De laatste keer dat ik je zag, was je niet groter dan de grote encyclopedie in vier delen.' Hij liet Jons hand los en legde een hand op zijn schouder, alsof hij wilde laten zien hoe lang hij was geworden. 'Het gaat zo beginnen,' zei hij met een verontschuldigende glimlach. 'We moeten na afloop maar even praten.' Zijn ogen stonden opeens heel ernstig. 'Het is belangrijk dat we elkaar spreken.'

'Natuurlijk,' zei Jon terwijl hij zich mee de kapel in liet voeren.

Tot zijn verrassing was de ruimte bijna helemaal vol. In de banken zaten mensen van alle leeftijden, van zachtjes jengelende baby's met hun moeders tot door weer en wind gelooide oude mensen, die eruitzagen alsof de plechtigheid net zo goed voor hen had kunnen zijn. Luca's enige contact met de buitenwereld, behalve dan via de winkel, was een Italiaanse vereniging voor zover Jon wist, maar de aanwezigen vormden een bonte verzameling mensen die er niet direct uitzagen alsof ze oorspronkelijk uit Italië kwamen.

Toen ze over het middenpad naar twee vrije plaatsen op de eerste rij liepen, werden de twee mannen door de ogen van alle aanwezigen en door een aanzwellend gemompel gevolgd. Op de grond voor het altaar stond een witte kist omringd door bloemenkransen en boeketten die als een rivier van kleur over het middenpad stroomden. De krans die Jon door zijn secretaresse had laten bestellen, lag boven op de kist. Op het lint stond alleen 'Jon'.

Nadat ze waren gaan zitten, boog Jon zich naar Iversen toe.

'Wie zijn al die mensen?'

Iversen aarzelde even voordat hij antwoordde. 'Vrienden van Libri di Luca,' fluisterde hij terug.

Jon sperde zijn ogen wijd open.

'Dan moet het wel een goedlopende zaak zijn,' constateerde hij zacht en hij keek om zich heen. Hij schatte dat er ongeveer honderd mensen aanwezig waren.

Uit zijn kindertijd herinnerde hij zich nog de vaste klanten die de winkel bezochten, maar dat het er zoveel waren en dat ze zich geroepen voelden om naar zijn vaders begrafenis te komen, verraste hem. De klanten die hij zich het best kon herinneren, waren vreemde figuren, armoedige zonderlingen die hun geld uitgaven aan boeken en catalogi in plaats van aan voedsel en kleding. Ze konden uren in de winkel rondlopen zonder iets te kopen, maar vaak kwamen ze een dag later of de dag daarna alweer terug, om dezelfde kasten en planken af te zoeken, alsof ze in de gaten hielden wanneer het fruit rijp was om te worden geplukt.

Een priester kwam de kapel binnen. Hij zweefde in zijn geborduurde toga naar het spreekgestoelte aan de andere kant van de kist en ging erachter staan. Het gefluister in de zaal stierf weg en de plechtigheid begon. De priester zwaaide met het wierookvat in de richting van de aanwezigen en een lichte wierookgeur verspreidde zich door de ruimte. Daarna vulde de kalme stem van de priester de kapel, hij sprak over toevluchtsoorden, plaatsen om op adem te komen, over ergens bij horen, andere mensen iets meegeven en over de basiswaarden in het leven, zoals kunst en literatuur.

'Luca stond garant voor deze waarden,' sprak de priester plechtig. 'Hij was een man die gul uitdeelde van zijn warmte, kennis en gastvrijheid.'

Jon staarde voor zich uit. Achter zich voelde hij de instemmende knikjes van de andere mensen, de onderdrukte snikken en de tranen die plotseling kwamen opzetten, maar zijn eigen ogen bleven droog. Hij dacht aan een andere begrafenis, die heel anders was geweest; een begrafenis waarbij ze hem als tienjarig jongetje de kerk uit hadden moeten brengen, waarna een verre tante hem in de bijtende winterkou had geprobeerd te troosten. Toen was het zijn moeder geweest die werd begraven. Veel te jong gestorven, vond iedereen, maar op de vraag waaróm had hij pas vele jaren later antwoord gekregen. En dat was niet het existentiële waarom geweest, maar de rauwe, onopgesmukte oorzaak: Marianne, Jons moeder en Luca's vrouw, had zelfmoord gepleegd door uit een raam op de vijfde verdieping te springen. Hij wist niet meer of het door de kou buiten was gekomen of door zijn wanhoop, maar zijn tranen waren overgegaan in een hartverscheurend schokken. Hij had het gevoel gehad dat hij geen lucht meer kreeg en dat had zich in zijn geheugen gebrand en hij was daarna nooit meer naar een begrafenis geweest.

Op verzoek van de priester zongen de aanwezigen enkele gezangen en daarna was het woord aan meneer Iversen. Luca's trouwe assistent en vriend pakte een stapeltje boeken onder zijn stoel vandaan en stond op. Hij stapte over de bloemstukken heen en ging achter het spreekgestoelte staan. Toen ze nog een paar centimeter boven het tafelblad hingen, liet hij de stapel boeken los, waardoor ze met een hoorbare klap neerkwamen. Dat veroorzaakte hier en daar een lachje en de stemming werd tot ieders vreugde weer wat lichter na de plechtige gezangen.

Iversens toespraak was een vrolijk afscheid van de man met wie hij de afgelopen veertig jaar had geleefd. Zijn verhaal was doorspekt met anekdotes over hun vriendschap en passages uit de boeken die hij had meegebracht. Iversen wist zijn publiek te vangen met zijn levendige voordracht uit *De Goddelijke Komedie*, een van Luca's favorieten, net zoals hij Jon had weten te vangen toen hij hem als kind had voorgelezen. Hij las nog een aantal passages uit de grote klassiekers, die iedereen in de zaal uit zijn hoofd leek te kennen. Hoewel Jon de boeken zelf niet had gelezen, werd hij toch meegesleept door de manier waarop Iversen ze voorlas. Op zijn innerlijke bioscoopscherm verschenen sfeervolle beelden, net zoals toen hij vroeger bij Iversen op schoot zat in de leren fauteuil in Libri di Luca en luisterde naar verhalen over cowboys, ridders en ruimtevaarders. Als hij zijn ogen dichtdeed, kon hij het stof van het antiquariaat bijna ruiken en hoorde hij de stilte die tussen de boekenkasten in de winkel klonk als nergens anders.

Toen Iversen klaar was met zijn toespraak, klonk hier en daar spontaan applaus, totdat de desbetreffende persoon zich realiseerde waar hij zich bevond en weer stil werd. De priester ging weer achter het spreekgestoelte staan en kondigde nog een laatste gezang aan, voordat ze afscheid namen. Jon volgde de tekst in het gezangenboek, maar hij zong niet mee, in tegenstelling tot Iversen, die naast hem ongegeneerd zat te brommen. Even vroeg Jon zich af of hij geen slecht geweten zou moeten hebben omdat het hem niet meer deed, maar hij schudde die gedachte geestelijk van zich af door zijn blik op het plafond te richten. Er waren ongetwijfeld aanwezigen die zich dat ook afvroegen, die hem misschien zelfs arrogant vonden, maar dat was hun probleem. Die wisten er helemaal niets van. Hij moest het alleen maar zien te overleven en zo snel mogelijk weer buiten in de frisse lucht komen.

Toen het gezang was afgelopen, was Jon een van de eersten die opstond.

Buiten gingen de aanwezigen in groepjes bij elkaar staan en Jon zorgde ervoor dat hij in de buurt van Iversen bleef, want dat was de enige die hij kende. Ze kregen al snel gezelschap van anderen, die Iversen complimenteerden met zijn toespraak en Jon condoleerden. Iedereen wist kennelijk wie hij was, maar hij bespeurde ook een zekere verwondering bij de mensen die hem de hand schudden, alsof ze niet hadden verwacht dat hij zou komen.

'Je lijkt heel erg op hem,' zei een man van middelbare leeftijd die in een rolstoel zat zonder omhaal. Hij stelde zich voor als William Kortmann. Jon zag dat de rolstoel helemaal zwart was, zelfs de spaken van de wielen waren zwart. 'Vreemd dat hij nooit iets heeft gezegd,' ging Kortmann verder, maar toen hij de verbaasde uitdrukking op Jons gezicht zag, zweeg hij plotseling. 'Maar we moeten weer eens verder,' zei hij terwijl hij zich omdraaide naar een man in donkere kleding die een paar meter verderop in zijn eentje stond. Alsof hij gedachten kon lezen, draaide de man zich op hetzelfde moment om en kwam naar hen toe lopen.

'We zien elkaar vast gauw weer,' zei de man in de rolstoel. 'Ik verheug me erop om weer met een Campelli te werken.'

Voordat Jon de kans kreeg om te antwoorden, was Kortmanns stoel omgedraaid en werd hij door zijn begeleider weggereden van de kapel.

'Waar had hij het over?' vroeg Jon aan Iversen.

Iversen trok een gezicht.

'Ehm... dat was iemand van... de Leesgroep,' zei hij aarzelend.

'Maar wat voor werk bedoelde hij?'

'Laten we een stukje gaan lopen,' stelde Iversen vlug voor terwijl hij Jon meetrok.

Ze verlieten het grindplaatsje voor de kapel en liepen het kerkhof op. De herfstzon stond laag. Vlijmscherpe stralen sneden tussen de takken van de bomen door en vormden kronkelige patronen op het pad voor hen. Ze liepen een poosje zonder iets te zeggen. Op het oudere gedeelte van het kerkhof was het stil; hier waren de struiken zo dicht dat je er niet doorheen kon kijken, zelfs al begonnen ze hun bladeren al te verliezen.

'Je vader kwam hier heel graag,' zei Iversen terwijl hij de geur opsnoof.

Jon knikte.

'Ik weet het. Ik ben hem een keer achternagegaan op een van zijn wandelingen. Ik was een jaar of negen, denk ik, het was in ieder geval voor...' Jon zweeg en bukte zich om een eikel van de grond te rapen. Hij draaide hem rond tussen zijn vingers en ging toen verder. 'Ik speelde dat ik geheim agent was. Ik sloop achter hem aan, ik schaduwde hem en ik stelde me voor dat hij ontmoetingen had met andere spionnen om informatie door te geven.' Jon schraapte zijn keel en gooide de eikel weg. 'Ik was wel een beetje teleurgesteld. Hij deed niets, behalve rondlopen tussen de graven. Af en toe stond hij stil en soms ging hij zitten om te lezen uit een boek dat hij bij zich had, alsof hij de doden voorlas.'

'Echt iets voor hem,' zei Iversen met een lachje. 'Altijd op zoek naar publiek.'

'Daar weet ik niets van,' zei Jon droog.

Ze waren bij de muur langs de Nørrebrogade gekomen, waar de klimop wild groeide en de graven langs de muur bedekte als een groen sneeuwtapijt.

'Je weet toch dat je het antiquariaat erft, hè?' vroeg Iversen, met zijn blik op het pad voor zich gericht.

Jon bleef staan en keek naar Iversen, die een paar passen doorliep, maar toen ook bleef staan en zich omdraaide.

'Er is geen testament en als enige familielid ben jij dus de enige erfgenaam.' Iversen keek Jon strak aan. Er lag geen spoor van verbittering of afgunst in de ogen van de oude man, eerder een uitdrukking van bezorgdheid of vrees.

'Daar heb ik helemaal niet aan gedacht,' zei Jon verbaasd. 'Was dat wat die Kortmann bedoelde, toen hij zei dat we elkaar gauw weer zouden zien?'

Iversen knikte.

'Zoiets, ja.'

Jon liet Iversens blik los en ze liepen verder.

'Ik was ervan overtuigd dat Luca alles aan jou had nagelaten,' zei Jon verwonderd.

Iversen haalde zijn schouders op.

'Misschien hoopte je vader dat je terug zou komen,' stelde hij voor.

'Dat ík terug zou komen?' riep Jon uit. 'Voor zover ik me kan herinneren, was híj degene die niets van míj wilde weten de laatste keer dat ik contact met hem zocht.'

'Ik denk... nee, ik ben ervan overtúígd, dat hij daar een goede reden voor had.'

Ze waren aan het einde van de muur gekomen en liepen door de poort naar buiten de Jagtvej op, waar ze rechts afsloegen naar Runddelen. Het verkeer vormde een welkom contrast met de stilte van het kerkhof.

'Ik wil er niets mee te maken hebben,' zei Jon beslist toen ze de Nørrebrogade in liepen, terug in de richting van de kapel. 'Dat is geen probleem, ik heb goede contacten met advocaten die dit soort dingen kunnen regelen. Jij bent altijd de juiste persoon geweest om de winkel over te nemen.'

Iversen schraapte zijn keel, zodat hij boven het lawaai van het verkeer uit kwam.

'Dat is ontzettend aardig van je, Jon, maar ik kan het niet aannemen.'

'Natuurlijk wel,' riep Jon. 'Dat is Luca ons allebei verschuldigd.'

'Misschien wel,' gaf Iversen toe. 'Maar het antiquariaat is niet alles. Je vaders erfenis is meer dan een winkel vol oude boeken.'

'Schulden?'

Iversen schudde heftig zijn hoofd.

'Nee, nee, niets in die richting, dat kan ik je verzekeren.'

'Kom op, Iversen. Laat me geen raadspelletjes doen op zijn begrafenis,' zei Jon, niet in staat om zijn irritatie te verbergen.

Iversen bleef staan en legde zijn hand op Jons schouder.

'Ik vind het heel vervelend, Jon, maar meer kan ik op dit moment niet zeggen. Het is niet alleen mijn beslissing, begrijp je?'

Jon nam de man die voor hem stond scherp op. De uitdrukking in de blauwe ogen achter het kleine ronde brilletje was ernstig en meelevend tegelijk. Jon haalde zijn schouders op.

'Oké, Iversen. Wat jullie ook hebben bekokstoofd, het moet maar even wachten tot een beter moment. Het is eigenlijk ook ongepast om op een begrafenis over de erfenis te praten.'

Iversen knikte opgelucht en schudde hem liefdevol heen en weer aan zijn schouder.

'Daar heb je natuurlijk gelijk in. Ik wilde alleen zeker weten dat je begreep dat de zaak hiermee nog niet is afgehandeld. Laten we over een paar dagen afspreken in de winkel, dan kunnen we alles afhandelen.'

Ze waren bij het kruispunt van de Nørrebrogade en de Kapelvej gekomen en Iversen maakte aanstalten om terug te lopen naar de kapel. Jon bleef staan en wees naar een café aan de overkant van de straat.

'Ik ga even wat drinken. Ga je mee?' vroeg hij. 'Dat hoort toch bij een begrafenis?'

'Dank je,' antwoordde Iversen, 'maar we houden een kleine bijeenkomst in de winkel. Jij bent natuurlijk ook van harte welkom.'

Jon schudde zijn hoofd.

'Nee, bedankt. Tot ziens, Iversen.'

Ze gaven elkaar een hand, waarna Jon de straat overstak en Het Schone Glas binnenging.

Het was nog maar net twee uur 's middags, maar de lucht in het café was dik van de rook. De stamgasten zaten al op hun plek, hun lichamen versmolten met de barkrukken in een soort vrijwillige symbiose. Ze keken even naar hem, maar vonden hem kennelijk niet interessant en richtten zich weer op hun bier.

Jon bestelde een biertje en ging zitten aan een stevige houten tafel, verweerd door kringen van glazen en verlicht door een luie koperen lamp die ergens boven de rookwolken aan het plafond was bevestigd. Aan een tafeltje tegenover hem zat een vreemde vogel met een bleke huid, een kromme neus en een warrige haardos. Zijn jasje was versteld op de ellebogen en het overhemd dat hij eronder droeg was gekreukt en allesbehalve schoon. Voor hem stond een flesje donker bier.

Jon knikte even naar de man, en haalde de map van de zaak-Remer uit zijn tas om duidelijk te maken dat hij verder geen contact wilde. Hij nam een slok van zijn bier en bestudeerde de ordner, waar niets op stond. Het was nu drie dagen geleden dat hij bij Frank Halbech op kantoor was geweest, waar de zaak-Remer officieel aan hem was overgedragen. Halbech moest op de hoogte zijn van de reputatie die de zaak had, maar hij liet niets merken en droeg hem over alsof het om een fietsdiefstal of een burenruzie ging. Halbech gooide een sleutelbos voor Jon op tafel. Dat was de overdracht. Aan de ring van de bos zat een smurf, Brilsmurf. De sleutels gaven toegang tot het aparte kantoor dat bij de zaak hoorde en de rijen archiefkasten die zich achter de deur bevonden. Hij moest zelf maar zien dat hij overzicht over de zaak kreeg. Halbech was meer geïnteresseerd in welke docenten Jon tijdens zijn studie had gehad en in de mate waarin het overlijden van zijn vader zijn werk zou beïnvloeden.

Jon had hem verzekerd dat Luca's dood geen enkele invloed zou hebben op zijn prestaties.

Jon sloeg de ordner open en scande de eerste bladzijden. Het was een poging van zijn voorganger om de zaak samen te vatten, maar Jon wist dat hij er niet onderuit kwam om de vele duizenden pagina's materiaal die door Brilsmurf werden bewaakt zelf door te ploegen.

Kort nadat Jon was begonnen met het doorworstelen van de verslagen van rechtbankzittingen en verhoren, begon de man met het donkere bier onrustig heen en weer te schuiven op zijn stoel. Hij liet een ontevreden gebrom horen. Jon keek op en hun blikken ontmoetten elkaar. Het was duidelijk niet zijn eerste flesje bier. Zijn ogen waren bloeddoorlopen en stonden wazig.

Jon keek voor zich, nam een slok van zijn bier en begon weer te lezen.

'Zeg eens even, denk je dat dit een leeszaal is of zo?'

'Nee, natuurlijk niet,' antwoordde hij, van zijn stuk gebracht. 'Maar niemand heeft er toch last van, zolang ik niet hardop lees?' Jon glimlachte vriendelijk.

'Dat heb ik nou juist wel,' riep de man terwijl hij met zijn wijsvinger op de tafel tikte. 'Je kunt verschrikkelijk veel last hebben van lezen, het kan zelfs gevaarlijk zijn.' Hij wilde een slok van zijn bier nemen, maar bedacht zich midden in zijn beweging. 'En niet alleen voor degene die leest, maar voor iedereen in de buurt... Passief lezen is geen pretje!'

De man met het donkere bier nam eindelijk een slok en omdat Jon niet begreep wat de man eigenlijk wilde horen, deed hij dat ook maar.

'Stel je eens voor dat iedereen in je omgeving maar ongestoord gaat zitten lezen,' ging de man verder nadat hij zijn flesje met een klap terug op de tafel had gezet. 'Al de woorden en zinnen die werden geformuleerd, zouden door de lucht vliegen als sneeuwvlokken in een sneeuwstorm.' Hij hief zijn handen en wapperde wild heen en weer. 'Ze zouden zich aan elkaar vasthechten tot onbegrijpelijke teksten, zich opdelen en daarna weer hele nieuwe woorden en alinea's vormen. Je zou gek worden als je zou proberen er iets zinnigs achter te zoeken want ze zouden helemaal geen betekenis hebben.'

'Dat heb ik nog nooit meegemaakt,' probeerde Jon voorzichtig.

'Ha,' riep de man droog uit. 'Dat komt doordat je niet luistert. Niet echt. Als je eenmaal hebt geleerd om te luisteren, ben je verloren. Dan moet je de rest van je leven zien te leven met de stemmen van de boeken, of je nu wilt of niet. Je hebt geen keus. De mooiste gedichten, slechte romans en van die onzin die je daar voor je hebt dringen zich aan je op en verpesten de lucht om je heen.' De man met het donkere bier snoof en nam een slok.

Jon wees op de ordner die voor hem lag.

'Wilt u beweren dat deze map hier op dit moment tegen u spreekt?' De man lachte hooghartig.

'Tekst die niet gelezen wordt, zegt niets. Daar is een lezer voor nodig, maar dan spreken ze ook echt. Ja, ze zingen, fluisteren en schreeuwen zelfs.' Hij boog zich met een plotselinge beweging over de tafel, die bijna met flesje en al omviel. 'Stel je een leeszaal voor.' Hij pauzeerde even om het beeld te laten bezinken. 'Daar kan een koor van krijsende stemmen uit opstijgen. Echt verschrikkelijk.' Hij liet zich terugvallen op zijn stoel en keek Jon met een scheve blik uit zijn rode ogen aan.

'Maar hier hoort u geen stemmen?' vroeg Jon.

De man met het donkere bier negeerde de sarcastische klank in zijn stem en spreidde zijn armen.

'Dit is mijn toevluchtsoord. Hier komen niet veel lezers, snap je.' Hij greep zijn flesje en wees met de hals naar Jon. 'Totdat jij kwam, tenminste,' voegde hij eraan toe en hij zette het flesje bier aan zijn mond.

'Dat spijt me,' zei Jon.

'Ach, je snapt er toch niets van,' beet de man hem toe en hij stond op, het flesje nog in zijn hand. 'Maar je mag lezen zoveel je wilt.' Hij zwaaide even heen en weer en toen kwam zijn lichaam in beweging. 'Ik ga!'

Toen hij op weg naar de bar langs Jon liep, snauwde hij nauwelijks hoorbaar: 'Je vader begreep het.'

Verbijsterd keek Jon de man na. Die zette zijn flesje met een klap op de bar en wankelde toen de deur uit.

4

Hij was er vijftien jaar niet geweest, maar de dag na de begrafenis besloot Jon een bezoek te brengen aan Libri di Luca. Hij was er in de loop der jaren een aantal malen langs gereden en het zag er altijd uit alsof de winkel open was, ook 's avonds laat. Een paar keer had hij de schim van Luca gezien door de winkelruit, druk aan het werk achter de toonbank of bezig iets te veranderen aan de uitgestalde boeken in de etalage.

De belletjes boven de deur waren zonder enige twijfel dezelfde als de laatste keer dat hij er was geweest en het geluid verwelkomde hem als een ver familielid. Er was niemand in de winkel, maar hij werd begroet door oude bekenden; de lange rijen boekenkasten, de kroonluchter aan het plafond, het licht in de vitrinekasten op het balkon en de oude, met zilver beslagen kassa op de toonbank. Jon bleef staan en snoof de geur van de winkel op. Hij kon het lachje dat zich op zijn gezicht vormde niet tegenhouden.

Voordat zijn moeder was overleden, was de winkel zijn lievelingsplek geweest. Als Luca en Iversen het allebei te druk hadden om hem voor te lezen, ging hij op ontdekkingsreis in de winkel en beleefde hij de verhalen tussen de boeken waaruit ze afkomstig waren. Zo werd de trap een berg die hij moest beklimmen, de kasten veranderden in wolkenkrabbers in futuristische steden en het balkon werd de brug van een zeeroversschip.

Maar wat hij zich het duidelijkst herinnerde, waren de vele uren dat Iversen of Luca hem had voorgelezen, zittend in de groene fauteuil achter de toonbank met Jon op schoot of op de grond aan hun voeten. Tijdens die uren was hij getuige van fantastische verhalen en hij kon zich de beelden die erbij hoorden nu nog steeds voor de geest halen.

Het antiquariaat zag er nog precies zo uit als hij zich herinnerde, met uitzondering van twee dingen: een gedeelte van de balustrade van het zeeroversschip was vervangen door nieuw, licht, vers hout en er stond een boeket witte tulpen op de donkere toonbank. Die twee dingen onderscheidden zich van de rustige sfeer in het vertrek, alsof ze bij een zoekplaatje hoorden waarbij je moest raden wat er niet thuishoorde. 'Hij komt zo,' klonk opeens een stem achter hem.

Jon schrok op en draaide zich om naar de stem. Half verscholen achter de achterste boekenkast stond een roodharige vrouw in een zwarte sweater en een lange, bordeauxkleurige jurk. Ze hield de rand van de boekenkast vast met haar hand, daardoor kon hij haar mond en het puntje van haar neus niet zien. Het enige wat hij van het gezicht kon zien, was haar rode haar en een heldergroen oog, dat hem koel opnam.

Jon knikte naar haar en wilde iets terugzeggen, maar ze had zich alweer teruggetrokken achter de boekenkast. In het voorste gedeelte van de winkel stond een lange tafel, waarop de nieuw aangekomen boeken waren uitgestald. Terwijl hij deed alsof hij de nieuwe aanwinsten bekeek, bewoog hij zich langs de tafel in de richting van het gangpad waar de vrouw in was verdwenen. Ze was ongeveer op het midden van het pad en omdat hij haar op de rug zag, kon Jon zien dat haar rode haar in een paardenstaart was gebonden en tot halverwege haar rug reikte. Ze bewoog zich met lichte, katachtige bewegingen langs de boekenplanken terwijl ze de ruggen van de boeken met haar vingertoppen aanraakte, alsof ze braille las of op zoek was naar onregelmatigheden. Ze leek de titels van de boeken waar ze langs liep niet te lezen. Ze leek eerder een blinde die zich oriënteerde in een bekende omgeving. Ze bleef een paar keer staan om haar vlakke hand op de ruggen van de boeken te leggen, alsof ze de verhalen eruit wilde zuigen. Aan het einde van het gangpad ging de vrouw de hoek om, maar ze wierp nog wel een snelle blik op Jon voordat ze uit het zicht verdween.

Jon richtte zijn aandacht weer op de boeken voor hem. Het was een bonte verzameling literatuur en vakliteratuur, gebonden en in paperback. Sommige zagen eruit als nieuwe, maagdelijke exemplaren zonder een krasje of vouwtje, terwijl andere eruitzagen alsof ze waren meegenomen naar het strand of op een lange reis in een rugzak.

Totdat Jon oud genoeg was om zelf te lezen, was een van zijn favoriete bezigheden om in alle nieuw aangekomen boeken te zoeken naar boekenleggers. Dat mondde zelfs uit in een heuse verzamelwoede en hij ging erin op zoals anderen opgaan in postzegels of munten. Het was bijna net zo veelzijdig. Je had de officiële boekenleggers, dat waren rechthoekige stukjes karton met een afbeelding erop die al dan niet iets te maken had met het boek zelf. Dan had je de neutralere boekenleggers, dat waren blanco strookjes papier, touwtjes, elastiekjes of papiergeld. Weer andere boekenleggers vertelden indirect iets over de gewoontes of de interesses van de lezer. Dat waren bijvoorbeeld bonnetjes, buskaartjes, bioscoop- of theaterkaartjes, boodschappenlijstjes, giro-overschrijvingskaarten of krantenknipsels. En dan had je nog de meer persoonlijke boekenleggers, zoals visitekaartjes, tekeningen, brieven, ansichtkaarten en foto's. Dat kon een brief of kaart van een geliefde zijn. Op de achterkant van de foto kon een boodschap staan of een uitleg, en een tekening was misschien een cadeautje van een kind.

Voor zover het geen papiergeld betrof, wat Jon meestal wel mocht houden, bewaarde hij alle boekenleggers in een houten kistje dat onder de toonbank stond. Als hij als kind niets anders kon bedenken, haalde hij het kistje tevoorschijn en legde de boekenleggers als speelkaarten op de grond en dan verzon hij er verhalen bij.

De belletjes boven de deur rinkelden en Iversen stapte binnen met een pizzadoos in zijn hand. Toen hij Jon zag, glimlachte hij breed. Hij begroette hem uitbundig en trok snel de deur achter zich dicht.

'Goed je te zien.' Hij zette de pizzadoos op de toonbank, waarna hij zijn hand uitstak.

'Hallo Iversen,' begroette Jon hem terwijl hij de uitgestoken hand schudde. 'Ik hoop dat ik niet ongelegen kom?' Hij knikte naar de pizza. De duidelijk herkenbare geur van gesmolten kaas en peperoni verdreef voor even de geur van perkament en leer.

'Helemaal niet!' riep Iversen. 'Maar ik hoop dat je het niet erg vindt als ik vast begin. Warm is hij nou eenmaal het lekkerst.'

'Helemaal niet, val maar aan!'

Iversen glimlachte dankbaar.

'Laten we naar beneden gaan, daar kunnen we ongestoord praten.'
Hij pakte de doos.

'Katherina?' riep Iversen, terwijl ze tussen de kasten door naar de wenteltrap achter in de zaak liepen.

De roodharige vrouw dook op aan het einde van het gangpad alsof ze had staan wachten tot ze werd geroepen. Ze was maar iets kleiner dan Jon en haar lichaam was slank, maar niet slungelig. Haar rode haar omlijstte een bleek, smal gezicht met dunne lippen die tot een fijn streepje samengeknepen waren. Een paar groene ogen nam Jon op alsof hij was verdwaald.

'Wij gaan naar de keuken,' zei Iversen. 'Wil jij zolang op de winkel passen?' De vrouw knikte bij wijze van antwoord en trok zich weer terug uit hun gezichtsveld.

'Je dochter?' vroeg Jon terwijl ze de wenteltrap af liepen. De treden kraakten luid onder het gewicht van de twee mannen.

'Katherina?' riep Iversen lachend. 'Nee hoor, ze is een van de vrienden van het antiquariaat. Ze is de laatste tijd een onmisbare steun geworden voor ons oude mannen. Vooral bij de praktische dingen zoals schoonmaken en dergelijke.' Onder aan de trap bleef Iversen staan. 'Ze is niet echt geschikt als boekverkoopster,' voegde hij er zachtjes aan toe.

Jon knikte.

'Ze lijkt me een beetje schuw.'

Iversen haalde zijn schouders op.

'Dat is het niet zozeer. Ze is dyslectisch.'

'Iemand die woordblind is in een boekhandel?' riep Jon verwonderd en net iets te hard, waarna hij vlug zijn stem liet dalen tot een gefluister. 'Dat klinkt een beetje als een olifant in een porseleinkast.'

'Geen kwaad woord over Katherina!' zei Iversen ernstig. 'Ze is slimmer dan de meeste mensen. Daar zul je snel achter komen.'

Ze stonden onder aan de trap in een smalle, witgeschilderde gang die werd verlicht door twee gloeilampen. Aan weerskanten van de gang was een deuropening. Een daarvan was van de keuken, daar liep Iversen naartoe. In de kamer ertegenover brandde geen licht, maar Jon wist nog dat Luca die vroeger als werkplaats gebruikte waar hij boeken inbond en restaureerde. Aan het einde van de gang was nog een zware eikenhouten deur.

Het keukentje was klein en praktisch ingericht. Een roestvrijstalen aanrecht, een bovenkastje, twee kookplaten, een koelkast en een tafel met drie klapstoelen. Aan de wanden en op de kastdeurtjes hingen afgedankte boekomslagen en illustraties kriskras door elkaar, overal waar maar plek was.

Iversen zette de pizza op tafel, trok zijn jasje uit en hing het aan een haak naast de deur. Jon volgde zijn voorbeeld.

'Ik ben dol op pizza,' zei Iversen, terwijl hij er goed voor ging zitten. 'Ik weet best dat het eigenlijk meer iets voor jullie jongeren is, maar ik kan er niets aan doen. En het komt niet eens door je vader. Hij haatte de Deense pizza's.' Iversen glimlachte. "Dit heeft niets met pizza te maken," zou hij hebben gezegd. Hij vond dat er veel te veel vulling op zat. "Het is net dik belegd smørrebrød".'

Jon ging tegenover Iversen zitten.

'Wil je ook een stuk?' mompelde Iversen met zijn mond vol eten. Jon schudde zijn hoofd.

'Nee, dank je, op dat punt ben ik het met Luca eens.'

Iversen haalde zijn schouders op terwijl hij verder at.

'Vertel eens wat je allemaal hebt gedaan de afgelopen jaren, dan eet ik intussen.'

'Tja,' begon Jon. 'Ik ging naar dat pleeggezin in Hillerød. Dat was best oké, maar een beetje ver van de stad, dus toen ik naar de universiteit ging, ben ik teruggegaan naar Kopenhagen en in een studentenflat gaan wonen. Halverwege mijn studie ben ik twee jaar gestopt en heb ik in Brussel gewerkt als juridisch assistent – ik was eigenlijk een soort leerling. Toen ik weer terugkwam in Denemarken, heb ik mijn rechtenstudie afgemaakt. Ik was een van de besten van mijn jaar en daarom kreeg ik een baan aangeboden als advocaat bij Hanning, Jensen & Halbech, waar ik nu nog steeds werk.'

Jon zweeg en kwam erachter dat hij daar eigenlijk verder niets aan toe te voegen had. Niet omdat er niets meer te vertellen viel; hij kon altijd vertellen over zijn reizen, de problemen tijdens zijn studie, de strijd om de posities op kantoor of over de zaak-Remer, die hem zomaar in de schoot was geworpen als een rijpe appel. Of een handgranaat. Maar waarom zou hij dat allemaal aan Iversen vertellen? Ze hadden elkaar zo lang niet gezien en hun contact zou nu toch definitief verbroken worden, nu Luca dood was.

'Zoals je hoort, heb ik niet veel met literatuur te maken gehad,' voegde hij er schouderophalend aan toe.

'Misschien niet direct met literatuur,' stemde Iversen tussen twee stukken pizza in, 'maar het geschreven woord is van groot belang, zowel voor jouw wereld als de mijne. We zijn ieder op onze eigen manier afhankelijk van *boeken*.'

Jon knikte.

'De meeste dingen zijn tegenwoordig wel elektronisch beschikbaar, maar je hebt gelijk. Iedereen binnen mijn beroepsgroep heeft wel ergens een serie wetboeken staan. Op de een of andere manier heeft een rij dikke naslagwerken toch nog steeds meer status dan een cd-rom.' Hij spreidde zijn handen. 'Dus ik neem aan dat er nog steeds behoefte is aan antiquariaten zoals dit?'

Iversen slikte zijn laatste stuk pizza door.

'Dat weet ik wel zeker.'

'Wat ons brengt bij de reden dat ik hier ben,' zei Jon zakelijk. 'Je wilde me iets vertellen?'

'Laten we naar de bibliotheek gaan,' Iversen wees naar de eiken deur, 'daar is wat meer... sfeer.'

Ze stonden op en liepen de gang in. Als kind mocht Jon nooit in de kelder komen zonder dat Luca of Iversen erbij was en hij was nog nooit in de kamer achter de eikenhouten deur geweest. De kamer had in zijn spel altijd meegespeeld als schatkamer of gevangenis, maar hoe hij ook bad of smeekte, hij mocht er nooit in. De deur was altijd op slot en na verloop van tijd had hij het opgegeven om het te vragen. Toen ze voor de deur stonden, haalde Iversen een sleutelbos uit zijn zak, zocht een grote smeedijzeren sleutel uit, en stak die in het slot. De deur kraakte plechtig toen hij hem opende en Jon voelde een zachte tinteling in zijn nekharen.

'Dit is de Campelli-collectie,' zei Iversen terwijl hij in het donker aan de andere kant van de deur verdween. Even later werd het licht aangedaan en stapte Jon naar binnen. De ruimte had een laag plafond, hij was ongeveer vijf bij zes meter groot en de vloer was bedekt met een dik, donker vloerkleed. Midden in de kamer stonden vier comfortabel uitziende leren fauteuils rond een lage tafel van donker hout. Alle vier de wanden waren bedekt met boekenkasten en vitrines vol boeken in allerlei verschillende banden. De meeste waren in leer gebonden. Het indirecte licht dat uit de bovenkant van de boekenkasten scheen, liet een zacht, gouden schijnsel op de boeken en de rest van de ruimte vallen.

Jon floot zachtjes.

'Indrukwekkend,' zei hij terwijl hij een hand over de boeken in de dichtstbijzijnde kast liet glijden. 'Niet dat ik er verstand van heb, maar ik moet toegeven dat dit een prachtig gezicht is.'

'Ik kan je verzekeren dat het net zo indrukwekkend is als je er wél verstand van hebt,' zei Iversen. Hij glimlachte trots terwijl hij zijn blik over de kasten liet glijden. 'De collectie is in de loop van een paar eeuwen opgebouwd door je vader en je voorouders. Veel van de boeken hebben door heel Europa gereisd voordat ze hier terechtkwamen.' Voorzichtig pakte hij een band uit een van de kasten en liefkoosde het gelooide leer met zijn vingertoppen. 'Kon ik ze maar horen praten,' zei hij voor zich uit. 'Een verhaal in het verhaal over het verhaal.'

'Zijn ze waardevol?'

'Ja zeker,' antwoordde Iversen. 'Misschien niet allemaal direct in geld, maar de emotionele en de bibliografische waarde is heel groot.'

'Dus dit is het grote geheim?' vroeg Jon.

'Een deel ervan,' antwoordde Iversen. 'Ga zitten, Jon.' Hij wees op de leren fauteuils en liep naar de deur om hem te sluiten. Met de deur dicht leek het net of je in een geluidsstudio zat, of onder een kaasstolp. Het leek wel of geen enkel geluid de sfeer in de bibliotheek kon verstoren. Jon kreeg het gevoel dat niemand hen op de gang zou kunnen horen, hoe hard ze ook zouden roepen. Hij ging zitten in een van de fauteuils en liet zijn ellebogen met zijn handen gevouwen voor zich op de armleuningen rusten.

Iversen ging in de stoel tegenover Jon zitten en schraapte zijn keel voordat hij begon.

'Om te beginnen moet je weten dat je vader je op een gegeven moment zou hebben verteld wat ik je nu ga vertellen – net zoals hij op zijn beurt is ingewijd door zijn vader, Arman. Luca had dat al een hele tijd geleden moeten doen, maar de verhoudingen binnen jullie familie waren nou niet bepaald zo dat je elkaar geheimen toevertrouwde.'

Jon zei niets, zijn gezichtsuitdrukking bleef onveranderd.

'Maar daar hoeven we verder niet op in te gaan,' zei Iversen vlug. 'Ik wil je wel graag zeggen dat ik, nu het niet anders kan, er trots op ben dat ik degene ben die je mag vertellen wat je nu te horen krijgt.'

Iversens stem trilde even en hij haalde diep adem voordat hij verderging.

'Je hebt zelf ervaren dat je vader ongewoon goed was in het voorlezen van verhalen, net zoals zijn vader dat voor hem was. Ikzelf ben er, in alle bescheidenheid, ook best goed in, maar vergeleken met Luca stel ik niets voor.' Iversen pauzeerde even. 'Wat maakt iemand tot een goed voorlezer, denk je, Jon?'

Jon kende Iversen te goed om verrast te zijn over die vraag. Zijn gedachten gingen terug naar al die uren dat Iversen, zittend in de groene fauteuil achter de toonbank, hem van alles had gevraagd over de verhalen die hij hem had voorgelezen. Dat waren altijd onderzoekende vragen over wat Jon van de verhalen en de beschrijvingen en de personages vond.

Hij haalde zijn schouders op.

'Oefening, inlevingsvermogen en een zekere mate van toneelspel,' antwoordde hij zonder zijn blik van Iversen te halen.

De man die tegenover hem zat, knikte.

'Hoe meer je leest, hoe beter je erin wordt om het juiste tempo te vinden en op het goede moment pauzes in te lassen. Hoe geoefender je bent, hoe makkelijker de taal van je lippen vloeit en dan heb je meer tijd om de twee andere eigenschappen die je noemde in te zetten: inlevingsvermogen en toneelspel. Het is niet toevallig dat verhalen op de radio vaak worden voorgelezen door toneelspelers.'

Iversen boog zich naar Jon toe.

'Maar sommige mensen hebben nog een extra troef die ze kunnen inzetten.' Hij hield een theatrale pauze.

'Een tekst lezen is geen aangeboren eigenschap. Het zit niet in onze genen om letters te kunnen begrijpen. Het is onnatuurlijk – een kunstmatige vaardigheid die we ons eigen maken tijdens onze eerste schooljaren, sommige mensen met meer succes en talent dan andere.' Hij wierp een blik op het plafond en daarmee op de winkel boven hen, waar Katherina waarschijnlijk nog steeds tussen de boekenkasten danste. 'Als we lezen, worden heel veel verschillende gebieden in de hersenen geactiveerd. Het is een combinatie van het herkennen van symbolen en patronen, deze koppelen aan geluiden en die weer samenvoegen tot lettergrepen, om ten slotte de betekenis van het woord te doorgronden. En om iets te betekenen, moet het woord nog in verband worden gebracht met de samenhang waarin het staat...'

Jon merkte dat hij ongeduldig met zijn voet op en neer wipte en hield er meteen mee op.

'Wat ik hier zit te vertellen, is natuurlijk allemaal heel gewoon,' verontschuldigde Iversen zich, 'maar het is niet iets waar we dagelijks bij stilstaan. Ik wil alleen duidelijk maken hoe gecompliceerd het proces van lezen is; van het woord dat op het papier voor je staat tot het geluid dat over je lippen komt. Bij de vertaling van symbool naar geluid, of naar begrip als je niet hardop leest, zijn veel gebieden van je hersenen betrokken. En tijdens dát samenspel kan er iets geweldigs gebeuren.'

Iversens ogen straalden alsof hij op het punt stond om een nog ongezien kunstwerk te onthullen.

'Bij heel weinigen van ons maakt al deze hersenactiviteit gebruik van gebieden in de hersenen die ons in staat stellen om degenen die luisteren psychisch te beïnvloeden.'

Jon trok een wenkbrauw op, maar dat was kennelijk niet voldoende reactie om Iversen verder te laten gaan.

'Wat bedoel je?' vroeg Jon. 'Dat jullie ervoor kunnen zorgen dat mensen worden geraakt door wat jullie ze voorlezen? Is dat niet gewoon een kwestie van techniek?'

'Voor een heel groot deel wel,' gaf Iversen toe. 'Maar dit gaat verder. Wij zijn in staat om mensen te bewerken zonder dat ze het zelf in de gaten hebben, we kunnen hun begrip van de tekst, het thema van de tekst of iets heel anders beïnvloeden.'

Jon nam de man die tegenover hem zat aandachtig op. Of hij was gek, óf het was een grap, maar Iversen was niet het type dat grappen maakte over literatuur.

'Als we dat zouden willen, zouden we iemands mening over het onderwerp waar een tekst over gaat kunnen veranderen. We zouden, om een extreem voorbeeld te noemen, een katholieke priester zover kunnen krijgen dat hij vóór abortus zou zijn.' Er verscheen een glimlach op Iversens gezicht, maar er was nog steeds geen enkele aanwijzing dat hij het niet serieus meende.

'Maar hoe dan?' vroeg Jon.

'Nou, ik ben misschien niet de meest geschikte persoon om het uit te leggen, maar ik kan je wel vertellen wat het achterliggende principe is. Anderen kunnen je de details uitleggen.' Hij schraapte zijn keel en ging verder. 'Zoals ik het begrijp, gaat het als volgt: als je informatie ontvangt – en dat geldt voor iedereen – bijvoorbeeld als je leest, naar een film of televisie kijkt, of wordt voorgelezen, het maakt eigenlijk niet uit wat, wordt er een soort kanaal geopend dat die informatie bewerkt, classificeert en verdeelt. Hierbij spelen de eigen ervaring, mening of overtuiging van de toehoorder ook een rol en met behulp daarvan kan iets extra worden geaccentueerd. Het is hetzelfde proces dat bepaalt of we de muziek die we horen mooi vinden of niet, en of we het eens zijn met de argumenten van een spreker.'

'En die... accentuering kunnen jullie sturen?' onderbrak Jon hem.

'Precies,' antwoordde Iversen. 'De mensen die deze kunst beoefenen, worden "Lettores" genoemd. We kunnen een tekst tijdens het voorlezen "laden" en allerlei soorten accenten geven waarmee we de beleving en de houding van de lezer ten opzichte van de tekst kunnen beïnvloeden.'

Jon begon een beetje geïrriteerd te raken. Hij was niet gewend om zich bezig te houden met gevoelens, vermoedens en niet-onderbouwde beweringen. In zijn wereld was een zaak het niet waard om je mee bezig te houden als er geen geloofwaardige getuigenverklaring, feiten of zeer sterke aanwijzingen waren. Dit leek hem een kwestie van geloof en dat paste absoluut niet bij hem.

'Kun je iets van dit alles bewijzen?' vroeg Jon beslist.

'Het is geen exacte wetenschap, er zijn veel dingen die we niet helemaal begrijpen. Sommige soorten tekst blijken zich er bijvoorbeeld beter voor te lenen dan andere. Literatuur is geschikter dan vakliteratuur en de kwaliteit van het werk is ook niet geheel onbelangrijk. Nog vreemder is dat het potentieel van een tekst afhankelijk is van of hij wordt gelezen vanaf een beeldscherm, een goedkope fotokopie of een eerste druk, waarbij dat laatste veel krachtiger is dan de andere twee. Dat duidt er ook op dat bepaalde boeken worden *geladen* als ze worden gelezen, en dat de volgende voordracht van de tekst daardoor sterker wordt – effectiever in het overbrengen van de boodschap en de gevoelens die hij bevat. Daarom zijn oude, veelgelezen banden sterker dan nieuwe, maagdelijke boeken.' Iversen wendde zijn blik van Jon af en liet hem over de boekenkasten die hen omringden glijden.

Jon stond op en liep naar de dichtstbijzijnde kast.

'Zijn deze boeken geladen?' vroeg hij sceptisch terwijl hij er een toevallige band uit trok.

'De meeste wel,' antwoordde Iversen. 'Als je de krachtigste exemplaren in je handen houdt, kun je het zelfs voelen.'

Jon legde zijn vlakke hand op het boek dat hij had gepakt. Na een paar seconden schudde hij zijn hoofd, zette het boek terug en herhaalde het proces met een ander boek.

'Ik voel niets,' constateerde hij vervolgens met een mismoedige klank in zijn stem.

'Daarvoor moet je in bezit zijn van de gaven,' legde Iversen uit. 'En je moet ook wel een beetje geoefend zijn.'

Jon zette het boek weer op zijn plaats en draaide zich om naar Iversen.

'En hoe krijg je die gaven? Hoe word je een Lettore?'

'Je wordt ermee geboren,' antwoordde Iversen kort. 'Het is niet iets wat je kunt leren. Je kunt er trouwens ook niet voor kiezen. Je vader heeft de gaven van zijn vader Arman geërfd en die had ze weer van zijn vader enzovoort. Daarom is het zeer waarschijnlijk dat jij de gaven van Luca hebt geërfd.'

Hij zweeg even voordat hij de essentie van zijn verhaal nog eens heel duidelijk onderstreepte.

'Jij kunt een Lettore zijn, Jon.'

Jon staarde Iversen ongelovig aan. De glimlach op het gezicht van de oude man was verdwenen. Uit zijn gezicht sprak een grote ernst, die helemaal niet leek te passen bij de anders zo gemoedelijke man. Jon spreidde zijn armen naar de boekenkasten om hen heen.

'Ik zei toch dat ik niets voelde.'

'Bij de meeste mensen zijn de gaven latent,' zei Iversen. 'Sommige mensen ontdekken ze nooit, anderen worden actief geboren en weer anderen worden door een toeval geactiveerd, maar bij de meesten blijkt al een of andere vorm van talent dat in die richting wijst, in hun beroepskeuze, of in de uitvoering van hun beroep.' Hij keek Jon onderzoekend aan. 'Hoe zit het met jou, Jon? Heb jij wel eens situaties meegemaakt waarbij de manier waarop je iets voorlas mensen heeft beïnvloed, of meegesleept?'

Jon had wel het gevoel dat hij mensen beïnvloedde als hij zijn slotpleidooien voorlas, maar hij had er nooit iets speciaals bij gevoeld. Geen kanaal of energie of lading van welke soort dan ook – het was gewoon een leestechniek, niets anders.

'Misschien kan ik beter voorlezen dan de meeste anderen,' gaf Jon toe. 'Maar dat hoeft niets te betekenen.'

Iversen schudde zijn hoofd.

'Zeker niet. Je kunt heel goed talent voor voorlezen hebben zonder dat je een Lettore bent.'

Jon kruiste zijn armen voor zijn borst.

'Dus Luca was een Lettore?'

Iversen knikte.

'De beste.'

'En de vrienden van Libri di Luca zijn... Lettores?'

'De meesten wel, ja,' antwoordde Iversen.

Jon zag de verzameling mensen in de kapel weer voor zich en probeerde zich hen voor te stellen als een zwijgende groep samenzweerders in plaats van de bonte verzameling mensen die hij eigenlijk in hen had gezien. Hij schudde zijn hoofd.

'Dan is er één ding wat ik niet helemaal begrijp,' zei hij. 'Als dit allemaal om lezen gaat... wat doet een dyslectisch iemand hier dan?'

'Katherina?' zei Iversen glimlachend. 'Zij is een hoofdstuk apart.'

5

Katherina ging op de bovenste tree van de trap naar de vide zitten en trok haar benen op zodat ze haar kin op haar knieën kon laten rusten. Vandaar kon ze over de hele winkel uitkijken en, wat het belangrijkst was, de deur in de gaten houden. Zelfs een week na Luca's dood verwachtte ze nog steeds dat de deur zou opengaan en de kleine Italiaan het antiquariaat binnen zou stappen met een tevreden gezicht, alsof hij thuiskwam in plaats van aan een werkdag begon. Dat gevoel had ze de laatste paar jaar zelf ook gehad als ze de deur opende en de belletjes boven de deur haar verwelkomden. Het geluid van de belletjes bracht haar in een andere gemoedstoestand, een toestand van rust en veiligheid, en ze stelde zich voor dat dat voor Luca ook zo was geweest.

Maar nu zou alles anders worden.

Haar blik viel op het gedeelte van de balustrade dat was vervangen. De timmerman, een bekende van Iversen, had zijn best gedaan om dezelfde kleur hout als het oude hekwerk te vinden, maar het was toch duidelijk te zien dat er onlangs een reparatie had plaatsgevonden. Het zou nog wel een paar jaar duren voordat het verschil niet meer zichtbaar zou zijn.

Katherina kon de stemmen van Iversen en Luca's zoon niet langer horen vanuit de kelder en ze vermoedde dat ze naar de bibliotheek waren gegaan. Vlak na Luca's dood had ze voor het eerst van zijn zoon gehoord, een mededeling die haar erg overviel. Na tien jaar in de winkel en, naar ze zelf vond, een hechte vriendschap met Iversen en Luca, had ze zich wel een beetje buitengesloten gevoeld. Iversen beweerde dat Luca goede redenen had gehad om het geheim te houden, sommige daarvan kende zelfs Iversen niet, maar het had schijnbaar iets te maken met de dood van de moeder.

Tijdens de begrafenis had ze de gelegenheid gekregen om hem eens goed op te nemen. Hij leek op zijn vader, maar hij was een stuk langer dan Luca was geweest. Zijn gelaatstrekken waren dezelfde: donkere ogen, dikke wenkbrauwen en bijna zwart haar. Haar vermoeden dat Luca in zijn jongere jaren een aantrekkelijke man was geweest, werd bevestigd.

Katherina was niet de enige die verbaasd was te ontdekken dat Luca een zoon had. Toen Iversen de situatie uitlegde aan het Bibliofielgenootschap, waren die kennelijk evenzeer verrast als zij. Het was een lange vergadering geweest en het enige wat Iversen na afloop had willen vertellen, was dat ze hadden besloten dat ze contact zouden opnemen met de zoon. Katherina had het gevoel dat Iversen dat eigenlijk niet wilde, maar ze liet het verder rusten.

Nu was hij het waarschijnlijk aan het vertellen daar in de kelder. Het was geen gemakkelijke taak om aan een buitenstaander uit te leggen hoe het in elkaar zat, maar Iversen was de aangewezen persoon om het te doen. Hoe zou hij het deze keer uitleggen? Vast die verklaring met het kanaal. Een beetje te technisch naar haar smaak. Katherina had haar eigen verklaring moeten bedenken totdat ze, heel wat jaren later, andere mensen had gevonden die aan dezelfde kwaal leden – of dezelfde gaven hadden, dat lag er maar net aan hoe je het bekeek, of liever, op welk moment je het aan haar vroeg.

Iversen keek totaal anders tegen de gaven aan, omdat hij een zender was. Katherina was een ontvanger. Twee kanten van hetzelfde verhaal, zou hij vast aan Jon uitleggen, maar voor Katherina bestond er een wezenlijk verschil dat niet kon worden verklaard; het waren gewoon twee verschillende dingen.

Zoals Iversen op datzelfde moment aan Jon uitlegde, bestonden er twee soorten Lettores. De eerste soort waren de zenders, zoals hijzelf, die de mensen die naar een voordracht luisterden konden beïnvloeden en daarmee hun opvattingen en houding ten aanzien van de tekst konden beïnvloeden.

De tweede soort waren de ontvangers, zoals Katherina.

De eerste keer dat ze het had gemerkt, was ze nauwelijks bij bewustzijn. Ze had een auto-ongeluk gehad en was ernstig gewond geraakt, net als haar ouders. Ze had dagenlang in een groot ziekenhuisbed gelegen, verdoofd door pijnstillers. Haar kleine, tengere lichaam was op meerdere plaatsen gebroken en werd met schroeven en gips bijeengehouden. In die toestand had ze ervaren dat iemand haar voorlas. Vanuit de mist die werd veroorzaakt door de medicijnen, hoorde ze een heldere stem die het verhaal vertelde van een ongewoon passieve jongeman die het leven aan zich voorbij liet gaan zonder eraan deel te nemen of een mening te hebben over alles wat er om hem heen gebeurde. Ze was dan wel verdoofd, maar ze was niet zo afwezig geweest dat ze zich niet had afgevraagd hoe het zat. Van wie die rustige stem was, maar ook wat het voor een vreemd verhaal was. Ze begreep het helemaal niet, het was niet grappig of lief of spannend, maar de aantrekkingskracht van de stem hield haar aandacht gevangen en voerde haar mee door het verhaal.

Toen ze eindelijk uit haar verdoving werd gewekt, had ze heel andere dingen aan haar hoofd. Haar ouders waren er erg slecht aan toe en konden haar niet bezoeken. En dan waren er ook nog haar eigen verwondingen, die maar langzaam genazen onder de dikke lagen verband. Dat was een onderwerp dat taboe was voor de stroom familieleden die haar met vochtige ogen en trillende stem bezocht.

Haar bewustzijn keerde terug, en vanaf dat moment hoorde ze stemmen. Niet dezelfde stem die haar had voorgelezen, maar verschillende, bijna in elkaar overgaande stemmen, die haar overdag kwelden en 's nachts wakker hielden. Tegelijk met de stemmen kwamen er soms flitsen van beelden, indrukken die zich aan haar opdrongen en haar aandacht opeisten, om daarna weer even snel te verdwijnen als ze waren gekomen. Op een dag had ze de verpleegkundige gevraagd of het einde van het verhaal niet aan haar voorgelezen kon worden. Ze verlangde naar het geluid van de rustige stem die haar in haar verdoofde toestand had gevolgd. De verpleegkundige had haar verbaasd aangestaard. Niemand had haar voorgelezen. Ze had samen met een oudere man op de kamer gelegen in de tijd dat ze verdoofd was geweest, maar hij kon haar niet hebben voorgelezen. Zijn stembanden waren verwijderd omdat hij keelkanker had.

Haar familie was heel begrijpend. Het was natuurlijk moeilijk voor het kind om gescheiden te zijn van haar ouders, dachten ze, en de stemmen die ze beweerde te horen, moesten een reactie zijn op de heftige gebeurtenis. Met haar moeder ging het wat beter; ze kon haar dochter bezoeken. Maar haar vader lag nog steeds aan de beademing en het was niet zeker of hij in leven zou blijven. Iedereen behandelde Katherina met de grootste voorzichtigheid en uiterst begripvol, maar toen ze na verloop van tijd samen met haar moeder uit het ziekenhuis werd ontslagen, begon haar omgeving toch te geloven dat ze een blijvende beschadiging had opgelopen aan haar verstand.

Lichamelijk was ze ervan afgekomen met littekens op haar armen en benen en een klein litteken midden op haar kin, dat haar verder zo meisjesachtige gezicht een mannelijk spleetje bezorgde. Het litteken op haar kin vormde een blijvende herinnering aan het ongeluk. Je kon haar er vaak op betrappen dat ze met een afwezige blik met haar wijsvinger over de plek wreef.

Haar afwezigheid maakte de zorgen van haar familie er niet minder op en ze werd naar een kinderpsycholoog gestuurd, die niet veel anders kon doen dan haar pillen voorschrijven. Een oplossing die de stemmen op afstand leek te houden, maar datzelfde gold voor alle andere indrukken van buitenaf.

Om die reden registreerde ze eigenlijk nauwelijks dat haar vader uit het ziekenhuis werd ontslagen. Hij was permanent aan een rolstoel gekluisterd en zo verbitterd, dat hij het grootste deel van zijn tijd opgesloten op zijn werkkamer doorbracht en met niemand wilde praten.

Ze begon te zwerven. Ze vluchtte voor haar vaders woede-uitbarstingen achter de gesloten deur, en voor de stemmen. Er waren plekken waar ze haar met rust lieten. Het uitgestrekte natuurgebied Amager Fælled was een goede plek. Ze greep iedere gelegenheid aan om op haar fiets hiernaartoe te gaan en urenlang van de stilte te genieten. School was het ergst en ze begon te spijbelen om de natuur in te trekken.

Het was natuurlijk slechts een kwestie van tijd voordat haar familie werd ingelicht over haar afwezigheid. Ze begreep dat haar toestand niet alleen gevolgen had voor haarzelf, maar dat ze ook iedereen in haar omgeving pijn deed. Op dat moment besloot ze zich te verzoenen met de stemmen. Naar buiten toe zou ze doen alsof ze niet bestonden, alsof ze op wonderbaarlijke wijze was genezen, maar voor zichzelf begon ze te luisteren. Ze wilde erachter komen wat ze wilden, waarom ze juist háár opzochten, als het inderdaad zo was dat zij hun slachtoffer was. Tot dan toe had ze geweigerd te luisteren naar wat ze zeiden en ze had het idee opgevat dat ze niet rechtstreeks tot haar waren gericht – het leek eerder of ze uit een radio kwamen die op meerdere zenders tegelijk was afgestemd. Misschien waren het echt radiosignalen die ze kon opvangen?

Omdat ze dyslectisch was, was de wereld van de letters haar vreemd. Heel lang ontging haar dan ook het verband tussen de onbegrijpelijke symbolen die op de pagina's stonden en de stemmen die ze in haar hoofd hoorde als anderen ze lazen. Maar op een dag toen ze in de bus zat, begreep ze het opeens. Ze zat uit het raam te staren en luisterde naar een heldere vrouwenstem die een verhaal vertelde over een meisje met twee rode vlechten en sproeten dat zo sterk was dat ze een paard kon optillen. Het was een leuk verhaal en tijdens een heel grappige passage kon ze haar lachen niet inhouden – ze lachte hardop, tot grote verbazing van haar medepassagiers, behalve één. Achter in de bus zat een jongetje met een boek in zijn handen dat net zo hartelijk lachte als zijzelf. Zelfs vanaf haar plek voor in de bus herkende Katherina duidelijk het meisje met de rode vlechten op de voorkant van het boek.

De belletjes boven de deur van Libri di Luca rinkelden en rukten Katherina los uit haar gedachten. Een man van rond de dertig met een hoornen bril, fluwelen jasje en een versleten leren tas over zijn schouder stond in de deuropening met zijn hand nog op de deurknop. Hij was er nog nooit eerder geweest, dat was duidelijk te zien, want hij reageerde zoals de meeste mensen die voor het eerst binnenkwamen; hij keek verwonderd om zich heen, vooral naar de vide, alsof hij nog nooit eerder een boekhandel met twee verdiepingen had gezien. Waarschijnlijk had Katherina zich net zo gedragen toen ze tien jaar geleden Libri di Luca had ontdekt, maar toch irriteerde de verbazing van nieuwe klanten haar altijd een beetje. Ja, dit is een antiquarische boekhandel. Ja, er is een vide met zeldzame werken in vitrinekasten. Ja, het is een fantastische plek, dus koop nu maar snel een paar boeken en ga dan weer weg. Als het aan haar lag, zou Libri di Luca niet toegankelijk zijn voor klanten.

De man met de hoornen bril kreeg Katherina boven aan de trap in het oog. Hij sloeg onmiddellijk zijn blik neer en deed vlug de deur achter zich dicht. Toen liep hij in de richting van de tafel waarop de nieuwe aanwinsten lagen uitgestald.

Katherina stond op en liep langzaam de trap af.

De indringer scande de omslagen.

'SwannsWereldLesPlaisirsEtLesJoursJamesJoyceAbsalomAbsalom-JohannesVJensenBuddenbrooksJacobStegelmannDeGotischeRe-naissanceExLibrisJorgeLuisBorgesDeVerstoteneFictiesDeDumas-ClubFranzKafkaRobertMusil...'

De namen van auteurs en titels kakelden chaotisch door haar hoofd, het leek op het geluid van een bandrecorder die op te hoge snelheid wordt afgespeeld. Ze klemde haar kaken opeen en liep naar de groene leren stoel achter de toonbank. De klant keek op en groette haar met een knikje en de stroom van stemmen hield even op. Katherina groette terug en ging in de stoel zitten.

'VoetsporenInDeHemelDeKunstVanHetHuilenInKoorPerHøj-holtLatoursKatalogusNikolaiFrobeniusSvendÅgeMadsenAmeri-casKjærstadHetKasteelHetHoutenPaardCarlSchmittBennQHolm-PoëzieEnKritiekFrankFønsEenSerieusGesprekJeffMatthewsLaatste-ZondagInOktober,' kakelden de stemmen. Ze leunde achterover en deed haar ogen dicht. De stemmen helemaal buitensluiten kon Katherina niet, maar ze had geleerd om ze zachter te zetten, niet in het minst dankzij Luca en Iversen.

Tien jaar geleden was ze langs Libri di Luca gelopen, toen ze werd tegengehouden door een stem. Het was laat in de middag en het regende, dus ze had geen zin gehad om naar het park te fietsen. In plaats daarvan zwierf ze door Vesterbro, waar ze plekken zocht waar het stil was – het maakte niet uit waar, als ze maar even met rust gelaten werd. Toen ze het verband tussen de stemmen en lezende mensen had ontdekt, probeerde ze de plaatsen waar het het ergst was te mijden en die dag had dat haar naar de straat gevoerd waar Libri di Luca lag.

Ze herkende de stem die haar tegenhield meteen. Het was dezelfde stem als in het ziekenhuis, de stem die haar had begeleid toen ze verdoofd was door de pijnstillers. Ze keek om zich heen, maar er was niemand anders in de buurt. Toen ze in de richting van de winkel liep, werd de stem duidelijker en toen ze dichtbij genoeg was om door het raam te kunnen kijken, zag ze een groep van ongeveer vijftig mensen die op klapstoelen in het voorste gedeelte van de winkel zaten. Achter een toonbank stond een kleine, compacte man van ergens in de vijftig met grijzend haar en een Zuid-Europese gloed op zijn gezicht. Hij las voor uit een boek dat hij in zijn grove handen hield en dat deed hij zo levendig, dat zijn hele lichaam deelnam aan het verhaal.

Katherina deed voorzichtig de deur open en hoewel de belletjes boven de deur de aandacht op haar vestigden, onderbrak de voorlezer het verhaal niet. Hij zond een vriendelijke blik in haar richting. Ze ging achter in de zaal zitten en deed haar ogen dicht. De man achter de toonbank was een fantastisch goede voorlezer, maar het was niet zíjn stem die ze had willen horen toen ze naar binnen was gegaan. Ze sloot hem buiten door haar handen voor haar oren te houden en zich te concentreren op die andere stem, die ze uit het ziekenhuis herkende. Zo zat ze op de achterste rij, met haar ellebogen op haar knieën, afgesloten voor geluiden en beelden. Ze raakte vervuld van de stem en de beelden die het verhaal met zich meebracht: scènes uit de stad waarin het zich afspeelde, de armzalige appartementen, vogels boven de daken, het stof en het vuil in de straten. Het was geen gelukkig verhaal, maar ze voelde zich veilig en als ze haar gezicht niet naar de grond had gericht, had je de tranen op haar gezicht kunnen zien.

Opeens was het voorbij. Het verhaal was uit, de mensen om haar heen applaudisseerden. Ze haalde haar handen weg voor haar oren en hoorde nog net dat het verhaal *De Vreemdeling* heette. Er werd over de tekst gediscussieerd, maar Katherina bleef met haar ogen dicht en haar gezicht naar de grond zitten. Mensen stonden op en begonnen rond te lopen. Toen de toehoorders de boeken in de kasten bekeken, rolden de titels, de namen van auteurs en fragmenten van teksten op Katherina af. Stemmen en beelden drongen zich aan haar op in een steeds heftiger stormvloed en ze moest al haar krachten verzamelen om op te staan en naar de deur te wankelen. Het leek wel of de intensiteit nog toenam toen ze was opgestaan, alsof ze zich staande moest houden in een hevige storm, en het werd steeds moeilijker om zich te concentreren op de uitgang. Na een paar stappen viel ze om.

Toen ze weer bijkwam, waren er geen mensen meer in de winkel behalve de man die had voorgelezen. Nadat hij bezorgd had gevraagd hoe ze zich voelde, stelde hij zich voor als Luca. Hij zat voor haar op een klapstoel. Zij lag half in een zachte leren stoel die achter de toonbank stond. Met de toehoorders waren ook de stemmen verdwenen, maar ze was zo uitgeput, dat ze niet kon opstaan.

Luca zei dat ze rustig aan moest doen en de tijd moest nemen om weer op krachten te komen. Hij bleef geruststellend tegen haar praten over alledaagse dingen: de winkel, de leesavonden die ze hielden, over boeken en zelfs over het weer, maar opeens vroeg hij haar hoe lang ze al stemmen hoorde.

De vraag overviel haar. Ze vergat haar gelofte om er met niemand, met geen woord, over te praten en ze vertelde hem alles. Luca bleek verbazingwekkend veel over haar toestand te weten en hij stelde talloze vragen; hoe sterk de stemmen waren, of ze ze buiten kon sluiten, wanneer ze ze voor het eerst had gehoord en of ze nog andere mensen met dezelfde ervaringen kende. Ze antwoordde zo goed en zo kwaad als het ging en had voor het eerst het gevoel dat iemand haar begreep, dat ze serieus werd genomen. Op zijn ontspannen manier, waar ze in de jaren daarna zo van zou gaan houden, legde hij uit dat zij niet de enige was. Minstens de helft van de mensen die bij de voordracht aanwezig waren geweest had dezelfde gaven.

Katherina had het nooit als een gave gezien. Zij had het gevoel dat de stemmen haar opzochten, haar aandacht opeisten, en niet dat zij op de stemmen afstemde. Maar zo was het wel, had Luca haar uitgelegd. Haar gaven zorgden ervoor dat ze zich kon aansluiten op een kanaal dat werd geopend als mensen lazen, of ze nu in zichzelf lazen of hardop.

Binnen een kwartier leerde hij haar een techniek die haar in staat stelde om het volume van de stemmen zo zacht te zetten, dat ze haar niet stoorden. Het was een techniek die oefening vereiste, maar het effect was bij de eerste poging al zo duidelijk merkbaar, dat Katherina in tranen uitbarstte van pure opluchting. Luca troostte haar en zei dat ze zo vaak mocht langskomen als ze wilde om haar techniek te verbeteren. Ze kon ook best zonder hem oefenen om het geluid van de stemmen te dempen, maar, zei hij dringend, ze mocht nooit proberen om ze te versterken of op een andere manier te beïnvloeden voordat ze meer geoefend was. Katherina zou er later achter komen waarom.

De klant in Libri di Luca was ongeconcentreerd. Tussen de korte flitsen van beelden die de fragmenten uit de boeken die hij las opriepen, doken beelden op die niets te maken hadden met de teksten. Dat was een neveneffect dat bij de gaven hoorde. Behalve dat Katherina de tekst die gelezen werd kon horen, zag ze vaak ook de beelden die die tekst bij de lezer opriep en als hij of zij tegelijkertijd aan andere dingen dacht, verschenen die dingen ook voor haar ogen, als ingevoegde filmbeeldjes. Dat was een bijeffect dat je moest trainen, maar ook daarmee had Luca haar in de loop der jaren geholpen en ze was inmiddels in staat om te voelen wat er in de gedachten van een ongeconcentreerde lezer speelde, zoals nu bij de man met de hoornen bril.

Hij zou waarschijnlijk later die dag een meisje ontmoeten, want er doken steeds beelden van dat meisje op, en ook van de plek waar ze elkaar zouden ontmoeten (Rådhuspladsen), waar ze zouden gaan eten (Mühlhausen) en ook van zijn sterk erotische verwachtingen voor de rest van de avond. Katherina voelde haar wangen warm worden.

Katherina kon lang niet iedereen op die manier aflezen. Iversen beweerde dat de duidelijkheid van de beelden die uit de tekst en uit het onderbewustzijn naar voren kwamen afhankelijk was van de fantasie van de betreffende persoon, maar het hing ook af van de leesstijl. Mensen die een tekst vluchtig scanden riepen een snelle serie beelden op, die in de meest extreme gevallen als een soort gestileerde tekenfilms voor haar ogen flikkerden. Andere lezers namen de tijd, zoveel tijd dat de beelden haarscherp stilstonden en zoveel informatie bevatten dat ze erin op ontdekkingsreis kon gaan, ze kon inzoomen op de kleinste details alsof het een spionagefoto van een satelliet betrof.

'Deze graag,' klonk een voorzichtige stem en Katherina deed haar ogen open. De man met de hoornen bril stond bij de toonbank en hield twee boeken voor haar neus. Hij haalde verontschuldigend zijn schouders op.

'Tachtig kronen,' zei Katherina zonder naar de paperbacks die de man had gekozen te kijken. Ze hadden zichzelf al kenbaar gemaakt als *The Big Sleep* en *Moon Palace*, van respectievelijk dertig en vijftig kronen. Ze stond op en pakte een tasje van onder de toonbank, terwijl de klant in zijn zakken op zoek was naar geld. Hij betaalde en verliet de winkel met een zwart plastic tasje waar in gouden letters Libri di Luca op was gedrukt.

Haar gaven als Lettore compenseerden soms haar dyslexie en in veel situaties kon ze haar handicap heel goed verbergen. Zo had ze het een tijdlang gepresteerd om een 'merkbare verbetering' te bereiken in de leesgroepjes op school, maar als de leraar of de andere leerlingen niet meelazen in de tekst, was ze weer afgesneden van de betekenis van de letters, net als vroeger. Dat had haar tijdens haar examens opgebroken.

Luca dacht dat er een verband bestond tussen haar dyslexie en haar gaven als Lettore. Tijdens hun oefenuurtjes kwam hij er al snel achter dat ze zeer sterke gaven had en volgens hem kwam dat door haar dyslexie en was het niet zo ondánks die dyslexie. Hij probeerde haar op die manier duidelijk te maken dat ze haar gaven moest beschouwen als een cadeau en niet als een straf, zoals ze tot dan had gedacht. Maar ook al was hij zelf Lettore, hij was geen ontvanger en daarom een buitenstaander als het ging om de ervaringen die Katherina had.

Voor de zoon van haar mentor, die in de kamer onder haar werd ingewijd in de geheimen van de Lettores, moest het nog erger zijn. De scepsis die ze zelf had gevoeld toen Luca haar inwijdde in de situatie was snel verdwenen, want ze had het al aan den lijve ondervonden, en nu kreeg ze een verklaring, een fantastische verklaring weliswaar, maar toch een verklaring waar ze iets aan had. Maar hoe dit alles zou klinken in de oren van een volkomen buitenstaander, kon ze zich totaal niet voorstellen. Hoe zou hij reageren?

Precies op dat moment hoorde Katherina de trap kraken en even later verscheen Iversen. Hij zweette en zijn gezicht was een beetje rood, dat was altijd zo als hij ijverig was of opgewonden door een discussie.

'Hij wil bewijs,' zei hij hijgend. 'Wil je een demonstratie geven?'

6

Wat moest hij kiezen?

Jon liep langs de kasten in de bibliotheek in de kelder om een boek uit te zoeken dat ze voor de demonstratie konden gebruiken. Het maakte niet uit wat hij koos, had Iversen gezegd, hij was zo zelfverzekerd als een goochelaar die een toeschouwer vraagt om een willekeurige kaart uit de stapel te trekken. Het plan was dat hij een stuk zou lezen in het boek, begreep Jon, terwijl Katherina zou proberen om zijn beleving van de tekst zodanig te beïnvloeden dat hij er niet meer aan zou twijfelen of het waar was.

Iversen had uitgelegd dat Katherina een ontvanger was, wat inhield dat ze kon horen, en tot op zekere hoogte ook zien, wat anderen lazen en, wat hem nog ongeloofwaardiger leek, dat ze in staat was om de beleving van een tekst naar eigen inzicht te beïnvloeden door accenten aan te brengen. Haar gaven leken dus op de gaven die hij volgens Iversens uitleg zelf bezat, maar terwijl hij de tekst moest voorlezen om hem op te laden, kon Katherina de lezer direct beïnvloeden, zelfs als hij niet hardop las.

Iversens verhaal had erg overtuigend geklonken, maar toen hij had beweerd dat Katherina daadwerkelijk gedachten kon lezen als consequentie van haar gaven, had Jon bewijs verlangd. De vanzelfsprekendheid waarmee de oude man zijn wens had ingewilligd en zijn aandringen dat ze het meteen zouden doen hadden toch een lichte onrust veroorzaakt in Jons hoofd. Als deze gaven werkelijk bestonden, wist hij niet zeker of hij het wel een goed idee vond dat anderen in zijn hersenen wroetten terwijl hij las.

De manier waarop Katherina de bibliotheek binnenkwam had het er ook niet beter op gemaakt. Ze zag er helemaal niet uit als een flamboyante goochelaar of een geheimzinnige mysticus – ze leek het eerder een beetje gênant te vinden dat ze daar was. Ze had hem nauwelijks aangekeken en was meteen in een van de leren fauteuils gaan zitten met haar handen op haar schoot, maar toch voelde Jon zich bekeken, en niet alleen door de aanwezige personen. Ook de boekenwanden leken hem met ingehouden adem op te nemen.

'Mag ik er een uit de winkel halen?' vroeg Jon, op het plafond wijzend.

'Natuurlijk,' antwoordde Iversen. 'Neem maar rustig de tijd.'

Jon verliet de bibliotheek en liep de trap op naar het antiquariaat. Iversen had de winkel gesloten en het licht uitgedaan, zodat de ruimte alleen werd verlicht door het schijnsel van de straatlantaarns. Toen zijn ogen aan het donker gewend waren, liep hij wat rond tussen de kasten. Hier en daar bleef hij staan om een boek uit de kast te halen en te bestuderen, maar vervolgens keurde hij het af en zette het weer tussen de andere boeken in de kast. Ten slotte begreep hij dat het niets zou uitmaken welk boek hij koos. Wat zou een passende test zijn voor zoiets? Hij deed zijn ogen dicht en voelde langs de boekruggen voor hem in de kast, totdat zijn vingers een willekeurig boek vonden, dat hij uit de kast haalde. Met die trofee in zijn hand keerde Jon terug naar de leeszaal in de kelder.

'*Fahrenheit 451*,' zei Iversen met een goedkeurend knikje. 'Bradbury. Een uitstekende keus, Jon.'

'Sciencefiction, toch?'

'Ja, maar het genre is niet belangrijk. Ben je klaar?'

Jon haalde zijn schouders op.

'Zo klaar als ik kan zijn.'

'En jij, Katherina?' Iversen richtte zijn blik op de roodharige vrouw, die doodstil in de stoel zat. Ze keek op en nam Jon onderzoekend op. Ze streek nadenkend met een wijsvinger over haar kin, toen legde ze haar hand op haar schoot en knikte.

'Mooi.' Iversen klapte in zijn handen. 'Ga maar zitten, Jon.'

'Dus ik moet gewoon in mezelf lezen?'

'Precies,' antwoordde Iversen en hij gebaarde naar de stoel. 'Begin maar gewoon en maak je niet ongerust. Ze zal goed voor je zorgen.'

Jon ging in de stoel tegenover Katherina zitten. Ze knikte naar Jon bij wijze van startsignaal en in een reflex knikte hij terug. Toen richtte hij zijn blik op het boek.

Het was ooit een paperback geweest, maar de eigenaar had de voorkant laten lamineren en versterken met karton, en de achterkant en de rug met leer laten bekleden. De randen van de bladzijden waren verguld en ietwat versleten door het vele gebruik, dus het boek stond een klein beetje open toen het plat op zijn schoot lag.

Voordat hij het boek opensloeg, wierp hij nog een laatste blik op Katherina, die rechtop tegenover hem zat, met haar handen in haar schoot. Haar ogen waren gesloten.

Toen begon Jon te lezen.

Eerst ging het heel langzaam. Hij las voorzichtig en lette heel goed op of hij iets voelde wat anders was dan normaal. Zo las hij een paar bladzijden zonder eigenlijk goed te lezen wat er stond, maar opeens leek het of de tekst hem te pakken kreeg. Hij las vrijer en vloeiender, terwijl het verhaal ongehinderd zijn bewustzijn binnenstroomde.

De hoofdpersoon van het boek, Montag, was ogenschijnlijk brandweerman, maar wel een brandweerman die zelf branden aanstak, in plaats van ze te blussen. Zijn baan bestond uit het verbranden van boeken die in die maatschappij als gevaarlijk werden beschouwd. Als hij op een dag na zijn werk onderweg een meisje tegenkomt, loopt zij met hem mee naar zijn huis. De beschrijving van het meisje was heel levendig. Jon zag haar voor zich, soepel, goedlachs, open en spontaan. Zijn hart begon sneller te kloppen en zijn mond werd droog. Dit meisje was geweldig. Hij kon niet wachten om meer over haar te lezen, hij moest weten waar ze vandaan kwam en welke rol ze speelde in het verhaal. Hij zag haar zo duidelijk voor zich, dat hij haar bijna naast zich kon voelen, zoals ze daar liep met haar wapperende rode haar, met vederlichte passen op weg naar Montags huis. Hij miste haar nu al, hij was bang voor de leegte als ze weg zou gaan en hem achter zou laten op het stenen stoepje voor zijn huis.

De beschrijving was zo overtuigend, dat Jon opzij wilde kijken om het meisje beter te bekijken, maar zijn ogen gehoorzaamden hem niet meer. Ze weigerden op te kijken van de bladzijde en gingen gewoon door met hun wandeling door de tekst, naar het afscheid van het meisje. Wanhopig probeerde Jon te stoppen met lezen of tenminste langzamer te lezen, maar het verhaal ging onbarmhartig verder voor zijn ogen. Hij voelde dat het zweet op zijn voorhoofd stond en dat zijn hartslag omhoogging.

In het verhaal waren Montag en het meisje bij het huis van de brandweerman aangekomen. Ze bleven nog even staan praten op het stoepje, rustig en talmend, alsof ze tijd rekten om Jon een plezier te doen of te kwellen. Hij had een ongelooflijk warm gevoel voor dit meisje, alsof hij haar zijn hele leven al kende en zijn hele leven al van haar hield. Eindelijk nam Montag afscheid van het meisje en Jon onderdrukte een sterke aandrang om haar te roepen, om haar terug te lokken naar de tekst, die nu banaal en armoedig leek. Hij voelde dat zijn ogen vochtig werden, maar hij constateerde tegelijkertijd dat hij ze nu weer zelf onder controle had en hij maakte meteen gebruik van de gelegenheid om te stoppen met lezen.

Toen hij opkeek, opende Katherina net haar ogen, maar ze keek hem niet recht aan. Hij zag dat haar ogen rood waren. Jon verplaatste zijn blik naar Iversen, die verwachtingsvol terugkeek.

'En?'

Jon keek naar het boek. Het leek een boek zoals alle andere, een stapel papier met woorden en letters, hij zag geen enkele aanwijzing voor de levendigheid en de kleurenrijkdom die hij zojuist had ervaren. Hij deed het boek dicht en draaide het onderzoekend in zijn handen.

'Hoe deden jullie dat?' vroeg hij ten slotte.

Iversen glimlachte breed.

'Is het niet geweldig? Ik ben iedere keer weer onder de indruk.'

Jon knikte afwezig.

'Dus je kon mij horen lezen?' vroeg hij terwijl hij zijn blik op Katherina richtte.

Ze bloosde en knikte haast onmerkbaar.

'Maar,' riep Iversen uit. Hij stak zijn wijsvinger in de lucht. 'Het was niet jouw stem die ze hoorde. En ook niet haar eigen stem, of die van de schrijver. Dat is het meest ongelooflijke. Ieder werk heeft schijnbaar zijn eigen, unieke stem.' Hij staarde met duidelijke afgunst naar de roodharige vrouw. 'Alsof je met het boek zelf communiceert – met de ziel van het boek.'

'De natte droom van alle bibliofielen,' was Jons droge commentaar.

'Ehm, ja,' zei Iversen met een verlegen glimlachje. 'Ik liet me een beetje meeslepen door de sfeer. Soms vergeet ik dat je ook een prijs moet betalen om ontvanger te zijn. Een prijs waarvan jij en ik geen idee hebben.'

Jon dacht aan de man met het flesje donker bier die hij na Luca's begrafenis in Het Schone Glas had ontmoet. Hij had de man afgeschreven als een gek, een dronkenlap met te veel fantasie die onzin uitkraamde over lezers en teksten die zongen en schreeuwden. Ironisch genoeg ondersteunde hij nu juist Iversens verklaring.

'Oké,' zei hij terwijl hij het boek op de salontafel voor hem legde. 'Als ik geloof dat er Lettores bestaan en dat jullie mijn gedachten en gevoelens kunnen manipuleren met behulp van een boek,' hij spreidde zijn armen, 'wat verwachten jullie dan van mij?'

'Wie zegt dat wij überhaupt iets met jou te maken willen hebben?' klonk een stem bij de deur.

Ze draaiden zich alle drie om. In de deuropening stond een jongeman van een jaar of twintig, gekleed in een strak wit T-shirt en een wijde, legergroene broek. Zijn gezicht was smal en hij had een rood stoppelbaardje maar verder was hij kaal en heel bleek. Een paar donkere, vurige ogen richtten zich op Jon.

'Dag Paw,' zei Iversen. 'Zou je onze gast niet eens begroeten?'

De jongeman stapte resoluut de kamer in en ging met zijn handen in zijn zij achter Katherina's stoel staan.

'Gast?' snoof hij.

'Het is oké,' zei Iversen geruststellend. 'Dit is Jon. Luca's zoon.'

'Dat weet ik. Ik heb hem toch op de begrafenis gezien,' antwoordde Paw laconiek. 'De man die Libri di Luca wil verkopen. Dat heb je zelf gezegd, Svend.' Iversen wierp een verlegen blik op Jon, die deed alsof hij niets in de gaten had.

'Ik heb gezegd dat dat risico bestond. Maar we weten het natuurlijk niet zeker, Paw,' zei Iversen. 'Daarom zijn we hier.'

'En, wat wordt het?'

'We waren net bezig om Jon het een en ander uit te leggen toen je kwam,' antwoordde Iversen.

'Hoeveel?'

'Alles.'

Paw staarde van Iversen naar Jon en weer terug. Hij spande zijn kaakspieren en kneep zijn ogen tot spleetjes.

'Kunnen we even praten, Svend?' vroeg Paw en hij gebaarde met zijn hoofd naar de deur. 'En jij ook, Kat.'

Jon zag dat Katherina met haar ogen rolde, voordat ze Iversen vragend aankeek. De oude man knikte.

'Wat je wilt, Paw. Ga maar naar boven, ik kom zo.'

De jonge man marcheerde de deur uit en Katherina ging hem langzaam achterna.

'Je moet het hem maar niet kwalijk nemen,' zei Iversen toen de twee de kamer hadden verlaten. 'We hebben Paw letterlijk van de straat geraapt. Hij leefde van zijn gaven als Lettore. Luca heeft hem gevonden in een winkelstraat in de binnenstad. Hij las gedichten voor aan de mensen die langsliepen, en erg succesvol ook. Er bleven heel wat mensen staan om te luisteren en de meesten gooiden geld in het sigarenkistje dat aan zijn voeten stond. Luca zag meteen wat hij was. Ervaren zenders kunnen voelen wanneer een andere zender een tekst oplaadt en Paw probeerde het niet te verbergen.' Iversen boog zich naar Jon toe. 'Zoals je misschien al hebt geraden, hebben we reden genoeg om onze gaven verborgen te houden, Jon. We kunnen niet riskeren dat een jonge vent als Paw ons compromitteert, alleen omdat hij niet weet waar hij mee bezig is.' Hij pauzeerde even. 'Luca heeft hem onder zijn hoede genomen en hij is in het afgelopen half jaar een deel van de winkel geworden. Inmiddels zijn we van hem gaan houden en omgekeerd ook, al kan hij dat niet uiten. Zijn passie voor deze plek is groot, zoals je wel ziet.'

'En hij denkt dat ik dat van hem wil afnemen?' vroeg Jon.

'Er is hem al zoveel afgenomen,' zei Iversen. 'En zo vaak dat hij waarschijnlijk niet anders verwacht.'

Jon knikte nadenkend.

'Ik zal maar even...' begon Iversen en hij wees naar de deur. Hij stond op en verliet de bibliotheek. Jon hoorde zijn voetstappen door de gang en over de krakende trap omhooggaan. Toen werd het stil.

Eenmaal alleen gelaten, stond hij op en bestudeerde de inhoud van de kasten. Hij kende niet veel van de titels en de echt oude boeken waren ook nog eens in het Latijn of Grieks, wat hij niet kon lezen. Er waren natuurlijk ook veel Italiaanse werken en al had Jon zijn Italiaans al jaren niet gebruikt, sommige ervan begreep hij wel.

De titels op de ruggen van de boeken waren in veel gevallen heel kunstig gemaakt. In gotisch schrift of met kleine illustraties, en af en toe moest je heel goed je best doen om te kunnen lezen wat er stond. Sommige boeken hadden helemaal geen rug, maar bestonden uit een bundeltje vergeelde vellen papier, bijeengehouden met leren koorden of raffia. Andere hadden metalen beslag op de rug en op de hoeken, en weer andere hadden omslagen van dunne plaatjes fineer waar de titel en de versiering in waren gebrand.

Na een tijdje begonnen de letters voor Jons ogen te dansen en hij ging weer in een van de fauteuils zitten en keek rond. Het was niet moeilijk je voor te stellen dat het vele generaties had gekost om deze collectie op te bouwen, een karwei dat was begonnen in Italië en met de familie Campelli was meegereisd door Europa naar Denemarken. Hij zag het voor zich: een kleine familie die een kar duwde, zwaarbeladen met boeken en een groot geheim. Jon legde zijn hoofd achterover tegen de stoelleuning en bedekte zijn gezicht met beide handen.

Hij voelde een grote druk de laatste tijd. De zaak-Remer nam alle uren die hij wakker was in beslag en het werk dat hij heen en weer sleepte tussen zijn appartement en kantoor werd steeds zwaarder. Zijn huis was een verlengstuk geworden van zijn kantoor en hij had nauwelijks tijd om op zijn dakterras te zitten of een behoorlijke maaltijd klaar te maken in zijn spiksplinternieuwe keuken. Hij haalde zijn eten meestal in een van de fastfoodrestaurants in de buurt, of hij at goedkope kant-en-klaarmaaltijden, die hij opwarmde in de magnetron.

Jon verplaatste zijn handen naar de zijkant van zijn gezicht, drukte zijn wijs- en middelvingers tegen zijn slapen en masseerde zijn schedel met cirkelvormige bewegingen. Hij haalde langzaam en diep adem en voelde dat zijn hartslag omlaagging en zijn lichaam zwaar werd.

Luca's dood had niet op een slechter moment kunnen komen.

Hij haalde zijn handen weer weg van zijn gezicht en liet ze zakken tot ze op de armleuningen van de stoel rustten. Hij bleef rustig ademen, nog steeds met zijn ogen dicht. Zijn borstkas ging op en neer op het ritme van zijn ademhaling en hij hoorde hoe de lucht zijn longen verliet en nieuwe lucht naar binnen werd gezogen.

Maar er was ook nog iets anders.

Als hij goed luisterde, hoorde hij een vaag, suizend geluid. Een zacht fluisteren, bijna onhoorbaar, leek de kamer binnengesijpeld te zijn. Heel langzaam nam het geluid toe in sterkte, alsof het dichterbij kwam of misschien gewoon harder werd. Jon concentreerde zich, maar hij kon niet horen wat er werd gezegd en of het mannen- of vrouwenstemmen waren, want het waren er meer dan één. Het klonk als een zacht gonzen van een hele menigte. Het geluid leek zo zwak en teer, dat hij zijn adem moest inhouden om het te lokaliseren, maar zodra hij het gevoel had dat het geluid van één kant kwam, veranderde het. Zijn hart ging weer sneller kloppen in zijn borst en hij hapte naar lucht, om vervolgens zijn adem weer in te houden en te luisteren.

Terwijl hij probeerde zich nog beter te concentreren, vlocht hij zijn handen in elkaar en kneep zijn ogen nog harder dicht.

Opeens explodeerden de beelden voor zijn ogen, abstracte vormen en kleuren vermengden zich met landschappen en taferelen van vechtende ridderlegers, zeerovers en indianen. Onderwaterbeelden van zeemonsters, duikers en onderzeeërs werden afgewisseld door onherbergzame maanlandschappen en woestijnen, die weer werden opgevolgd door ijsvlaktes en schommelende scheepsdekken – en dat alles met een razende vaart, als een diavoorstelling met turboaandrijving. Met klinkers belegde straten, nat van de regen, werden afgelost door in het zonlicht badende arena's met zwetende gladiatoren, die weer werden afgelost door gebouwen waar hoge vlammen uit oprezen tegen de achtergrond van een helder schijnende, gele volle maan. De volle maan werd het oog van een reusachtige draak, wiens geschubde oogleden zich sloten en veranderden in een school visjes, die meteen werden opgeslokt door een orka, die onmiddellijk daarna werd geharpoeneerd door een verweerde zeeman in een geel oliepak.

Al die indrukken en nog een paar honderd andere, die te snel gingen om ze goed in zich te kunnen opnemen, belaagden Jon in de tijd die het hem kostte om zijn ogen open te doen. Hij stond met een ruk op en hapte naar adem. Onvast op zijn benen wankelde hij naar voren, totdat hij een stoelleuning voelde onder zijn handen. Een hevige misselijkheid welde in hem op en hij hyperventileerde zo erg, dat zijn vingers begonnen te tintelen. Overmand door duizeligheid viel hij op zijn knieën en boog zich voorover, zodat hij op handen en voeten kwam te zitten met zijn gezicht naar het vloerkleed.

Na een paar minuten gierend ademhalen, zonder te durven knipperen met zijn ogen, richtte Jon zich langzaam weer op. Zijn gezicht was bedekt met zweet. Hij veegde het weg met de rug van zijn hand en ging voorzichtig staan. Bij de eerste stappen die hij in de richting van de dichtstbijzijnde kast deed, trilden zijn benen slap onder hem. Hij wankelde naar de deur, en zorgde ervoor dat hij zich steeds kon vasthouden aan een van de boekenplanken. De afstand van de deur naar de trap leek veel langer dan toen hij was gekomen en het leek een eeuwigheid te duren voordat hij bij de eerste trede was. Hij hees zich langzaam omhoog langs de gedraaide trap, handje voor handje. De leuning antwoordde met een onheilspellend gekraak onder de druk van zijn gewicht.

Toen hij bijna boven was, hoorde hij praten in het voorste gedeelte van de winkel. Hij kon niet horen wat ze zeiden, maar hij koerste in de richting van de stemmen, zich steeds met een hand vasthoudend aan een van de kasten. Aan het einde van het gangpad stapte hij aarzelend de ruimte in, nu had hij niets meer om zich aan vast te houden. Op datzelfde moment zwegen de stemmen. Paw zat met zijn armen over elkaar in de fauteuil achter de toonbank, Katherina zat op de toonbank met haar benen over de rand en Iversen stond met zijn rug naar Jon toe voor de kassa.

Iversen draaide zich om naar Jon en zei iets tegen hem. Zijn bezorgde stem volgde Jon naar de deur, die hij met een ongecontroleerde beweging openrukte.

Buiten ademde hij gretig de koude avondlucht in, maar hij stond niet stil voordat hij een lantaarnpaal had gevonden waar hij zich aan kon vastklampen. Het koude metaal voelde heel geruststellend.

'Jon, kun je me horen?'

Iversens stem drong eindelijk tot Jon door en hij knikte langzaam, alsof hij in trance was.

'Alles in orde?'

'Duizelig,' lukte het Jon uit te brengen.

'Kom mee naar binnen. Dan kun je even zitten,' bood Iversen dringend aan.

Jon schudde heftig van nee.

'Wil je wat water?' viel Katherina in en ze hield hem een beker voor.

Met tegenzin liet hij met één hand de lantaarnpaal los, pakte de beker en leegde die in één teug.

'Bedankt,' kreunde hij.

'Ik haal nog wat,' zei Katherina, terwijl ze de beker van hem aannam en naar binnen verdween.

Iversen legde zijn hand op Jons schouder.

'Wat is er gebeurd, Jon?' vroeg hij ongerust.

Jon haalde een paar keer diep adem. Het water en de frisse lucht hadden hun werk gedaan en hij voelde zich al een stuk beter.

'Stress,' antwoordde hij met zijn blik op de grond gericht. 'Het is gewoon stress.'

Iversen nam hem indringend op.

'Alsof dat minder erg is,' zei hij geïrriteerd. 'Kom mee naar binnen, dan kun je even bijkomen.'

'Néé,' riep Jon. 'Ik bedoel, nee, dank je, Iversen.' Hij richtte zijn hoofd op en keek de oude man in de ogen. Daarin zag hij zorg en wantrouwen tegelijk. 'Het enige wat ik nu nodig heb, is een bed.'

Katherina kwam terug met nog een beker water, die hij half opdronk terwijl hij scherp in de gaten werd gehouden door de anderen. Met een knikje als dank gaf hij haar de beker terug.

'Ik ben geloof ik mijn jasje vergeten binnen,' zei Jon terwijl hij op zijn zakken klopte.

'Je bent toch niet van plan om te gaan rijden in die toestand?' vroeg Iversen.

'Het gaat best. Ik voel me al een stuk beter,' antwoordde Jon en hij wist een glimlach tevoorschijn te toveren. 'Maar zou een van jullie mijn jasje willen halen?'

Katherina ging naar binnen en kwam even later terug met het jasje.

'We moeten nog steeds een paar dingen bespreken,' zei Iversen toen Jon in zijn auto stapte.

Jon knikte.

'Ik kom over een paar dagen terug. Jullie hebben me genoeg stof gegeven om over na te denken, dát is zeker.'

'Doe voorzichtig, Jon.'

Hij startte de auto en zwaaide nog even voordat hij wegreed. De duizeligheid was weg, maar hij werd overmand door een vermoeidheid die hij nog nooit eerder had gevoeld. Hij was gewend om lange werkdagen te maken, maar het leek wel of dit uitgeputte gevoel in alle cellen van zijn lichaam was gekropen.

Hij had zijn jasje op de passagiersstoel gegooid, maar iets wat uitstak in een van de zakken trok zijn aandacht. Bij het eerste verkeerslicht waarvoor hij moest wachten, stak hij zijn hand in de zak en haalde de inhoud eruit.

Het was een boek. *Fahrenheit 451*, van Ray Bradbury.

7

Katherina volgde de wegrijdende auto met haar ogen. Iversen, die naast haar stond, deed hetzelfde. Op zijn gezicht lag een bezorgde uitdrukking. Ze had hem niet vaak zo gezien, maar de laatste tijd was het anders zo vriendelijke gezicht herhaaldelijke malen verstoord door de ernstige rimpels in zijn voorhoofd.

Toen ze Jons Mercedes niet langer konden zien, richtte hij zijn blik op haar.

'Wat denk jij dat er is gebeurd?'

Katherina schudde haar hoofd.

'Geen idee.'

'Misschien was het gewoon stress, zoals hij zei,' stelde Iversen voor.

Ze haalden bijna synchroon hun schouders op en gingen de winkel binnen, waar Paw wachtte. Hij zat nog steeds met zijn armen demonstratief over elkaar in de fauteuil.

'Wat had hij nou opeens?' vroeg hij zodra Iversen de deur achter zich had dichtgedaan.

'Het is niet zo gek dat hij een beetje duizelig was, na alles wat we hem vandaag hebben verteld,' antwoordde Iversen.

'Had hij niet gewoon weg kunnen blijven?'

'Je vergeet dat wíj nu de indringers zijn, Paw.' Iversen spreidde zijn armen. 'De winkel hier, de boeken om je heen en de stoel waarin je zit, zijn allemaal van hem.'

'Maar dat klopt toch niet,' hield Paw vol. 'Luca zou ons nooit zo verraden. Er moet een mogelijkheid zijn om dat testament nietig te laten verklaren, of hoe dat dan ook heet.'

'Die kans is klein,' zei Iversen welwillend. 'Er ís geen testament om ongeldig te laten verklaren en bovendien heb ik Jons aanbod om het antiquariaat over te nemen, afgeslagen.'

'Wát heb je gedaan?' Paw sprong overeind uit de stoel. 'Ben je nou helemaal gek geworden?'

Zelfs Katherina was zo verrast, dat ze haar ogen opensperde en Iversen verwonderd aankeek.

'Ik denk dat het diep vanbinnen Luca's wens was,' antwoordde hij zonder zijn stem te verheffen. 'Welke vader wil nou niet dat zijn levenswerk in de familie blijft? Zou Luca het goedvinden als de Campelli-collectie in andere handen overging? Ik denk het niet.' Hij zweeg even voordat hij er met een zucht aan toevoegde: 'Bovendien hebben we hem nodig.'

'Als hij maar niet denkt dat we hem hebben vergiftigd,' zei Katherina zacht.

De twee anderen keken haar aan.

Iversen knikte instemmend.

'Het zou een ramp zijn als we hem nu zouden wegjagen en hij zich van ons af zou keren.'

'En als hij dat wel doet? Als hij ervoor kiest om het hele zootje te verkopen?' vroeg Paw.

Iversen glimlachte bedrukt.

'Hij heeft eigenlijk geen keus. De Raad heeft op voorhand toegestemd in een Lezing.'

Het werd heel stil. Paw ging langzaam weer in de stoel zitten, zonder zijn blik van Iversen af te halen. Katherina staarde de oudere man wantrouwend aan, maar Iversens blik bleef rustig.

Een Lezing was een drastische maatregel. Ze had nog nooit eerder gehoord dat de Raad daar zomaar op voorhand in had toegestemd. Het was streng verboden om je gaven als Lettore te gebruiken voor iets anders dan het bevorderen van leeservaringen. Dat was de code van het Genootschap. Het overtreden van die regel was een heel serieuze zaak en het had ernstige consequenties voor degene die het had gedaan, al had Katherina nooit helemaal precies begrepen wat die consequenties inhielden. Het voortbestaan van het Genootschap hing ervan af of de leden het bestaan ervan geheim konden houden, en misbruik van de gaven zou zonder enige twijfel de aandacht trekken.

Maar in heel zeldzame gevallen kon het nodig zijn om de gaven te gebruiken voor iets anders dan het verrijken van een tekst. Vooral in situaties waarin het Genootschap of de gaven direct werden bedreigd met onthulling. In dat soort gevallen gaf de Raad zijn goedkeuring aan een Lezing voor de betrokken partijen, die daarmee op andere gedachten gebracht moesten worden. De goedkeuringsprocedure was heel ingewikkeld. Er moest beschreven worden hoe het precies zou gaan, wie erbij aanwezig zou zijn, wat het resultaat moest zijn en welk voorwendsel er gegeven zou worden. Dat laatste was belangrijk, want als het slachtoffer geen plausibele verklaring had waarom hij of zij in een bepaalde kwestie opeens van mening veranderde, kon het helemaal fout gaan.

Na de goedkeuring creëerden de Lettores die de Lezing zouden uitvoeren een passende aanleiding om voor of in de buurt van de persoon of personen die beïnvloed moesten worden te lezen. Meestal was dit geen probleem. De doelwitten waren vaak personen met een openbare functie, zoals politici, ambtenaren of journalisten zonder al te veel beveiliging om zich heen.

Voor de Lezing werd een passende tekst uitgezocht, die ging over een aantal van de gebieden die iets te maken hadden met het gevoelige onderwerp. Tijdens het voorlezen werden belangrijke passages zodanig geladen dat het slachtoffer zijn belangstelling voor het onderwerp verloor of het helemaal afwees. Dat vereiste goede, sterke Lettores, maar het resultaat was nog nooit uitgebleven, waardoor de anonimiteit van het Genootschap was gewaarborgd.

Katherina wist niet precies hoeveel Lezingen er met toestemming waren gehouden, maar in de tien jaar dat ze contact had gehad met Luca, had ze slechts van één keer gehoord. Daar was ze zelf direct bij betrokken geweest, 'maar alleen als versterking', had Luca haar verzekerd.

Het doelwit was een plaatselijke politicus in Kopenhagen geweest die wilde bezuinigen op de subsidie voor de leesklassen in het onderwijs. Hij was van plan om de leesklassen op alle scholen in de hoofdstad aan een grondig onderzoek te onderwerpen.

Een van de belangrijkste opdrachten van het Genootschap was het bevorderen van de leeservaring en niet in de laatste plaats het verbeteren van de leesvaardigheid bij kinderen met problemen. Sommige leden van het Genootschap waren een soort rondreizende leesdocenten, die op verschillende scholen lesgaven aan kinderen die extra hulp nodig hadden. Behalve dat ze het leesplezier van de kinderen bevorderden, stuitten ze ook wel eens op kinderen die spontaan geactiveerde Lettores waren. De leesklassen waren een middel om de weinigen die er waren op te sporen en een mogelijkheid om hen zo discreet mogelijk te volgen en te begeleiden.

Een onderzoek naar de leesklassen zou het Genootschap waarschijnlijk niet direct verdacht maken, maar de angst dat deze ingang tot potentiële Lettores verloren zou gaan was voor de Raad voldoende om een Lezing voor de politicus goed te keuren.

De Lezing vond plaats op een snikhete zomerdag in het gemeentehuis. Het Genootschap had gezorgd voor een handtekeningenlijst tegen het opheffen van de leesklassen. De ouders van de kinderen die gebruikmaakten van de leesklassen gingen bereidwillig mee naar de audiëntie bij de politicus, waarbij de handtekeningen zouden worden overhandigd en een verklaring zou worden voorgelezen.

Behalve Katherina en Luca waren er nog drie andere leden van het Genootschap die deel uitmaakten van de leesklassenwerkgroep en een groepje ouders die niets van het eigenlijke doel van het bezoek af wisten. Luca had zich in een pak gehesen, iets wat de kleine Italiaan zeer onplezierig vond in die hitte. Het zweet liep langs zijn voorhoofd en zijn gezicht had een opvallende rode kleur gekregen. Zelf droeg Katherina een loszittende zwarte jurk en zij had het van de kleine delegatie waarschijnlijk het minst zwaar. Ondanks de warmte moesten ze drie kwartier wachten in de wachtkamer, waar ook een jonge, blonde secretaresse zat. Zij leek in haar witte zomerjurkje geen last te hebben van de temperatuur.

Eindelijk mochten ze het kantoor van de politicus betreden. De groep werd in de deuropening ontvangen door een man van middelbare leeftijd met staalgrijs haar en een even grijs kostuum dat strak om zijn magere lichaam sloot. Een paar harde ogen staarde hen aan van onder borstelige wenkbrauwen die als hoorntjes omhoogstaken. Ze gaven hem een voor een een hand en liepen langs hem heen naar binnen. Toen zij aan de beurt was, moest Katherina haar blik neerslaan. Zijn meer dan stevige handdruk bleef nog minutenlang pijn doen.

De woordvoerder van de leesklassenwerkgroep legde kort uit waarom ze daar waren en overhandigde de handtekeningen en de verklaring aan de man met het grijze haar, die achter een groot, opgeruimd bureau was gaan zitten. Met zijn ellebogen op de armleuningen van zijn bureaustoel zat hij hen met halfgesloten ogen op te nemen, terwijl hij zijn lange, kromme vingers ongeduldig tegen elkaar liet trommelen.

De verklaring werd niet alleen op papier overhandigd, hij zou ook worden voorgelezen. Dat was Luca's taak. Hij stapte snuivend naar voren en begon voor te lezen. Precies volgens verwachting pakte de politicus meteen zijn exemplaar om mee te lezen in de tekst, of om zijn gebrek aan belangstelling te verbergen.

In het begin van de verklaring stond een heleboel inleidende prietpraat over de achtergrond van de leesklassen, dat was een soort opwarming waarmee ze konden aftasten in hoeverre hun slachtoffer in staat en bereid was om zich te concentreren op de tekst.

Katherina voelde dat Luca de tekst slechts licht accentueerde, als een schilder die zijn werk begint met fijne penseelstreken die het linnen nauwelijks raken. De tekst was van tevoren zorgvuldig opgesteld en Luca's presentatie was foutloos, maar de kleine accentjes maakten de ervaring intenser, zodat het niet zomaar voorlezen was maar meer een voordracht.

Wilde dat echter enige uitwerking hebben, was er wel een minimale hoeveelheid aandacht nodig, iets wat de politicus die voor hen zat niet van plan was hun te gunnen.

Katherina sloot haar ogen en voelde hoe hij door de verklaring bladerde, hier en daar stopte en een klein stukje las zonder eigenlijk tot zich te laten doordringen wat er stond. De beelden die door de tekst en door Luca werden geproduceerd werden gedomineerd door een maalstroom aan gedachten. Die gingen over van alles en nog wat, variërend van andere bijeenkomsten, familieleden, golf en een bezoek aan een pretpark tot een dinertje dat waarschijnlijk nog diezelfde avond gehouden zou worden.

Ze haalde diep adem en liet zich meevoeren op de stroom beelden die voortkwam uit het bewustzijn van het slachtoffer. Telkens als hij een woord las in de tekst, versterkte ze dat een klein beetje, ze prikkelde zijn aandacht door het iets langer vast te houden dan eigenlijk de bedoeling van de politicus was. Algauw nam de tekst meer ruimte in beslag in zijn gedachten en hij begon langere stukken achter elkaar te lezen. Katherina deed haar best om die te versterken en vast te houden.

Voor een ontvanger was dit een heel simpele oefening. Katherina had ontelbare keren in treinen en bussen gezeten en haar gaven gebruikt om een lezer die in haar buurt zat te helpen zich te focussen op de tekst die hij las in plaats van op allerlei andere dingen. Heel veel forenzen lazen op weg van en naar hun werk, maar vaak waren ze niet erg geconcentreerd en Katherina merkte vaak dat ze opeens stopten met lezen, om een paar bladzijden terug te bladeren en een stuk opnieuw te lezen. Voor haar was het duidelijk wat er gebeurde. Ze kon bijna visueel volgen hoe de beelden van de tekst werden overstemd door allerlei andere gedachten en haast verdronken in zorgen over werk, liefde of boodschappen. Soms bemoeide ze zich ermee. Als ze een goed verhaal vond, hielp ze de lezer om gefocust te blijven op het verhaal, soms zo effectief dat de betreffende persoon zijn station of halte miste. Andere keren, als de tekst slecht was of Katherina alleen de stemmen op afstand wilde houden, saboteerde ze het lezen totdat de lezer zo ongeconcentreerd was dat hij of zij het opgaf.

De politicus kreeg, flink geholpen door Luca en Katherina, opeens belangstelling voor de tekst en bladerde naar de plek waar Luca was om mee te kunnen lezen in de verklaring. Katherina zorgde ervoor dat hij zijn concentratie vasthield, een makkelijke taak omdat Luca zijn accentuering voor hetzelfde doel gebruikte. Ze opende haar ogen en zag dat hun slachtoffer rechtop in zijn stoel was gaan zitten en de papieren in zijn handen met zichtbare belangstelling bekeek. Af en toe knikte hij in zichzelf, bijna op aangeven van Luca, die de belangrijke stukken in de tekst nog krachtiger accentueerde.

De invloed die een zender op zijn toehoorders heeft is niet op één bepaald persoon gericht en als er iemand in de ruimte aanwezig was geweest die twijfelde aan de legitimiteit van de leesklassen, zou hij zeker overtuigd zijn op het moment dat Luca het laatste woord van de verklaring had voorgelezen. Katherina glimlachte toen de politicus opkeek. Hij wist duidelijk niet hoe hij moest reageren, het leek wel of hij zich niet goed wist uit te drukken na Luca's prestatie, maar ten slotte stamelde hij toch een paar onhandige beleefdheden en hij verzekerde hen ervan dat hij opnieuw naar de zaak zou kijken.

Het effect bleef niet uit. Een paar dagen later verklaarde de politicus dat de leesklassen volkomen legitiem waren en dat er geen verder onderzoek naar zou worden gedaan op kosten van de belastingbetaler.

Het beïnvloeden van een beroepspoliticus die geen idee had van het bestaan van Lettores of Lezingen was één ding, maar het was iets heel anders als het slachtoffer een vermoeden had wat er met hem gebeurde.

'Is het niet te laat om nu nog voor Jon te lezen?' vroeg Katherina nadat ze Iversens woorden had laten bezinken. 'Hij zou het meteen in de gaten hebben.'

'Ja, waarom hebben we hem niet meteen een Lezing gegeven?' Paw sloeg met een gebalde vuist in zijn vlakke hand. 'Bam! Zonder waarschuwing. Dan hadden we hem kunnen laten doen wat we wilden.'

'We hebben het wel over Luca's zoon,' antwoordde Iversen. 'Hij is een goede jongen. Jon verdient ons respect en hij moet op z'n minst kunnen kiezen. Bovendien zou hij er toch achter komen op de dag dat hij geactiveerd wordt. En hoe zou dat eruitzien?'

'Maar als hij niet wil meedoen... als hij... de verkeerde keuze maakt, wat dan? Gaan we hem dan dwingen?' vroeg Katherina.

'Misschien,' antwoordde Iversen. 'Dat is eerder gebeurd. Niet recent, maar er zijn voorbeelden waarbij iemand tegen zijn wil een Lezing is opgedrongen. Vroeger werd het gebruikt om leden binnen de eigen gelederen die zich verzetten tegen het Genootschap te laten gehoorzamen. We zijn daar niet trots op. Het leken wel martelscènes, het slachtoffer werd vastgebonden en gekneveld.' Hij zuchtte. 'We moeten gewoon maar hopen dat het zover niet hoeft te komen.'

'Het zou anders wel gaaf zijn!' riep Paw, maar hij voegde er snel aan toe: 'Niet met Luca's zoon natuurlijk, maar met iemand anders, onvrijwillig. Lezen voor gewone mensen is te makkelijk, die zijn zo mak als schapen, je hoeft ze alleen een klein zetje te geven. Maar als je het eens kon proberen met iemand die echt weerstand biedt...'

'Jij bent te erg, Paw,' onderbrak Katherina hem.

'O, meld je je misschien aan als vrijwilliger? Ik zou wel weten wat ik jou zou voorlezen, misschien zelfs iets romantisch?'

'Daar twijfel ik niet aan, maar zou je dan niet eerst eens de oefeningen doen die Iversen je heeft gegeven?'

Paws scheve lachje verdween en hij mompelde iets wat alleen hijzelf verstond.

'Nou,' onderbrak Iversen hen. 'Wat dachten jullie ervan, zullen we maar sluiten voor vanavond?'

De twee anderen waren het voor één keer met elkaar eens en gingen snel de deur uit, terwijl Iversen nog een laatste ronde deed en daarna ook Libri di Luca verliet.

Katherina trapte flink door toen ze wegfietste van het antiquariaat. Hoofdschuddend verweet ze zichzelf dat ze beter had moeten weten en zich niet had moeten laten provoceren door Paw, maar net zoals een broer en zus, wisten ze precies op welke knopjes ze moesten drukken om de ander gek te krijgen en als de woorden eenmaal kwamen, ging verdediging al snel over in aanval.

Ze reed op haar mountainbike van Vesterbro naar Nørrebro. Ze suisde behendig tussen het late avondverkeer door, haar snelheid precies afgestemd op de verkeerslichten, ze nam de bochten bijna zonder vaart te minderen.

Misschien klopte de broer-zusvergelijking beter dan ze wilde toegeven. Zij was in bepaald opzicht enig kind geweest voor Luca en Iversen totdat Paw op het toneel verscheen als een broertje dat ze helemaal niet wilde. Het was niet makkelijk geweest voor haar om territorium af te staan en diep vanbinnen voelde ze zich een beetje schuldig omdat ze hem niet beter had ontvangen.

Ze reed door smalle straatjes met eenrichtingverkeer, dicht langs de geparkeerde auto's, of over de stoep als er een tegenligger aankwam. Ze keek een paar keer over haar schouder, maar kon niemand ontdekken die haar volgde. Bij Sankt Hans Torv stak ze het plein voor de cafés over, verliet de Blegdamsvej en ging de Nørre Allé in.

Hun geruzie had vast ook iets met hun leeftijd te maken. Paw was zeven jaar jonger dan zij, maar geestelijk nog jonger, vond ze. Alles draaide om hem en zijn behoeften. Zijn training ging voor alles. Ze schudde nog een keer haar hoofd. Misschien was ze gewoon jaloers.

Katherina ging de stoep op en stopte een paar meter verder voor een grijs huizenblok met witgeschilderde kozijnen. Er brandde maar in twee appartementen licht, van het ene waren de gordijnen dicht, maar door de ramen van het andere zag je een witgestuukt plafond waaraan een grote kroonluchter met brandende kaarsen hing.

Het was een feit dat er veel was veranderd sinds Paw in Libri di Luca was gekomen. Het evenwicht was verschoven. Nu was hij de benjamin, terwijl zij, niet zonder een gevoel van trots, iemand was geworden die meetelde en die in staat was zichzelf te redden. Door de terugkeer van Jon zou het evenwicht opnieuw verschuiven – de vraag was alleen in welke richting.

Toen ze haar fiets in de poort had gezet, verzekerde ze zich er nogmaals van dat ze niet in de gaten werd gehouden. Toen duwde ze de voordeur open en ging de hal in. Zonder het licht aan te doen, liep ze met twee treden tegelijk de trap op. Op de vierde verdieping bleef ze voor een grijsgeschilderde paneeldeur staan. Ondanks de duisternis kon ze het messingen naamplaatje duidelijk onderscheiden en al was ze niet in staat het te lezen, ze wist dat er 'Centrum voor Dyslexie (informatie op afspraak)' op stond.

Katherina belde twee keer, de eerste keer wat langer dan de tweede, en wachtte. Even later hoorde ze voetstappen aan de andere kant van de deur en daarna het geluid van sloten die werden geopend. De deur ging een klein stukje open en een strook licht viel naar buiten en omhulde haar. Het licht was fel na het donker in het trappenhuis dus ze knipperde met haar ogen en hield een hand voor haar gezicht.

'Kom binnen,' klonk een vrouwenstem en de deur ging helemaal open.

Katherina stapte een lange, beigegeschilderde gang in met aan weerskanten een rij messingen haken. Er hingen bijna overal jassen, maar ze vond nog een vrije haak voor de hare.

De vrouw die haar binnen had gelaten, deed de deur dicht en draaide zich naar haar om. Ze was midden veertig en een beetje gezet, wat ze probeerde te verbergen onder een zwarte jurk. Haar gezicht werd gedomineerd door een dikke hoornen bril en omlijst door lichtbruin haar dat een beetje kunstmatig leek in het felle licht van een rij halogeenspotjes aan het plafond.

'En?'

Katherina ving de blik van de andere vrouw op en knikte.

'Hij wordt goed – beter dan zijn vader.'

8

Een paar seconden voordat de wekkerradio ging, werd Jon wakker.

Even wist hij niet waar hij was. De kale witte muren en het plafond van zijn slaapkamer vloeiden in elkaar over tot één geheel, het leek wel een koepel van sneeuw, alsof hij op zijn rug in een iglo lag. Het was ook koud. Zijn dekbed was in de loop van de nacht van hem af gegleden en zijn verkreukelde laken getuigde van een onrustige slaap. Hij herinnerde zich dat hij moeilijk tot rust had kunnen komen. Hij had nog lang liggen nadenken over wat er was gebeurd in het antiquariaat. De uitleg die Iversen hem had gegeven, de demonstratie en de visioenen die hem hadden overvallen toen hij alleen in de bibliotheek was, leken nu onwerkelijk en heel ver weg. Op een gegeven moment had hij het boek *Fahrenheit 451* uit de zak van zijn jasje gehaald. Dat was een tastbaar bewijs dat het echt was gebeurd, maar toch was het een heel gewoon boek dat niet meer pretendeerde te zijn dan het was.

Het was lang geleden dat hij had gelezen in bed. Als kind was hij er dol op geweest: het enige wat hij nóg fijner had gevonden, was wanneer Luca hem een verhaaltje voorlas voor het slapengaan, en dan liefst *Pinocchio* en liefst in het Italiaans. Dit exemplaar van *Fahrenheit 451* was vertaald en toen hij het eerste hoofdstuk herlas, kwam hij tot de ontdekking dat de tekst veel ongelijkmatiger en houteriger was dan tijdens de demonstratie. De haarkleur van het meisje werd helemaal niet genoemd en was dus niet rood, zoals hij zo levendig voor zich had gezien.

Jon keek naar zijn nachtkastje, waar hij het boek de vorige avond had neergelegd. Het lag er nog, het sloot niet goed door de versleten bladzijden. Op datzelfde moment sprong de wekkerradio op 7:00 uur en de stem van een slaperige radiopresentator klonk uit de luidspreker met het laatste nieuws. Onlusten in Israël, absurde politieke bijdragen aan het allochtonendebat, een postkantoor dat was beroofd. Pas toen de stem monotoon refereerde aan een onderzoek naar leesvaardigheid bij kinderen, kwam Jon op zijn ellebogen omhoog en luisterde. Deense kinderen waren blijkbaar slechtere lezers dan kinderen uit de buurlanden, een ontwikkeling die door de minister van Onderwijs zorgwekkend en onacceptabel werd gevonden. Jon liet zich weer op zijn rug vallen en deed met een zucht zijn ogen dicht. Volgende week zouden ze vast weer een onderzoek presenteren dat het tegenovergestelde aantoonde.

Een andere, frisse presentator kwam in de plaats van de slaperige. Hij was van het soort dat eindeloos door ouwehoert over allerlei onbenulligheden en Jon besloot op te staan. Hij zette koffie en begon aan zijn ochtendritueel van douchen, scheren, koffiedrinken, een overhemd strijken, das strikken en nog meer koffiedrinken. De vertrouwde bewegingen maakten hem rustig, en toen hij de deur uit ging, waren zijn gedachten vol van de dag die voor hem lag en niet meer zozeer van wat er de avond ervoor was gebeurd.

Pas toen hij in zijn auto zat en zich liet meevoeren door de traag voortstromende ochtendspits, werd hij zich ervan bewust hoeveel mensen er eigenlijk lazen. Passagiers in de bus lazen boeken, mensen die op bankjes zaten waren verdiept in de ochtendkrant, schoolkinderen leerden hun huiswerk terwijl ze voorzichtig als koorddansers voetje voor voetje over de stoep liepen. Teksten in etalages werden gelezen door voorbijgangers, busreclames werden geregistreerd door verkeersdeelnemers en reclamefolders gescand en weggegooid door moeders met kinderwagens. Het leek wel of overal om hem heen op gevels, ramen, borden en bussen een invasie van woorden en zinnen was doorgedrongen, met als doel hem te verleiden om hun boodschap te ontcijferen, maar hij was er niet langer zeker van of hij daar zelf de controle over had.

De rest van de rit naar kantoor reed Jon met zijn blik strak op de weg voor hem gericht.

Hij had de glazen deuren naar de ontvangstruimte nog maar net opengeduwd, toen Jenny, zijn secretaresse, naar hem toe kwam rennen met een krant in haar hand. Ze was blond en wat je noemt een vrolijke, stevige meid.

'Dit moet je even horen,' zei ze opgewekt terwijl ze met de krant zwaaide.

Jenny begon altijd veel vroeger dan hij en ze hadden de gewoonte ontwikkeld dat zij de kranten doorzocht op artikelen die relevant waren voor zijn werk, of gewoon grappige stukjes. En die las ze dan hardop voor bij zijn eerste kop koffie. Meestal hoefde hij de kranten zelf helemaal niet meer door te nemen.

Jon keek naar de krant, en toen naar haar. Hij zag haar verwachtingsvolle ogen die op de krant waren gericht, haar mond begon de eerste zin al te vormen.

'Ik lees het straks wel,' onderbrak Jon haar lomp en hij liep verder.

'Oké,' mompelde Jenny, duidelijk teleurgesteld, en ze liet haar armen langs haar zij naar beneden vallen.

Jon bleef staan en draaide zich om.

'Sorry, maar ik heb heel slecht geslapen vannacht,' probeerde hij uit te leggen. 'Geef me even een half uurtje.'

Jenny knikte en vouwde de krant langzaam op.

'Mooie das,' zei ze mat terwijl ze naar haar bureau liep.

Jon hief zijn hand bij wijze van dank en liep door het open kantoorlandschap naar de Remer-cel. Bij de deur haalde hij de sleutelbos met de smurf tevoorschijn en maakte de deur open. Eenmaal veilig binnen, ging hij met zijn rug tegen de dichte deur staan.

Hij ademde een paar keer diep in en uit, en trok toen een geïrriteerd gezicht. Het had geen zin om in een permanente toestand van paranoia rond te lopen. Hij kon onmogelijk zijn werk doen zonder te lezen en het was niet erg realistisch om te denken dat hij vrij kon rondlopen zonder dat iemand anders in zijn aanwezigheid las. Hij schudde zijn hoofd. Als hij in het verleden door Lettores was gebruikt, dan had hij daar in ieder geval niets van gemerkt en gezien zijn huidige positie konden ze hem nooit veel in de weg gelegd hebben, integendeel.

Er werd op de deur geklopt en hij deed een paar stappen naar voren, zodat de deur open kon.

Jenny stak haar hoofd om de hoek.

'Halbech wil met je praten,' zei ze zakelijk. 'Over tien minuten in zijn kantoor.'

Jon knikte.

'Oké, bedankt, Jenny.'

Ze deed geruisloos de deur dicht.

'Natuurlijk net vandaag,' mompelde hij in zichzelf.

Hij had dit gesprek verwacht. Er was nu een week voorbijgegaan sinds hij de zaak-Remer had gekregen en hij wist dat hij op een gegeven moment zijn plan van aanpak voor de verdediging zou moeten presenteren. Eén week was onmenselijk kort om je in te werken in de omvangrijke aktes die bij de zaak hoorden, maar veel meer had hij niet verwacht te krijgen voordat hij op de proef gesteld zou worden.

Jon opende zijn attachékoffer en haalde er een dunne map uit met vijf à zes geprinte pagina's, die hij snel doornam. Op die pagina's stond zijn voorstel voor de strategie in de zaak-Remer. Het was een keurig voorstel, helemaal volgens de regels, maar hij wist dat Halbech creatieve oplossingen wilde die, zonder direct onwettig te zijn, de verdediging zouden vereenvoudigen. In dit geval kon hij een sluiproute kiezen door twee maanden uitstel te vragen, waardoor twee van de eerste aanklachten zouden komen te vervallen vanwege de verjaringstermijn. Geen geniale oplossing, maar op die manier zouden ze de meest kwetsbare plekken in de verdediging, namelijk de beschikkingen inzake de eerste bedrijven die Remer had gekocht, omzeilen. Maar ze moesten wel een excuus vinden om de zaak uit te stellen, of nog beter, om de aanklager zover te krijgen dat hij zelf uitstel zou vragen. Maar dat betekende dat ze met nieuwe informatie moesten komen.

Jon stopte zijn papieren terug in het mapje en verliet het kantoor met het voorstel onder zijn arm.

'Campelli,' riep Halbech vanuit zijn stoel toen Jon zijn kantoor binnenkwam. 'Ga zitten.' Hij wees op een van de twee leren chesterfield-stoelen die voor het bureau stonden.

Jon knikte en ging zitten met het mapje op zijn schoot.

'Gaat het goed?' vroeg Halbech routinematig.

'Ja hoor.'

'En dat met je vader? Is dat afgehandeld?'

'Min of meer. Ik moet nog een paar losse eindjes vastknopen.'

Halbech knikte.

'Knoop die dan snel vast, Campelli.' Hij glimlachte. 'Niets leidt meer af dan losse eindjes. "One touch" – dat is mijn motto. Je moet een taak meteen afmaken in plaats van uitstellen. Als je telkens weer opnieuw moet beginnen, is dat verspilling van tijd en het beïnvloedt de rest van je werk.'

'Oké,' zei Jon.

'En de zaak-Remer?'

'Druk mee bezig,' antwoordde Jon en hij klopte op zijn mapje. 'Ik heb...'

'Hij komt om negen uur,' onderbrak Halbech hem terwijl hij Jon onderzoekend aankeek. 'Hij wil je spreken.'

'Oké,' zei Jon verbluft en hij keek in een reflex op zijn horloge. Hij had nog vijftien minuten.

'Ja, hij wil vast zijn nieuwe verdediger zien. En hem een beetje onder druk zetten,' zei Halbech met een twinkeling in zijn ogen.

Jon haalde zijn schouders op.

'Het is zijn geld.'

'Precies,' zei Halbech en hij boog zich naar Jon toe. 'Maar probeer er zoveel mogelijk uit te halen, we krijgen niet vaak de kans om hem te spreken en als ik hem goed ken, is hij op weg naar een skivakantie of iets in die richting.'

Hij stond op van zijn bureaustoel, pakte het jasje dat over de rugleuning hing en trok het aan.

'Ik kan er zelf helaas niet bij zijn. Maar hij wil mij ook niet spreken.'

Jon stond op.

'Ik zal Jenny vragen om te notuleren,' zei hij.

'Doe dat zelf maar, Campelli,' droeg Halbech hem op. 'Remer houdt er niet van als er te veel mensen die er niets mee te maken hebben bij een bespreking zitten. En het is natuurlijk...'

'... zijn geld,' stemde Jon in.

Ze liepen samen naar de deur en naar de ontvangstruimte.

'One touch,' zei Halbech nog eens en hij gaf Jon een klopje op zijn schouder ten afscheid, waarna hij de voordeur uit liep.

Jon vroeg Jenny of ze een spreekkamer en koffie en thee wilde regelen en daarna ging hij terug naar de Remer-cel om de spullen die hij nodig had bij elkaar te zoeken.

De geruchten die de ronde deden over Remer waren talloos en afschrikwekkend, maar Jon ging ervan uit dat de meeste in werkelijkheid broodjeaapverhalen waren, om rechtenstudenten bang te maken. Remer hield niet van advocaten, dat stond vast, en dat hij het er vaak niet mee eens was hoe de zaak aangepakt moest worden, was ook iets wat steeds terugkeerde in de verhalen, maar vandaar was het nog een grote stap naar fysiek geweld. Een van de verhalen die de ronde deden in de wandelgangen, beschreef hoe Remer in een vlaag van woede zijn verdediger bij de stropdas zou hebben gepakt en hem ruw heen en weer zou hebben geschud, waarna hij de das vlak onder de knoop afknipte. Een afschrikwekkend verhaal, niet zozeer vanwege de fysieke aanval, maar vooral vanwege het vernielen van de dure stropdas.

De stapel mappen en papieren die hij nodig had groeide en Jon moest een trolley gebruiken om alles mee te kunnen nemen naar de spreekkamer. Halbech had hem al duidelijk gemaakt dat het belangrijk was dat hij zijn tijd met Remer goed benutte, dus hij wilde zorgen dat hij alles bij zich had. De lijst met vragen die hij aan de hoofdrolspeler in deze zaak wilde stellen was lang. Er waren creatieve bijlagen, data en volgorden van gebeurtenissen die niet klopten en beschikkingen die later onwettig of onwaarschijnlijk gelukkig bleken te zijn. De grenslijn was vlijmscherp.

Er werd op de openstaande deur geklopt en Jenny kwam binnen met koffie en water. Ze zette het zwijgend op tafel en ging weg. Even later kwam ze terug, dit keer met Remer.

De man was een jaar of vijftig en had grijs, gemillimeterd haar, waardoor hij leek op een strenge kolonel. Als hij geen vriendelijke, levendige ogen had gehad, hadden de verhalen over hem alleen al door zijn uiterlijk kunnen ontstaan, maar die ogen verzachtten zijn harde gezicht, evenals een brede glimlach met opvallend witte tanden.

'Remer.' Hij stak zijn hand naar Jon uit.

'Jon Campelli,' zei Jon terwijl hij de hand aannam.

Remer had een stevige handdruk en hij liet Jons blik niet los toen hij hem een hand gaf.

'Campelli?' zei hij. 'Is dat Italiaans?'

'Dat klopt,' antwoordde Jon. 'Mijn vader was een Italiaan. Gaat u zitten.'

'Ik blijf liever staan,' bedankte Remer. 'Prachtig land, Italië. Ik kom er net vandaan. Sicilië, om precies te zijn.'

'Wilt u iets drinken?' vroeg Jon terwijl hij naar het blad met koffie en water op de tafel wees.

'Nee, dank je,' antwoordde Remer. 'Ik blijf niet lang.'

'Dan moeten we maar snel beginnen...' stelde Jon vriendelijk voor en hij ging aan de tafel zitten.

'Campelli,' herhaalde Remer in zichzelf en hij keek naar het plafond. 'Ik heb die naam pas nog ergens gehoord.'

Jon schraapte zijn keel en bladerde in de papieren die voor hem lagen.

'Ik heb een aantal vragen, vooral met betrekking tot de aankoop van Vestjysk Leidingwerken in '92...'

'Boeken,' riep Remer terwijl hij in zijn vingers knipte. 'Het was die man van de boeken, Luca heette hij.' Hij richtte zijn blik op Jon. 'Is dat familie van je?'

'Ja, Luca was mijn vader,' antwoordde Jon. 'Hij is vorige week gestorven.'

Remer sperde zijn ogen open.

'Gecondoleerd,' zei hij met oprechte stem. 'Wat een vervelende samenloop van omstandigheden. Hij had toch een boekhandel?'

Jon knikte.

'Libri di Luca, in Vesterbro.'

'Ik ben er zelf nooit geweest,' gaf Remer toe terwijl hij door de kamer liep. 'Een van mijn zakenrelaties noemde je vaders naam.'

Jon nam Remer op, die langs de muren van de spreekkamer wandelde en de schilderijen bekeek. Hij droeg een zwart jasje, een wit overhemd zonder stropdas en een donkere spijkerbroek. Dat was een beetje een verwarrend signaal voor een zakelijke bijeenkomst, maar daar was hij duidelijk ook niet voor gekomen. Of hij werkelijk belangstelling had voor Jons familie of dat hij hem alleen maar wilde testen, wist alleen Remer zelf.

'Mijn zakenrelatie heeft zelf een paar boekhandels,' ging hij verder. 'Zeer succesvol naar ik begrijp. Het is een soort boekenimperium, met internetwinkels, boekenclubs en catalogi.' Hij lachte kort. 'Als je bedenkt dat het boek al een aantal keer is doodverklaard, valt er verbazingwekkend veel geld mee te verdienen.'

Hij staakte zijn wandeling en legde zijn handen op de leuning van de stoel tegenover Jon, waarna hij zich naar hem toe boog.

'Nou, Jon. Wat was je van plan?'

Heel even veranderden zijn ogen van vriendelijk en speels in onderzoekende lenzen die scherp stelden op Jons gezicht. Jon bracht instinctief een hand omhoog om zijn das goed te doen.

'Ik zou graag beginnen met...' begon hij, maar Remer onderbrak hem weer.

'Mag ik je een persoonlijke vraag stellen, Jon?' Hij wachtte het antwoord niet af, maar richtte zich weer op, sloeg zijn armen over elkaar en ging toen verder. 'Wat gaat er met de winkel gebeuren?'

'Eh, het antiquariaat?' vroeg Jon verrast. 'Dat heb ik nog niet beslist.'

'Maar het is van jou? Heeft Luca jou de zaak nagelaten?' vroeg Remer belangstellend.

'Als zijn enige familielid, ja.'

'Mag ik je misschien een voorstel doen?' Hij bracht een hand omhoog en tikte nadenkend met zijn wijsvinger op zijn kin. 'Ik kan je in contact brengen met mijn vriend, de boekhandelaar, ik weet zeker dat hij je een goede prijs voor Libri di Luca zal geven.' Hij grijnsde breed. 'Als je tenminste niet van plan was om je als boekendealer te vestigen?'

Jon glimlachte.

'Nee, dat is niet de bedoeling,' antwoordde hij. 'Maar ik heb nog niets beslist, zoals ik al zei.'

'Een goede raad, Jon,' zei Remer vermanend. 'Schoenmaker, blijf bij je leest. Ik ben goed in zakendoen, jij bent goed in mensen zoals ik uit de problemen helpen. Maar boekverkopers zullen we geen van beiden ooit worden.' Hij lachte. 'Zorg dat je een aardig bedrag verdient als je de winkel verkoopt en laat mijn vriend Libri di Luca de eenentwintigste eeuw in leiden. Dat zou je vader ook gewild hebben, denk je niet?'

'Dat weet ik nog niet zo zeker,' antwoordde Jon en hij glimlachte bij de gedachte. Hij wist natuurlijk niet in hoeverre Luca de afgelopen jaren met de computer en internet had leren omgaan, maar het leek hem vrij onwaarschijnlijk. Alleen al de gedachte aan een computer in Libri di Luca kwam hem absurd voor. Dat zou hetzelfde zijn als een straalvliegtuig sturen naar de middeleeuwen.

'Nou, hij was toch ook zakenman?' drong Remer aan. 'Hij zou de gedachte van één groot gemeenschappelijk magazijn voor een heleboel antiquariaten geweldig hebben gevonden, met een enorme hoeveelheid boeken en zoekmogelijkheden, zodat de klanten nooit voor niets zouden komen, maar hun kostbare boeken gewoon thuis via de computer konden bestellen.'

'Ik dacht dat de charme van een antiquariaat was dat je eindeloos rondsnuffelde en je liet verrassen,' bracht Jon daartegen in.

'Ja, ja, natuurlijk,' zei Remer. 'Daar moet ook nog ruimte voor zijn. De winkel zou niet helemaal gesloten worden. Zie het als een uitbreiding.'

Jon hield zijn handen afwerend omhoog.

'Ik beloof u dat ik erover na zal denken als het zover is. Op dit moment kijk ik het even aan.'

Remer knikte.

'Fair enough. Maar bel me als je een beslissing hebt genomen.' Hij viste een visitekaartje uit zijn binnenzak en gooide het op tafel.

'Dat zal ik zeker doen,' verzekerde Jon hem. 'Zullen we dan nu beginnen?'

Remer keek op zijn horloge.

'Ik moet helaas gaan, Jon. Maar het was gezellig je te ontmoeten.' Hij stak zijn hand over de tafel heen uit naar Jon, die volkomen verbluft opstond en de hand aannam.

'Ik kom er zelf wel uit,' zei Remer met zijn rug naar hem toe: hij was al op weg naar buiten.

Jon liet zich weer in zijn stoel vallen en staarde verbaasd naar de deur. Hij had het gevoel dat hij een bezoekje had gekregen van de tornado uit de Ajax-reclame. Net als het schoonmaakmiddel had Remer zijn missie volbracht en was daarna als een wervelwind verdwenen. De vraag was wélke missie hij had volbracht. Had hij alleen de veelbesproken nieuwe advocaat willen ontmoeten en had hij zich laten meeslepen door een potentiële handel met het antiquariaat, of was dát zijn eigenlijke missie geweest? Jon pakte het kaartje dat zijn cliënt had achtergelaten en onderzocht het. Er stond niets anders op dan Remers naam en een aantal telefoonnummers. Geen logo, geen bedrijfsnaam of zelfs maar een voornaam. Iedereen met een vel karton en een typemachine zou binnen twee minuten iets soortgelijks kunnen maken.

Hij stond op en begon zijn spullen bij elkaar te pakken.

'Hoe ging het?' vroeg Jenny, die opeens in de deuropening stond.

Jon haalde zijn schouders op.

'Geen idee,' antwoordde hij eerlijk. 'Maar mijn das is tenminste nog heel.'

Jenny lachte en wilde weggaan.

'Jenny, ik wilde je trouwens iets vragen,' riep hij. Zijn secretaresse draaide zich om. 'Had jij Remer al eens eerder gezien?'

Ze dacht even na en schudde toen haar hoofd.

'Nee, ik geloof dat ze meestal ergens in de stad vergaderen.'

'Oké, bedankt,' zei Jon en hij duwde de trolley met ordners en mappen de spreekkamer uit en ging weer terug naar het kantoor.

Hij had bedacht dat hij Remer ook nog nooit had gezien. Toen hij zichzelf weer had binnengelaten in de Remer-cel, liep hij direct naar de archiefkast met krantenknipsels toe. Daar werd alles wat in de media was besproken bewaard. Hij bladerde de mappen snel door. Even later vond hij wat hij zocht. Er waren maar weinig artikelen waar een foto bij stond, maar er was er één die was genomen voor de rechtbank, waar Remer in profiel op stond terwijl hij de trap op liep.

Het was hem, daar was geen twijfel over mogelijk. Het opvallende kapsel en de vastberaden blik waren niet mis te verstaan.

Dus de tornado was echt Remer. Dat maakte de zaak duidelijk voor Jon. Alle documentatie in de zaak getuigde ervan dat Remer een bijzonder actief zakenman was die zijn tentakels uitstak naar alles wat naar geld rook. Het maakte niet uit wat voor branche, dus waarom geen antiquarische boekhandel, als hij daar toevallig over struikelde tijdens een afspraak met zijn advocaat?

Voor de tweede keer die dag schudde Jon zijn hoofd over zijn eigen paranoïde gedachten, en het was nog vóór tienen.

9

Toen ze door het raam van Libri di Luca naar binnen keek, wilde Katherina bijna weer wegrijden. Het was Luca's zoon. Hij stond bij de toonbank te praten met Iversen, die een paar maal zijn hoofd schudde. Doordat het donker was, zagen ze haar niet. Ze kon makkelijk weer weggaan zonder dat ze erachter zouden komen dat ze er was. Haar hand lag al op de deurknop, ze kon niet besluiten of ze naar binnen zou gaan of zich zou omdraaien.

Het kon een behoorlijk intieme ervaring zijn om te ontvangen. Behalve de beelden die de tekst opriep, ving ze af en toe een glimp op van de persoonlijkheid van de lezer, fragmenten die het karakter en de gemoedstoestand van de persoon onthulden. Na de demonstratie had ze een vreemd gevoel als ze in Jons buurt was. Ze had het gevoel dat ze iets wist wat ze eigenlijk niet zou moeten weten. Iets wat hij zelf niet eens wist. Tijdens hun kleine voorstelling was ze verrast geweest en bang door wat ze bij Jon had waargenomen, maar ze wist niet wat ze met haar ontdekking moest. Veel mensen wilden liever niet weten hoeveel ze door middel van haar gave kon opvangen.

Ze haalde diep adem en duwde de deur open. De twee mannen draaiden zich naar haar om.

'Hallo Katherina,' groette Iversen. Jon knikte kort naar haar.

Katherina beantwoordde hun groet en sloot de deur achter zich.

'Ken jij hem misschien?' riep Iversen ijverig en hij wees op een fotokopie die op de toonbank lag. 'Hij heet Remer. Zegt dat jou iets?'

Ze liep naar de toonbank en bekeek de foto van een man van ergens in de veertig die doelgericht een trap op liep. Katherina schudde haar hoofd.

'Nee, ik heb hem nog nooit gezien. Wie is het?'

'Een cliënt,' antwoordde Jon. 'Maar hij lijkt aardig wat over Libri di Luca te weten, en over Luca zelf.'

'Hij wil de winkel kopen,' voegde Iversen eraan toe.

Ze keek Iversen verschrikt aan, maar die hief meteen met een geruststellend gebaar zijn handen.

'Rustig maar, we zijn niet verkocht. Nog niet tenminste.'

'Hij is het niet zelf. De koper is eigenlijk een vriend van hem,' legde Jon uit. 'Hij schijnt al een hele keten winkels te hebben en ook een internetwinkel. Zegt dat jullie iets?'

Iversen bromde bevestigend.

'Er zijn een paar grote spelers op de markt. Een aantal van hen heeft je vader al eerder aangeboden om Libri di Luca over te nemen, maar hij wees ze altijd af. Hij wilde de winkel onder geen beding over laten gaan in de handen van dat soort types.'

'Wat vind jij ervan?' vroeg Jon.

'Ik vind dat Libri di Luca niets te zoeken heeft in de buurt van een computer. Hoe kun je de kwaliteit van een werk nou beoordelen als je het niet in je handen hebt?' Hij schudde zijn hoofd. 'Het grootste deel van onze klanten komt hier voor de sfeer. Die kunnen we niet in de steek laten.'

Op dat punt was Katherina het met Iversen eens. Libri di Luca was een toevluchtsoord. Als íemand het plezier begreep van ronddwalen tussen de wanden vol boeken, en een werk van goede kwaliteit in je handen houden, dan was zij het wel. Al was ze niet in staat om de woorden zelf te lezen, ze hield ervan om het papier waarop ze waren geschreven en de band die ze beschermde te voelen. Aangezien de inhoud voor haar onbereikbaar was, nam ze genoegen met het medium dat die inhoud droeg, zonder verbittering of verdriet, maar met een fascinatie voor het materiaal en het handwerk.

'Wat denken jullie?' vroeg Jon. 'Was het toeval dat Remer mij uithoorde over Libri di Luca, of zat er iets achter? Waarom deze plotselinge interesse, en waarom juist nu?'

Iversen en Katherina wisselden blikken. Ze kon aan hem zien dat hij Jon dolgraag wilde vertellen wat hij wist en daar tegelijkertijd bang voor was. Er was een grens aan wat je een buitenstaander moest vertellen. Eigenlijk wist Jon al te veel, meer dan genoeg om een veiligheidsrisico te vormen voor het Genootschap.

'Ik denk dat zijn belangstelling voornamelijk voortkomt uit de goede naam van de winkel,' antwoordde Iversen. 'Je vader was een gerespecteerd man in onze kringen en iedereen mocht hem graag.'

'Kan het iets te maken hebben met de collectie beneden?'

Iversen schudde zijn hoofd.

'Er zijn maar heel weinig mensen die daarvan af weten. Ik denk eerder dat iemand op de een of andere manier de leegte wil opvullen die je vaders dood heeft achtergelaten.'

Jon nam eerst Iversen en daarna Katherina op. Hij haalde diep adem.

'Ik weet niet of jullie het beseffen, maar ik ben advocaat,' zei hij langzaam. 'Een belangrijk onderdeel van mijn werk is dat ik mensen die liegen of informatie achterhouden, doorzie, en ik denk dat er iets is wat jullie mij niet hebben verteld.'

Iversen wilde al protesteren, maar Jon hief zijn hand op en onderbrak hem.

'Ik begrijp heel goed dat jullie me hebben ingewijd in zaken die normaal gesproken geheim zijn.' Hij haalde zijn schouders op. 'Als je er tenminste in gelooft, wat ik eigenlijk wel moet. Maar ik heb het gevoel dat er meer is. Jullie wijzen er steeds maar op hoe belangrijk het is dat ik het begrijp, maar hoe kan ik het begrijpen als ik niet alles weet?'

Iversen nam Jon op, die met beide handen op de toonbank voor hem geleund stond. Katherina zag de berusting binnensluipen in Iversens blik. Hij keek uit het raam. Ze vermoedde dat hij achter die vriendelijke ogen razendsnel probeerde te bedenken hoe hij Luca's zoon een bevredigend antwoord kon geven zonder dat hij al te veel moest loslaten.

Maar opeens veranderde zijn blik van mismoedig in verbaasd en toen sperden zijn ogen zich wijd open van angst. Iversen opende zijn mond, maar zijn schreeuw werd overstemd door het geluid van brekend glas.

Katherina dook ineen en draaide zich om naar het geluid. De etalageruit rechts van de deur versplinterde, en glasscherven vlogen als kleine projectielen door de winkel.

'Liggen!' riep Jon terwijl hij zich op de grond wierp. Iversen zat als versteend in de leren fauteuil, zijn blik was gericht op de gebroken ruit.

Katherina dook weg achter de toonbank, net op tijd om de splinters van de andere etalageruit, die op datzelfde moment brak, te ontwijken. Ze kneep haar ogen stijf dicht en wachtte tot het geluid van glasscherven die op haar neerdaalden verstomde.

Langzaam opende ze haar ogen. Er lag overal glas, maar wat erger was, waren de kleine rookpluimen die zich vormden op de plekken waar sommige glasscherven het tapijt hadden geraakt.

'Brand,' riep ze terwijl ze overeind sprong.

Kleine vuurtongen hadden op meerdere plaatsen vat gekregen op het vloerkleed, en de linker etalage stond in brand. Jon lag nog steeds op de grond en Iversen hing over een van de armleuningen van de stoel, zijn gezicht afgewend van het raam. Katherina liep snel achter de toonbank om en maakte de kast waar de brandblusser in zat open. Jon was intussen opgestaan en hij keek wantrouwig om zich heen.

'Hier,' zei ze terwijl ze hem de brandblusser gaf. 'Ik haal de andere.'

Jon greep de cilinder, die niet groter was dan een thermosfles, en rende naar de etalage, waar de vlammen het hevigst waren. Intussen rende Katherina door de winkel naar achteren en de trap af naar de keuken. Hier rukte ze de tweede brandblusser van de muur, een zwaar ding van ruim een meter hoog, en ze haastte zich terug naar de winkel.

'Hij is leeg,' riep Jon toen ze aan kwam lopen. De brandblusser lag op de grond en hij trapte de vlammen op het tapijt uit, terwijl hij zich tegelijkertijd uit zijn jasje probeerde te wringen. Het vuur in de etalage was bijna uit, maar ze zag een oranje gloed aan de buitenkant van het kozijn, dus ze rukte de deur open om de vlammen van buitenaf te doven.

Toen de deur openging, sloeg een golf intense hitte haar tegemoet. De hele buitenkant van de deur stond in brand, de vlammen namen de uitnodiging om binnen te komen graag aan en likten via de bovenkant van de deurpost omhoog naar de onderkant van de vide.

Katherina richtte de brandblusser op de deur en kneep de hendel helemaal in. Een droog gesis overstemde het geluid van het knetterende vuur en wit schuim spoot over de houten deur. De vlammen weken met een nijdig sissend geluid achteruit voor het schuim en het vuur dat aan de deurpost had gelikt was gedoofd voordat het binnen voet aan de grond had gekregen. De stank van rook en verbrande verf was zo erg dat ze haar neus en mond moest bedekken met haar linkerarm terwijl ze het brandblusapparaat achter zich aan naar buiten sleepte door de rokende deuropening.

Buiten hadden de vlammen zich goed vastgebeten in de houten façade onder de etalageruiten en Katherina begon onmiddellijk de inhoud van de schuimblusser te legen op de delen die in brand stonden. De hitte maakte het onmogelijk om langere tijd achter elkaar dicht bij het vuur te staan, dus ze moest een paar keer stoppen met blussen en zich terugtrekken, voordat ze een hernieuwde aanval op de vlammen inzette. Haar armen trilden van de inspanning om de zware cilinder vast te houden en haar vingers prikten door de krampachtige greep waarmee ze de hendel ingedrukt hield. Haar ogen begonnen te tranen van de rook, dus alles zag er verwrongen en wazig uit. Maar toch bleef ze uitvallen doen naar de brandende gedeelten, en algauw had ze de rechterkant van de gevel geblust.

Aan de linkerkant was het vuur minder hevig, maar toen ze het voor de helft had geblust, was het schuim in de cilinder op. Wanhopig pompte ze een paar keer de hendel op en neer, maar toen begreep ze dat het voorbij was. Ze gooide de cilinder op de stoep, waar hij met een metaalachtig geluid terechtkwam.

Boos en vertwijfeld trok ze haar jas uit en begon ermee op de resterende vlammen te slaan. Bij iedere slag leek het of het vuur haar uitlachte door zich terug te trekken, om daarna nog veel heviger op te vlammen dan eerst. Ze mepte met haar jas tegen de gevel, maar voor iedere vlam die ze had gedoofd, kwamen er twee nieuwe in de plaats.

Opeens voelde ze een hand op haar schouder.

'Ga maar opzij,' zei een stem en de hand trok haar bij de vlammen vandaan. Een gedaante ging voor haar staan en ze hoorde het bevrijdende geluid van een andere schuimblusser.

Katherina liet haar jas op de grond vallen en wreef in haar ogen. Achter haar was een groepje mensen opgedoken die naar het schouwspel stonden te kijken alsof het een paasvuur was. De man voor haar proestte van de hitte terwijl hij vocht tegen de laatste vlammen, maar langzamerhand gaven ze het op en al snel was de hele gevel een rokend omhulsel van verbrand hout. Door de rook heen zag ze Jons silhouet, hij sloeg luid vloekend met zijn jasje op de grond. Ze rende de winkel in toen hij net de laatste vlammen uittrapte. Zijn witte overhemd hing uit zijn broek en er zaten grote, donkere plekken roet en zweet op.

'Is alles goed met je?' vroeg hij zonder zijn blik van het tapijt te halen, op zoek naar meer smeulende plekken.

'Ja, ik ben oké,' zei ze en ze keek om zich heen of ze Iversen zag.

Ze vond hem achter de toonbank; hij lag in de foetushouding en rilde alsof hij het koud had. In de kleding op zijn rug zaten grote brandplekken en op verschillende plaatsen waren zijn overhemd en zijn dikke sweater doordrenkt met bloed. Katherina liet zich naast hem op haar knieën vallen en legde haar hand op zijn schouder. Zijn lichaam kromp ineen door die aanraking en hij jammerde luid.

'Ik ben het, Katherina,' zei ze geruststellend.

Iversen draaide zijn hoofd naar haar toe. Kleine glassplintertjes hadden zich in de ene kant van zijn gezicht geboord, de andere kant was bedekt met bloed. Gelukkig was zijn bril nog heel en die had zijn ogen beschermd, waarmee hij haar nu smekend aankeek.

'Ik denk dat ik een dokter nodig heb,' kreunde hij terwijl hij probeerde te glimlachen.

Alsof dat het wachtwoord was geweest, hoorden ze buiten sirenes.

'Er komt een ambulance,' zei Jon, die opeens over hen heen gebogen stond. 'Ik vang ze wel op,' voegde hij eraan toe terwijl hij de winkel uit liep.

Iversen sloot zijn ogen.

'De boeken,' zei hij. 'Zijn ze...'

'Ze zijn niet beschadigd,' zei Katherina. 'Alles wat in de etalage lag is verbrand, maar de rest is nog heel.'

De oude man glimlachte, ook al leek hem dat pijn te doen.

'Je moet hem naar Kortmann brengen,' fluisterde hij.

'Ik?' Ze keek hem onderzoekend aan. Misschien had hij zijn hoofd gestoten. 'Weet je zeker dat ze mij binnen zullen laten?'

'Ze zullen wel moeten,' antwoordde Iversen en hij deed even zijn ogen open. 'Neem Paw mee, hem kunnen ze niet weigeren.'

'Kunnen we niet beter wachten tot jij weer in orde bent?' vroeg Katherina.

'Nee,' zei Iversen beslist. 'Het kan niet snel genoeg zijn. Kijk nou eens wat een puinhoop.'

'Wat jij wilt,' antwoordde Katherina met een zucht.

Het ambulancepersoneel kwam binnen, aangevoerd door Jon. Een van hen legde een hand op Katherina's schouder en duwde haar zachtjes opzij, zodat ze erbij konden. Nadat ze hem oppervlakkig hadden onderzocht, tilden ze Iversen voorzichtig op een brancard en droegen hem naar de ambulance. Katherina en Jon liepen mee.

'Ik ga mee naar het ziekenhuis,' zei Katherina tegen Jon. 'Wacht jij hier?'

Hij knikte.

'Natuurlijk.'

Katherina ging in de ambulance zitten, waarna de deuren werden dichtgeslagen en de auto in beweging kwam. Iversen deed zijn ogen open, nog net op tijd om de rokende gevel van de winkel achter hen te zien verdwijnen.

Twee uur later stond Katherina weer voor Libri di Luca. De ramen waren dichtgetimmerd en de gevel en de stoep waren nog nat van het nablussen door de brandweer.

In het ziekenhuis was Iversen meteen onderzocht, maar behalve een flink aantal brandwonden en diepe sneeën van de glassplinters, was het niet ernstig. Hij moest wel blijven ter observatie en gezien de shocktoestand waarin hij verkeerde, was dat waarschijnlijk ook het beste. Er was tijdens het lange wachten niet één samenhangende zin uit zijn mond gekomen.

Katherina had haast om weg te komen uit het ziekenhuis. Het herinnerde haar te veel aan het ongeluk dat ze als kind had gehad. Ze nam een taxi van het ziekenhuis terug naar de droeve aanblik van de winkel. De gevel leek wel een slooppand, dichtgetimmerd en vernield.

Zelfs buiten hing nog een lichte rooklucht en toen ze haar hand op de gevel legde, voelde die nog warm aan. Toen ze de deur opendeed, werd de rooklucht sterker. De brandweer had een strook van vier me-

ter van het tapijt voor in de winkel afgesneden en de donkere plankenvloer eronder blootgelegd. De tafels waarop de boeken werden uitgestald waren ingeklapt en de boeken die erop hadden gelegen waren in
allerijl opgestapeld in de gangpaden tussen de kasten.

Jon stond bij de toonbank en goot de inhoud van een fles in een
emmer. Over zijn gezicht liepen zwarte strepen roet. Hij had zijn jasje
weer aangetrokken, hoewel de vonken allemaal kleine, zwarte gaatjes
in de stof hadden gebrand. Hij leek nog het meest op een tekenfilmfi-
guur die in een hevig vuurgevecht verwikkeld was geweest. Ze was blij
dat hij er was tijdens de aanslag, maar nog dankbaarder dat hij er nu
was.

'Azijn,' legde hij met een knikje naar de emmer uit, 'tegen de geur.'
Hij leegde de fles en zette de emmer in het midden van de winkel op
de grond. De azijn prikte in hun neusgaten. Katherina deed een stap
achteruit en liet zich in de fauteuil achter de toonbank vallen.

'Hoe is het met hem?' vroeg Jon bezorgd.

'Hij heeft een shock,' antwoordde Katherina. 'Maar verder ziet het er
niet zo slecht uit. Het had veel erger kunnen zijn.' Ze haalde haar schouders op. 'Maar hij moet nog wel een paar dagen blijven. Minstens.'

Jon schudde zijn hoofd.

'Wie zou er nou zoiets doen?' vroeg hij retorisch. 'De politie dacht
dat het een racistische aanslag tegen de winkel zou kunnen zijn, maar
dat lijkt me een beetje onwaarschijnlijk.'

'De politie?' riep Katherina verschrikt uit.

'Ja, die kwamen gelijk met de brandweer.'

Jon vertelde dat de brandweer had nageblust, de schotten voor de
ramen had getimmerd en het vloerkleed had weggehaald. Intussen
was hij zelf ondervraagd door de politie. Ze vonden het niet verdacht,
hun vragen waren eerder routinematig geweest. Ze hadden totaal geen
belangstelling getoond voor wat er in de winkel aan de hand was en hij
zou het hun ook niet hebben verteld als ze het hem hadden gevraagd,
verzekerde hij haar. Voor de winkel hadden ze sporen gevonden van
molotovcocktails en de politie constateerde kennelijk op grond van
die sporen dat er een kleine groepering achter zat, waarschijnlijk met
racistische motieven.

'De politie wil natuurlijk ook graag met jou praten, maar ik wist je adres en je telefoonnummer niet, dus je moet zelf contact met ze opnemen,' beëindigde hij zijn verhaal.

Katherina knikte bedachtzaam en staarde voor zich uit.

'Wat denk jij?' vroeg Jon. 'Wie heeft dit gedaan?'

Ze deed haar mond open om te antwoorden, maar werd onderbroken door hard gebonk op de houten plaat die op de deur zat. Ze draaiden zich allebei om naar het geluid. De deurknop ging omlaag en de deur zwaaide open.

Paw stapte binnen met een wilde uitdrukking in zijn ogen, opeengeklemde kaken en gebalde vuisten.

'Wat is hier in godsnaam gebeurd?' riep hij boos.

Het kostte wat overredingskracht om hem een beetje rustig te krijgen zodat Jon en Katherina hem konden vertellen wat er was gebeurd. Tijdens hun uitleg beende Paw driftig heen en weer over de blootgelegde vloerplanken, alsof hij de jarenlange slijtage waarvoor het vloerkleed hen had behoed wilde inhalen. Naarmate het verhaal vorderde, werd zijn gezicht steeds roder van woede, maar hij onderbrak hen niet, hij zou waarschijnlijk niet eens in staat zijn geweest om te praten door zijn opeengeklemde kaken.

'Die klootzakken,' riep hij met trillende stem toen ze klaar waren. Hij keek vol haat naar Katherina en toen naar Jon.

'Wie?' vroeg Jon onmiddellijk.

Die vraag leek hij niet te hebben verwacht. Zijn blik schoot heen en weer en zocht die van Katherina.

'Ja, wie bedoel je precies?' vroeg Katherina.

'Ach, dat is toch overduidelijk,' zei hij geïrriteerd. 'Dat zou jij júíst moeten weten.'

Het werd heel stil in de winkel. Katherina bleef Paw strak aankijken. Ze wist heel goed wat hij bedoelde, maar ze wist ook dat hij zich vergiste. Dit was echter niet het juiste moment, noch de juiste plek om ruzie met hem te maken. In de toestand waarin hij verkeerde had het geen zin om te proberen hem te overtuigen.

'Vinden jullie niet dat ik zo langzamerhand recht heb op een verklaring?'

Katherina en Paw staakten hun staarwedstrijd en richtten hun aandacht op Jon. Hij stond tegen de toonbank aan geleund en spreidde zijn handen.

'Ik vind eerlijk gezegd dat ik uitermate geduldig ben geweest. Er zijn molotovcocktails naar me gegooid, er is tegen me gelogen en er gebeuren op zijn zachtst gezegd mysterieuze dingen in deze winkel, die in feite mijn eigendom is. Dus is het erg onredelijk als ik verlang te horen wat er aan de hand is?'

Paw was degene die de stilte verbrak.

'Wil jij, of zal ik?' vroeg hij terwijl hij zich tot Katherina wendde.

'Kortmann,' antwoordde ze laconiek. 'Iversen zei dat we hem naar Kortmann moesten brengen.'

'We? Denk je dat hij jou binnen zal laten?'

Katherina haalde haar schouders op.

'Dat zullen we wel zien.'

'Ken ik die Kortmann?' vroeg Jon.

'Je moet hem gezien hebben op de begrafenis,' legde Katherina hem uit. 'Een oudere man in een rolstoel.'

Jon knikte.

'Kortmann is de hoogste baas van het Bibliofielgenootschap,' ging ze verder. 'Hij heeft alle antwoorden en hij zal beslissen wat er moet gebeuren.'

Katherina vond het moeilijk om haar sarcasme bij die laatste zin te verbergen, maar Paw deed alsof hij het niet hoorde en sloeg tevreden zijn handen ineen.

'Wanneer gaan we naar hem toe?'

'Nu,' antwoordde Katherina.

10

Jon was zonder het te weten al vaak langs Kortmanns villa in Hellerup gereden. Het huis onderscheidde zich van de andere huizen. Ten eerste doordat het gigantisch was en ten tweede door de grote, roestige koker die langs de ene zijmuur oprees. Hij was even hoog als het gebouw zelf. Met een diameter van ruim twee meter leek de koker op een fabrieksschoorsteen die in verval was geraakt. De plaats naast de rode, goed onderhouden, drie verdiepingen hoge villa in Hellerup was zo opvallend, dat Jon het huis onmiddellijk herkende.

Rondom het terrein dat bij het huis hoorde stond een drie meter hoge muur en aan de straatkant verhinderde een solide ijzeren hek onbevoegden om dicht bij het huis te komen.

Katherina zat op de passagiersstoel naast Jon, en Paw zat achterin. Ze zeiden geen van beiden iets, behalve als het noodzakelijk was om Jon de weg te wijzen. Twee meter voor het hek stopte Jon de auto. Aan de bestuurderskant stond een intercominstallatie.

Jon deed zijn raampje open, stak zijn arm uit en drukte op een knop.

'Wat moet ik zeggen?' vroeg hij, terwijl ze op een reactie wachtten.

'Vertel hem gewoon wie we zijn,' antwoordde Katherina. 'Dan weet hij wel dat het belangrijk is.'

Jon wierp een blik op zijn horloge. Het was één uur 's nachts, maar er brandde nog licht achter een paar ramen op de derde verdieping.

'Ja?' klonk een droge stem uit de intercom.

Jon boog zich naar de luidspreker toe.

'Ik ben Jon, Jon Campelli.' Hij zweeg even, maar er kwam geen antwoord. 'Sorry dat we zo laat komen, maar het is belangrijk dat we de heer Kortmann spreken.'

Er kwam nog steeds geen ander geluid uit de praatpaal dan een zwak geruis en Jon keek vragend naar Katherina. Die haalde haar schouders op. Jon wendde zich opnieuw tot de luidspreker. 'Meneer Iversen ligt in het ziekenhuis,' probeerde hij. 'Libri di Luca is...'

'Kom binnen,' onderbrak de stem hem. 'Jullie moeten via de toren naar boven.'

Het ijzeren hek voor hen ging geruisloos open, langzaam, alsof het ze slechts met tegenzin toeliet tot het terrein. Toen er precies genoeg ruimte was om een auto door te laten, reed Jon naar binnen. Een korte, geasfalteerde weg leidde naar het huis. Voor het gebouw was plek voor vier of vijf auto's, maar op dat moment stond er niet één.

De voorkant van het huis werd gedomineerd door een zuilenrij. Een brede, verlichte stenen trap leidde naar een donkere houten deur met zwarte hengsels en een klein raampje met tralies ervoor.

Ze stapten alle drie uit.

'Ik denk dat we hierheen moeten,' zei Paw terwijl hij naar een stenen tuinpad wees dat langs het huis naar de zijkant leidde. Hij begon het snel te volgen en Jon en Katherina draafden achter hem aan.

'Ben je hier wel eens eerder geweest?' vroeg Jon.

'Nee,' antwoordde Katherina.

'Ik ook niet,' zei Paw en hij voegde er vlug aan toe: 'Maar ik denk ook niet veel van de anderen.'

Het pad eindigde bij de roestige koker, waar, nu ze ervoor stonden, een brede deur in bleek te zitten, die werd verlicht door een eenzame lamp. De afstand tot het huis was ruim twee meter, maar op de begane grond en op de bovenste verdieping waren het huis en de toren met elkaar verbonden door een overdekte loopbrug van hetzelfde roestige materiaal.

'De ontvanger blijft beneden,' klonk het opeens.

Paw wees waar het geluid vandaan kwam, een luidspreker in de deurpost. Ze keken elkaar aan. Jon fronste verbaasd zijn wenkbrauwen en wilde al protesteren, maar Katherina legde een hand op zijn schouder en knikte.

'Het is goed,' zei ze. 'Dat had ik al verwacht. Ik wacht wel in de auto.'

'Weet je het zeker?' vroeg Jon.

'Heel zeker,' antwoordde ze. 'Gaan jullie maar.'

Paw had de deur al opengedaan.

'Kom je?'

Katherina draaide zich om en liep terug naar de auto, terwijl Jon zich bij Paw voegde. Eenmaal binnen in de toren bleken ze in een lift te staan waar precies genoeg plaats was voor hen beiden. Aan hun linkerkant was een deur naar het huis. Jon wilde de deurkruk al pakken, toen de ruimte plotseling in beweging kwam en ze omhooggingen, langzaam en bijna ongemerkt, alsof ze door het tij gedragen werden. De lift werd niet omhooggehesen door kabels, maar door grote tandwielen die het platform in een gelijkmatig tempo omhoogtrokken. Het snorrende mechaniek gaf Jon het gevoel dat hij was opgesloten in een antieke staande klok.

Paw tikte ongeduldig met zijn voet op de ijzeren vloer en keek naar het plafond acht meter boven hen.

Na wat Jon een eeuwigheid leek, kwamen ze boven en Paw duwde de deur van de loopbrug die naar het huis leidde open. Aan het einde van de passage ging een deur open en daar zat Kortmann in zijn rolstoel. Het leek wel of hij hen had verwacht, want hij was nog gewoon aangekleed. Hij droeg een donker pak en een paar glanzend gepoetste zwarte schoenen die onder zijn perfect geperste broekspijpen uitstaken. De rolstoel was speciaal voor hem op maat gemaakt. Hij was van messing en een stuk hoger dan normaal, wat het oogcontact met de passagier vergemakkelijkte, maar waardoor hij ook een kleine jongen in een kinderstoel leek.

Kortmann verwelkomde hen met een afgemeten knikje.

'Kom verder,' voegde hij eraan toe op een neutrale toon, die kon worden opgevat als een aanbod, maar ook als een bevel. Hij reed zijn stoel een stukje naar achteren zodat ze erlangs konden en dirigeerde hen door een gang met gedimde verlichting en schilderijen in gouden lijsten aan de muren. Aan het einde van de gang gingen ze een grote kamer binnen met boekenkasten van de vloer tot aan het plafond. Midden in de ruimte stond een ronde salontafel met zes leunstoelen eromheen, erboven hing een grote kristallen kroonluchter.

'Ga zitten,' zei hij met een armgebaar naar de stoelen.

Ze deden wat hij zei en keken rond. Ze waren allebei onder de indruk. Paw floot zacht.

'Leuk optrekje heeft u hier,' zei hij. 'Dat zal wel aardig wat kosten.'

Kortmann negeerde hem. Met een hendel aan de zijkant van zijn rolstoel verlaagde hij zijn zithoogte, zodat ze meer op elkaars ooghoogte kwamen te zitten.

'Wat is er gebeurd?' vroeg hij terwijl hij Jon recht aankeek.

Jon vertelde hem over de aanslag op de winkel en over Iversens toestand. Kortmann hield gedurende het hele verhaal Jons blik vast en zelfs toen Paw hem onderbrak met een bijdehante opmerking, weken zijn ogen niet van Jon. Zijn blik was niet wantrouwig, maar vol ernst, zorg en aandacht. Toen Jon klaar was met zijn verhaal, bleef Kortmann heel stil zitten in zijn rolstoel, zijn handen gevouwen voor zich.

'Hebben jullie gezien wie het waren?'

Jon schudde zijn hoofd.

'Nee.'

'Maar de ontvanger was er ook?'

'Katherina? Ja, die was er de hele tijd bij. Zij heeft eigenlijk het grootste deel van de brand geblust.'

Kortmann draaide zijn hoofd naar Paw.

'En jij?'

'Ik kwam pas later,' antwoordde Paw. 'Ik heb ook nog een leven buiten de boeken.'

Kortmann keek naar zijn handen.

'Ik heb gisteren Iversen nog gesproken,' begon hij. 'We hadden het over jou, Jon. Je kunt heel erg belangrijk worden voor het Genootschap en met de recente gebeurtenissen is het belangrijker dan ooit dat we je kunnen gebruiken.' Hij keek naar Jon. De donkere ogen staarden hem zorgelijk aan.

'Er is de afgelopen tijd een reeks verontrustende dingen gebeurd binnen onze kringen. Libri di Luca is niet de enige antiquarische boekhandel waarop een aanslag is gepleegd. Vorige maand is een boekhandel in Valby afgebrand en een aantal van onze contacten in de bibliotheken in deze stad zijn lastiggevallen of zonder waarschuwing ontslagen. En dan is er natuurlijk nog de zeer beklagenswaardige kwestie van je vaders dood.'

Jon was verbaasd. Hij staarde de man in de rolstoel vragend aan.

'Wat heeft Luca's dood met de brand te maken?'

'Je vaders dood was slechts het begin.'

'Wacht eens even,' zei Jon en hij hief zijn beide handen in een afwerend gebaar omhoog. 'Luca is gestorven aan een hartstilstand.'

'Correct,' bevestigde Kortmann. 'Maar er mankeerde niets aan zijn hart.'

Jon nam de man tegenover hem op. De ogen achter de brillenglazen keken niet weg voor zijn blik, het gezicht straalde ernst en begrip uit.

'Wat probeert u me precies te vertellen, meneer Kortmann?' vroeg Jon.

'Dat je vader naar alle waarschijnlijkheid is vermoord.'

Jon voelde zijn lichaam zwaar worden. Hij had het gevoel dat hij wegzonk in de fauteuil, alsof iemand de lucht had laten ontsnappen uit de leren bekleding. Hij kon zijn blik niet langer op Kortmann gericht houden, maar liet hem vrij ronddwalen, terwijl hij de woorden liet doordringen tot zijn bewustzijn.

'Ik begreep van Iversen,' ging Kortmann na een korte pauze verder, 'dat je tijdens jullie kleine seance in Libri di Luca een demonstratie hebt gekregen van de gaven van een ontvanger?'

Jon knikte afwezig.

'Misschien heb je daarbij gemerkt dat je niet de volledige controle had over je eigen lichaam. Je was niet in staat om het lezen, je ogen, of je ademhaling te sturen en misschien heb je zelfs een verandering gevoeld in je hartritme. Stel je die lichte beïnvloeding nu eens voor, maar dan verhoogd met een factor tien of honderd. Je vader had geen schijn van kans.'

Jon probeerde zich te herinneren wat er in de kelder was gebeurd toen ze *Fahrenheit 451* lazen. Hij herinnerde zich de sterke beelden en een duidelijke beïnvloeding van het verhaal, maar hij had zelf de controle over zijn lichaam gehad, of was dat ook gestuurd door Katherina?

'We kunnen natuurlijk niets bewijzen,' zei Kortmann met een spijtige klank in zijn stem. 'Er blijven geen sporen van stoffen achter, geen verwondingen of andere zichtbare kenmerken. De symptomen zijn overbelasting van het hart met een hartstilstand tot gevolg.'

Het gevoel van onmacht dat Jon tijdens de demonstratie had gehad kwam weer terug en hij herinnerde zich dat zijn hartslag inderdaad omhoog was gegaan. Hij haalde zich de warmte van zijn handen en het zweet op zijn voorhoofd weer voor de geest. Hij was een passagier geweest in zijn eigen lichaam, niet in staat om het te stoppen, al had het over de rand van een afgrond willen stappen. Het was niet moeilijk voor Jon om zich voor te stellen hoe je die macht kon gebruiken voor iets anders dan iemand een mooie leeservaring bezorgen. Maar wie zou die controle over een ander mens zo ver doorvoeren dat het eindigde in moord?

'Katherina,' zei Jon droog. 'Mocht ze daarom niet mee naar boven?'

'Niet alleen díe ontvanger mag hier niet komen,' antwoordde Kortmann. 'Geen enkele ontvanger mag deze ruimtes meer betreden.'

'Meer?'

'Sorry, ik vergeet steeds dat je niets van het Bibliofielgenootschap en zijn geschiedenis af weet. Als Luca's zoon hoor je eigenlijk alles te weten.'

'Negeer mijn stamboom even,' drong Jon aan. 'Vertel.'

Kortmann knikte en schraapte zijn keel voor hij verderging.

'Tot twintig jaar geleden was het Bibliofielgenootschap een verzamelplaats voor zenders én ontvangers. Dat was in hoge mate de verdienste van je vader en je grootvader. Zij hebben de twee groepen zolang ze konden bij elkaar gehouden. Maar twintig jaar geleden vond er een reeks incidenten plaats die sterke overeenkomst vertonen met de dingen die nu gebeuren. Lettores werden zonder enige reden ontslagen uit hun baan of ze werden op een andere manier geïntimideerd. Het escaleerde in inbraken, branden en zelfs moord en er waren duidelijke tekenen dat de gaven offensief werden gebruikt. De ontvangers beschuldigden ons ervan dat wij erachter zaten en wij op onze beurt waren ervan overtuigd dat zij de oorzaak waren van de gebeurtenissen. De gaven van ontvangers zijn meer verborgen dan de onze en we dachten dat we konden bewijzen dat bij veruit de meeste van de aanslagen die op ons werden gepleegd ontvangers betrokken waren. Alles wees in hun richting. Zelfs als een ontvanger het doelwit was, konden wij dat verklaren door het uit te leggen als een bewust rookgordijn of opstand binnen hun eigen gelederen. Maar ze ontkenden alles. De beschuldigingen veroorzaakten een tweedeling van het Genootschap. Er heerste een sfeer van haat en je vader was op dat moment van het toneel verdwenen vanwege de dood van je moeder. Hij was altijd ambassadeur voor beide kanten en zonder zijn diplomatie werd het Genootschap opgedeeld in zenders en ontvangers, zoals ik al zei.' Kortmann legde zijn handen in elkaar. 'En daarom zijn ontvangers hier tot op de dag van vandaag niet welkom.'

'Wat gebeurde er?' vroeg Jon. 'Hielden de aanslagen op?'

'Onmiddellijk,' antwoordde Kortmann. 'Na de opsplitsing zijn er geen problemen meer geweest.'

'Tot nu,' voegde Paw eraan toe.

Kortmann knikte.

Jon dacht terug aan de begrafenis. Iversen had gezegd dat er zenders en ontvangers aanwezig waren geweest, heel veel zelfs. Hij had niets gemerkt van vijandschap of wantrouwen, maar toen had hij ook nog geen idee gehad wat voor mensen het waren, of wat hun relatie met Luca was.

'Waarom Luca?'

'Je vader heeft altijd met één voet in beide kampen gestaan en niet iedereen vond dat een goed idee. Sommige mensen, zowel zenders als ontvangers, zijn van mening dat je je het best bij je eigen soort kunt houden. Hij zou in hun ogen als verrader kunnen worden beschouwd.'

'En in uw ogen?'

Kortmann aarzelde even, maar als hij zich aangevallen voelde, liet hij dat niet merken.

'Luca was een goede vriend van me. Bovendien was hij een prima leider en de goedheid zelf, maar we waren het niet altijd met elkaar eens. Ik heb me indertijd sterk gemaakt voor de afscheiding van zenders en ontvangers en dat heeft mij de post van leider van het Genootschap opgeleverd toen je vader aftrad. Ik had het liefst gezien dat hij was gebleven, maar hij was zo kapot van je moeders dood dat hij daarna een paar jaar lang geen contact met het Genootschap heeft gehad.

Toen hij eindelijk terugkwam, was de opsplitsing allang een feit.'

'En hij werd niet opnieuw de leider?'

'Nee, Luca werd gewoon lid van het Genootschap, zo wilde hij het zelf,' antwoordde Kortmann, maar hij voegde er nog snel aan toe: 'We vroegen hem wel altijd om raad als we belangrijke beslissingen moesten nemen. Hij was toch een van de oprichters en er werd nog steeds veel belang gehecht aan zijn mening.'

'Was hij dáárom zo gevaarlijk dat hij moest sterven?'

'Dat kan ik me moeilijk voorstellen. Maar ik kan natuurlijk niet zeggen wat hij deed als hij bij de ontvangers was.'

'Ze moeten een reden hebben gehad om hem te vermoorden,' zei Paw. 'U hebt het zelf gezegd, Kortmann. De moordenaar is een ontvanger.'

'Ze ontkennen iedere betrokkenheid,' antwoordde Kortmann. 'Ondanks de afsplitsing communiceren we soms met de ontvangers. Dat ging altijd via Luca. We proberen nu weer een wat officiëlere vorm van contact van de grond te krijgen. Hun leider belde mij meteen na Luca's dood om mij ervan te verzekeren dat zij niets met de moord te maken hadden.'

'Daar zit een uiterst verdacht luchtje aan,' riep Paw uit. 'Ik wil wedden dat zij erachter zitten. Wie is de volgende die lafhartig wordt vermoord? U? Ik? We moeten iets doen, voordat het te laat is.'

'Voordat jullie tot de aanval overgaan,' zei Jon kalm, 'moeten jullie niet eerst uitsluiten of Luca's dood misschien toch een natuurlijke dood was?'

'Daar hebben we inderdaad over getwijfeld,' gaf Kortmann toe. 'Tot vanavond. De aanslag op Libri di Luca heeft mij er definitief van overtuigd dat iemand ons naar het leven staat. Maar ik ben blij met jouw scepsis, Jon. Die zul je nodig hebben bij de opdracht die we je willen geven.'

'Opdracht?' vroeg Jon aarzelend. Beelden van hemzelf terwijl hij molotovcocktails door winkelruiten gooide doken op in zijn bewustzijn. Vreemd genoeg kwam die situatie hem minder verwerpelijk voor dan hij had gedacht, alsof de omstandigheden rond Luca's dood iets in hem wakker hadden gemaakt. 'Wat voor opdracht had u in gedachten?'

'De ontvangers ontkennen zoals je weet alles, maar ze hebben toe-gestemd in een onderzoek. Net zoals wij er niet helemaal zeker van kunnen zijn dat er geen verrader in ons midden is, kunnen zij daar ook niet zeker van zijn. Daarom willen beide partijen een onpartijdig onderzoek, uitgevoerd door een buitenstaander – iemand die niet is beïnvloed door het milieu om het zo maar eens te zeggen. En die per-soon ben jij, Jon.'

Jon staarde verbluft naar de man in de rolstoel.

'Maar hoe zou ik...' begon hij, maar hij maakte zijn zin niet af.

'Jij bent de perfecte persoon, Jon. Je zult in beide kampen profijt hebben van je vaders goodwill. Je zit nog niet diep genoeg in het Ge-nootschap om een kant te kiezen en als advocaat moet je gewend zijn aan een zekere mate van speurwerk.'

'Maar nu het om Luca's dood gaat, zou je natuurlijk kunnen bewe-ren dat ik niet geschikt ben,' hield Jon hem voor.

'Daardoor ben je juist nog meer gemotiveerd om de moordenaar te vinden, de *echte* moordenaar.'

Het was moeilijk voor Jon om tegenargumenten te bedenken. Zijn eerste reactie was dat hij niets met de zaak te maken wilde hebben. Dat hij de winkel zo snel mogelijk wilde verkopen en daarna alles wat hem over Lettores was verteld weer gauw vergeten en verdergaan met zijn leven. Hij had werkelijk al meer dan genoeg op zijn bord liggen. Er was eindelijk een geweldige carrièrekans op zijn pad gekomen, na-melijk de zaak-Remer, maar die nam wel al zijn tijd in beslag. Meer kon hij gewoon niet aan.

Maar toch had hij het gevoel dat dit zijn laatste kans was om zeker-heid te krijgen. Misschien zou het onderzoek naar Luca's dood hem de verklaring geven die hij al zo lang zocht. Waarom had zijn vader niets meer van hem willen weten na de dood van zijn moeder? Toen hij daar zat, omgeven door boeken, in het hart van het Bibliofielgenootschap, zijn hoofd volgestopt met complottheorieën, kreeg hij het gevoel dat alles met elkaar samenhing – Luca's dood, hijzelf en alles wat er de af-gelopen twintig jaar met hem was gebeurd waren stukjes in een puzzel waar hij tot nu toe te jong voor was geweest – 'Voor drieëndertig jaar en ouder', had er op de doos kunnen staan.

'Ik zou geen idee hebben waar ik moest beginnen,' protesteerde Jon, toen geen van hen een poosje iets had gezegd.

'Om te beginnen moet je de rest van het Bibliofielgenootschap leren kennen,' zei Kortmann. 'Zenders én ontvangers. Misschien kan de ontvanger die bij jullie was van nut zijn. Ze genoot kennelijk Luca's vertrouwen, dus gebruik haar als je kunt. Het kan zijn dat zij iets kan regelen met de ontvangers. Als ze jou accepteren, kun je vandaar je strategie verder bepalen.'

'Hij heeft natuurlijk ook een bodyguard nodig,' stelde Paw voor en hij wees met allebei zijn duimen op zichzelf. 'Ik bijvoorbeeld.'

'Zoals ik al zei,' legde Kortmann met nauwelijks verholen irritatie uit, 'is het belangrijk dat beide partijen vertrouwen hebben in de persoon of personen die het onderzoek zullen uitvoeren. Ze moeten zo onpartijdig mogelijk zijn en dat kun je van jou nou niet bepaald zeggen.'

'Oké, oké,' zei Paw teleurgesteld. 'Ik wilde alleen maar helpen.'

'Bovendien heeft Jon nog een andere voor de hand liggende kwalificatie die jij niet hebt. Jon is geen actieve Lettore.'

Paw haalde zijn schouders op.

'Er bestaat geen twijfel over dat je de potentie hebt,' zei Kortmann terwijl hij zich tot Jon wendde. 'Maar je gaven zijn op dit moment latent. Het zou goed zijn om dat zo te laten totdat het onderzoek is afgerond. Op die manier kunnen de personen met wie je in contact komt er zeker van zijn dat je hen niet manipuleert. Het nadeel is natuurlijk dat je zelf niet kunt voelen of iemand jóú probeert te manipuleren.'

'O, nu voel ik me een stuk prettiger,' mompelde Jon.

'Het is niet zo erg,' beweerde Kortmann. 'Jouw voordeel is dat je weet wie je tegenover je hebt. Als je je aan een paar simpele regels houdt, hoef je niet in de problemen te komen.'

'En die zijn?'

'Niet lezen in de buurt van een ontvanger en vermijd te worden voorgelezen door een zender.'

Jon knikte.

'Het zou me wel een veiliger gevoel geven als ik iemand bij me had,' drong hij aan. 'Noem het een bodyguard of een gids. Als vreemde in dit milieu zal ik hulp nodig hebben om te weten hoe ik me moet gedragen.'

'Dat begrijp ik,' zei Kortmann. 'Maar de ontvangers zouden Paw nooit als onderzoeker accepteren.'

'Ik had Paw ook niet in gedachten,' zei Jon vlug. 'Ik wil Katherina mee hebben.'

Paw snoof, terwijl Kortmann rustig zijn handen voor zich vouwde en zijn kin erop liet steunen. Nadat hij Jon een tijdje onderzoekend had aangekeken, klonk er opeens een lachje.

'Je bent werkelijk een zoon van Luca,' zei hij hartelijk. 'Dat soort dingen deed hij ook altijd. Goed, je kunt het krijgen zoals je het hebben wilt. Als je ermee akkoord gaat dat er bepaalde plaatsen zijn waar zij niet mag komen en dat sommige personen het er niet mee eens zullen zijn, mag je haar meenemen.' Zijn gezicht werd weer serieus. 'Nou, wat vind je ervan?'

Jon keek naar Paw, die met een verontwaardigd gezicht terugkeek. Kortmann zat met zijn handen gevouwen voor zich en keek Jon afwachtend aan. Weer bekroop hem het gevoel van machteloosheid. Het was duidelijk wat hij moest doen, ook al had hij er geen zin in. Hij voelde dat het recht om te kiezen hem was ontnomen. Maar wat hem verbaasde, was dat hij het echt wilde. De mogelijkheid dat hij erachter kon komen wat er indertijd was gebeurd deed hem alle verstandige argumenten ten aanzien van carrière en ongeloofwaardige complottheorieën vergeten. Iets vertelde hem dat er een verband moest zijn tussen de gebeurtenissen van nu en wat er twintig jaar geleden was gebeurd.

Jon richtte zich op in zijn stoel en spreidde zijn armen.

'Oké, wanneer beginnen we?'

II

Hoewel het donker was, zag Katherina dat er iets veranderd was aan de twee mannen toen ze naar haar toe kwamen lopen. Jon liep voorop met vastberaden passen, terwijl Paw met gebogen hoofd achter hem aan slenterde. Ze waren een uur weg geweest. Een uur waarin Katherina in de herfstkou heen en weer had gelopen over de binnenplaats voor het huis. De kou deed haar niets, Kortmanns arrogante afwijzing wel. Haar woede en frustratie over het feit dat ze niet wist wat hij zou vertellen, of welke versie het zou worden, hadden haar warm gehouden.

'Nou, wat zei hij?' vroeg Katherina toen ze bij de auto waren. Jon gaf geen antwoord en ging zonder haar aan te kijken achter het stuur zitten. Ze richtte haar blik op Paw, die van onder gefronste wenkbrauwen terugkeek.

'Gefeliciteerd,' mompelde hij. 'Je wordt de gids van onze vriend hier.' Hij trok het portier van de auto open, liet zich op de achterbank vallen, sloeg zijn armen over elkaar en deed zijn ogen dicht.

Katherina ging op de passagiersstoel zitten.

'Wat heeft hij nou?'

Jon haalde diep adem en legde zijn handen op het stuur. Hij tuurde in het donker achter de voorruit en antwoordde: 'Ze hebben me gevraagd of ik de omstandigheden rond mijn... vaders dood wil onderzoeken. Kortmann denkt dat Luca is vermoord.' Hij zweeg even en keerde zijn gezicht naar haar toe. 'Ik heb je hulp nodig, Katherina.'

Ze sloeg haar ogen neer en knikte.

'Natuurlijk.'

Haar zorgen waren in één keer verdwenen. Ze moest haar best doen om haar opluchting niet te tonen. Na een uur vol bange vermoedens en onzekerheid kon ze nu ontspannen. Want dit betekende toch dat ze nog steeds welkom was in Libri di Luca? En dat er nog steeds hoop was op verzoening tussen zenders en ontvangers? Ze durfde het bijna niet te geloven.

'Je lijkt niet verbaasd,' merkte Jon op. 'Wist je dat hij was vermoord?'

'Er zijn veel dingen die daarop wijzen,' antwoordde Katherina afwerend. Ze zou het goed kunnen begrijpen als Jon zich buitengesloten voelde. 'Het is niet met honderd procent zekerheid te zeggen, maar Iversen twijfelt er niet aan.'

'Het klinkt alsof iedereen het wist, behalve ik,' zei Jon droog terwijl hij de auto startte. 'En schijnbaar is iedereen het er ook over eens dat de dader een ontvanger is,' ging hij verder, terwijl de auto naar het hek reed, dat als door een verborgen signaal openging. 'Iedereen heeft me gewaarschuwd voor de ontvangers. Ik heb het idee dat mensen zenuwachtig worden van jullie gaven en als Luca echt op die manier is vermoord, is dat terecht. Dus ik wil weten of ik jou kan vertrouwen.'

Ze voelde dat Jon met een schuin oog naar haar keek, totdat het hek voor hen helemaal open was, zodat ze het terrein van Kortmanns villa konden verlaten. Als ze had geweten wat ze moest zeggen om Jon gerust te stellen, had ze het gedaan, maar het enige wat ze kon bedenken, was dat ze zich veilig voelde bij hem.

Op de achterbank begon Paw luid te snurken. Katherina zei niets.

'Ik geloof het wel,' besloot Jon. 'De man wiens dood we gaan onderzoeken vertrouwde jou en dat is eigenlijk de beste aanbeveling.'

'En de anderen?' vroeg Katherina. 'Er zijn tegenwoordig niet veel mensen meer die een ontvanger vertrouwen.'

'Als ze willen dat ik iets met deze zaak ga doen, dan moeten ze het gewoon maar accepteren. Ik zal iemand nodig hebben die de ontvangers kennen en die ze vertrouwen. Iemand die de signalen van beide kanten kan verklaren, en als ik het goed begrijp, heb jij door de relatie die je met mijn vader en Libri di Luca had contact gehad met zowel ontvangers als zenders.'

Katherina knikte. Ze kreeg opeens het gevoel dat alle tijd die ze had doorgebracht met Luca en zijn streven om de twee vleugels weer te verenigen haar had voorbereid om juist de moord op hem te onderzoeken. Alsof het allemaal van meet af aan zo was gepland. Nu kon ze laten zien wat ze waard was. Ze hoopte dat ze sterk genoeg was.

'Ik wou dat Iversen hier was,' zei ze zacht.

'We hebben hem nodig,' gaf Jon toe. Hij was een hele tijd stil. 'Hij is uiteindelijk degene die Luca het best kende.'

De toon waarop die laatste zin werd uitgesproken zorgde ervoor dat Katherina hem vanuit haar ooghoeken bekeek. Voor de eerste keer leek het of ze een spoortje van spijt in Jons stem hoorde. Zijn ogen waren op de weg gericht, maar het leek of ze verder keken. Als zijn gezicht werd verlicht door tegenliggers, kon ze zien dat zijn kaakspieren licht bewogen en als ze goed luisterde, was het geluid van zijn knarsende tanden duidelijk te horen. Ze wilde dat ze de uitdrukking van boosheid en verdriet op zijn gezicht kon laten verdwijnen. Misschien voelde hij dat ze naar hem keek, want opeens draaide hij zijn gezicht naar haar toe. Ze keek meteen weg.

'Ik heb heel wat in te halen als het om mijn vader gaat,' zei hij. 'Het is jaren geleden dat ik voor het laatst contact met hem heb gehad en dat ging op zijn zachtst gezegd erg slecht.'

Het was vreemd om over Luca te praten met zijn eigen zoon. Hij was in veel opzichten als een vader voor Katherina geweest en Jon was dus eigenlijk een soort broer, maar ze hadden hem allebei slechts de helft van hun leven gekend. Jon de eerste helft van het zijne en Katherina de tweede helft van het hare. Samen konden ze misschien een compleet beeld vormen van de man aan wie ze, ieder op hun eigen manier, hun leven te danken hadden.

'Wat is er gebeurd de laatste keer dat je hem zag?' vroeg ze voorzichtig.

'Hij wees me af,' zei Jon. 'Ik was net achttien geworden en ik was vast een buitengewoon irritante tiener, maar we hebben niet eens lang genoeg gepraat om daarachter te komen.' Hij schraapte zijn keel en ging verder. 'Ik had eerst naar de winkel gebeld. Ik had nooit begrepen waarom hij me indertijd ter adoptie had afgestaan en toen ik volwassen was, vond ik dat ik recht had op een verklaring. Dus ik belde hem op, mijn hart ging tekeer als een dolle, het zweet stond in mijn handen, de hele toestand. Eerst bleef het lang stil aan de andere kant van de lijn, ik dacht dat de verbinding was weggevallen. Maar toen zei hij dat er sprake moest zijn van een misverstand, en dat hij geen zoon had, en hij verbrak de verbinding.'

Paw kreunde slaperig op de achterbank, maar hij ging al snel weer over in een regelmatig gesnurk.

'Het had een paar maanden geduurd voordat ik genoeg moed bij elkaar had geraapt om dat telefoongesprek te voeren,' ging Jon verder. 'Dus toen ik de ingesprektoon hoorde, werd het zwart voor mijn ogen. Ik nam de eerste bus naar Vesterbro en gooide de deur van de winkel open. Iversen was er ook die dag. Hij stond achter de toonbank en hielp een klant, maar toen hij mij zag, straalde zijn gezicht. Hij glimlachte breed en begroette me vriendelijk. Daar werd ik iets rustiger van en toen de klant de winkel uit was, klopte hij me op mijn schouder en zei dat hij mijn vader zou halen. Daarna verdween hij naar de kelder. Het duurde heel lang voordat Luca tevoorschijn kwam. Hij kwam langzaam naar me toe lopen met een vriendelijke, onderzoekende blik en heel even geloofde ik dat alles weer goed zou komen, maar toen veranderde zijn gezichtsuitdrukking opeens. Hij vroeg wat ik kwam doen. Ik had geen enkele reden om te komen, zei hij, en ik mocht nooit weer komen.'

Katherina schoof onrustig heen en weer op haar stoel. De beschrijving van de man die ze vele jaren als haar reservevader had beschouwd kon niet meer verschillen van haar eigen beleving. Het waren twee totaal verschillende personen.

'Ik begrijp er helemaal niets van,' zei ze hoofdschuddend.

'Ik ook niet. Dus ik werd kwaad en ik wilde weten waarom. Hij kon toch niet ontkennen dat hij mijn vader was, als Marianne mijn moeder was. Ik heb denk ik wel domme dingen tegen hem gezegd en een hoop beschuldigingen naar zijn hoofd geslingerd, maar hij bleef heel rustig en liet me uitrazen. Toen speelde hij zijn troefkaart uit.'

Ze waren bij de winkel aangekomen en Jon parkeerde de auto langs de stoeprand en zette de motor uit. Hij bleef zitten, zijn blik op de winkel gericht.

'Wat deed hij?' vroeg Katherina.

Jon trok een gezicht.

'Hij zei dat hij er niet tegen kon om mij te zien. Ik herinnerde hem te veel aan mijn moeder. Iedere keer dat hij mij zag, werd hij eraan herinnerd hoe ze was gestorven en dat hij dat niet had kunnen voorkomen.'

Katherina had van Iversen gehoord dat Marianne zelfmoord had gepleegd, maar Luca had er zelf nooit met een woord over gesproken.

'Jemig,' verzuchtte ze. 'Wat moet je daar nou op zeggen?'

'Als achttienjarige? Niets,' zei Jon en hij zuchtte diep. 'Ik sloeg dicht en verdween uit de winkel en uit zijn leven.'

Ze zaten een poosje te luisteren naar Paws gesnurk. Als bij toverslag werd het onregelmatiger en hij werd wakker met een kreun, gevolgd door een luide geeuw.

'Ah, zijn we er?' vroeg hij en hij rekte zich zo ver uit als de achterbank hem daar plaats voor bood.

'We zijn terug,' bevestigde Jon.

Paw boog zich tussen de voorstoelen door naar voren en keek eerst de een, toen de ander aan.

'Moeten we dan niet uitstappen?'

Katherina deed het portier open en stapte uit, gevolgd door Paw.

'Ik kom morgen langs,' zei Jon voordat ze afscheid namen en de portieren dichtgooiden.

Paw huiverde in de kou, terwijl Katherina keek hoe Jons auto wegreed.

'Fiets je mee?' vroeg Paw, die naar zijn fiets liep.

'Nee, ik blijf vannacht hier.'

'Is dat nou wel verstandig?' vroeg hij. 'Ze kunnen terugkomen.'

'Precies,' antwoordde ze.

Paw schudde zijn hoofd.

'Als je per se wilt, mag je van mij de held uithangen, ik moet gewoon zien dat ik wat slaap krijg,' zei hij op verontschuldigende toon. 'Red je het alleen?'

Katherina knikte bij wijze van antwoord.

Toen ze de volgende ochtend wakker werd, was het donker om haar heen. Het duurde een paar minuten voordat ze wist waar ze was; de houten schotten die voor de ramen van Libri di Luca waren getimmerd hielden het daglicht buiten. De stretcher waarop ze lag kraakte bij de minste geringste beweging, maar dat had haar er niet van weerhouden om te slapen. Ze herinnerde zich dat ze de vorige avond had staan worstelen met het uitklappen van het vouwbed, maar niet dat ze erin was gestapt of dat ze haar schoenen had uitgetrokken.

Het geluid van het verkeer drong tot haar door in het donker en ze lag een poosje te luisteren voordat ze zich loswikkelde uit de deken en ging zitten. Toen ze in haar schoenen was gestapt en haar wollen trui had aangetrokken, liep ze naar de lichtschakelaar en deed de kroonluchter aan.

De winkel bood nog steeds een trieste aanblik. Het ontbrekende vloerkleed was als een open wond en met de dichtgetimmerde ramen en de stretcher leek de zaak eerder een geïmproviseerde schuilplaats voor antiquiteiten tijdens een bomaanslag dan een boekhandel.

Ze deed de deur open en stapte naar buiten. De lucht was onbewolkt, maar de winkel lag nog in de schaduw van de huizenblokken ertegenover, dus het was bijtend koud. Voor het eerst sinds het afgelopen voorjaar kon ze haar eigen adem zien en ze hupte een beetje heen en weer op de stoep voor de winkel om warm te blijven. Het was over elven en Libri di Luca had al een paar uur open moeten zijn, maar de erbarmelijke toestand van de gevel had de potentiële klanten waarschijnlijk op de vlucht gejaagd.

Katherina liet de deur openstaan en begon de winkel op te ruimen. De boeken die op de tafels bij de voordeur uitgestald hadden gelegen waren meer naar achteren in de winkel op de grond gegooid, dus ze begon met het uitklappen van een tafel waar ze op konden liggen. Omdat ze niet in staat was ze op auteur of titel te sorteren, legde ze de boeken in willekeurige stapels op de tafel.

De rest van de dag hield ze zich bezig met opruimen, een lunchpauze in een pizzeria in de buurt en wachten op klanten. Slechts twee trotseerden de barricades en kwamen binnen, maar het was duidelijk te zien dat de aangetaste omgeving hen afleidde en ze verlieten de winkel zonder iets te kopen.

Laat in de middag verscheen Jon. Hij had zwarte kringen onder zijn ogen en het leek of hij zich niet had geschoren. Maar zijn kostuum zat onberispelijk. Hij deed zijn das af en maakte het bovenste knoopje van zijn blauwe overhemd los.

'Zware dag?' vroeg Katherina, toen ze elkaar hadden begroet en Jon met een diepe zucht in de fauteuil was gaan zitten.

'Dat kun je wel zeggen,' zei hij terwijl hij zijn ogen dichtdeed. 'En hier? Nog problemen gehad?'

Katherina deed verslag van haar dag, wat nog geen minuut duurde.

'Goed,' zei Jon terwijl hij zijn ogen opendeed. 'We moeten zorgen dat er nieuwe ruiten worden ingezet. Ik zal morgen proberen een glaszetter te pakken te krijgen.'

'Heb je nog iets van Kortmann gehoord?' vroeg Katherina.

'Hij belde net voordat ik wegging. Over...' hij keek op zijn horloge, 'een half uur is er een bijeenkomst.'

'Hier?'

'Nee, ergens in Østerbro. Een bibliotheek,' antwoordde Jon en hij voegde er glimlachend aan toe: 'Waar anders?'

De bibliotheek lag aan de Dag Hammerskjölds Allé tegenover de Amerikaanse ambassade. Vanaf de straat konden de voorbijgangers door de grote raampartijen vrij naar binnen kijken naar de rijen kasten met boeken en bakken vol strips. Je kon van buitenaf zien dat er nog mensen in de bibliotheek waren, hoewel hij officieel over tien minuten zou sluiten.

Katherina volgde Jon door een vijf meter lange hal naar binnen naar de echte ingang. Het was lang geleden dat ze in een bibliotheek was geweest. Door haar gaven was dat een zeer vermoeiende ervaring; al was ze inmiddels goed in staat om de vele indrukken buiten te sluiten, ze voelde ze nog wel, als een luid geruis op de achtergrond dat niet weg wilde. Ze had ook geen plezier in de boeken zelf. Ze waren vaak gelamineerd en de kwaliteit van de omslagen was eentonig en onpersoonlijk.

Meteen na de ingang was een balie waar een bibliothecaresse in haar eentje de laatste leners hielp. Ze was een jaar of vijftig en had lang blond haar en een grote, ronde bril, die veel te overheersend was voor haar smalle, bleke gezicht. Ze kwam Katherina bekend voor en toen ze oogcontact hadden, glimlachte de bibliothecaresse hartelijk en knikte even naar haar. Katherina en Jon liepen langs de balie naar de boekenkasten.

Rechts van de balie was de tijdschriftenafdeling. Dat was een afgesloten glazen ruimte waarin kranten en tijdschriften langs de wanden lagen uitgestald. In het midden van de glazen kooi stonden stoelen en tafels, waar de lezers een krant of tijdschrift konden doorbladeren.

'Kortmann,' fluisterde Jon en hij richtte zijn blik op een man die met zijn rug naar hen toe aan een van de tafels zat. Toen ze beter keek, zag Katherina dat hij in een rolstoel zat.

'En nu?' fluisterde ze terug.

'Ik denk dat het begint als de bibliotheek dichtgaat,' zei Jon zacht. 'Laten we ieder een andere kant op gaan.'

Katherina knikte en liep langzaam langs de glazen kooi met de tijdschriften in de richting van de kinderafdeling. Jon ging de andere kant op. Buiten was het donker geworden en de grote raampartijen leken nu ondoorzichtige zwarte glasvlakken door de weerspiegeling van de tl-buizen aan het plafond. Katherina kreeg het gevoel dat ze werd gadegeslagen vanuit het donker, terwijl ze langs de bakken met strips liep. Ze verdreef de tijd door in de stripboeken te bladeren en hield intussen de andere aanwezigen vanuit haar ooghoeken in de gaten. In de afdeling Literatuur stond een man van ergens in de veertig met zijn neus in een dik boek, *De naam van de roos*, voor zover ze kon opmaken uit de kleine fragmentjes die ze ontving. Katherina concentreerde voorzichtig haar gaven op hem en kreeg duidelijk het gevoel dat hij ook de tijd probeerde te verdrijven. Toen ze haar hoofd iets draaide om hem beter te kunnen bekijken, keek hij meteen op en ze dacht dat ze een vlaag van herkenning in zijn blik zag. Hij sloeg snel zijn ogen neer, zette het boek terug in de kast en liep verder langs de kasten.

Zo zocht Katherina de hele bibliotheek af en ze vond een aantal personen die maar wat rondslenterden tussen de boeken zonder dat ze van plan leken te zijn om die te lenen. Behalve de veertiger op de literatuurafdeling was er nog een stel van ergens in de dertig dat aan het einde van een van de gangpaden verwikkeld was in een discreet gesprek, een tienermeisje op de stripafdeling en een Aziatisch uitziende man die rondsloop op de afdeling Vakliteratuur. Ze hadden allemaal hun aandacht op iets anders gericht dan wat ze lazen en ze richtten allen onderzoekende blikken op iedereen in hun buurt.

Toen het sluitingstijd was, liep de bibliothecaresse naar iedereen toe om te zeggen dat dit de laatste oproep was om boeken te lenen. Geen van de personen die Katherina had opgemerkt reageerde, maar de laatste bezoekers die echt waren gekomen om boeken te lenen zetten koers naar de uitleenbalie. Langzaam slenterde Katherina weer in de richting van de tijdschriftenkamer en ze merkte dat de andere achterblijvers hetzelfde deden.

Jon was al in de glazen kooi. Hij schuifelde langs de achterwand, ogenschijnlijk bijzonder geïnteresseerd in de tijdschriften over visserij. Katherina onderdrukte de verleiding om uit te vinden waar hij met zijn gedachten zat.

De bibliothecaresse had de laatste lener naar buiten gelaten en deed de voordeur op slot.

'Nu kunnen we beginnen,' verklaarde ze hardop en ze deed het licht in de zalen aan de straatkant uit.

De overige deelnemers kwamen langzaam tevoorschijn uit de gangpaden en de leesplekken. Ze knikten naar elkaar met een glimlachje van verstandhouding en liepen naar de glazen kooi. Een voor een gingen ze zitten aan de tafel in het midden en al snel kwamen er gesprekken op gang over van alles en nog wat. De bibliothecaresse was de laatste die binnenkwam, maar net toen ze de deur dicht wilde doen, hoorden ze een luid gebonk op de voordeur.

'Eén moment,' zei ze en ze verdween weer. De gesprekken waren verstomd en iedereen luisterde naar de voetstappen van de bibliothecaresse en hoe ze de deur weer openmaakte. Er werden een paar woorden gewisseld voordat ze de deur weer dicht hoorden gaan en voetstappen dichterbij hoorden komen.

'Pff, net op tijd, hè?' zei Paw toen hij met een rood hoofd en buiten adem de ruimte betrad.

De bibliothecaresse deed de deur voorzichtig achter zich dicht en de twee laatst aangekomen gingen zitten. Iedereen richtte zijn aandacht op de man in de rolstoel.

'Welkom,' zei Kortmann. De aanwezigen mompelden een groet terug. 'Ik ben blij dat zo veel mensen op zo'n korte termijn in staat waren om te komen. Het kan een risico vormen om in deze tijden elkaar
zo te ontmoeten, maar de recente gebeurtenissen hebben dat helaas
noodzakelijk gemaakt.' Op alle gezichten rond de tafel lag een ernstige uitdrukking.

'Gisteravond is er een aanslag gepleegd op Libri di Luca. Er zijn
molotovcocktails naar de winkel gegooid en het pand heeft ernstige
schade opgelopen. Iversen is opgenomen in het ziekenhuis met
brandwonden en een shock. We hebben het aan Jon te danken dat het
antiquariaat niet volledig is afgebrand.'

Alle aanwezigen drukten hun waardering uit met een zacht gefluister of een knikje in Jons richting. Katherina klemde haar kaken op elkaar en richtte haar blik op de tafel voor haar. Ze had heus niet verwacht dat Kortmann haar zou binnenhalen als een heldin, maar hij
had best even kunnen vermelden dat zij ook had geholpen bij het
blussen van de brand. Het feit dat hij met Katherina in één ruimte
wilde zijn moest toch betekenen dat hij haar vertrouwde, dus waarom
werd haar rol totaal genegeerd? Misschien wist hij niet precies hoe het
was gegaan. Kortmann had het verhaal alleen van Jon en Paw gehoord
en ze wist natuurlijk niet wat voor versie van het verhaal zij hem hadden verteld. Ze richtte haar blik op Jon, die geen spier vertrok.

'Jon is, zoals jullie waarschijnlijk wel hebben gehoord, de zoon van
Luca,' ging Kortmann verder. 'Wij hebben pas onlangs van zijn bestaan gehoord, of liever gezegd, we herinnerden ons pas toen hij verscheen dat Luca een zoon had. Daarom heeft hij ook nu pas van het
bestaan van het Genootschap gehoord. Hij is nog geen actieve Lettore.'

Terwijl Kortmann sprak, nam iedereen in het vertrek Jon op, maar
zijn gezichtsuitdrukking veranderde niet, zelfs niet toen Kortmann bij
de relatie met zijn vader kwam.

'Persoonlijk ben ik erg blij dat hij is teruggekeerd, want we kunnen
iedereen gebruiken om ons te verdedigen. Ik wil jullie ook allemaal
vragen om hem je onvoorwaardelijke steun te geven bij de opdracht
die hij op zich gaat nemen.'

'Wat voor opdracht is dat?' vroeg de man die Katherina op de afdeling Literatuur had zien staan.

'Daar kom ik nog op terug,' antwoordde Kortmann. 'Ik wil graag dat jullie eerst jezelf voorstellen en vertellen wat jullie doen, zowel binnen als buiten het Genootschap. Paw kennen we allemaal, dus die slaan we over.' Kortmann richtte zijn blik naar links en knikte naar de bibliothecaresse. Ze ging meteen rechtop zitten en kuchte even. Haar sterke bril hing aan een koordje om haar nek en een paar blauwe ogen keken Jon indringend aan.

'Nou, ik heet Birthe,' begon ze met een onderdrukt gegiechel. 'Ik ben bibliothecaresse hier in de bibliotheek, zoals je hebt kunnen zien. Ik werk meestal achter de balie of bij de kinderafdeling. Ik houd ervan om met kinderen bezig te zijn en ik vind het zo heerlijk als ik de kleintjes mag voorlezen – en voelen hoe ze helemaal opgaan in het verhaal en zich laten...'

Kortmann kuchte.

'O, ja,' zei Birthe verontschuldigend en ze giechelde weer. 'Daar kunnen we het altijd nog over hebben. Binnen het Bibliofielgenootschap ben ik historicus, dat wil zeggen dat ik de geschiedenis en de verspreiding van de Lettores in de loop der eeuwen in kaart probeer te brengen. Ik werkte heel nauw samen met je vader. Hij was een fantastische man, zo vol leven en humor.' Ze giechelde opgetogen. 'Altijd even vriendelijk en behulpzaam en...'

'Bedankt, Birthe,' onderbrak Kortmann haar. 'Henning?'

De man van de literatuurafdeling legde zijn armen op tafel en boog zich naar voren. Door het licht van de tl-buizen kon je zien dat het beginnend grijze haar op zijn kruin erg dun was. Er stonden kleine zweetdruppeltjes op zijn voorhoofd en zijn ogen knipperden voortdurend onregelmatig zoals een kapotte ruitenwisser, daardoor maakte hij een nodeloos nerveuze indruk.

'Ik ben Henning Petersen. Ik ben tweeënveertig jaar en ik werk in de boekhandel op Kultorvet.' Zijn donkere ogen gingen heen en weer van Jon naar Katherina. 'Ik ben single, zoals dat tegenwoordig geloof ik heet, ik houd van koken en theater – en van boeken natuurlijk.' Hij glimlachte verlegen. 'Ik ben al ruim dertig jaar actief en binnen het Bibliofielgenootschap ben ik penningmeester.'

Hij leunde weer achterover in zijn stoel en knikte naar de degene die naast hem zat. Dat was een vrouw van een jaar of dertig. Haar handen waren ineengevlochten met die van een man van dezelfde leeftijd die naast haar zat. Ze waren allebei een beetje stevig, ze straalden van blijdschap, misschien omdat ze elkaar gevonden hadden.

'Ik ben Sonja,' begon ze met een doordringende, heldere stem. 'En dit is mijn man Thor.' Ze hield triomfantelijk zijn hand omhoog. 'Ik heb hem nu bijna drie jaar geleden via het Genootschap leren kennen. We zijn allebei leraar, Thor op een school in Roskilde, ik op de Sortedamsskole hier vlakbij.' Ze wees met haar vrije hand ergens langs Katherina. 'We hebben geen vaste taak binnen het Genootschap, maar we staan altijd klaar om mee te werken aan de leesbijeenkomsten als dat nodig is.' Ze keek naar haar man. 'Nu jij, Thor.'

Thor schraapte zijn keel achter zijn grote baard.

'Ik geloof niet dat ik daar nog iets aan toe te voegen heb,' zei hij met een kort lachje, dat door zijn vrouw onmiddellijk werd beantwoord met een scherp lachje.

De volgende was het tienermeisje, dat vuurrood werd en naar haar handen keek.

'Line,' zei ze met een zachte stem. 'Ik ben nog maar een maand geleden opgenomen, dus...' Ze richtte haar blik op de volgende. Dat was de man met het Aziatische uiterlijk, die Katherina in de afdeling Vakliteratuur had gezien. Een smalle, vierkante hoornen bril omlijstte de donkere ogen die op Katherina waren gericht. De buitenlandse gelaatstrekken maakten het moeilijk te raden hoe oud hij was, maar ze dacht dat hij ergens midden twintig moest zijn.

'Ik heet Lee,' zei hij zonder een spoortje van een accent. 'Ik zal jullie mijn voornaam besparen, want de meesten spreken die toch verkeerd uit. Ik werk in de IT als software engineer, als jullie dat iets zegt. Ik probeer het Genootschap op dat gebied zoveel mogelijk te helpen, maar we profileren ons niet bepaald via internet en we maken niet echt veel gebruik van IT,' merkte hij met enige spijt in zijn stem op. 'Dus wat ik doe, is niet veel meer dan het verzamelen van gegevens. Nou, dat was het wel zo'n beetje,' besloot hij en hij knikte naar Katherina.

Ze kuchte en wilde zich voorstellen, toen Kortmann haar onderbrak.

'Bedankt voor het voorstellen. Helaas kon niet iedereen erbij zijn vandaag. Iversen kennen jullie al, maar er zijn nog drie andere leden in onze regio die er vandaag niet bij konden zijn. Ze gaan ermee akkoord dat jullie hen binnenkort opzoeken, als onderdeel van jullie onderzoek.'

'Mogen we nu weten waar dit allemaal over gaat, Kortmann?' vroeg Henning Petersen duidelijk geïrriteerd.

'Ja, dat mag,' zei Kortmann terwijl hij voor de eerste keer die avond Katherina aankeek. Toen ging hij verder. 'De ontvangers zijn van mening dat wíj de oorzaak zijn van de huidige gebeurtenissen – dat wij in het gúnstigste geval een verrader in ons midden hebben...'

12

Vanaf zijn plek naast Kortmann kon Jon de reacties van de aanwezigen goed bekijken. Lee vertrok geen spier van zijn gezicht en hield zijn blik stijf op Kortmann gericht, alsof hij wachtte tot deze verder zou gaan. Line, de tiener, zag eruit alsof ze niet wist hoe ze moest reageren en haar heen en weer schietende blik zocht hulp bij de gezichten van de anderen. Maar daar viel niet veel hulp te halen. Het echtpaar staarde elkaar geschokt aan. Voor het eerst lag er geen glimlachje of romantische genegenheid op hun gezicht. En de bibliothecaresse keek naar haar handen, die licht trilden. Alleen Paw zag eruit alsof het hem allemaal niet aanging, hij leek de hele situatie juist vermakelijk te vinden.

'Wat bedoel je met "dat wij in het *gunstigste* geval een verrader in ons midden hebben"?' wilde Henning Petersen weten. Hij had de vraag langzaam, met half dichtgeknepen ogen uitgesproken, alsof het al zijn concentratie vergde. Zijn blik week geen seconde van Kortmanns gezicht.

Katherina kwam met een ruk naar voren.

'Dat er geen ontvangers achter deze gebeurtenissen zitten,' antwoordde ze nog voordat Kortmann kon reageren. 'En als het geen ontvangers zijn, dan moeten het wel zenders zijn. Maar aangezien jullie ontkennen dat jullie er ook maar iets vanaf weten, moeten jullie óf liegen, óf er moeten een of meer verraders in jullie midden zijn.' Katherina pauzeerde even om adem te halen. Jon nam haar vanuit zijn ooghoeken op. Ze hield haar groene ogen vast op Henning Petersen gericht, haar blik was neutraal, maar haar ademhaling verried hoe verontwaardigd ze was en haar kleine kin met het litteken trilde een beetje. 'Van deze twee mogelijkheden lijkt ons de laatste de beste.'

Henning Petersen staarde haar met een verbijsterde uitdrukking op zijn gezicht aan. Zijn ogen knipperden onwillekeurig, alsof hij niet geloofde wat ze zagen.

'O, nu weet ik weer wie je bent,' riep hij. 'Jij bent toch Katherina? Ontvanger?' Hij gaf haar de tijd niet om te antwoorden, maar ging meteen verder: 'Een van de besten zelfs, heb ik gehoord.'

Jon zag dat Katherina's wangen een klein beetje roze kleurden. Ze knikte en zond een koppige blik in Kortmanns richting, voordat ze verderging.

'Dat klopt. Ik ben Katherina. Ik ben ontvanger en dat ben ik nu vijftien jaar. Van die vijftien jaar heb ik er tien doorgebracht met Luca Campelli en Svend Iversen en als mijn gaven beter zijn dan die van anderen, is dat louter en alleen hun verdienste.'

'Oké, het is al goed,' zei Henning Petersen terwijl hij zijn hand in een afwerend gebaar ophief. 'Ik wilde je nergens van beschuldigen.'

'Er mag geen enkele twijfel bestaan over Katherina's loyaliteit,' onderbrak Jon hen. 'Ik heb gezien hoe zij gisteravond tegen het vuur heeft gevochten. Jullie zouden eerder haar moeten bedanken voor het feit dat de winkel niet is afgebrand dan mij.' Katherina leunde achterover, met haar armen over elkaar. Alle aandacht was nu op Jon gericht. 'Kortmann heeft mij gevraagd of ik een onderzoek wil doen naar de recente gebeurtenissen, waaronder de dood van mijn vader, en ik wil dat Katherina me helpt, en niemand anders. Op dit moment is zij de enige die ik vertrouw.'

Er werden over en weer blikken gewisseld, maar de meesten knikten instemmend naar Jon en Katherina.

Kortmann schraapte zijn keel.

'Zoals gezegd, zal Jon een onderzoek doen in onze kringen, maar ook bij de ontvangers. Het doel is uit te zoeken wie er achter de aanslagen zit die de afgelopen tijd hebben plaatsgevonden, of we het resultaat nou leuk vinden of niet.'

'Maar,' begon Birthe voorzichtig, 'kan iemand anders dan een ontvanger Luca's dood hebben veroorzaakt? Geen enkele zender zou in staat zijn om zo een hartstilstand uit te lokken.'

'Dat moet je niet zeggen,' zei Henning Petersen rustig. 'De gaven van een zender kunnen heel goed een verhoogde hartslag en andere lichamelijke reacties bij de toehoorders teweegbrengen. Er is tot nu toe alleen niemand geweest wiens gaven sterk genoeg waren om daadwerkelijk iemand op die manier te vermoorden. Bovendien zou het relatief makkelijk zijn om je tegen een dergelijke aanslag te beschermen.' Hij haalde zijn schouders op. 'Gewoon je oren dichthouden.'

'Sorry voor mijn onwetendheid,' zei Jon, 'maar is dat echt alles? Je hoeft alleen maar je oren dicht te houden?'

Henning knikte.

'Een zender kan zijn gaven alleen met succes inzetten als iemand de tekst hoort. De combinatie van de tekst zelf en de gevoelens die hij oproept opent het kanaal en maakt de betreffende persoon ontvankelijk voor de Lettore. De beste verdediging is dus je oren dichthouden, of gewoon weglopen.'

'Kunnen we daarmee uitsluiten dat mijn vader is vermoord door een zender?'

'Het is in ieder geval onwaarschijnlijk dat het door middel van de gaven van een zender is gebeurd – tenzij Luca was vastgebonden, maar volgens mij wees toch niets in die richting?'

Kortmann schudde zijn hoofd.

'Dat zou sporen hebben achtergelaten.'

'Oké,' zei Jon, nadat een paar seconden lang niemand iets had gezegd, 'Luca's dood wijst erop dat de dader een ontvanger is, maar het kan ook nog steeds zijn dat het een hartstilstand met natuurlijke oorzaak was, of misschien een vergiftiging. De andere aanslagen wijzen niet eenduidig op een ontvanger, dus ik wil nog niets uitsluiten.' Hij liet zijn blik over de gezichten rond de tafel glijden. De meeste hadden een min of meer vertwijfelde uitdrukking, alleen in Lines ogen was iets anders te zien dan vertwijfeling. Haar ogen straalden pure angst uit.

'Misschien moeten we het eens hebben over het motief?' stelde Jon voor.

Na nog een paar seconden stilte schraapte Henning zijn keel. Hij kneep zijn ogen een beetje dicht voordat hij begon te spreken.

'Dat is nou juist wat we niet begrijpen,' zei hij en hij sloeg zijn handen in elkaar. 'Geen enkele Lettore, of het nou een zender of een ontvanger is, heeft hier belang bij. Het is gewoon te riskant. Het verband tussen de gebeurtenissen is voor zogenaamd gewone mensen misschien nog niet duidelijk, maar als de aanslagen doorgaan, zullen we ontmaskerd worden, en dat is iets wat niemand van ons wil.'

'Waarom eigenlijk niet?' vroeg Jon. 'Waarom zo geheimzinnig? Zouden jullie gaven niet voor iedereen van nut kunnen zijn, als iedereen ze kende?'

'Ik wil je vraag graag beantwoorden met een wedervraag,' zei Henning en hij ging verder: 'Hoe vind jij het dat er mensen bestaan zoals wij? Mensen die jouw besluiten en je mening kunnen beïnvloeden zonder dat je daar iets aan kunt doen?'

'Het is natuurlijk nieuw voor me,' begon Jon. 'Ik heb nog niet goed kunnen nadenken over alle consequenties, maar ik voel me er niet helemaal bij op m'n gemak, dat moet ik toegeven.'

Lee viel in. Hij boog zich naar voren en plantte zijn wijsvinger voor zich op tafel.

'Dat is precies de reden,' zei hij ijverig. 'Dat is de normale reactie. In het begin zijn de mensen misschien wel gefascineerd. We zouden een soort freakshow worden en in kleurige gewaden "gedachten kunnen lezen" van mensen die in de zaal zitten te lezen, of mensen gekke dingen laten doen door ze voor te lezen, net als bij van die platvloerse hypnoseshows. Maar binnen afzienbare tijd zouden de mensen onrustig worden, ze zouden bang zijn om gemanipuleerd te worden en misschien zouden ze zelfs weigeren om te lezen, behalve als ze er zeker van waren dat ze alleen waren, of in ieder geval onder vrienden.'

Jon merkte dat Henning Petersen en het echtpaar blikken uitwisselden. Thor glimlachte toegeeflijk. Maar Lee merkte het niet, of hij weigerde zich er iets van aan te trekken, en ging verder met zijn uitleg: 'Mensen die de gaven bezitten zouden verstoten worden alsof ze melaats waren, omdat andere mensen steeds op hun hoede zouden zijn. De toenemende paranoia zou ertoe leiden dat Lettores geregistreerd werden, misschien zelfs een merkteken kregen, zodat de mensen op straat ons konden herkennen en voorzorgsmaatregelen nemen. Binnen niet al te lange tijd zou de samenleving de conclusie trekken dat het het makkelijkst en veiligst zou zijn om ons op te sluiten, ons weg te stoppen, ergens ver weg van de andere mensen, en ons misschien zelfs de toegang tot boeken en teksten te ontzeggen.' Lee onderbrak zijn woordenstroom even om Jon de gelegenheid te geven hem te volgen.

'Al snel zouden nieuwe Lettores proberen hun gaven verborgen te houden,' ging hij verder en hij haalde zijn schouders op. 'Net zoals wij nu in feite doen, en er zouden klopjachten gehouden worden op de degenen die niet geregistreerd waren of die erin zouden slagen om uit de gevangenis te ontsnappen. Er zou heel veel energie worden gebruikt voor het opsporen van de gaven bij mensen als ze nog jong waren. "Speurhonden", elektronisch of in de vorm van getrainde verraders, zouden ons opsporen als opgejaagd wild. Er zouden ondergrondse bewegingen worden opgericht door degenen die hadden weten te ontsnappen en binnen niet al te lange tijd zouden die groepen naar gewelddadige middelen moeten grijpen om zich te verdedigen. Er zouden oorlogen uitbreken...'

'Bedankt,' onderbrak Kortmann hem. 'Ik denk dat we je boodschap hebben begrepen, Lee.'

Lee werd rood.

'Ik heb me denk ik een beetje laten meeslepen,' zei hij verontschuldigend. 'Ik wilde alleen laten zien dat wij er geen van beide voordeel bij zouden hebben als we zouden worden ontmaskerd. Zenders niet en ontvangers ook niet.' Hij leunde achterover in zijn stoel.

'Lees verhaal kan best een beetje fantastisch overkomen, maar hij heeft wel gelijk,' constateerde Kortmann. 'Wij zijn anders en dus kunnen we een speciale behandeling verwachten en dat hoeft niet direct een goede te zijn, als bekend wordt waartoe we in staat zijn.'

'Heeft nog nooit iemand zich versproken?' vroeg Jon. 'Het lijkt me een beetje onwaarschijnlijk dat je iets dergelijks geheim kunt houden. Al hoeveel jaar? Honderd?'

'O, nee, veel langer,' riep Birthe uit. 'We hebben het over duizenden jaren. We gaan ervan uit dat de eerste Lettores hoofdbibliothecarissen waren in de bibliotheken in de oudheid, ver voor Christus. In die tijd had het beroep van bibliothecaris nog aanzien,' voegde ze er met een zweem van verbittering in haar stem aan toe. 'Zij werden beschouwd als staatsmannen en geleerden. Ze hadden invloed op de ontwikkeling van de maatschappij, hun mening was belangrijk en ze werden om raad gevraagd in allerlei verschillende kwesties. Je begrijpt wel dat dat een zeer gunstige positie is voor een Lettore die weet hoe hij zijn gaven moet gebruiken.'

'Maar zijn er geen voorbeelden van gelegenheden waarbij jullie bijna zijn ontmaskerd?'

Birthe schudde haar hoofd.

'Er zijn maar heel weinig concrete sporen die in onze richting wijzen. Er zijn periodes geweest dat er een zeker wantrouwen bestond ten opzichte van geleerden die konden lezen en schrijven, maar dat heeft waarschijnlijk meer te maken met afgunst en onwetendheid dan met een gegronde angst. Als we naar de nieuwere tijd kijken, heeft nog nooit iemand ook maar het vermoeden uitgesproken van het bestaan van de gaven.'

'Zou dat het motief kunnen zijn? De ontmaskering van het Genootschap?' stelde Jon voor.

'Dat is dan wel een heel omslachtige manier om dat te doen,' zei Henning Petersen. 'Ik bedoel, waarom ontmaskeren ze ons dan niet meteen? De kans dat iemand vermoedt dat er een verband bestaat tussen de verschillende acties die tot nu toe zijn ondernomen is minimaal. Als het de bedoeling is om de Lettores uit hun tent te lokken, kan dat alleen door een volledige onthulling.'

Lee knikte ijverig.

'Daar ben ik het mee eens. Ontmaskering kan alleen door iemand van binnenuit gebeuren en alleen door middel van een demonstratie van de gaven. Dus als dát het motief was, hadden we het al in de krant gelezen en in een talkshow gezien en waren we al naar de première van de film geweest.'

'Wat is jouw verklaring?' vroeg Jon.

Lee keek even naar Katherina.

'Ik denk,' begon hij, maar voordat hij verderging, wierp hij een blik op Henning, 'wij denken dat er iets groters op het punt staat te gebeuren. *Iemand* is iets groots van plan, en dit alles is niet meer dan een inleiding met het doel ons uit te putten, verwarring te scheppen of onze aandacht af te leiden, of misschien alle drie tegelijk. De vraag die je nu zult stellen, is wie die *iemand* zou kunnen zijn. Voor mij is dat duidelijk.' Hij richtte zijn blik weer op Katherina. 'Alles wijst in de richting van de ontvangers.' Hij hief zijn handen naar haar op in een afwerend en tegelijkertijd verontschuldigend gebaar. 'Ik zeg niet dat jij erbij betrokken bent. Het kan heel goed zijn dat ze jou erbuiten hebben gehouden vanwege je relatie met Luca.'

'En wat is dan dat grote plan van ons?' vroeg Katherina met nauwelijks verholen sarcasme. 'De wereldheerschappij overnemen zeker?'

Lee keek even naar Katherina op met een tevreden uitdrukking op zijn gezicht. Toen verplaatste hij zijn blik naar Jon.

'Ik heb geen idee wat ze willen, maar ik zoek tenminste het antwoord.'

'Je zoekt?'

Lee knikte.

'Bij iedere gelegenheid die zich voordoet. De sporen zijn er, op het internet, je hoeft ze alleen maar te vinden en het verband te zien. Het heeft tot nu toe geen resultaat opgeleverd, maar dat komt echt wel. Het is net als met wrakgoed, er spoelt altijd wel iets aan, ook al was het strand de vorige dag leeg.'

'Hoe lang is dat al aan de gang?' vroeg Kortmann verrast.

Lee haalde zijn schouders op.

'Een paar weken denk ik. Het leek me niet nodig om toestemming te vragen.'

'Nee, nee, natuurlijk niet. Het zou alleen prettig zijn als ik het had geweten.'

'Ik wist niet dat u dit... onderzoek zou starten,' voegde Lee eraan toe. 'Ik kreeg niet het idee dat iemand anders van plan was om iets te doen, dus toen het Genootschap toch niets belangrijkers meer voor me te doen had, heb ik besloten om wat initiatief te tonen.'

Kortmann knikte waarderend.

'Goed werk, Lee. Ik stel voor dat je doorgaat met je onderzoek.'

'Dat was ik ook echt wel van plan,' zei Lee nauwelijks hoorbaar.

'En houd ons op de hoogte,' benadrukte Kortmann, waarbij hij op zichzelf en op Jon wees.

'En wij dan?' vroeg Henning Petersen op scherpe toon.

'Jullie krijgen natuurlijk bericht zodra er een duidelijk resultaat is. Het belangrijkste is dat we niet in paniek raken of een lynchstemming veroorzaken zonder dat we iets kunnen bewijzen.'

'Dat klinkt eerder alsof jullie ons niet vertrouwen,' zei Henning.

'Dus we zijn nog steeds verdacht?' voegde Paw eraan toe.

Kortmann maakte een afwerend armgebaar.

'Zoals jullie zelf ook al hebben gezegd, zijn er geen concrete bewijzen. De realiteit is dat alle mogelijkheden nog openliggen, ook de *ergste*.' Hij keek even naar Katherina. 'Dat een van ons een verrader is.' Er klonk geroezemoes van ontevreden stemmen. Kortmann moest zijn stem verheffen om erbovenuit te komen. 'Maar dat geloof ik niet. Toch zijn we genoodzaakt om alle voorzorgsmaatregelen te nemen. Het gaat er hier niet om dat iemand over iemand anders heeft geroddeld, of een greep uit de kas heeft gedaan. Er zijn mensen dood. Vermoord. Houd dat in je achterhoofd!'

Iedereen zweeg. Een paar seconden lang was het heel stil in het vertrek. Een aantal van de aanwezigen ontweek Jons blik.

'Ik denk,' begon Kortmann rustig, 'dat we deze bijeenkomst hiermee moeten afsluiten. Het doel was om kennis te maken en te zorgen dat iedereen doordrongen is van het belang van dit onderzoek. Ik hoop dat dat is gelukt. Jon krijgt jullie namen en adressen zodat hij contact met jullie kan opnemen als dat nodig is. Dat mag hij zelf bepalen. Zoals ik al zei, ik verwacht dat iedereen zo goed mogelijk meewerkt.' Hij sloeg zijn handen hard in elkaar. 'Bedankt.'

De aanwezigen stonden op. Er klonk gekras van stoelpoten over de vloer en groeten over en weer. Toen Jon afscheid nam van Kortmann, viste deze een bruine envelop uit het zijvak van zijn rolstoel en gaf die aan Jon.

'Houd me op de hoogte,' zei Kortmann met een knipoog naar Jon.

Jon knikte instemmend en liep samen met Katherina naar buiten. Kortmann bleef alleen achter met Birthe.

Voor de ingang van de bibliotheek stonden Paw, Lee en Henning Petersen zacht met elkaar te praten, maar toen Katherina en Jon naar buiten kwamen, namen ze afscheid en gingen uit elkaar. Paw slenterde naar hen toe.

'Wil je een lift?' vroeg Jon.

'Nee, bedankt,' antwoordde Paw. 'Ik ben op de fiets. Bovendien wil ik het Dynamische Duo niet in de weg lopen.' Hij grijnsde.

'Nieuwe vrienden?' vroeg Katherina met een knikje in de richting waarin Lee was verdwenen.

Paw haalde zijn schouders op.

'Ik heb Lee altijd wel cool gevonden. Hij wil me wat van zijn internettrucs laten zien.' Paw keek Lee na. 'Hij was wel een beetje kwaad over wat Kortmann zei. De laatste keer dat iemand zo tegen hem had gesproken, was zijn ouweheer geweest. Het Bibliofielgenootschap is zo langzamerhand een bejaardenclubje geworden, met voorleesavondjes, bingo en de hele rataplan. Er moet nodig vers bloed bij, dát ben ik met Lee eens.' Hij verplaatste zijn blik naar Jon. 'Wat vind jij ervan, Jon?'

'Daar kan ik niet veel van zeggen, ik ben niet eens lid.'

'Voor de zoon van Luca himself zou het anders geen probleem moeten zijn om lid te worden. Maar misschien mag het niet van Kortmann. Heb je al bedacht waarom hij jou niet wil activeren?'

'Niet echt.'

'De anderen denken dat hij bang is dat je zijn plaats wilt innemen.'

'Ik heb niet echt het idee dat hij van me af wil. Integendeel,' antwoordde Jon neutraal.

'Ja, oké,' zei Paw. 'Ik moet gaan. Doei!'

Ze groetten hem en keken hem na terwijl hij verdween in het donker, op een oude herenfiets zonder licht.

'Wat vind jij ervan?' vroeg Jon.

'Wat een kinderachtig ventje,' riep Katherina uit.

'Ik bedoelde de bijeenkomst,' zei Jon.

Ze grinnikte, maar werd al snel weer serieus.

'Ze zijn bang.'

Voor de eerste keer in wat een eeuwigheid leek, stond Jon zichzelf toe om acht uur achter elkaar te slapen. Hij voelde dat hij nog steeds niet uitgeslapen was, maar hij was fit genoeg om zijn ochtendritueel te doorlopen zonder het scheren over te slaan.

In het licht van de recente grote veranderingen in zijn leven hadden de gewone bewegingen en rituelen een ander doel gekregen. Het leek wel of hij een andere identiteit aannam: overdag advocaat en 's avonds onderzoeker van geheime samenzweringen. Waar die twee werelden elkaar raakten, zag hij het absurde van naar zijn werk gaan terwijl hij eigenlijk zijn vaders dood zou moeten onderzoeken, en omgekeerd amateurdetective spelen terwijl hij op het punt stond een grote doorbraak te maken in zijn carrière.

Die dag gebeurde dat drie keer.

De eerste keer was toen hij een glaszetter belde om nieuwe ruiten te bestellen voor de winkel. Hij had de zaak het dichtst bij Libri di Luca gekozen, en de glaszetter bleek Luca te hebben gekend. Jon had zich zo vanzelfsprekend voorgesteld als de nieuwe eigenaar, dat hij naderhand nog heel lang naar de telefoon had zitten staren en had moeten vechten tegen de aandrang om zichzelf in de spiegel te bekijken.

De tweede keer was bij een telefoontje na de lunch.

'Campelli? Met Remer,' klonk het door een slechte verbinding.

'Goed dat u belt,' antwoordde Jon. 'Ik ga ervan uit dat u mijn brief heeft ontvangen?' In de dagen na Remers bezoek had Jon zijn vragen die tijdens hun laatste ontmoeting niet waren beantwoord opgeschreven en naar Remer gestuurd.

'Brief?' zei Remer. 'Nee, ik heb niets ontvangen, maar ik ben op het moment in Nederland, dus ik ben een beetje moeilijk te traceren. Stuur maar een mail. Die bereiken me meestal wel.'

'Dat heb ik ook gedaan,' zei Jon.

'O, nou, maar daar bel ik niet over,' zei Remer snel. 'Herinner je je nog die boekhandelaar over wie ik je vertelde? Ik kwam hem tegen hier in Amsterdam op een receptie. Goeie vent. Hij vertelde wat er met de winkel is gebeurd. Een vreselijk verhaal. Hoe ernstig is het?'

'Het valt mee,' antwoordde Jon. 'De houten voorgevel en de ruiten moeten worden vervangen en binnen moeten er wat kleine dingen hersteld worden, maar verder is er niets ernstigs.'

'Dat is goed te horen, Campelli, ik kan natuurlijk geen advocaat gebruiken die zijn vingers brandt.' Remer lachte luid aan de andere kant van de lijn, terwijl Jon probeerde te bedenken of dat grapje de echte reden was van zijn telefoontje.

'Ik vind het ontzettend aardig van u dat u aan mij denkt, meneer

Remer, maar ik wil toch liever antwoord hebben op een paar vragen die ik u heb gestuurd.'

'Ja, ja, ik zal ernaar kijken,' zei Remer. 'Ik wil alleen nog even zeggen dat mijn boekhandelaar nog steeds interesse heeft in de zaak. Hij wil zelfs eventuele brandschade over het hoofd zien.'

'Zoals ik al zei...'

'Je gaat me toch niet vertellen dat je nog steeds overweegt om boekverkoper te worden, Campelli?' onderbrak Remer hem. 'Het ziet er inderdaad naar uit dat het interessanter is dan wij beiden dachten, maar jij weet heel goed waar je het best in bent. Zoals ik al eerder heb gezegd: verkoop de hele boel en laat die branche voor wat hij is. Het is veel te onzeker voor leken zoals wij, dat bewijzen de gebeurtenissen van de afgelopen dagen toch maar weer.'

'Meneer Remer,' onderbrak Jon hem nogal bot. 'Ik héb een besluit genomen. Libri di Luca wordt niet verkocht. En als u mij nu wilt excuseren, wil ik graag doorgaan met mijn werk, namelijk u uit de gevangenis houden.' Hij brak het gesprek af voordat Remer kon antwoorden.

Maar na dat telefoontje kon hij zich niet goed meer concentreren op zijn werk. Het lukte hem om nog een mail en nog een brief te schrijven, maar Jons gedachten concentreerden zich meer op het telefoongesprek dan op de zaak. Als hij alles wat Remer had gezegd nog eens de revue liet passeren, kwam hij de ene keer tot de conclusie dat Remer hem uit zakelijke overwegingen onder druk had proberen te zetten om te verkopen, en de andere keer dat hij hem zelf had bedreigd.

De derde keer dat de twee werelden elkaar raakten, was tijdens deze overpeinzingen.

Katherina belde vanuit de winkel. Haar stem klonk door de telefoon tegelijk kwetsbaar en zacht, maar er lag ook een ondertoon van onzekerheid in, die Jon onmiddellijk opmerkte.

'Er staat een taxateur voor de winkel,' zei ze.

'Ja?' zei Jon, terwijl zijn hersenen een verband legden tussen brandschade, verzekeringen en schadevergoeding.

'Heb jij iemand gebeld?'

'Nee,' antwoordde Jon. 'Ze komen vanzelf, denk ik.'
Het werd stil aan de andere kant.
'Het enige is,' fluisterde Katherina, 'dat hij in de kelder wil kijken.'

13

Op het moment dat de taxateur de deur van Libri di Luca binnenstapte, veranderde de sfeer. Katherina voelde zich meteen onprettig door zijn onderzoekende blik die over de dichtgetimmerde ramen en de kale vloer gleed en vandaar over de kasten en het balkon. In die ogen lag geen liefde voor boeken, alleen een cynische registratie van wat ze zagen, verdeeld in vierkante meters en procenten.

Tot dat moment was het een goede dag geweest. Er was geen wolkje aan de hemel en hoewel het koud was, had Katherina genoten van de fietstocht vanuit het noordwesten van de stad naar het centrum. Toen ze in de winkel kwam, was ze begonnen met schoonmaken. De emmer met azijn had zijn werk gedaan, de rooklucht was bijna weg en het laatste beetje stank verdween nadat ze grondig had gelucht. Om een beetje sfeer in de winkel te brengen, had ze een vijfarmige kandelaar uit de kelder gehaald en de kaarsen aangestoken. Ergens diep vanbinnen vond ze het leuk om vuur te maken op de plek waar ze het eerder had bestreden.

Zelfs de vier of vijf klanten die in de loop van de dag waren langsgekomen hadden haar niet geïrriteerd. Integendeel, ze had hun aandacht discreet naar een paar goede aankopen geleid.

Het enige wat hij had gezegd, was zijn naam, Mogens Verner, en dat hij taxateur was en de zaak kwam 'opnemen'. Hij droeg een donkerblauw pak onder een lichte trenchcoat en onder zijn arm had hij een notitieblok en een rekenmachine. Hij had helemaal niet gevraagd of hij mocht rondkijken en hij vroeg Katherina ook niets. Hij liep zonder iets te zeggen eerst de hele benedenverdieping door, hij had speciale belangstelling voor de ramen en de vloer. De kasten keek hij vlug door, zonder zich op bepaalde titels te concentreren. Pas toen hij de trap naar het balkon op liep, kreeg Katherina het gevoel dat er iets helemaal niet in orde was.

Ze begreep niet wat hij daarboven moest. Je kon vanaf de begane grond makkelijk zien dat de enige schade die de brand had veroorzaakt zich aan de onderkant van het balkon bevond en niet op het balkon zelf. Bovendien bleef hij lang genoeg staan bij de verschillende banden om titels en namen van auteurs te kunnen lezen. Sommige schreef hij zelfs op in zijn notitieblok.

Katherina bevond zich beneden, maar ze kon goed volgen hoe hij boven haar hoofd de inhoud van de vitrinekasten doorliep. Ze merkte ook dat hij erg geconcentreerd was, zijn gedachten werden slechts af en toe onderbroken door storende beelden. Eén beeld dook een paar keer op, maar niet lang genoeg om de details te kunnen zien. Het was een beeld van twee mannen die tegenover hem in een café zaten. De een was lang en had rood haar en diepliggende, donkere ogen. De ander had kort, grijs haar en leek vriendelijk en joviaal. Ze droegen beiden een pak. Katherina wist zeker dat ze die met het grijze haar al eens eerder had gezien.

Toen de taxateur de wenteltrap af liep, zorgde Katherina ervoor dat ze onder aan de trap stond, zodat ze elkaar tegenkwamen. Hij knikte naar haar en wilde doorlopen naar de kelder.

'Sorry, maar waar wilt u naartoe?' vroeg ze luid.

'Ik moet het hele pand taxeren,' zei hij schouderophalend. 'Daar hoort de kelder ook bij.'

'Beneden is niets gebeurd,' zei Katherina. 'De brandweer heeft hierbinnen helemaal geen water gebruikt, dus er kan geen brand- of waterschade zijn.'

'En toch,' zei hij met een zucht, 'moet ik alle ruimtes langslopen.'

'Dat kan ik helaas niet toestaan,' zei Katherina. 'Niet zonder dat de eigenaar erbij is.'

'De eigenaar?' riep de taxateur verbaasd uit. 'Die heeft zelf opdracht gegeven voor een taxatie.'

Na het telefoongesprek met Jon wist Katherina de taxateur ervan te overtuigen dat hij over een half uur terug moest komen. Daar was hij niet blij mee. Met stijgende ergernis probeerde hij uit te leggen dat hij die dag nog andere afspraken had en dat de zaak niet kon worden afgesloten zonder zijn definitieve taxatie. Zijn humeur werd er niet beter op toen hij na vijfendertig minuten terugkwam en Jon er nog niet was.

'En nu?' kon hij nog net vragen voordat Jon de deur opendeed en hijgend de winkel binnenstapte.

Katherina glimlachte opgelucht en wees met uitgestrekte arm op Jon, die naar hen toe kwam.

'Mogens Verner,' zei de taxateur en hij stak zijn hand uit.

Jon schudde hem.

'Jon Campelli. Ik ben de eigenaar van Libri di Luca.'

'Bent u de eigenaar?' riep de taxateur verbluft en hij liet Jons hand los alsof hij een elektrische schok had gekregen.

'Ja, klopt er iets niet?'

'Ik denk dat er sprake is van een misverstand,' zei Mogens Verner met een onzeker glimlachje. 'Neemt u me niet kwalijk.'

'Wat bedoelt u?' vroeg Jon en hij wees naar de ramen. 'Die brandschade is geen misverstand.'

'Nee, dat is het niet,' legde de taxateur uit, die inmiddels aardig rood was aangelopen. 'Ik ben niet ingehuurd om de brandschade op te nemen. Ik moest de winkel en de inhoud taxeren met het oog op de verkoop.'

'Verkoop?' riep Katherina en ze keek verschrikt naar Jon. Hij schudde zijn hoofd.

'Dat heb ik niet afgesproken.' Hij richtte zijn blik op de vreemdeling. 'Wie heeft u ingehuurd?'

'De koper en... nou ja, iemand van wie ik dacht dat hij de eigenaar was,' antwoordde de taxateur, die zich duidelijk niet op zijn gemak voelde met de situatie. 'Ik mag helaas hun namen niet noemen.'

'Vindt u het niet een beetje vreemd dat een van hen zich uitgaf voor de eigenaar?'

Mogens Verner knikte.

'Ja, en ik bied u nogmaals mijn excuses aan. Ik zal dit zo snel mogelijk uitzoeken.' Hij stak zijn hand uit. 'Het spijt me dat ik uw tijd heb verspild.' Jon gaf hem een hand en Katherina volgde zijn voorbeeld. Toen liep hij zo hard als hij kon de deur uit.

'Wat moest die man hier?' vroeg Katherina.

'Ik heb wel een vermoeden,' antwoordde Jon. 'Herinner je je dat artikel nog dat ik bij me had op de avond van de brand? De man op die foto is een van mijn cliënten. Hij heeft geïnformeerd naar Libri di Luca en hij vroeg of ik de winkel wilde verkopen. Hij drong erg aan.'

Katherina knikte, liep achter de toonbank en zocht in de la. In de verwarring die was ontstaan tijdens de aanslag op de winkel was het artikel op de grond gevallen, maar ze herinnerde zich nog dat ze wat losse papieren in de la had gestopt toen ze aan het schoonmaken was. Triomfantelijk hield ze het artikel omhoog en bekeek de foto.

Ze was er zeker van dat het dezelfde man was als de man van wie ze af en toe een glimp had gezien in de gedachten van de taxateur.

'Het gekke is,' ging Jon verder, 'dat ik hem een paar uur voordat je belde heb gesproken. Hij heet Remer. Ik heb hem duidelijk gemaakt dat ik niet wil verkopen.'

'Sommige mensen begrijpen het woord "nee" niet,' zei Katherina en ze vertelde over het beeld van de twee mannen in het café dat ze had opgevangen.

'Die ander zou Remers boekhandelaarvriend kunnen zijn,' zei Jon. 'Herkende je hem niet?'

Katherina schudde haar hoofd. De man met het rode haar had iets verontrustends gehad. De beelden die ze op die manier ontving waren vaak sterk gekleurd door hoe de persoon de betreffende situatie ervoer. Er was iets wat de taxateur zenuwachtig had gemaakt tijdens de ontmoeting in het café. Waarschijnlijk was de man in het echt helemaal niet zo lang, lagen zijn ogen niet zo diep en waren ze niet zo donker, maar Mogens Verner had zich niet op zijn gemak gevoeld. Misschien had hij zich zelfs bedreigd gevoeld door de man, waardoor hij in zijn herinnering zo naar voren was gekomen.

'Denk je dat er een verband is met Luca?' vroeg Katherina.

'Nee,' antwoordde Jon vlug. 'Behalve dat ze proberen de winkel op een gunstig moment in handen te krijgen. Ik ken dat soort types als Remer, altijd op een goed handeltje uit.' Hij pauzeerde even, alsof hij zichzelf ook moest overtuigen, en toen ging hij verder. 'Bovendien hoort hij niet thuis in dit milieu, dus hoe zou hij moeten weten wat er werkelijk aan de hand is?'

'Van de zakelijke kant heb ik geen verstand,' zei Katherina. 'Maar ik kan je wel vertellen dat ik ze geen van beiden ooit in kringen van Lettores heb gezien.' Ze stak haar wijsvinger op. 'Er is vanavond trouwens een vergadering van de ontvangers. Ze vinden het goed dat je komt, als je tijd hebt?'

'Tja, ik moet eigenlijk aan Remers zaak werken, maar ik ben niet echt gemotiveerd na die stunt die hij me vandaag heeft geflikt. Misschien moet ik gewoon meteen de koe bij de hoorns vatten en hem vertellen wat hij met zijn taxatierapport kan doen.' Hij pakte zijn mobiele telefoon en begon op de toetsen te drukken.

'Is hij een belangrijke cliënt?' vroeg Katherina.

'Heel belangrijk,' zei Jon en hij knikte. Toen keek hij op en staarde voor zich uit. Maar terwijl ze hem aankeek, leek hij de moed te verliezen. Ten slotte glimlachte hij verlegen en haalde zijn schouders op. 'Oké, misschien moet ik nog maar even afwachten.'

Precies op dat moment ging de mobiele telefoon die hij nog in zijn hand had. Ze krompen allebei ineen, Jon liet hem bijna vallen.

'Jon Campelli,' zei hij toen hij de telefoon onhandig naar zijn oor had weten te brengen. 'Kortmann,' zei hij en hij keek Katherina aan. 'Ja, die is hier.' Hij luisterde nog een tijdje en schudde intussen een paar keer zijn hoofd. 'Wanneer?' vroeg hij en hij keek op zijn horloge. 'We kunnen er over een kwartier zijn. Goed. Dag.'

Katherina keek Jon vragend aan, terwijl hij langzaam zijn telefoon dichtklapte en hem in zijn binnenzak stopte.

'Herinner je je Lee nog? Die IT-jongen van de bijeenkomst van gisteren?'

Katherina knikte.

'Die is dood,' zei Jon. 'Zelfmoord.'

'Wanneer?' vroeg Katherina geschokt.

'Vannacht,' antwoordde Jon. 'Hij is vanochtend vroeg gevonden.'

'Maar zelfmoord?' De man die ze in de leeszaal van de bibliotheek in Østerbro had gezien leek haar helemaal niet het type voor zelfmoord. Integendeel, hij had een onverzettelijke arrogantie uitgestraald, en dat maakte, ook al was het onsympathiek, niet direct een zelfdestructieve indruk.

Jon haalde zijn schouders op.

'Kortmann is er ook niet zo zeker van. Hij wil dat we naar het appartement komen waar het is gebeurd. Ik denk dat het beter is als we er allebei heen gaan.'

Katherina sloot de winkel en ze reden in Jons auto naar de wijk Sydhavnen, waar het was gebeurd. Het begon al donker te worden en toen ze aankwamen, was de lucht diepblauw en rood.

Lees appartement lag in een wooncomplex met uitzicht op een metrostation en verschillende andere grauwe wooncomplexen. Toen ze uit de auto stapten, huiverde Katherina, door de kou, maar ook door de sfeer die er hing. De parkeerplaats voor het gebouw stond halfvol auto's. Er was er één die duidelijk afstak tegen de rest. Tussen de Polo's, Fiats en een heleboel kleine Japannertjes stond een grote Mercedes. In het donker leek het net of hij leeg was, maar toen ze dichterbij kwamen, ging er een lampje aan boven de achterbank. In het schijnsel van het lampje zagen ze de omtrek van een persoon die op de bestuurdersstoel zat en een gedaante op de achterbank.

Toen ze bij de Mercedes kwamen, herkenden ze Kortmann achter in de auto. Hij wenkte dat ze dichterbij moesten komen en gebaarde naar het achterportier. Vanbinnen was de grote Mercedes helemaal omgebouwd. De helft van de achterbank was eruit gehaald en de vloer verlaagd, zodat Kortmann er met rolstoel en al in kon rijden. De passagiersstoel was omgedraaid zodat je met je rug in de rijrichting zat. Jon ging op de omgedraaide passagiersstoel zitten en Katherina naast Kortmann.

Als op commando stapte de chauffeur uit toen Katherina de deur dichttrok. Kortmann verzekerde zich ervan dat de chauffeur ver genoeg weg was voordat hij begon te spreken.

'Lee is vanochtend gevonden door een van zijn collega's. Ze werkten allebei in Allerød, ten noorden van Kopenhagen, en reden iedere ochtend samen in Lees auto naar hun werk. De collega was gewend om Lee boven in zijn appartement op te halen omdat hij zich vaak versliep. Hij zat regelmatig de hele nacht te werken. Daarom had de collega zelfs een eigen sleutel en zo kwam het dat hij Lee vond, niet slapend, maar dood.' Kortmann haalde diep adem. 'De politie heeft een paar lege insulineampullen op zijn nachtkastje gevonden. Lee had kennelijk suikerziekte. Bovendien hebben ze een brief gevonden die volgens de collega door Lee zelf was ondertekend.'

'Dus het was zelfmoord?' vroeg Jon.

'Alles wijst erop dat hij een overdosis insuline heeft genomen,' zei Kortmann. 'De politie is ervan overtuigd en heeft de zaak gesloten.'

'Maar u bent het er niet mee eens?'

Kortmann keek even naar Katherina. Maar voor één keer lag er geen spoortje verwijt in zijn blik, het leek eerder of hij haar reactie op hetgeen hij vertelde probeerde te peilen.

'Ik wil het graag zeker weten,' zei hij. 'In tijden als deze is dit soort toevalligheden uiterst verdacht en we moeten alle mogelijkheden uitsluiten. Omdat we niets over het hoofd moeten zien, maar ook om niet in paniek te raken. Dat kan ons allebei de kop kosten.'

'Maar als de politie niets heeft kunnen vinden...' begon Jon.

'De politie heeft gevonden wat ze zochten,' onderbrak Kortmann hem. 'Ze zochten naar een zelfmoord en die hebben ze gevonden. Het profiel klopt: jong, op zichzelf, geen vriendin, familie of sociaal netwerk. Zelfs zijn collega kon bevestigen dat Lee zich af en toe paranoïde gedroeg.'

'Dus wat zoeken we precies?' vroeg Jon.

'Twee dingen,' antwoordde Kortmann. 'Alles wat erop wijst dat het geen zelfmoord was. En we moeten erachter zien te komen wat Lee op internet heeft gevonden, als hij tenminste iets heeft gevonden.'

'Moeten we inbreken in het appartement van een dode, of heeft u een sleutel?' vroeg Katherina zonder haar sarcasme te verbergen.

'Die heb ik inderdaad, nu je het vraagt,' antwoordde Kortmann rustig en hij haalde een envelop uit zijn binnenzak. 'Vraag niet waar ik hem vandaan heb.' Hij overhandigde Jon de envelop. 'Ik bel als jullie binnen zijn.'

Jon en Katherina stapten uit de auto en liepen langs de chauffeur naar de voordeur van de flat. Hij knikte dankbaar naar hen en wreef zijn handen over zijn overhemdsmouwen, terwijl hij op een holletje terugliep naar de auto.

Het appartement was op de derde verdieping en de deur lag aan een galerij, waar nog negen andere appartementen op uitkwamen. Toen ze langs de deuren liepen, die op celdeuren leken, hoorden ze geluiden van televisies die aanstonden, kinderen die lawaai maakten of huilden, en geruzie. Het enige wat Katherina kon opvangen aan gelezen tekst waren ondertitels van films of series en zoals altijd met dat soort teksten, waren de beelden die ze opriepen vaag en rommelig.

Toen ze voor Lees appartement stonden, haalde Jon de sleutel uit de envelop en deed de deur open. Ze deden het licht pas aan toen de deur dicht was. Een lamp van rijstpapier aan het plafond wierp licht op een halletje met aan de ene kant een keukentje en aan de andere kant een kleine badkamer. Voor hen lag de enige kamer van het appartement. Die was ruim dertig vierkante meter en had ramen over de hele breedte.

Hoewel ze nog steeds een televisie hoorden uit een van de naastgelegen appartementen, had Katherina het gevoel dat ze waren binnengetreden in een vacuüm. Het was nog geen vierentwintig uur geleden dat Lee hier was gestorven, maar de kamers leken leeg en onpersoonlijk.

Jon deed overal het licht aan en ze liepen zwijgend door de flat, hij lette op dat hij niets verstoorde of onnodig lawaai maakte. Aan de keuken was duidelijk te zien dat ze zich in een vrijgezellenflat bevonden. De aanrecht was bijna helemaal bedekt met vuile vaat en fastfoodverpakkingen en de vloer stond voor een groot deel vol met lege flessen in barstensvolle plastic tassen. De badkamer was al maanden niet schoongemaakt en Katherina bleef er net lang genoeg om te constateren dat in het spiegelkastje alleen scheerspullen, een tandenborstel en wat andere toiletartikelen stonden.

De woonkamer was duidelijk het vertrek waar Lee het grootste deel van zijn tijd doorbracht. Twee wanden waren bedekt met boeken, tegen de derde stonden een kast en een bed of liever gezegd, het frame van een bed, want de matras was weggehaald. Bij het raam stond een breed bureau, met twee zwarte computerschermen en een printer. De vensterbank lag vol boeken en hoge stapels geprinte pagina's, die dreigden om te vallen als je te dicht in de buurt kwam.

Katherina bleef even in de deuropening staan en nam het lege bedframe in zich op, toen stapte ze de kamer binnen. Ze wist niet zeker of ze hier welkom waren, zelfs niet als Lee nog had geleefd, en het leek wel of een onzichtbare barrière haar in de deuropening tegenhield. Ten slotte wisten de boekenkasten haar over de drempel te lokken en ze liep naar de rijen boeken toe. In tegenstelling tot de ongeordende rommel die verder overal in de flat heerste, waren de boeken zorgvuldig geordend en allemaal in keurige staat.

'Wat leest hij?' vroeg Jon, die op zijn hurken bij de computertafel zat. Hij drukte een schakelaar onder de tafel in en de beeldschermen kwamen knipperend tot leven. Toen stond hij op en kwam naast haar voor de kasten staan. Ze volgde hem terwijl hij de titels scande.

'Veel sciencefiction en fantasy,' zei hij nadat hij een paar planken had bekeken. 'Maar ook een paar klassiekers.' Hij trok een in leer gebonden band uit de kast en gaf die aan haar. 'Joyce.' Katherina draaide het boek in haar handen en sloeg het een paar keer op een willekeurige plek open. Achter in het boek herkende ze een visitekaartje van Libri di Luca.

Een paar stappen verder wees Jon nog zo'n acht à tien boeken aan. 'Kierkegaard, zo, zo.' Hij liep verder en bekeek ook de stapels in de vensterbank en de boeken op het nachtkastje.

'Ik moet zeggen dat hij een breed georiënteerde smaak heeft,' zei Katherina terwijl ze *Ulysses* terugzette in de kast.

Jon knikte en ging terug naar de computer, die inmiddels was opgestart. Hij ging zitten en legde zijn hand op de muis. Katherina kwam achter hem staan en keek hoe hij op verschillende knoppen en menu's klikte.

'Wat doe je?' vroeg ze na een paar minuten.

'Om heel eerlijk te zijn, weet ik dat zelf ook niet,' gaf Jon toe met een glimlach. 'Ik ben niet echt handig met computers.'

Katherina giechelde. Hij had iets sympathieks, zoals hij daar zat te worstelen met een apparaat waarvan hij best wist dat hij er niet goed mee overweg kon. Hij was niet langer de superadvocaat, maar een mens met zijn beperkingen, die hij ruiterlijk toegaf.

Op dat moment ging zijn mobiele telefoon. Hij haalde hem tevoorschijn en keek op de display.

'Het is Kortmann,' zei hij en hij gaf hem aan haar. 'Wil jij met hem praten, terwijl ik verder probeer?'

Katherina nam de telefoon aan.

'Ja?'

'Zijn jullie binnen?' vroeg Kortmann aan de andere kant.

'Ja, ja,' antwoordde Katherina. 'Jon onderzoekt de computer.'

'Is er verder nog iets te zien?'

'In de flat? Nee, niet echt.'

'Wat voor boeken las hij?'

'Heel verschillend,' antwoordde Katherina. 'Er liggen twee boeken van Kafka op zijn nachtkastje, dat zal wel zo'n beetje het laatste zijn wat hij heeft gelezen.'

'Kafka?' herhaalde Kortmann. Het bleef even stil. 'Gaan jullie maar verder met de computer, ik moet nu weg.'

'Oké,' antwoordde Katherina, maar Kortmann had al opgehangen.

'Ah!' riep Jon gefrustreerd. 'Ik kan helemaal niets vinden.'

'Kunnen we hem niet meenemen?' vroeg Katherina. 'Misschien kan iemand anders ons helpen.'

Jon grijnsde.

'Natuurlijk, waarom heb ík daar niet aan gedacht?'

Hij pakte zijn mobieltje en toetste een nummer in.

'Met Jon... Ja hoor, het gaat prima... Ja, de zaak loopt.' Hij knikte ongeduldig, terwijl hij de persoon aan de andere kant van de lijn liet uitpraten.

'Luister eens, Mohammed, ik wil je om een gunst vragen.'

14

Het bleek niet nodig te zijn om de computer mee te nemen. Terwijl Mohammed aan de lijn bleef, werd Jon door diverse menu's en programma's gedirigeerd om achter het IP-adres van de computer te komen en om de beveiliging uit te zetten, zodat Mohammed van buitenaf in de pc kon komen. Na nog geen vijf minuten kon Jon achteroverleunen en kijken hoe de computer werd overgenomen. Op het scherm voor hem werden vensters geopend en gesloten, gedicteerd door de cursor, die tussen de programma's rondvloog als een bij in een klaverveld.

'Oké, ik ben binnen,' zei Mohammed. 'Wat zoeken we precies?'

'Allereerst welke internetsites hij de laatste tijd heeft bezocht,' antwoordde Jon. 'Maar ook waar hij zo in het algemeen mee bezig was.'

'No problem,' antwoordde Mohammed. 'Hoeveel tijd heb ik?'

'Zoveel als je nodig hebt. De eigenaar komt voorlopig niet terug.'

'In de gevangenis?'

'Nee, dood.'

Mohammed was even stil, de activiteit op het beeldscherm stopte.

'Was het een cliënt van je?' vroeg hij. De cursor op het scherm hervatte zijn dans.

'Nee,' antwoordde Jon en hij aarzelde even, voordat hij verderging. 'Het heeft niets met mijn werk te maken. Daarom moet ik je ook vragen om je mond te houden over wat je vindt.'

Opnieuw was het even stil aan de andere kant van de lijn.

'Ik hoop dat je weet wat je doet, Lawman.'

'Geen zorgen, je kent me toch?'

Jon keek naar Katherina, die een leeg plekje had gevonden in de vensterbank, zo ver mogelijk van het bed. Ze zat te staren met een afwezige uitdrukking in haar groene ogen. Haar gezicht was bleek en ze klemde haar armen om haar lijf, alsof ze zich warm wilde houden. Ze leek opeens heel kwetsbaar.

'Luister eens, Mohammed, kun je de computer ook van daaruit afsluiten?' vroeg Jon.

Mohammed antwoordde met een gemompel dat Jon als bevestigend interpreteerde. Op de achtergrond hoorde hij het gerammel van een toetsenbord, met dezelfde snelheid als een stenograaf, en op het beeldscherm voor Jon verschenen regels met onleesbare commando's, gevolgd door al even onleesbare antwoorden.

'Zet hem dan maar uit als je klaar bent, wij kunnen hier niet veel langer blijven,' zei Jon terwijl hij opstond. 'Ik neem later contact met je op om te horen wat je hebt gevonden.'

'Oké, maar kom liever langs in plaats van te bellen. Gewoon voor de zekerheid.'

'Afgesproken. Tot ziens, Mohammed.'

'Later.'

Jon brak het gesprek af en stopte zijn telefoon weer in zijn binnenzak.

'Alles goed?'

Katherina schudde even met haar hoofd, voordat ze hem aankeek.

'Ja, prima. Of... het is zo vreemd om te bedenken dat het hier nog maar zo kort geleden is gebeurd.'

Jon knikte en wierp een blik op het lege bedframe. Hij kon zich moeilijk voorstellen dat zij iets zouden vinden wat de politie over het hoofd had gezien. Op het nachtkastje lag niets, behalve een stapeltje boeken, en er waren geen tekenen van een gevecht. Hij kreeg het gevoel dat de belangrijkste reden dat Kortmann hen naar de flat had gestuurd was dat hij wilde weten wat er in de computer zat, en niet om uit te zoeken wat er met Lee was gebeurd.

'Kom, laten we gaan.'

Ze reden op Katherina's aanwijzing naar Sankt Hans Torv, waar Jon zijn auto in een van de zijstraten parkeerde. Ze hadden nog ruim een uur voor de bijeenkomst zou beginnen en omdat ze geen van beiden hadden gegeten, gingen ze naar een Italiaans restaurantje aan het plein.

Katherina kreeg weer wat kleur op haar gezicht, geholpen door

Jons pogingen om haar gedachten af te leiden van de flat in Syd-havnen. Hij probeerde over andere dingen te praten, over zijn werk, over Italiaans eten en reizen naar het buitenland. Ze hadden een tafel-tje helemaal achter in de zaak gekregen, waar ze ongestoord konden praten, maar ze hielden het het grootste deel van de maaltijd bij heel gewone gespreksonderwerpen. Uiteindelijk werd het steeds moeilij-ker om onderwerpen als Luca, de winkel en het Genootschap te ver-mijden en de ongemakkelijke stiltes duurden telkens langer.

Jons gedachten keerden steeds terug naar de ophanden zijnde bij-eenkomst. Luca was een zender geweest, en ook al was hij blijkbaar goed bevriend met iedereen, toch moest de band met zijn eigen soort sterker zijn geweest. Daarom had Jon het gevoel dat hij op het punt stond zich in vijandelijk gebied te begeven.

'Wat moet ik verwachten?' vroeg hij ten slotte om het ijs te breken.

Katherina keek om zich heen voordat ze antwoordde. 'In ieder ge-val een grotere eensgezindheid dan bij de zenders.' Ze keek naar haar handen. 'Het kan heel moeilijk zijn om ontvanger te zijn, vooral in de periode dat je zelf niet begrijpt wat er aan de hand is, dus de mensen die dat hebben meegemaakt hebben een sterke band met elkaar. We hebben elkaar nodig want niemand anders begrijpt hoe het is. Jouw vader had er wel een idee van en hij respecteerde ons om wat we moe-ten verdragen, maar de meeste anderen denken dat we onze gaven ge-woon naar believen aan en uit kunnen zetten.'

'Ik zou volkomen krankzinnig worden,' zei Jon.

'Veel mensen worden dat ook,' antwoordde Katherina. 'En nog meer mensen worden voor gek verklaard als ze beweren dat ze stem-men horen.'

Jon knikte. Hij vertelde haar wat hij in Het Schone Glas had mee-gemaakt, met de man met het donkere bier.

Katherina glimlachte.

'Die kennen we goed,' zei ze. 'Ole komt wel eens op onze bijeen-komsten, maar de laatste tijd steeds minder. Hij heeft zijn eigen ma-nier gevonden om de stemmen op afstand te houden. Drank. We hoe-ven niet te verwachten dat hij er vanavond zal zijn.'

'Dus alcohol verjaagt de stemmen?'

'Bij sommige mensen worden ze onderdrukt, bij anderen worden ze verwrongen en onverstaanbaar, wat nog erger is. We hebben allemaal onze methodes om de stemmen op een dragelijk niveau te houden. De besten van ons kunnen ze met behulp van speciale technieken onderdrukken, maar degenen die dat geluk niet hebben, zoeken andere oplossingen. Sommigen herhalen versjes of bewegingen om hun aandacht af te leiden, anderen nemen hun toevlucht tot extremere maatregelen. Die doen zichzelf pijn door zich te knijpen of zelfs te snijden.' Ze zuchtte. 'Maar het is heerlijk om elkaar in de groep te ontmoeten.'

'Therapie?'

'Ergens wel,' gaf Katherina met tegenzin toe. 'Het helpt altijd om anderen te ontmoeten die in dezelfde situatie zitten – om te weten dat je niet alleen bent.' Ze keek Jon recht aan. 'Het doel van onze groep is om elkaar te steunen en te helpen, zoals je hoort, en níét om de wereldheerschappij over te nemen of boekhandelaren lastig te vallen. Daar hebben we de energie niet eens voor.'

Jon knikte. Hij kon in de groene ogen zien dat het niet alleen woorden waren.

Ze sloeg haar blik neer en wreef met haar vingertoppen over haar kin.

'Is het zo langzamerhand geen tijd?'

Katherina nam Jon mee van Sankt Hans Torv naar de Nørre Allé. Tegenover de kerk ging ze het portiek van een oud gebouw binnen en liep de trap op. Ze belde aan bij een deur met een groot messingen naambord ernaast.

'Centrum voor Dyslexie,' las Jon. 'Gaan de gaven van een ontvanger altijd gepaard met dyslexie?'

'Dat hóéft niet,' antwoordde ze met zachte stem, 'maar meer dan een derde van ons is dyslectisch, dus helemaal toevallig kan het niet zijn.'

Ze hoorden iemand aankomen achter de deur en sloten die werden geopend. Een forse vrouw in een donkere jurk opende de deur. Haar ronde gezicht lichtte op in een glimlach toen ze hen zag.

'Kom binnen, kom binnen,' zei ze terwijl ze opzij stapte. 'De anderen zijn er al.'

Katherina en Jon gingen de hal binnen, waar de hoeveelheid jassen getuigde van een opkomst van ruim twintig personen.

'Ik ben Clara.' De vrouw gaf Jon een stevige hand. 'Ik heb de dagelijkse leiding van dit centrum.'

'Jon Campelli,' begroette Jon haar.

'Dat hoef je niet te vertellen,' zei ze lachend. 'Je lijkt ongelooflijk veel op hem, op Luca, bedoel ik. Bovendien heb ik je op de begrafenis gezien.'

Nadat ze hun jas hadden uitgetrokken, nam Clara hen mee naar het einde van de lange gang, waar een witte paneeldeur openstond. Uit de ruimte achter die deur kwam hun een geroezemoes van stemmen tegemoet. Toen Jon als eerste de zaal binnenstapte, verstomde het geluid. Om een ovale vergadertafel zaten ruim tien personen en hetzelfde aantal, of meer, zat langs de muur.

'Goedenavond,' zei Jon en hij hief zijn hand ter begroeting. De aanwezigen knikten of mompelden een groet terug.

'Gaan jullie hier maar zitten,' stelde Clara voor en ze wees op twee lege stoelen aan het einde van de tafel.

Jon en Katherina gingen zitten, nauwlettend in de gaten gehouden door de aanwezigen. Clara ging aan het andere eind van de tafel zitten.

'Zoals ik al zei,' begon ze, 'mogen we vanavond Luca's zoon, Jon, in ons midden begroeten en onze eigen Katherina natuurlijk.' Ze glimlachte. 'Om te beginnen wil ik je condoleren met Luca's dood. Hij was een goede vriend van ons allemaal en werd als een van ons beschouwd. We missen hem heel erg.' Hier en daar werd geknikt en overal klonk bevestigend gemompel.

Jon knikte bij wijze van dank. Hij constateerde dat er meer vrouwen waren dan mannen; ongeveer twee derde was vrouw, maar het was moeilijk om alle gezichten te zien. De mensen die rond de tafel zaten werden belicht door een lange ovale lamp die boven de tafel hing, maar het licht reikte niet helemaal tot aan de muren, waar de rest van de toehoorders zat. Van sommigen zag je slechts een schaduw of een half lichaam, waarvan het bovenste deel verborgen bleef in het donker.

'Daarom zullen wij natuurlijk alles doen wat we kunnen, om te helpen uitzoeken wat er is gebeurd,' ging Clara verder. 'We hebben de gebeurtenissen van de afgelopen tijd met veel zorg gevolgd. Wij hebben geen enkel belang bij wat er recentelijk is gebeurd en al helemaal niet bij het verlies van jouw vader.'

'Wat voor functie bekleedde hij in uw groep?' vroeg Jon.

'Hij was vooral een ambassadeur,' antwoordde Clara. 'Hij heeft tot het laatste toe geprobeerd om het Bibliofielgenootschap te herenigen. Zonder zijn inspanningen zou de relatie tussen zenders en ontvangers nu nog veel slechter zijn.'

'Het is moeilijk voor te stellen dat de relatie nog slechter kan zijn dan die nu is,' zei Jon.

'De zaken zijn de afgelopen tijd geëscaleerd,' gaf Clara toe. 'Maar vóór de recente gebeurtenissen leek het er echt op dat toenadering mogelijk was. Het is niet makkelijk om twintig jaar vijandelijkheden en misverstanden te vergeten – dat vereist veel diplomatie en de bereidheid om fouten toe te geven. Je kunt wel zeggen dat Luca al jaren bezig was met het vruchtbaar maken van de bodem. De leesavonden die hij hield in Libri di Luca werden door beide partijen beschouwd als een vrijplaats waar een permanente wapenstilstand heerste, maar vanuit het Genootschap moest de samenwerking nog beginnen.'

'Wat zou het betekenen?' vroeg Jon. 'Waarom is het zo belangrijk om de twee vleugels te herenigen, als de gaven zo verschillend zijn?'

'Ook al ben je zelf niet geactiveerd, je moet een idee hebben dat de gaven van respectievelijk een zender en een ontvanger zeer krachtig gereedschap zijn. Maar pas als je de gaven combineert, komt de ware kracht tevoorschijn. Als een zender wordt gesteund door een ontvanger, is het resultaat veel meer geconcentreerd en de invloed op de luisteraar zo krachtig, dat maar weinigen hem kunnen weerstaan.'

'Dus het gaat om macht?'

Overal klonk zacht protest, maar Clara verhief haar stem.

'Macht over het verhaal, kun je zeggen. We zouden het nooit in ons hoofd halen om onze gaven te misbruiken. Ons doel is om het verhaal zo getrouw mogelijk te presenteren en de boodschap van de tekst zo effectief mogelijk door te geven.'

'En toch vinden deze aanslagen plaats,' constateerde Jon.

'Dat klopt,' gaf Clara toe en ze knikte. 'Maar het is niet bewezen dat daar ontvangers achter zitten. We moeten constateren dat alles erop wijst dat Luca's dood is uitgelokt door een ontvanger, maar het zou ook kunnen zijn dat hij een natuurlijke dood is gestorven, of dat zijn hartaanval door iets heel anders is veroorzaakt.'

'Zoals?'

'Gif, of een shock misschien,' stelde Clara voor, maar ze leek niet erg overtuigd.

'Als we nu toch aannemen dat er een ontvanger achter zat,' zei Jon rustig, 'waar veel op wijst, zou het hebben kunnen gebeuren zonder dat u er iets vanaf wist?'

Iedereen rond de tafel richtte zijn blik op Clara. Ze keek even naar het plafond en haalde toen haar schouders op.

'Dat kan ik niet ontkennen,' zei ze. 'Maar het lijkt me erg onwaarschijnlijk. Wij hebben allemaal een heel sterke band met de groep, en het is ondenkbaar dat er een verrader onder ons is. Bovendien hebben we allemaal ontzettend veel aan Luca's gezelschap gehad, niet alleen vanwege zijn karakter en zijn wijsheid, maar ook omdat hij met ons oefende. Als we niet met hem als zender hadden samengewerkt, zouden onze gaven als ontvanger niet zo'n hoog niveau hebben bereikt. Katherina is daar een goed voorbeeld van. Als Luca haar niet onder zijn hoede had genomen en niet bijna iedere dag met haar had geoefend, zou ze nu niet een van de beste Lettores zijn die er bestaan.'

Katherina knikte instemmend.

'Zou het iemand van buiten jullie groep kunnen zijn?' stelde Jon voor. 'Iemand die jullie niet kennen?'

'In theorie zou het een "buitenstaander" kunnen zijn,' antwoordde Clara nadat ze even had nagedacht. 'Maar buitenstaanders zijn meestal niet erg goed getraind en daarom niet sterk genoeg om iemand te doden. Je moet bedenken dat ze vaak geen idee hebben wat de gaven inhouden en al helemaal niet waar je ze voor kunt gebruiken. Vroeg of laat komen ze bij ons terecht, als ze niet in een inrichting zijn opgenomen of erger.'

'Kan het zijn dat het een ongeluk was? U zegt dat ze hun eigen krachten niet kennen. Zou het kunnen dat een buitenstaander door een toeval iemand doodt?'

'Dat is heel onwaarschijnlijk,' zei Clara snel. Haar blik schoot even heen en weer tussen Jon en Katherina voordat ze verderging. 'Dat vereist een geleidelijke opbouw van de beïnvloeding, wat op zijn beurt weer behoorlijk wat training en controle vereist.'

'En is er niet iemand die jullie groep heeft verlaten nadat hij de benodigde gaven had verkregen? Iemand die een reden heeft om zich te willen wreken?'

'Nee,' antwoordde Clara beslist.

Jon nam de mensen die hij in het schijnsel van de lamp kon zien op. Sommigen fluisterden met elkaar, anderen zaten afwachtend met hun armen over elkaar, alsof ze hem uitdaagden om met een nieuw, beter idee te komen.

'Dus als het motief niet wraak of macht is,' somde Jon op, 'wat is het dan?'

Het werd heel stil in de zaal. Een paar mensen aan de tafel keken elkaar even aan, maar de meesten richtten hun aandacht op Clara.

'Ik zei niet dat wraak of macht niet het motief zou kunnen zijn,' begon Clara, voor het eerst met een harde klank in haar stem. 'Alleen dat het uiterst twijfelachtig is dat iemand van óns zich daardoor heeft laten leiden. Wij denken dat iemand wil verhinderen dat het Genootschap wordt herenigd. Iemand die iets te verliezen heeft, zoals macht, of aanzien. En het moment is niet toevallig. Pas nu, nu er na een twintig jaar durende splitsing eindelijk zicht is op verzoening, beginnen de aanslagen opnieuw.' Ze haalde diep adem. 'Het zou mij niet verbazen als de persoon of de personen die achter de aanslagen zitten dezelfden zijn als degenen die twintig jaar geleden met de aanslagen zijn begonnen. Iemand die toen een zekere positie wist te bemachtigen die hij nu bang is kwijt te raken.'

Jon hield Clara's blik vast. De verder zo vriendelijke vrouw glimlachte niet, maar staarde hem over de tafel strak aan, zonder weg te kijken. De mensen om hen heen keken om beurten naar Jon en naar haar, alsof ze hadden gewed wie er het eerst met zijn ogen zou knipperen.

'Dat is een ernstige beschuldiging,' zei Jon ten slotte.

Clara haalde haar schouders op.

'Het is een ernstige situatie. We worden bedreigd, misschien zelfs op leven en dood.'

'Tot nu toe hebben de zenders de grootste verliezen geleden,' herinnerde Jon haar. 'Vannacht is Lee gestorven. De politie zegt dat het zelfmoord is, maar Kortmann denkt iets anders.'

Clara knikte, alsof ze dat al wist, maar een paar van de aanwezigen fluisterden met elkaar en er werden verbaasde blikken gewisseld.

'Dat zal wel,' zei ze. 'Hoewel we Lee niet erg goed kenden, vinden we het toch heel vervelend wat er is gebeurd, maar dat verandert niets aan onze verdenking. Lee was niet oud genoeg om indertijd te hebben deelgenomen aan de gebeurtenissen. Alleen dat al zou een risico kunnen vormen voor degenen die erachter zitten. Misschien liep hij in de weg.'

'Misschien heeft hij gewoon zichzelf van het leven beroofd,' hield Jon vol. 'De politie heeft een afscheidsbrief gevonden die hij zelf heeft ondertekend.'

'De vraag is niet zozeer óf hij zelfmoord heeft gepleegd,' zei Clara. 'Want het is tamelijk zeker dat hij dat heeft gedaan. Kortmann is niet de enige die relaties heeft bij de politie.' Ze glimlachte. 'De vraag is eerder wat hem ertoe heeft gebracht.'

'Hij leek me niet iemand die zich zou laten dwingen om zoiets drastisch te doen,' zei Jon.

'Des te meer reden voor scepsis,' zei Clara, maar toen zweeg ze opeens, ook al hadden haar lippen al bijna een nieuwe zin gevormd.

Jon had het gevoel dat hij iets over het hoofd zag. Clara keek hem aan met een afwachtende, bijna nieuwsgierige blik, alsof ze hem het eerste deel van een zin had gegeven die hij zelf moest afmaken.

'U vergeet dat de man die u nu beschuldigt zelf het initiatief voor deze bijeenkomst heeft genomen.'

'Helemaal niet,' antwoordde Clara met een scheve glimlach. 'Wat is er nu beter voor hem dan dat er een onderzoek wordt gedaan door iemand die geen deel uitmaakt van het Genootschap, iemand die niets van de gaven af weet, iemand die hij denkt te kunnen beïnvloeden?'

Jon wilde al protesteren, toen Clara hem onderbrak door haar hand op te steken.

'Maar ik denk dat hij zich heeft misrekend, Jon. Het kan heel goed zijn dat hij de juiste keuze heeft gemaakt om de verkeerde redenen. Jouw eis dat Katherina betrokken moest zijn bij het onderzoek heeft ons ervan overtuigd dat jij de juiste persoon bent voor deze opdracht.' Ze glimlachte, dit keer vriendelijk en tegemoetkomend, alsof ze om vergeving vroeg.

'Bedankt voor het vertrouwen,' zei Jon. 'Ik ben er nog nooit eerder van beschuldigd dat ik een marionet ben. Ik denk dat u zich vergist wat Kortmann betreft. Ik kreeg het idee dat hij deze zaak tot op de bodem uitgezocht wil hebben en dat hij graag wil dat het Bibliofielgenootschap wordt herenigd.'

'Ik hoop dat je gelijk hebt,' zei Clara.

'Het kan best zijn dat hij indertijd heeft geijverd voor een afsplitsing,' ging Jon verder, 'maar ik heb het gevoel dat hij daar nu spijt van heeft, of dat hij in ieder geval is gaan twijfelen of het de juiste oplossing was.' Hij haalde zijn schouders op. 'Misschien is hij in de loop der jaren milder geworden.'

'Wat ons terugbrengt op het punt waar we begonnen zijn,' zei Clara. 'Wat er nu gebeurt kan ons allemáál schade toebrengen, dus hoe kunnen wij je helpen, Jon? Wat ben je van plan te gaan doen?'

Het werd heel stil in de zaal. Jon had het gevoel dat er een felle schijnwerper op hem was gericht, die de kleinste beweging die hij maakte zou onthullen. Hij voelde dat zijn handpalmen warm werden en hij onderdrukte een hevige aandrang om heen en weer te schuiven op zijn stoel.

'Wij zullen, om te beginnen, de afzonderlijke gebeurtenissen nader bekijken,' zei Katherina. 'Het is belangrijk dat heel duidelijk wordt of de dingen die gebeuren gepland zijn, of dat het een reeks toevalligheden is. Als er een verband bestaat, moeten we de vraag stellen wie er voordeel bij zou kunnen hebben om dit te doen, en wat diegenen erbij zouden winnen.'

Jon knikte en glimlachte dankbaar naar haar.

'Ik geloof net als jullie,' zei hij en hij pauzeerde even, 'nee, ik ben ervan overtuigd, dat er een verband bestaat tussen de gebeurtenissen van nu en van twintig jaar geleden. Het feit dat er twintig jaar voorbij is gegaan, beperkt het aantal mensen dat er iets mee te maken kan hebben.'

Na de bijeenkomst bracht Jon Katherina naar huis, naar haar appartement in de wijk Nordvest. Ze spraken nauwelijks onderweg. Jon liep in gedachten de bijeenkomst nog eens langs, maar hij vond het moeilijk om een conclusie te trekken. Eigenlijk had hij beledigd moeten zijn omdat hij Kortmanns schoothondje was genoemd, maar hij had wel het gevoel dat ze achter hem stonden, al had hij Kortmann verdedigd. Meer dan na de bijeenkomst met de zenders, had hij het gevoel dat ze iets van hem verwachtten, dat ze hoopten dat hij iets kon uitrichten, maar dat ze tegelijkertijd ook geheimen hadden die ze niet vrijwillig zouden prijsgeven. Hij zou ze zelf boven water moeten zien te krijgen.

'Hier is het,' zei Katherina en ze wees op een dof geel gebouw met groene aluminium balkons. Door de uitlaatgassen waren de gele bakstenen veranderd in een soort grijs en de gaten in het asfalt en de scheefliggende stoeptegels getuigden van vele jaren achterstallig onderhoud.

Ze deed het portier open, maar wachtte nog met uitstappen.

'Ik ga morgen bij Iversen op bezoek,' zei ze. 'Ga je mee?'

Jon knikte. Die reactie toverde een warme glimlach tevoorschijn op haar lippen.

'Tot morgen dan,' zei ze en ze legde haar hand op de zijne en gaf er een kneepje in. 'Je deed het goed.'

Ze stapte uit en gooide het portier achter zich dicht.

15

Als Katherina de tijd die dag niet aan haar kant had gehad, waren ze te laat gekomen om Iversen te redden.

Het gebeurde niet vaak dat Katherina het gevoel had dat de tijd haar gunstig gezind was. Ze had veel nagedacht over hoe haar leven eruit zou hebben gezien als ze door het toeval was opgehouden, zodat sommige gebeurtenissen nooit hadden plaatsgevonden of anders waren gelopen. Als ze zich bijvoorbeeld iets sneller had aangekleed die ochtend dat ze met haar ouders in de auto was gestapt, of als ze zich per se nog een keer had willen omkleden, was het ongeluk nooit gebeurd. De vrachtwagen zou hen óf voor óf na de heuvel waar haar vader de tractor inhaalde zijn gepasseerd en daarmee zou het gezin ongeschonden zijn gebleven en onwetend over hun alternatieve lot.

De keren dat toeval en timing wél in haar voordeel uitpakten, herkende ze het niet altijd, maar ze had er al vaak over nagedacht wat er zou zijn gebeurd als ze die dag niet precies op het juiste moment langs Libri di Luca was gelopen, toen Luca voorlas uit *De Vreemdeling*. Katherina wist zeker dat ze, als ze voor-, of nadat Luca had voorgelezen langs was gelopen, nooit Luca, Iversen en de ontvangers zou hebben ontmoet en dat ze als buitenstaander misschien ook nog eens gek zou zijn geworden of zelfmoord zou hebben gepleegd.

Daarom was ze achteraf ook zo vreselijk blij dat Jon haar kwam ophalen op het tijdstip dat hij haar kwam ophalen en niet tien minuten later.

Ze hadden in de winkel afgesproken. De glaszetter was net klaar met het inzetten van de nieuwe ruiten. Na een paar dagen zonder daglicht zag de ruimte er opeens heel anders uit toen de middagzon zijn weg naar binnen vond door de nieuwe ruiten. Banen stof rezen in het zonlicht als zuilen uit de vloer en de naam van de winkel stond in scherp afgetekende schaduwen te lezen op de ontblote kale vloerplanken.

Het was midden op de middag. Jon vertelde dat hij een paar dagen vrij had genomen, wat niet in goede aarde was gevallen op kantoor. Al hadden ze er recht op, het werd duidelijk niet gewaardeerd als de advocaten hun overuren opnamen. Die overuren werden niet beschouwd als een reserve die je kon aanspreken, ze hadden eerder het karakter van een statussymbool dat werd gebruikt om mee op te scheppen, of om je martelaarschap te onderbouwen.

Terwijl ze naar het ziekenhuis reden, luisterde Katherina zwijgend naar Jons beschrijving van het wereldje van de advocatuur. Zijn woordenvloed stopte pas toen ze er waren. Op het moment dat hij het contactsleuteltje omdraaide en zijn klaagzang ophield, leek hij ineen te krimpen op zijn stoel. Het leek of hij net wakker was geworden uit een droom en tijd nodig had om erachter te komen waar hij was, voordat hij verder kon. Ze bleven even zitten en staarden door de voorruit naar het grijze ziekenhuisgebouw. Toen stapte Katherina uit en Jon volgde haar.

'Hij is verhuisd naar een eenpersoonskamer,' vertelde de verpleegkundige achter de balie.

'Gaat het wel goed met hem?' vroeg Katherina verschrikt.

'Ja hoor,' stelde de verpleegkundige hen gerust. 'Het gaat prima. Met het oog op zijn toestand dachten we dat het beter zou zijn als hij een kamer alleen kreeg. Hij had een shock, maar hij is aan de beterende hand, vooral nu die jongeman hem boeken heeft gebracht.' Ze glimlachte.

'Paw?' vroeg Katherina.

'Ik weet niet hoe hij heette. Hij was hier gisteren. Een jongeman met kort haar en zo'n wijde broek die kennelijk in de mode is.'

Katherina knikte.

'Meneer Iversen ligt op kamer 5-12,' zei de verpleegkundige en ze wees de gang aan haar linkerkant in. 'Hij is nu alleen.'

Ze bedankten haar en liepen de gang in die ze had aangewezen.

'Wat aardig van hem,' zei Jon zacht.

'Dat is niets voor Paw,' antwoordde Katherina.

Voor de deur van kamer 5-12 bleven ze staan en Jon klopte. Ze hoorden niemand antwoorden en Jon klopte nog een keer, dit keer wat harder. Katherina dacht dat ze een ritmisch tikkend geluid uit de kamer hoorde komen, alsof er twee stukken metaal tegen elkaar aan werden geslagen.

'Iversen?' zei Jon terwijl hij de deur openduwde. 'Wij zijn het, Katherina en...'

Toen ze in de deuropening stonden, hadden ze allebei vrij zicht op de eenpersoonskamer, waar net genoeg plaats was voor het ziekenhuisbed en twee stoelen voor het bezoek. De gordijnen waren open, het licht stroomde door de ramen naar binnen en viel op het witte beddengoed, zo fel dat het hen bijna verblindde.

In het bed zat Iversen, met een rechte rug, zijn rechterhand hard om het rek van het bed geklemd, dat manisch klepperde omdat zijn lichaam hevig schokte. Het schuim stond op zijn mond en er ontsnapte een verontrustend gesis aan zijn lippen, terwijl het speeksel bij iedere stotende ademhaling uit zijn mond sproeide. Nog griezeliger waren zijn ogen, die wijd opengesperd naar de deken staarden zonder dat ze iets leken te zien.

'Iversen,' schreeuwde Katherina en ze rende meteen naar het bed, gevolgd door Jon.

Toen ze dichterbij kwamen, zagen ze dat er een opengeslagen boek op zijn schoot lag. Met zijn linkerhand klemde hij het boek vast, ondanks het hevige schokken van zijn lichaam. Jon probeerde het boek te pakken, maar Iversen hield het zo stevig vast, dat hij het niet kon loswringen uit zijn hand. Zijn lichaam schokte nog heviger en Jon moest loslaten. Resoluut pakte hij het kussen van achter Iversens rug en duwde dat op het boek om het af te schermen voor de wilde blik.

Alsof er een schakelaar was omgezet, hield het schokken op. Iversens oogleden vielen langzaam dicht en het oude lichaam zakte naar achteren tegen de rugsteun. Zijn ademhaling was nog steeds snel en onregelmatig, maar het nare, fluitende geluid was verdwenen.

'Haal de verpleegkundige,' zei Jon terwijl hij het boek uit Iversens hand wrong en het kussen weghaalde.

Katherina rende de gang op, in de richting van de balie, die opeens heel ver weg leek.

'Help,' riep ze intussen zo hard ze kon. Ze raakte al snel buiten adem van het rennen en roepen tegelijk, maar ze bleef niet staan, zelfs niet toen ze de verpleegkundige in het oog kreeg. Ze riep nog een keer en wenkte haar naar zich toe.

'Meneer Iversen,' kreunde ze en ze wees achter zich de gang in. 'Hij is... Hij heeft een aanval gehad.'

De verpleegkundige begon te rennen, terwijl Katherina bleef staan en zich voorover tegen de muur boog om op adem te komen. Het bloed suisde in haar oren, ze hijgde hevig en haar vingers begonnen te tintelen. Ze kwam langzaam overeind en staarde beide kanten de gang in. Nieuwsgierige patiënten keken uit deuropeningen, sommigen in een rolstoel, anderen in een ochtendjas of een ziekenhuispyjama. Er rende een arts langs met een stethoscoop die op en neer danste rond zijn nek.

Terwijl ze terugliep, leunde Katherina op de reling langs de muur. Bij iedere stap keek ze goed rond en ze bekeek de gezichten van de mensen die de gang op stroomden zorgvuldig. Op alle gezichten was verwondering en onrust te lezen. Sommige mensen fluisterden met elkaar als ze langsliep, maar niemand gedroeg zich verdacht of probeerde weg te komen.

Toen ze terugkwam op Iversens kamer, hadden ze hem aangesloten op een elektrocardiograaf en het geluid van zijn hartritme sneed als een mes door de kamer. De arts stond over de patiënt gebogen, terwijl de verpleegkundige aan de knoppen van het apparaat draaide. Jon stond op een paar passen afstand van het bed met een bezorgde uitdrukking op zijn gezicht naar het tafereel te kijken. In zijn handen hield hij het boek dat op Iversens schoot had gelegen.

Langzaam ging zijn hartritme weer omlaag en de arts richtte zich op. Nu kon Katherina Iversen zien liggen in het bed. Zijn gezicht was wit en zijn ogen waren gesloten. Met zijn rechterhand hield hij nog steeds het rekje vast, maar terwijl ze stond te kijken, zag ze dat zijn greep langzaam verslapte en terugviel op het bed.

'Het is voorbij,' zei de arts opgelucht.

Katherina ging naast Jon staan, haar handen tegen haar wangen gedrukt. Hij sloeg een arm om haar schouders en drukte even zacht.

Dat was prettig. Ze leunde tegen hem aan.

'Ik heb hem iets kalmerends gegeven,' legde de arts uit terwijl hij eerst hen aankeek, en toen zijn patiënt weer. 'Hij zal de komende vijf uur slapen. Maar het ziet ernaar uit dat hij stabiel is.'

'Wat was het?' vroeg Jon.

'Hij heeft naar alle waarschijnlijkheid een angstaanval gehad,' zei de arts. Hij klonk alsof hij het zelf geloofde. 'Dat gebeurt wel eens bij mensen die een traumatische ervaring hebben gehad. Ze beleven de gebeurtenissen opnieuw, wat een angstaanval zoals deze kan veroorzaken. Zoiets kan heel gevaarlijk zijn voor een man van zijn leeftijd.' De arts knikte naar hen. 'Gelukkig hebben jullie het tijdig ontdekt, anders had hij een hartaanval kunnen krijgen.'

'En het kan niet door iets anders zijn veroorzaakt?'

De arts schudde zijn hoofd.

'Dat is heel onwaarschijnlijk. De patiënt is er lichamelijk goed van afgekomen bij de brand. Hij heeft geen letsel of tekenen van een hersenschudding, dus ik durf andere oorzaken wel uit te sluiten.'

Jon en Katherina keken elkaar aan. Jon glimlachte een beetje scheef.

'Mogen we bij hem blijven?' vroeg Katherina.

De verpleegkundige haalde haar schouders op.

'Als jullie dat willen. Hij zal de eerste vijf uur niet wakker worden, zoals de dokter al zei.'

'Ja, graag.'

Jon haalde iets te eten en te drinken en Katherina bleef naast Iversens bed zitten. Ze luisterde naar zijn ademhaling. Die was rustig en regelmatig. Er lag een vredige uitdrukking op zijn gezicht, een uitdrukking die heel ver af stond van het wilde, verwrongen gezicht dat haar nog zo kort geleden zoveel angst had aangejaagd. Van hen tweeën vond Iversen het waarschijnlijk het minst erg om daar te zijn. Katherina hield niet van ziekenhuizen en al helemaal niet van ziekenhuizen waar ze niet veilig waren voor aanslagen van ontvangers. Want ze kon geen andere verklaring bedenken. Er moest een ontvanger in het spel zijn. Jons blik had haar verteld dat hij tot dezelfde conclusie was gekomen.

Het kon geen prettige manier zijn om te sterven.

Het beeld van Iversens gezicht, verwrongen van pijn en angst, keerde steeds terug in haar gedachten en ze had opeens spijt dat ze Jon had weggestuurd en alleen was achtergebleven.

Haar schuldgevoel stak weer de kop op. Ze dacht dat ze het kwijt was, maar Luca's dood en nu dit met Iversen hadden onaangename herinneringen bij haar naar boven gebracht. Het was al zo lang geleden. Ze had er al een paar jaar niet meer aan gedacht, maar het was hetzelfde als wanneer je roest overschildert met verf – vroeg of laat komt het er toch weer doorheen. Ze merkte dat ze in haar kin kneep, precies op de plek waar het litteken een kloofje had gevormd.

De deur ging open en Jon sloop voorzichtig naar binnen met een plastic tas in zijn hand.

'Hoe gaat het?' fluisterde hij.

'Geen verandering,' antwoordde Katherina op normale toon. 'Hij is helemaal weg.'

Jon zette de tas op het nachtkastje.

'Kranten, iets te snoepen, tandenborstels,' zei hij. 'We mogen een bed van hier gebruiken vannacht.' Hij trok zijn jasje uit, hing het op een haakje achter de deur en ging op de stoel aan de andere kant van het bed zitten.

Ze zeiden geen van beiden iets, maar Katherina was blij dat ze niet meer alleen was.

'Heb je iemand gezien?' vroeg Jon na een lange stilte. 'Ik bedoel, op de gang, toen het net was gebeurd?'

Katherina schudde haar hoofd.

'Niemand die ik herkende. Dat is het lastige van deze gaven, je kunt het niet aan iemand zien. Het is niet zo dat iemand na afloop rondloopt met een rokend pistool.'

'Hoe groot is jullie bereik?'

'Dat is verschillend, het is afhankelijk van de kracht van de gaven. Een normale ontvanger, als er tenminste zoiets bestaat, zou in de kamer ernaast moeten zitten, of een verdieping hoger of lager.'

'En iemand met jouw gaven?'

'Iets verder. Een verdieping meer misschien, of twee.'

'Maar je hoeft de persoon niet te zien?'

'Nee, maar muren verminderen de afstand en de werking.'

Jon knikte en dat bleef hij doen, alsof hij was blijven steken in een reeks gedachten.

'Dus de moordenaar van mijn vader had buiten voor Libri di Luca kunnen staan?' zei hij uiteindelijk.

'In principe wel,' antwoordde Katherina. 'Maar het was niet zo makkelijk om jouw vader voor de gek te houden, dus ik vermoed dat de dader zich ergens in de winkel heeft bevonden om een maximale slagkracht te bereiken.' Ze zuchtte. 'Maar Iversen is lang niet zo sterk als Luca was.'

'Toch moet hij een bedreiging hebben gevormd,' constateerde Jon.

'Of een risico,' zei Katherina langzaam. 'Luca was heel erg geconcentreerd als hij las. Het was onmogelijk om andere indrukken van hem te ontvangen dan de indrukken die de tekst opriep. Het leek wel of hij op het moment dat hij begon te lezen al het andere kon buitensluiten. Iversen is anders. Hij kan ongeconcentreerd zijn, zoals de meeste lezers wel eens zijn, wat het voor ons mogelijk maakt om af en toe een glimp op te vangen van zijn gedachten.'

'Dus hij kan slecht een geheim bewaren?'

'Niet bewust,' benadrukte Katherina, 'maar als er een ontvanger in de buurt is, zou hij zonder dat hij het wilde iets kunnen verraden.'

'En iemand was bang dat hij informatie bezat waar wij niet achter mochten komen?'

'Dat zou in ieder geval kunnen verklaren waarom ze hem meteen hebben aangevallen, zelfs in deze toestand.' Katherina nam de man die in het bed tussen hen in lag op. Hij had weer wat kleur op zijn gezicht. Alleen de pleisters die op de verwondingen die hij tijdens de aanslag had opgelopen waren geplakt getuigden van het feit dat hij niet helemaal in orde was. 'Het is de vraag of hij zich zelf bewust was van de dingen waar wij niet achter mochten komen.'

Het zou zeven uur duren voordat ze antwoord kregen op die vraag. Katherina en Jon hadden om beurten naast het bed gezeten terwijl de ander in de kamer ernaast sliep. Iversen werd wakker tijdens Katherina's wacht en terwijl de verpleegkundige hem onderzocht, sloop zij de kamer uit om Jon wakker te maken.

De patiënt leek verrassend fit en goedgehumeurd, wat de verpleegkundige deed besluiten dat hij wel bezoek mocht. Zelfs zijn eetlust was goed en er werden broodjes gehaald, die hij meteen begon te eten.

'Ik heb het gevoel dat ik een marathon heb gelopen,' zei hij tussen de happen door. 'Mijn lijf is helemaal leeg.'

'Kun je je iets herinneren?' vroeg Katherina.

Iversen schudde zijn hoofd, terwijl hij zijn mond leeg at.

'Het laatste wat ik me kan herinneren, is dat ik in Mann begon te lezen.' Hij knikte naar zijn nachtkastje, waar het boek lag dat Jon uit zijn hand had gewrongen. 'Het zal wel even duren voordat ik daar weer in begin,' voegde hij er met een knipoog naar Katherina aan toe.

'Heeft Paw dat gebracht?' vroeg Jon.

'Ja, ik had hem gebeld om te vragen of hij me iets te lezen wilde brengen.' Hij lachte. 'Is dat niet ironisch? Normaal gesproken verzamel je allemaal boeken die je echt van plan bent te lezen als je er een keer tijd voor hebt. Dan krijg je eindelijk de kans en dan gebeurt er zoiets.' Hij schudde zijn hoofd en nam toen nog een hap van zijn broodje.

'O, wat heb ik zin in pizza,' zei hij toen hij klaar was met eten en het blad op zijn schoot bezaaid was met verkreukelde cellofaanverpakkingen. 'Een goede peperoni met extra champignons.' Hij zuchtte. 'Maar vertel eens wat jullie hebben meegemaakt.'

Katherina en Jon vertelden om beurten wat er na de brand was gebeurd – het bezoek aan Kortmann, de bijeenkomst in de bibliotheek in Østerbro, Lees zelfmoord en de bijeenkomst met de ontvangers. Iversen zat tijdens hun hele verhaal oplettend te luisteren, met een ernstige uitdrukking op zijn gezicht. Toen ze klaar waren, bleef hij even stil en schudde toen zijn hoofd.

'Paw heeft me over Lee verteld toen hij hier was. Verschrikkelijk.'

'Wat denk jij?' vroeg Jon. 'Heeft hij zelfmoord gepleegd?'

'Als de vraag is of hij zélf een overdosis heeft genomen, dan denk ik dat het antwoord "ja" is. Maar wat interessanter is, is de vraag wat daaraan vooraf is gegaan.' Iversens ogen gingen even heen en weer van

Jon naar Katherina. 'Wat heeft zijn geest zo erg bezwaard dat hij ervoor heeft gekozen om zelfmoord te plegen?'

'Volgens de politie was hij een typische zelfmoordkandidaat: alleenstaand, in zichzelf gekeerd en licht paranoïde,' vertelde Jon.

'Ja, vast,' zei Iversen. 'Dat lag misschien voor de hand, maar hij moest wel een stevige duw in de rug krijgen voordat hij zelfmoord zou plegen. Wat las hij?'

'Kafka,' antwoordde Jon met een verwonderde klank in zijn stem. 'Dat vroeg Kortmann ook al.'

Iversen knikte.

'Kafka kun je op heel veel verschillende manieren lezen. Sommige mensen lezen hem als satire, anderen als nachtmerrieachtige beschrijving van de samenleving. Je hoeft in Kafka's teksten nooit ver te zoeken naar moedeloosheid en hulpeloosheid, en als die gevoelens op de juiste plaatsen worden versterkt, is het niet moeilijk om een beetje gedeprimeerd te raken.'

'Versterkt door een ontvanger?' vroeg Jon.

'In principe kan een zender hetzelfde doen als hij voorleest,' antwoordde Iversen. 'Maar dat zou betekenen dat Lee niet alleen was. Voor een ontvanger zou het veel makkelijker zijn. De betrokken persoon hoeft zich niet in dezelfde ruimte te bevinden en als het subtiel genoeg gebeurde, zou Lee er waarschijnlijk nooit achter komen dat hij werd gemanipuleerd. Hij zou het ervaren alsof hij heel erg gedeprimeerd raakte, zo erg dat hij zichzelf van het leven wilde beroven.'

'Door Kafka?'

'In feite kun je waarschijnlijk de meeste teksten gebruiken, maar Kafka heeft die onderliggende melancholie waardoor je iemand onopvallender kunt beïnvloeden dan met bijvoorbeeld *Winnie the Pooh*.'

Katherina had niets gezegd tijdens dit gesprek. Ze had al snel gezien welke kant het op ging en ook al wilde ze het niet graag toegeven, het bevestigde het vermoeden dat ze zelf ook al koesterde. Er bestond geen twijfel meer of er een ontvanger betrokken was bij de gebeurtenissen, dat was voor haar al heel duidelijk geweest toen ze Iversen in het bed had zien zitten, zonder de controle over zijn eigen lichaam. Met Iversens uitleg over Lees zelfmoord moest ze onder ogen zien dat het in dezelfde richting wees, wat weer een eind maakte aan de onzekerheid die rond Luca's dood heerste, in ieder geval bij haar. In gedachten liep ze alle ontvangers die ze kende een voor een langs en ze probeerde te bedenken of ze het motief en de gaven hadden om hierachter te kunnen zitten, maar dat leverde geen resultaat op.

'Clara heeft trouwens geen gelijk over die buitenstaanders,' zei Iversen, alsof hij haar gedachten had gelezen. 'Ik weet dat er ten minste één ontvanger is die in het verleden is uitgesloten.'

16

Jon kon aan Katherina's reactie zien dat zij dat ook voor het eerst hoorde. Ze ging rechtop zitten en boog zich een beetje voorover, om beter te kunnen horen.

'Wie?' vroegen Jon en Katherina tegelijk.

'Het is gek dat ik er niet eerder aan heb gedacht,' zei Iversen en hij schudde even zijn hoofd. 'Maar het is ook al lang geleden.' Hij sloot een paar seconden zijn ogen. 'Tom,' riep hij toen en hij deed zijn ogen weer open. 'Hij heette Tom. Nørregård of Nørrebo of zoiets. Tom was een ontvanger, en een heel goede ook voor zover ik me kan herinneren, maar een beetje een eenling.' Iversen knikte naar Katherina. 'Dat was voor jouw tijd. Het moet ongeveer...' Hij sperde zijn ogen wijd open en keek naar Jon. 'Ik geloof dat het ruim twintig jaar geleden was. Je moeder leefde nog, daar ben ik zeker van.'

'Wat is er gebeurd?' vroeg Jon. 'Waarom is hij eruit gezet?'

'Het was iets met een vrouw,' zei Iversen. Hij schudde zachtjes zijn hoofd. 'Sorry, maar mijn geheugen is niet meer wat het geweest is en het is al heel lang geleden. Hij had zijn gaven als ontvanger misbruikt om in contact te komen met een vrouw voor zover ik me kan herinneren. Volgens de geruchten meer dan eens, maar in ieder geval is het uitgekomen en is hij uit het Genootschap gezet. Hij was een goede vriend van Luca. Luca was ook degene die heeft ontdekt wat Tom had gedaan en die de zware plicht op zich heeft genomen om hem te verbannen.'

'Verbannen? Dat klinkt wel hard,' zei Katherina.

Iversen haalde zijn schouders op.

'Het ging om meerdere overtredingen en als we elkaar niet konden vertrouwen, had het toch geen zin.'

'Maar was het dan niet gevaarlijker om hem vrij rond te laten lopen?' vroeg Jon. 'Hij had zichzelf en de gaven kunnen verraden en misschien zelfs een einde kunnen maken aan het Bibliofielgenootschap.'

'Luca dacht dat het zo het beste was,' antwoordde Iversen. 'In die tijd twijfelde niemand aan zijn woorden. Luca was de leider van het Genootschap en hij was er kennelijk in geslaagd om Tom te laten inzien dat hij verkeerd had gehandeld. Maar hij mocht niet terugkomen. Ten eerste omdat niemand behalve je vader hem vertrouwde, en ten tweede omdat hij het, volgens Luca, zo erg vond wat hij had gedaan, dat hij ons niet langer in de ogen kon kijken. We hebben hem nooit meer gezien.'

'Dat klinkt niet alsof hij erg wraakzuchtig was,' zei Katherina.

'Nee, die indruk had ik in ieder geval niet,' zei Iversen. 'Luca is de laatste die hem heeft gesproken. Hij heeft nooit gezegd dat Tom erg boos of verbitterd was, maar qua tijd klopt het wel precies.'

'Dus wat zou hij nu willen?' vroeg Jon. 'Misschien was hij indertijd teleurgesteld, maar nu? Waarom zou hij opeens stoppen met het plegen van aanslagen en er twintig jaar later weer mee doorgaan?'

Ze keken elkaar aan, maar ze wisten geen van allen het antwoord op die vraag.

'Nørreskov,' riep Iversen opeens. Katherina schrok ervan. 'Hij heette Tom Nørreskov.'

'We moeten kijken of we hem kunnen vinden,' zei Jon. 'Er zijn vast niet veel mensen die zo heten.'

'Misschien herken je hem zelfs nog wel als je hem ziet,' zei Iversen. 'Hij kwam vaak in Libri di Luca toen jij nog bij je ouders woonde.' Toen keek hij naar Katherina. 'Maar het was ver voor jouw tijd. Toen jij in beeld kwam, was hij al heel lang weg. Wat ik vreemd vind, is dat Clara niets over hem heeft gezegd. Ze moet het zich kunnen herinneren.'

'Ik heb nog nooit iemand over uitsluiting horen praten,' zei Katherina. 'Misschien is het gewoon een van die dingen waar je niet over spreekt, zoiets als het zwarte schaap van de familie.'

Iversen knikte. Hij zag er opeens heel moe uit, zoals hij daar in het bed zat, zijn armen gevouwen op zijn buik en zijn hoofd tegen de neksteun geleund. Jon ging rechtop zitten.

'Zullen we je maar even met rust laten zodat je wat kunt slapen, Iversen?'

Hij wilde protesteren, maar Katherina gaf Jon gelijk en ze stonden allebei op.

'We zijn hiernaast,' zei Jon en hij wees op de muur.

'Geen sprake van,' riep Iversen. 'Gaan jullie maar weg. Jullie hebben wel iets beters te doen dan op een oude, vermoeide man passen.' Hij hief zijn handen bezwerend op. 'Ik beloof jullie dat ik geen boek zal aanraken voordat jullie terug zijn.'

Jon wist dat Mohammed waarschijnlijk nog wel op zou zijn, ook al was het nacht, en het was niet ver van het ziekenhuis naar zijn huis. Bovendien was hij klaarwakker na de drie uur slaap en de nieuwe informatie waar Iversen mee op de proppen was gekomen, dus het was niet moeilijk om te besluiten een bezoekje af te leggen bij Mohammed.

Hij was inderdaad nog op. Hij zat met een koptelefoon op bijna onbeweeglijk te werken in het bleke licht van de beeldschermen, terwijl het in de rest van de kamer donker was. Ze moesten hard op het raam bonken voordat hij reageerde en toen hij eindelijk naar de tuindeur keek, was het met tegenzin, alsof hij zijn ogen moest dwingen om de beweging van zijn hoofd te volgen. Toen hij Jon buiten zag staan, grijnsde hij breed. Hij zette de koptelefoon af en stond op van zijn stoel.

'Hey chief,' begroette Mohammed hem toen hij de deur had opengedaan. Toen pas zag hij Katherina, die achter Jon in het donker had gestaan. 'En jij bent...?'

'Katherina,' zei Jon vlug. 'Een vriendin.'

Mohammeds blik ging van Katherina naar Jon naar zijn horloge.

'Natuurlijk,' zei hij met een scheef lachje en hij deed een stap opzij. 'Kom binnen.'

'Je bent nog laat aan het werk,' merkte Jon op toen ze de kamer waren binnengegaan. Mohammed had het licht aangedaan zodat ze tussen de gevaarlijk wiebelende stapels prijzen door konden navigeren.

'Mijn werk is natuurlijk geen kantoorbaantje van negen tot vijf,' antwoordde Mohammed terwijl hij een paar dozen van de bank af haalde zodat ze konden zitten. 'Mijn werkterrein is de hele wereld en alle tijdzones, dus stem ik daar mijn werktijden op af.'

'Een vierentwintiguurs kantoorbaan dus?'

'Zoiets ja,' gaf Mohammed met een lachje toe. 'En jij, Katherina, waar besteed jij je tijd aan?'

'Boeken,' antwoordde Katherina en ze voegde eraan toe: 'Ik werk in een boekhandel.'

'Really?' riep Mohammed en hij liet zijn blik snel over de dozen in de kamer glijden. 'Ik heb toevallig...'

'We zijn niet gekomen om iets te kopen.' Jon hield zijn handen als een schild omhoog. 'Katherina werkt in de antiquarische boekhandel die ik van mijn vader heb geërfd.'

'Oké, oké,' zei Mohammed terwijl hij Jon onderzoekend opnam. 'Ik dacht ook al niet dat jullie hier om drie uur 's nachts zouden komen om doktersromannetjes te kopen. Je bent hier zeker vanwege de pc van die nerd?'

Jon knikte.

Mohammed keek van de een naar de ander.

'Was hij een goede vriend van jullie?'

'Nee,' antwoordden Katherina en Jon in koor.

'Ik heb hem maar één keer gezien,' ging Jon verder. 'Ik kende hem niet echt.'

'Oké,' zei Mohammed opgelucht. 'Eigenlijk kun je hem niet eens een nerd noemen. Nerds zijn oké. Ze gáán tenminste ergens helemaal voor, of het nou postzegels zijn of vliegtuigen of computers – best cool. Jullie... kennis, Lee, was een wannabe-nerd. Een jongen die zich wel met computers bezighield, maar die het talent noch het doorzettingsvermogen bezat om een echte nerd te worden. Hij probeerde zich tussen de nerds te begeven door de juiste buzzwords en referenties te gebruiken.' Hij schraapte zijn keel. 'Veel mensen vinden nerds losers, maar de échte losers zijn wannabe's, bluffers die denken dat ze door middel van bedrog respect kunnen krijgen – heel erg uncool.'

'Maar hij had wel een baan in de IT,' zei Jon. 'Dus helemaal hopeloos kon hij niet zijn.'

'Je hoeft natuurlijk geen nerd te zijn om in de IT-branche te werken,' zei Mohammed. 'Helemaal niet zelfs. Wannabe's kunnen heel goed zijn in hun werk. Nerds zijn moeilijker in de hand te houden, die willen hun eigen ding doen en ze houden er niet van als iemand hun vertelt hoe ze hun werk moeten doen.'

Jon had heel lang het idee gehad dat een nerd gewoon iemand was die al zijn tijd aan computers besteedde en er bovendien onverzorgd uitzag, pizza at, cola dronk en problemen had met het andere geslacht. Voor hem bestond er geen maatlat waarlangs je die kwaliteit kon afmeten behalve dat een nerd meer kon dan een tekstverwerkingsprogramma opstarten. Pas de laatste jaren was het begrip 'nerd' steeds meer in de plaats gekomen van begrippen als excentriekeling of fanatiekeling. Het stond voor de fascinatie en bezetenheid waar ook postzegelverzamelaars mee waren besmet. Je zou Luca en de klanten die in Libri di Luca kwamen daarom ook 'boekennerds' kunnen noemen, al zouden ze zelf ongetwijfeld de voorkeur geven aan 'bibliofielen'.

Zijn kennismaking met Mohammed had voor Jon de grenzen voor wat hij als een nerd beschouwde verlegd. Mohammed zorgde goed voor zichzelf en was sociaal aangepast. Hij had een grote kennissenkring met andere interesses dan computers en het was duidelijk te zien dat hij een kind van Turkse ouders was, wat betekende dat hij er aanzienlijk gezonder uitzag dan de stereotiepe nerd – een bleke, bebrilde tiener met puistjes.

'Ik zie mezelf niet als een nerd,' zei Mohammed, alsof Jon hardop had gedacht. 'Maar ik gedraag me ook niet als een nerd.' Hij ging weer achter zijn bureau zitten en pakte een stapel geprinte pagina's. 'Dat deed Lee wel. Hij was lid van een aantal internetforums voor nerds en hij probeerde heel duidelijk erbij te horen. De bijdragen die hij schreef waren vrij simpel. Je ziet zo dat hij maar wat goochelt met termen die hij zelf niet echt snapt.'

'Van wat voor soort discussieforums was hij lid?' vroeg Jon.

'Vooral die met computers te maken hadden,' antwoordde Mohammed en hij keek even op een papiertje dat hij voor zich had. 'Database, Netwerk, en andere programmeerforums, en ook nog een paar vreemde, afwijkende sites over hersenonderzoek, literatuur en oude boeken.' Hij keek naar Katherina. 'Hebben jullie daar iets aan?'

'Misschien.' Katherina haalde haar schouders op.

'Maar binnen die drie laatste was hij niet erg actief. Het leek wel of hij het genoeg vond om de bijdragen van anderen te bekijken zonder dat hij zelf deelnam aan de discussie.' Hij wapperde met de papieren. 'Ik heb hier een lijst voor jullie, je moet zelf maar zien wat jullie eraan hebben.'

'Oké,' zei Jon. 'Kun je verder nog iets vertellen?'

'Ik heb ook gekeken wat hij de afgelopen tijd op internet heeft bekeken,' antwoordde Mohammed. 'Daar zie je hetzelfde patroon als bij de forums. Hij bezocht veel sites met computergerelateerde onderwerpen en een paar bibliotheken en literatuursites. En hij heeft ook wat pornosites bezocht en sites van reisbureaus.'

'Reisbureaus?' zei Katherina.

'Ja, hij heeft reizen naar Irak en Egypte bekeken, maar niets geboekt.' Hij stond op en gaf ze de stapel papier. 'Maar dat staat hier ook allemaal in.'

Jon nam de stapel aan en bladerde wat in de losse vellen.

'Dus dat is jullie man,' concludeerde Mohammed. 'Een beetje zielige, eenzame wannabe-nerd die geen grote vriendenkring en geen sociale vaardigheden had. Ergens midden twintig waarschijnlijk en een vaste, niet erg veeleisende baan in de it. Bovendien heeft hij een paar interessante afwijkingen van het profiel, die kunnen wijzen op een romantische fascinatie voor literatuur en exotische reisbestemmingen.'

'Indrukwekkend,' zei Katherina.

Mohammed haalde zijn schouders op.

'Ken je de uitdrukking: "Laat me je vuilnisbak zien en ik vertel je wie je bent"? Datzelfde kun je over een pc zeggen – maar dat is eigenlijk nog veel makkelijker. De manier waarop we op het internet bewegen kan heel veel over ons vertellen, en als je weet waar ze beginnen, zijn de sporen makkelijk te volgen.' Hij stond tegen zijn bureau geleund, met zijn armen over elkaar en een tevreden glimlach op zijn lippen.

'Er is nog iets waar we graag je hulp bij willen,' zei Jon, nog steeds met zijn blik op de papieren gericht. 'We zoeken een man die Tom Nørreskov heet. Kun jij ons een adres bezorgen?'

'Als je het kunt spellen,' zei Mohammed met een grijns.

Terwijl Mohammed aan het werk ging achter zijn drie platte beeldschermen, bekeek Jon de geprinte pagina's uit Lees computer. Katherina zat naast hem op de bank en keek de kamer rond terwijl hij las. Hij had het gevoel dat ze ontving, maar daar maakte hij zich geen zorgen over. Integendeel, hij voelde zich er veilig bij, het gaf hem de zekerheid dat zij zou opvangen wat hij zelf over het hoofd zag en dat ze tegelijkertijd zou voelen welke informatie hem relevant leek, ook zonder dat hij dat hardop zei. De gedachte dat ze misschien meer zou zien dan hij prettig vond schoot een paar keer door zijn hoofd, maar dat negeerde hij en hij kwam erachter dat hij het niet erg zou vinden als ze het wel zou doen.

Af en toe stak Mohammed zijn hoofd achter de beeldschermen vandaan en vroeg iets, over Toms leeftijd, zijn werk, opleiding en bekende verblijfplaatsen. Ze raadden zo goed als ze konden.

'Bingo!' riep Mohammed na een half uur, waarin het enige geluid dat hij had voortgebracht het geratel van het toetsenbord en een paar moeilijk te interpreteren uitroepen waren. 'Wat willen jullie weten?'

Katherina en Jon stonden allebei op en liepen naar het bureau, waar Mohammed tevreden achteroverleunde en naar zijn drie beeldschermen keek.

'Allereerst waar hij woont,' stelde Jon voor.

'In Vordingborg,' antwoordde Mohammed. 'Op een boerderij buiten de stad, voor zover ik op de kaart kan zien. Twintig jaar geleden woonde hij inderdaad in Kopenhagen, dat hadden jullie goed geraden. In Valby, om precies te zijn, maar vijftien jaar geleden is hij, na zijn scheiding, naar Sydsjælland verhuisd.'

'Zijn scheiding?' herhaalde Katherina.

'Ja, zestien jaar geleden. Toen heeft hij iets vreemds gedaan,' zei Mohammed en hij hield een dramatische pauze. 'Hij heeft afstand gedaan van de ouderlijke macht over zijn kinderen, en zijn naam veranderd in Klausen – daarom duurde het zo lang voordat ik hem had gevonden. Pas daarna is hij naar Vordingborg verhuisd, waar hij sinds-dien verblijft, volgens het bevolkingsregister.'

'Dus hij is boer?' vroeg Jon.

'Dat denk ik niet,' antwoordde Mohammed. 'Hij heeft informatie ingewonnen bij de gemeente over het verpachten van grond, dus ik denk dat hij zijn land verhuurt. Bovendien werkt er een T. Klausen als freelanceboekenrecensent bij het sufferdje daar.'

Jon knikte.

'Dat moet hem zijn.'

Katherina was het met hem eens.

'Heb je verder nog iets?' vroeg ze.

Mohammed haalde zijn schouders op.

'Hij heeft geen telefoon en betaalt geen kijk- en luistergeld... Wat moet je in godsnaam op het platteland zonder telefoon, televisie of een vrouw?'

'Boeken lezen?' stelde Jon voor.

'Ah,' riep Mohammed. 'Ja, dat is ongeveer het enige wat nog over-blijft.' Hij staarde Jon onderzoekend aan. 'Weer boeken, hè?'

Jon gaf geen antwoord.

'Kan iemand erachter komen dat je naar hem op zoek bent ge-weest?'

'Als ze mijn computer stelen,' antwoordde Mohammed. 'Of als ie-mand in de gemeente Vordingborg nou precies dit soort zoekop-drachten in de gaten houdt en bovendien goed contact heeft met mijn internetprovider.' Hij hief zijn handen. 'Ik weet niet waar jullie mee bezig zijn, en ik wil het ook helemaal niet weten, maar het zou wel heel vreemd zijn als dat soort middelen wordt ingezet voor een boe-kenwurm.'

'Als je er maar voor zorgt dat je zoveel mogelijk sporen uitwist,' zei Jon.

'No sweat,' zei Mohammed. 'Je kent me toch. Ik ben de voorzich-tigheid zelf.' Hij knikte naar een plek ergens achter hen aan het pla-fond. 'Ik heb mezelf tegenwoordig zelfs verzekerd.'

Ze draaiden zich om. Aan het plafond, vlak boven de tuindeur, hing een camera ongeveer ter grootte van een luciferdoosje.

Jon glimlachte.

'Was je van plan om te gaan leven van schadevergoedingszaken? Dat lijkt me een beetje gevaarlijk.'

'Als de politie het niet doet, moet ik maar op mezelf passen,' legde Mohammed met een bittere klank in zijn stem uit. 'Dat ik dat in Rodney King-stijl moet doen, is alleen maar heel erg.'

'Oké,' zei Jon. 'Maar wis alsjeblieft de tape van de afgelopen twee uur, oké?'

'De tape?' Mohammed moest lachen. 'Je bent een dinosaurus, Jon.'

Jon hield afwerend zijn handen omhoog.

'Ja, ja, wis het nou maar gewoon, oké? Wij moeten verder.'

Mohammed gaf ze een hand.

'Bedankt voor de hulp,' zei Katherina.

'No problem,' antwoordde Mohammed en hij liet hen uit.

Jon was erg tevreden met hun bezoek. Voor het eerst sinds hij het onderzoek op zich had genomen, had hij het gevoel dat hij een stap vooruit was. Hij had het gevoel dat Tom Nørreskov een rol speelde in het geheel, en ze waren erin geslaagd om hem op te sporen, ondanks zijn pogingen zich te verstoppen.

Maar Jon had het vermoeden dat die doorbraak van korte duur zou zijn. Ze moesten het spoor volgen zolang het vers was en dat betekende een ritje naar Sydsjælland. Ze spraken af dat hij Katherina de volgende ochtend tegen tien uur zou ophalen. Ze waren het erover eens dat ze met z'n tweeën zouden gaan. Aan Paw zouden ze niets hebben. Integendeel, zijn gedrag zou de hele onderneming eerder kunnen verpesten, en bovendien moest er iemand op de winkel passen.

Hun plannen betekenden dat Jon nog een dag vrij moest nemen van zijn werk. Dit was misschien niet het beste moment om zijn carrière op het tweede plan te schuiven, maar hoe eerder hij deze zaak kon afsluiten, des te sneller hij zich weer voor de volle honderd procent op zijn werk zou kunnen richten.

Jenny klonk bezorgd toen hij de volgende ochtend belde om te zeggen dat hij ook die dag niet op zijn werk zou komen.

'Je bent toch niet ziek, hè?' vroeg zijn secretaresse aan de andere kant van de lijn.

'Nee, nee,' verzekerde Jon haar. 'Ik moet gewoon iets regelen.'

'Wat zal ik tegen de anderen zeggen?'

'Zeg maar dat het iets persoonlijks is. Dat het iets met mijn vaders overlijden te maken heeft.'

'Oké,' zei Jenny onzeker. 'Ik denk alleen...'

'Ja?'

'Ik geloof dat ze niet zo blij zijn dat je zo vaak weg bent,' fluisterde ze. 'Het gerucht gaat dat ze je weer van Remer af willen halen.'

'Onzin,' zei Jon. 'Zolang Remer geen antwoord geeft op mijn vragen, kan ik toch niets doen. Halbech kent hem. Hij weet hoe Remer kan zijn.'

'Misschien,' zei ze mat. 'Maar beloof me dat je gauw terugkomt.'

'Natuurlijk,' antwoordde Jon. 'Maak je maar niet druk om mij.'

'Pas goed op jezelf, Jon,' zei Jenny en ze hing op voordat Jon kon antwoorden.

Misschien vergiste hij zich in Halbechs geduld, maar daar kon hij op dit moment even niets aan doen. Hij zou het nog best op tijd kunnen rechtzetten – hij kreeg heus nog genoeg kans om met onbetaald overwerk de relatie tot zijn baas te verbeteren.

Hij had op de een of andere vreemde manier het gevoel dat de ontmoeting met Tom Nørreskov, of Klausen, of hoe hij zich ook wilde noemen, veel urgenter was en dat hun rit naar Vordingborg een wedstrijd zou worden, waarbij hij niet eens wist of er een prijs was en of hij die wel wilde winnen.

17

'Weet je zeker dat ik niet mee moet gaan om op jullie te passen?' vroeg Paw.

Katherina knikte.

'Er moet ook iemand in de winkel blijven,' zei ze.

Een uur daarvoor had ze een slaapdronken Paw te pakken weten te krijgen op zijn mobiele telefoon. Hij had gereageerd met eenlettergrepige antwoorden en een ontevreden gegrom, maar toen ze hem had verteld over hun bezoek aan het ziekenhuis, was de klank van zijn stem veranderd. Toen ze hem had uitgelegd dat ze een buitenstaander zouden gaan opzoeken, liet hij zich eindelijk overhalen en hij verscheen korte tijd later met een verwarde haardos en gekreukte kleren in Libri di Luca.

'Maar hij kan wel gevaarlijk zijn,' drong Paw aan.

'Het is helemaal niet zeker dat hij er iets mee te maken heeft,' antwoordde ze. 'Maar ik heb toch niet gezegd dat het een man is?'

Paw haalde zijn schouders op en mompelde iets onverstaanbaars.

Katherina pakte haar sleutelbos en haalde de sleutel van de winkel eraf.

'Je kunt om een uur of vijf sluiten, als er geen klanten meer zijn. Hier is de sleutel van de voordeur.'

'Ik heb een sleutel,' zei Paw en hij stak zijn handen in zijn broekzakken. 'Ik red me wel, maak je geen zorgen.'

Op dat moment kwam Jons Mercedes aanrijden en hij stopte langs de stoeprand voor de winkel. Katherina pakte haar jas en tas en liep naar de deur.

'Werk ze!' groette ze Paw met een scheef lachje.

'Heel grappig,' zei hij terwijl hij zijn hand ophief. 'Ga nou maar.'

Katherina liep naar de auto. Jon was uitgestapt en stond naar de blauwe, wolkeloze hemel boven de huizenblokken te kijken. Zijn neusvleugels sperden zich open en gingen weer dicht met iedere diepe ademteug die hij naar binnen zoog, alsof hij nog een laatste keer wilde genieten van de stadslucht voordat ze aan hun rit naar het platteland begonnen. Het was de eerste keer dat Katherina hem in iets anders zag dan een pak. Hij droeg een spijkerbroek en een dikke wollen trui. Het stond hem goed.

'Hoe ver is het?' vroeg Katherina na een enigszins onhandige omhelzing.

'Een uur, misschien anderhalf uur,' antwoordde Jon terwijl hij de auto startte. 'Ik geloof dat er in de buurt van die boerderij alleen landweggetjes zijn, dus we moeten misschien wel een beetje omrijden.'

Katherina zwaaide naar Paw, die naar hen stond te kijken door de nieuwe ruiten van Libri di Luca. Hij zwaaide niet terug maar draaide zich om en liep dieper de winkel in, waar ze hem niet meer kon zien. De Mercedes kwam in beweging en ze lieten zich meevoeren op de stroom van het verkeer.

Ze zeiden geen van beiden iets tot ze de stad uit waren. Nu de schaduw van de gebouwen niet meer op hen viel, moesten ze hun ogen dichtknijpen tegen de scherpe najaarszon.

'Denk je dat hij het is?' vroeg Katherina.

'De tijd klopt wel,' antwoordde Jon. 'Maar wat zijn motief is, nu, twintig jaar na zijn verbanning, is voor mij een beetje onduidelijk.' Hij haalde zijn schouders op. 'Misschien is meneer Nørreskov gek geworden van de eenzaamheid. Misschien is hij op een dag gewoon doorgeslagen en heeft hij zijn woede gericht op de gebeurtenis die het begin betekende van zijn ondergang – zijn verbanning.'

'Maar waarom is hij toen dan gestopt?'

'Het kan zijn dat hij tevreden was toen hij het Genootschap uiteen had gedreven,' stelde Jon voor. 'Het was Luca's project en een effectieve manier om hem te raken.'

Katherina dacht aan Paws waarschuwing. Hij had het vast meer als grapje bedoeld, of als argument om onder zijn taak als boekhandelaar voor een dag uit te komen, maar als Tom een beetje gek was geworden daar op zijn boerderij, ver weg van alle andere mensen, leek het haar opeens niet meer zo heel erg ondenkbaar dat hij gewelddadig zou reageren als hij werd gestoord. Als hij echt de persoon was die ze zochten, had hij al eerder gedood.

'Maar deze keer was het kennelijk niet genoeg om Luca te raken,' ging Jon verder met een bittere klank in zijn stem. 'Hij moest dood.'

'Zou het een ongeluk kunnen zijn?' overwoog Katherina. 'Misschien wilde hij Luca alleen flink aan het schrikken maken, maar is hij niet op tijd gestopt?'

'Die vraag kun jij denk ik beter beantwoorden dan ik,' zei Jon. 'Kunnen jullie iemand per ongeluk doden?'

Katherina staarde door de voorruit naar de weg voor hen. Het zonlicht schitterde op het wegdek, dat een ruwe, metalige glans kreeg. Haar slechte geweten stak weer de kop op en ze voelde dat haar keel werd dichtgeknepen. Ze had het gevoel dat haar veiligheidsgordel strakker werd aangetrokken en de cabine leek opeens heel klein. Dit keer kon ze niet weglopen of ontwijken, zoals ze al zo vaak had gedaan.

'Kunnen jullie dat?' herhaalde Jon en hij rukte Katherina los uit haar gedachten.

'Ja,' antwoordde ze met tegenzin. 'Ik heb zelf een keer iemand gedood.' Ze voelde dat Jon van opzij naar haar keek, maar ze hield haar blik strak op de weg gericht en ze weerstond de verleiding om over het litteken op haar kin te wrijven.

'Het was mijn juf,' begon ze. 'Mijn lievelingsjuf, ze heette Grethe. Ik kan me niet herinneren hoe oud ze was. Daar let je niet zo erg op als kind, dan hebben alle volwassenen maar twee leeftijden: volwassen of oud. Ik was zelf twaalf. Mijn problemen met lezen waren toen echt duidelijk aan het licht gekomen en ik zat vaak in de steunklas, afgezonderd van de andere kinderen uit mijn klas. Maar niet tijdens het klassenuur dat we die dag hadden.' Ze pauzeerde en schoof even heen en weer op haar stoel om beter te zitten.

'Zoals altijd had de hele klas aan Grethes hoofd gezeurd of ze wilde voorlezen. Ik was een van de ergsten, ik was dol op voorlezen. Dan vergat ik mijn eigen leesproblemen. Als Grethe voorlas, waren we allemaal gelijk. Die dag had ze een nieuw boek bij zich. *De gebroeders Leeuwenhart*, van Astrid Lindgren. Een van de andere meisjes had een cake meegenomen, je weet wel, zo'n cake met gifgroene kleurstof en een dikke laag bruine glazuur die aan je gehemelte blijft plakken. Het duurde, zoals altijd, even voordat de cake in gelijke stukjes was gesneden en verdeeld over de klas. Toen iedereen zijn stukje had, haalde Grethe haar bril tevoorschijn uit haar oude leren tas en zette hem op haar neus. Toen ze eenmaal haar bril ophad, was iedereen in de klas muisstil. Ze begon te lezen. We hadden eerder *Michiel van de Hazelhoeve* en *De kinderen van Bolderburen* gehoord, dus we waren helemaal niet voorbereid op het droevige begin van *De gebroeders Leeuwenhart*. Ik werd meteen gegrepen door het verhaal, ik was vanaf de allereerste bladzijde gefascineerd, ik vergat helemaal mijn cake op te eten.'

Katherina zweeg. Jon draaide zijn hoofd naar haar toe en keek haar even aan, alsof hij haar aanmoedigde om verder te gaan.

'Grethe kon ongelooflijk mooi voorlezen. Ik heb er later vaak over nagedacht of ze misschien de gaven bezat, of dat ze dat van nature kon. Als zij las, waren we algauw gehypnotiseerd door haar stem en ritme. Toen ik daar in de klas zat, voelde ik dat dit boek bijzonder was en ik wilde niet dat het voorlezen ophield. Ik wilde het verhaal helemaal tot het einde horen, zonder onnodige onderbrekingen of verstoringen. Het verhaal had zo'n prachtige stem, vriendelijk en geduldig als een lieve oma. Zonder te weten wat ik deed, klampte ik me vast aan Grethes presentatie van het verhaal, ik sleurde haar er bijna doorheen. Ik was diep geraakt door de sterke gevoelens die de broers voor elkaar hebben in het begin van het boek en ik moet ze onbewust hebben versterkt en doorgestuurd naar Grethe.'

Katherina vouwde haar handen in haar schoot.

'Opeens ging de bel, maar ik wilde gewoon niet dat het verhaal zou worden onderbroken en ik hield Grethe vast, ik dwong haar verder te lezen. De andere kinderen in de klas keken elkaar verward aan, dit hadden ze nog nooit eerder meegemaakt, maar iedereen was blij dat het verhaal doorging, want we waren precies op de plek waar Jonatan bijna weer wordt herenigd met zijn broer. Maar Grethe begon te beven. Je kon het niet aan haar stem horen, maar haar handen trilden en er was een vonkje angst te zien in haar ogen achter de bril. Ik lette er niet zoveel op, ik was blij dat het voorlezen doorging, ik verslond het verhaal met huid en haar. In mijn wens om het helemaal te horen, om alles te weten te komen, dwong ik Grethe gulzig om verder te gaan.' Katherina zuchtte diep. 'Pas toen een van de meisjes in mijn klas begon te gillen, begreep ik dat er iets helemaal mis was. Uit Grethes neus en oren kwam bloed. Het liep over haar lippen, kin en hals. De betovering was meteen verbroken en ik sloeg verschrikt allebei mijn handen voor mijn mond om niet te schreeuwen. Grethes stem stopte. Haar lichaam zakte in elkaar en viel op de grond, haar bril vloog over de linoleumvloer. Alle anderen sprongen op om haar te helpen. Een paar kinderen gingen hulp halen, terwijl een van de jongens, wiens vader brandweerman was, Grethe in de stabiele zijligging legde. Maar ik bleef op mijn plaats zitten, ik kon mijn blik niet losmaken van het lichaam dat op de grond lag. Grethes ogen staarden leeg naar het linoleum, ik twijfelde er geen seconde aan of ze dood was. Ik wist dat ik haar had gedood.'

Katherina keek uit het zijraampje, weg van Jon.

'Je wist niet wat je deed,' zei hij. 'Hoe had je dat kunnen weten?'

Het schuldgevoel kwam in volle sterkte terug. Had ze het echt niet geweten? Het voorval in de klas had plaatsgevonden nadat ze Luca had ontmoet en die had haar al tijdens hun eerste ontmoeting gewaarschuwd dat ze haar gaven niet te intensief moest concentreren. Ook al was ze helemaal opgeslokt geweest door het verhaal, ze had wel kleine signalen van gevaar geregistreerd. Dat Grethe had gebeefd, bijvoorbeeld, en dat de andere kinderen zenuwachtig waren geworden. Maar ze was toch doorgegaan, totdat het te laat was.

'Ze zeiden dat ze een hersenbloeding had gehad,' vertelde Katherina. 'Tijdens de biologieles lieten ze ons zien hoe zoiets ontstond, ze lieten ons modellen van hersenen zien en legden uit hoe de bloeddruk, de aderen en de bloeddoorstroming met elkaar samenhingen.'

'En je hebt het aan niemand verteld?'

Katherina schudde haar hoofd.

'Pas veel later, aan Luca, Iversen en nog een paar anderen van het Genootschap. Zij waren de enigen die het konden begrijpen.'

'En je ouders?'

'Die hadden al zoveel met me te stellen gehad, door mijn dyslexie en de stemmen die ik beweerde te horen.'

Jon verliet de snelweg en ze begonnen aan een lange rit over kleinere wegen die door dorpjes, heuvels en bossen voerden. Nadat ze een tijdje tussen vlakke, groene weidevelden hadden gereden, minderde Jon vaart. Hij haalde een papier tussen de voorstoelen vandaan en wierp er een blik op.

'Hier moet ergens een afslag naar links zijn,' zei hij en hij boog zich naar voren. Een paar honderd meter verder stopte hij. Aan de linkerkant voerde een modderig karrenspoor door het veld en verdween tussen een groepje bomen een eindje verderop. Naast de weg stond een bordje met het nummer 59.

Ze keken elkaar aan.

'Klaar?' vroeg Jon.

'Klaar,' bevestigde Katherina.

Jon reed langzaam het pad op. Hobbels en gaten maakten het onmogelijk om hard te rijden en zelfs als ze langzaam reden, schoten ze hard op en neer op hun stoelen.

Na twintig meter stond er een bord langs de kant van het pad.

'"Verboden toegang voor onbevoegden",' las Jon.

Tien meter verder stonden nog twee borden.

'"Privéterrein" en "Indringers worden aangegeven bij de politie",' las Jon. 'Niet erg gastvrij, hè?'

'Hij weet dat we komen,' constateerde Katherina rustig.

Jon trapte hard op de rem en keek rond.

'Wat bedoel je? Heb je hem gezien?'

'Nee, maar hij heeft ons gehoord.'

'Weet je het zeker? We kunnen de boerderij nog niet eens zien.'

'De borden,' wees Katherina. 'Die staan daar niet alleen om mensen hiervandaan te houden.'

Jon keek haar vragend aan.

'Ze fungeren als een soort waarschuwingssysteem,' legde ze uit. 'Hij heeft "gehoord" dat je ze las.'

Jon staarde haar een paar seconden wantrouwig aan, maar toen begreep hij het.

'Nu begrijp ik het!' zei hij een beetje beteuterd. 'Sorry.'

'Het geeft niet,' zei Katherina. 'Zulke korte teksten kunnen hem niet meer over ons vertellen dan dat we eraan komen.'

Jon zette de auto weer in beweging en ze volgden het pad verder door een groepje bomen. Er stonden nog meer borden aan weerskanten van het pad. En er waren borden opgehangen aan de bomen en ook al voelde Katherina dat Jon probeerde ze niet te lezen, ze ontving toch wat erop stond: 'Verboden toegang', 'Wacht u voor de hond', 'Privéterrein'.

Na honderd meter kwamen ze bij een grote open plek. Daar stond een witte boerderij met een rieten dak, hij was U-vormig. Op verschillende plaatsen was de verf van de muren gebladderd en het riet van het dak was bedekt met grote groene plakken mos. Een van de ramen was dichtgetimmerd en de andere zagen eruit alsof ze nooit waren schoongemaakt sinds ze erin waren gezet. Aan de rand van de open plek stonden oude landbouwwerktuigen die allang niet meer in gebruik waren en gewoon stonden weg te roesten.

Jon reed zijn Mercedes het binnenerf op. Gras en onkruid hadden het grootste deel van de witte kiezels overwoekerd. Naast een van de zijvleugels stond een grijze Volvo-stationcar geparkeerd.

'Dat moet het hoofdgebouw zijn,' zei Jon en hij wees op het gebouw waar de Volvo voor stond. Hij parkeerde zijn auto naast de stationcar en ze stapten uit.

Toen de echo van de dichtslaande autoportieren was weggestorven, werd het heel stil. Katherina genoot van de stilte en keek rond. Het huis waarvan ze dachten dat het het woonhuis was, was ongeveer honderd vierkante meter groot. De ramen zaten een meter of anderhalf boven de grond. Ze kon niet naar binnen kijken door de dikke laag vuil die erop zat, of omdat ze van binnenuit afgedekt waren. De twee andere vleugels verkeerden in slechtere staat dan het hoofdgebouw. Van een was het dak half ingestort en in de andere ontbraken ramen en deuren.

Jon liep naar de voordeur. Er hing een groot bord met heel veel tekst op de zware eikenhouten deur.

'Niet lezen,' waarschuwde Katherina. 'Het is te lang, dan heeft hij vrij spel.'

Jon knikte en keek de andere kant op, terwijl hij op de tast de deur-klopper zocht. Het tikken van de klopper echode door de boerderij. Jon boog zich naar de deur toe en luisterde. Er gebeurde niets. Jon keek naar Katherina en schudde zijn hoofd. Hij klopte nog een keer, dit keer iets harder.

Katherina liep naar een van de ramen en probeerde erdoorheen te kijken. Maar er hing een donkere doek voor waardoor ze niet naar binnen kon kijken in de kamer die erachter lag. Ze liep verder langs de overige ramen die aan het binnenerf lagen, maar ze waren allemaal af-gedekt met gordijnen, meubels of houten schotten.

'Hallo, is daar iemand?' riep Jon tegen de deur.

Katherina dacht dat ze een schaduw zag achter een van de lege ra-men van het gebouw met het ingestorte dak. Ze slenterde in de rich-ting van wat ooit een stal moest zijn geweest. Weer zag ze een scha-duw, dit keer achter een raam dat zo vuil was dat ze onmogelijk kon zien wie of wat het was.

'Jon,' riep ze zacht, terwijl ze verder naar de stal liep.

Jon ging weg bij de voordeur en kwam naar haar toe.

'Ja?'

Ze wees naar het stalgebouw.

De deur zat in het midden van de vleugel. Hij was ooit blauw ge-weest maar door verrotting en slijtage was hij bijna helemaal grijs ge-worden en hij hing vermoeid in zijn scharnieren. Katherina gaf er een duwtje tegen. Onder een langgerekt gejammer ging hij met tegenzin open.

'Hallo,' riep ze. 'Is daar iemand?'

Ze stapte naar binnen, met Jon vlak achter zich. Het was lang gele-den dat de ruimte als stal was gebruikt. De boxen lagen vol afval en resten van het ingestorte dak of ze stonden volgestouwd met dozen en meubels.

'Dáár,' riep Jon en hij stapte langs haar heen.

Achter in de stal, aan de kant van het woonhuis, ging een deur open. Ze zagen een silhouet naar buiten hollen en de deur achter zich dichtgooien. Jon rende naar de deur toe, hij moest over dozen en rom-mel heen springen die hem de weg versperden. Katherina draaide zich om en rende het binnenerf op, naar het hoofdgebouw. Op hetzelfde moment dat Jon de andere deur uit stormde, kwam zij bij de hoek van het gebouw en samen renden ze om het huis heen naar de achterkant. Ze zagen niemand, maar ze hoorden nog net een deur dichtslaan. Harde klikken en gebonk verraadden dat de deur nadrukkelijk op slot werd gedaan.

Ze gingen langzamer lopen en bleven staan voor een donkere, solide uitziende deur met grote ijzeren scharnieren.

'We willen alleen met u praten,' riep Jon hijgend.

Er kwam geen reactie.

'Meneer Nørreskov?' probeerde Katherina. 'We hebben uw hulp nodig.'

Jon klopte op de deur.

'Tom Nørreskov? We weten dat u daar bent.'

Ze luisterden ingespannen.

'Ga weg,' klonk het opeens aan de andere kant van de deur. 'Jullie hebben hier niets te zoeken.' De stem klonk hees en donker.

'We willen alleen maar met u praten, meneer,' zei Katherina.

'Ik heb niets met jullie te bespreken. Donder op of ik roep de politie erbij.'

'Kunt u dan tenminste bevestigen of u Tom Nørreskov bent?' vroeg Jon.

'Er is hier niemand die Nørreskov heet, mijn naam is Klausen. Dat staat ook op de deur. Ga weg.'

'We weten dat u in '86 uw naam heeft veranderd,' zei Jon. 'We weten dat u daarvóór uit het Genootschap bent gezet en ook waarom.'

Een paar seconden lang kwam er geen reactie, toen hoorden ze een zacht gemompel achter de deur. Katherina en Jon keken elkaar aan.

'Het klonk alsof hij herhaalde "uit het Genootschap ben gezet",' fluisterde Jon.

'Waarom fluisteren jullie?' riep de man aan de andere kant van de deur. 'Wie zijn jullie eigenlijk? Wat willen jullie?'

'We willen alleen met u praten,' herhaalde Katherina. 'Ik heet Katherina en ik heb Jon Campelli bij me.'

Weer bleef het een paar seconden stil aan de andere kant van de deur.

'Campelli?'

'Jon Campelli,' bevestigde Jon. 'Ik ben de zoon van...'

Hij werd onderbroken door het geluid van sloten die werden geopend. Langzaam ging de deur op een kier open en er kwam een hoofd tevoorschijn. Het gezicht was bijna volledig bedekt door haar en een baard. Een paar wijd opengesperde blauwe ogen staarde langs Jon op en neer.

'Campelli,' zei de man nog een keer en hij knikte in zichzelf.

'We willen alleen...' begon Katherina, maar ze stopte toen de man de deur helemaal openduwde en een stap opzij deed.

'Kom binnen, Jon, kom binnen. Ik heb een boodschap van je vader.'

18

Opeens waren Jons voeten loodzwaar, hij kon ze niet meer optillen, hij stond alleen maar te staren naar de man in de deuropening. De grote baard was grijs in de punten en op een aantal plaatsen vervilt en geklit, wat hem allesbehalve een verzorgd uiterlijk bezorgde. Een grote, glimlachende mond met vlezige lippen zat als een rood gat midden in de wirwar van haar. Zijn lijf was mager, waarschijnlijk nog magerder dan je door de grote donkergroene sweater en de wijde ribfluwelen broek zou vermoeden, en zijn rug was een beetje gebogen.

'Kom binnen,' zei de man nog een keer en hij wenkte ze ijverig verder met magere, knokige vingers.

Jon voelde Katherina's hand op zijn schouder en hij stapte langzaam door de deuropening het huis binnen. Toen ze allebei in de kleine, donkere hal stonden, gooide Tom Nørreskov de deur achter hen dicht. Ze bleven staan in het donker en hoorden hoe de deur zorgvuldig op slot werd gedaan. Er hing een scherpe geur, zwaar als mist.

'Sorry,' zei Tom Nørreskov en hij schuifelde zijdelings langs hen heen. 'Ik zal het licht aandoen.' Een zwakke lamp aan het plafond kwam tot leven en wierp een geel schijnsel op het kleine halletje dat was volgestouwd met kartonnen dozen in verschillende maten. 'Ik gebruik het zelf niet zo vaak. Het licht, bedoel ik.'

Hij verdween door een opening tussen de dozen, die naar een andere kamer leidde, waar hij ook licht aandeed. Katherina en Jon volgden hem naar een grote woonkamer. Alle vier de wanden hingen vol krantenknipsels, foto's en een eindeloze hoeveelheid kleine gele briefjes met aantekeningen. Tussen veel daarvan waren draden in verschillende kleuren gespannen, zodat het geheel een spinnenweb van informatie leek, een papieren versie van het internet. Midden op de vloer, vlak onder een felle kale gloeilamp, stond een grote, versleten leren stoel en daarvoor lag een leren poef die eruitzag alsof hij lek was. Rondom de zitplaats lagen stapels boeken, ogenschijnlijk zonder enige vorm van ordening.

Tom Nørreskov duwde hen zachtjes verder naar de volgende kamer, die helemaal vol boekenkasten stond, maar waar ook nog een grote bank stond, die te oordelen naar het beddengoed dat erop lag tevens dienstdeed als bed. Ervoor stond een lage salontafel, die bedekt was met een grote hoeveelheid in leer gebonden boeken. Hij pakte snel het beddengoed bij elkaar en gooide het achter de bank. Nadat hij de kussens vluchtig had afgeklopt met zijn vlakke hand, wees hij er met een uitgestrekte arm naar.

'Ga zitten,' zei hij. 'We hebben een heleboel te bespreken.'

Jon en Katherina gingen op de leren bank zitten, terwijl hun gastheer de poef uit de kamer ernaast haalde en tegenover hen ging zitten. Hij bleef Jon aankijken; om zijn rode mond lag een klein, tevreden glimlachje.

'Je zei dat Luca een boodschap voor mij heeft achtergelaten?' begon Jon.

Tom knikte ijverig.

'Weet je, je vader had het gevoel dat ze waarschijnlijk snel in actie zouden komen, en als er iets met hem zou gebeuren en jij zou opduiken, moest ik die boodschap aan jou doorgeven.'

'En die is?'

Tom schudde zijn hoofd en glimlachte nu breed.

'Wat ben ik blij je weer te zien, Jon. Je kunt je mij vast niet herinneren, maar toen jij nog een klein jongetje was, kwam ik heel vaak in Libri di Luca.' Zijn glimlach verdween. 'Ik hield heel veel van je vader. We waren goede vrienden en hij is de enige die mij in de afgelopen... tien jaar, geloof ik, heeft opgezocht.'

'Is hij hier geweest?' vroeg Katherina verbijsterd.

'Hij kwam denk ik één keer per maand. Meestal op zondag, als de winkel dicht was.'

'Maar daar heeft hij nooit iets over gezegd,' zei Katherina.

'Nee, natuurlijk niet,' antwoordde Tom lichtelijk geïrriteerd. 'Dat was onderdeel van het plan.'

Jon had zoveel vragen dat hij niet wist waar hij moest beginnen. Al had hij zijn vader jaren niet gezien, deze plek en deze man pasten heel slecht bij het beeld dat hij van Luca had. En het was nog onwaarschijnlijker dat hij plannen zou hebben gemaakt met een verbannen lid van het Bibliofielgenootschap, dat hij zelf zo trouw bewaakte. Daar kwam nog bij dat Jons eigen komst voorspeld zou zijn, als een soort wederopstanding, en als er iets was waar Jon niet van hield, dan was het voorspelbaar zijn.

'Wat is de boodschap, Tom?' drong Jon aan.

Tom nam hem met zijn heldere blauwe ogen op en trommelde met zijn kromme vingers tegen elkaar aan. Hij glimlachte nu niet meer.

'Zorg dat je uit de buurt blijft,' zei hij ten slotte.

'Wat?' riepen Jon en Katherina in koor.

'Vergeet wat je denkt te weten, verkoop de winkel en ga verder met je leven,' zei Tom terwijl hij zijn vingers ineenvlocht. 'Draai je om, ga weg en kijk niet om.'

'Maar...' begon Jon.

'Het is voor je eigen bestwil,' onderbrak Tom hem. 'Je vader hield meer van je dan van wat ook ter wereld. Hij was zo trots op je – hoe je je opleiding hebt afgemaakt, je reizen, je carrière. Hij kon urenlang praten over hoe knap je wel was en hoe je succes had in alles wat je deed. Wist je dat hij vaak ging kijken bij jouw rechtszaken?' Hij schudde zijn hoofd. 'Nee, vast niet, maar hij was er dus wel en hij was zo trots als een pauw.'

'Dan had hij wel een vreemde manier om dat te tonen,' zei Jon en hij sloeg zijn armen over elkaar. 'Waarom heeft hij nooit iets gezegd?'

'Heb je dat dan niet begrepen?' vroeg Tom ongeduldig. 'Hij wilde je beschermen. Luca wilde liever een verschrikkelijke vader zijn, dan kinderloos.'

Jon stond op van de bank en begon door de kamer te ijsberen met zijn blik op de vloer en zijn handen in zijn zij. Hij was misselijk. Dat kwam vast door de bedompte lucht in het huis. Hoe kon iemand zo leven? Je kon onmogelijk nadenken in die dikke soep. De vragen die hij zo graag wilde stellen waren opeens verdwenen. In plaats daarvan waren er andere gekomen, en hij was er helemaal niet zeker van of hij het antwoord wel wilde horen.

'Je had het daarnet over een plan?' vroeg Katherina, terwijl Jon verder ijsbeerde.

'Het spijt me,' antwoordde Tom, 'maar meer kan ik niet vertellen. Ik heb Luca beloofd dat ik zijn advies zou overbrengen aan zijn zoon, en het zou natuurlijk niet goed zijn om hem er dan nog verder bij te betrekken.'

Jon bleef staan en richtte zich tot Tom.

'En als ik zijn advies niet wil opvolgen?' vroeg hij verontwaardigd. 'Ik bén er al bij betrokken. Er zijn mensen die verwachten dat ik iets voor hen doe, en andere mensen hebben al geprobeerd om me uit de weg te ruimen. Dus kom me nu niet vertellen dat ik me gewoon kan omdraaien en verdergaan met mijn leven alsof er niets is gebeurd, hoe graag ik dat ook zou willen.'

'Dat begrijp ik wel,' gaf Tom toe, 'maar ik vind dat je zou moeten...'

'Ik heb er genoeg van om overal buiten te worden gehouden,' onderbrak Jon hem. 'Vertel haar wat ze wil weten. Wat hield dat plan in?'

'Oké, oké,' zei Tom met een bezorgde blik op Jon. Toen richtte hij zich tot Katherina. 'Het plan, ja,' begon hij en hij knikte in zichzelf. 'Het plan was dat we hen zover wilden krijgen dat ze zichzelf zouden ontmaskeren, of dat we op z'n minst zouden kunnen bewijzen dat ze bestonden.'

'Wie?' vroeg Katherina met een schuine blik op Jon, die weer door de kamer begon te ijsberen.

'Wij noemden het de Schaduworganisatie,' zei Tom met een glimlach.

'Misschien moet je bij het begin beginnen,' stelde Katherina voor.

Tom aarzelde en wierp een blik op Jon.

'Ga verder,' droeg Jon hem op.

Tom zuchtte gelaten.

'Het begon als een idee-fixe,' zei hij. 'Het was bijna een soort spel dat we samen speelden, Luca en ik. Ik kan me niet herinneren wie ermee begonnen is, maar op een dag ontstond het idee dat er behalve het Bibliofielgenootschap nog een andere organisatie was die in het verborgene opereerde, als een schaduw. Een organisatie die anders was dan het Bibliofielgenootschap in die zin dat ze de gaven consequent

gebruikten voor criminele, of in ieder geval egoïstische doeleinden.'
Hij schraapte zijn keel. 'Het was eigenlijk meer een geintje, een soort
grap tussen ingewijden. Algauw begonnen we de kranten te doorzoeken op voorvallen die onze theorie konden onderbouwen. En die berichten lieten we elkaar met een knipoog lezen. 'De Schaduworganisatie heeft weer toegeslagen,' zei Luca altijd als hij me triomfantelijk
een krantenknipsel liet zien over een politicus die plotseling van mening was veranderd, of een zakenman die iets onverwachts had gedaan.' Tom glimlachte in zichzelf. 'Het kwam natuurlijk allemaal
voort uit onze eigen fantasie. We waren wat jonger toen en ons voor-
stellingsvermogen was nog niet zo vastgeroest.'

Tom schraapte opnieuw zijn keel. Jon ging ervan uit dat hij zijn
stem lang niet had gebruikt.

'De voorbeelden van gebeurtenissen en toevalligheden begonnen
zich opeen te stapelen,' ging Tom verder. 'Op een gegeven moment
konden we niet langer onze ogen sluiten voor het feit dat er een reële
mogelijkheid bestond dat datgene wat wij als een grap tussen ons
tweeën hadden bedacht, ook de realiteit zou kunnen zijn. We bleven
het een tijdlang verwerpen als onzin, maar onze ogen waren getraind
in het zien van eventuele verbanden tussen de verhalen en we vonden
steeds meer voorvallen die erop wezen dat een dergelijke organisatie
moest bestaan.'

'Wat zeiden de anderen?' vroeg Katherina.

'We hielden het voor onszelf,' zei Tom met een spijtige klank in zijn
stem. 'Ik denk dat we last kregen van achtervolgingswaanzin. Een van
onze hypotheses was: als een dergelijke organisatie verborgen was gebleven voor het Genootschap, kon dat maar één ding betekenen: dat
ze spionnen hadden in ons midden.'

'Wie?' vroeg Katherina.

Tom schudde zijn hoofd.

'Er waren verschillende kandidaten, maar we hebben nooit concrete bewijzen gevonden. Daarom hebben we "Het Plan" uitgedacht, om
hen uit hun tent te lokken.'

Jon was opgehouden heen en weer te lopen over de ruwe plankenvloer en hij ging weer naast Katherina op de bank zitten. Tom ver-

plaatste zijn blik naar Jon. In zijn blauwe ogen lag een droevige blik, het leken de ogen van een soldaat die terugdenkt aan zijn tijd aan het front.

'We hadden bedacht dat een van ons tweeën om heel onsympathieke redenen uit het Genootschap moest worden gezet. En dan zou diegene niet lang daarna gerekruteerd worden door de Schaduworganisatie.' Tom zuchtte. 'Simpel en makkelijk.'

Hij wendde zijn blik af en keek rond. Zijn ogen zochten het plafond af, gleden langs de boekenkasten naar beneden en ten slotte over de versleten plankenvloer. Het leek wel of hij zich moest oriënteren nadat hij plotseling wakker was geschud. Hij keek naar zijn handen.

'Het eerste deel van het plan was een daverend succes,' hervatte hij zijn verhaal met een glimlachje. 'Mijn zogenaamde overtreding was zo erg, dat iedereen zich van mij distantieerde. Ik geloof dat ze er stiekem heel dankbaar voor waren dat Luca het op zich nam om mij te verbannen. Niemand zette vraagtekens bij de authenticiteit van ons verzonnen verhaal, want wie zou zoiets verzinnen?' Hij liet de vraag even in de lucht hangen. 'Dus toen hoefden we alleen maar te wachten,' ging hij verder terwijl hij zijn armen spreidde. 'En dat deden we. Er gebeurde inderdaad iets. Maar dat was iets wat wij in onze wildste fantasie niet hadden kunnen...'

Tom en Katherina stonden precies op hetzelfde moment op. Ze hielden allebei hun hoofd schuin en keken naar het plafond, alsof ze naar geluiden op het dak luisterden.

'Wat?' vroeg Jon terwijl hij van de een naar de ander keek. Tom had zijn ogen dichtgedaan en onder het warrige haar waren diepe rimpels verschenen in zijn voorhoofd.

'"Verboden toegang voor onbevoegden",' fluisterde Katherina en ze bracht een vinger naar haar lippen. 'Het eerste bord.'

Jon merkte dat hij zijn adem inhield. Hij kon niets horen, maar hij voelde hoe gespannen de andere twee waren. Katherina had haar groene ogen dichtgedaan. Heel langzaam hief ze haar hand op naar Jon, ten teken dat hij moest blijven zitten. Hij verroerde zich niet.

'Ze zijn weg,' zei Tom na meer dan een minuut. Hij deed zijn ogen open, tegelijk met Katherina, die instemmend knikte.

'Ze?' vroeg Jon.

'Het waren minstens twee mensen die het bord lazen,' legde Katherina uit. 'En daarna niets meer.'

'Dat gebeurt wel vaker,' stelde Tom hen gerust. 'Mensen verdwalen, of ze proberen een stukje weg af te snijden. De meesten keren om als ze het eerste bord zien.' Hij ging weer zitten en Katherina volgde zijn voorbeeld.

'Ik ken niet veel mensen die op die afstand kunnen ontvangen,' zei Tom en hij knikte waarderend naar Katherina. 'Luca heeft me over je gaven verteld.'

'Dat heb ik helemaal aan hem te danken,' zei Katherina.

'Dat hebben we dan met elkaar gemeen,' zei Tom glimlachend. 'Ik ben ook zijn leerling geweest, net als jij. Maar we hebben allemaal een natuurlijk potentieel, een grens die je niet kunt overschrijden, hoe hard je ook traint. Voor veel mensen ligt die grens veel lager dan wat jij net hebt gepresteerd.'

'Kunnen we ter zake komen?' vroeg Jon ongeduldig.

'Ja, natuurlijk,' zei Tom, maar hij ging niet verder.

'Je zei dat er iets was gebeurd nadat je was verbannen,' zei Katherina.

Tom knikte ernstig.

'Er gebeurden verschillende dingen. Er was een toename in het aantal voorvallen. Het was nu zo duidelijk, dat ook andere mensen binnen het Bibliofielgenootschap begonnen te denken dat er iets mis was. Maar in plaats van dat ze buiten het Genootschap zochten, richtten ze hun blik naar binnen, op hun eigen gelederen. De beschuldigingen vlogen over en weer en het wantrouwen tussen de twee vleugels, de ontvangers en de zenders, nam toe.' Hij zocht Jons blik en hield die vast. 'Luca probeerde alles bij elkaar te houden en daar slaagde hij ook heel lang in, al ontstonden er aan beide kanten fracties die het Bibliofielgenootschap in tweeën wilden splitsen.'

'Kortmann?'

'Hij was inderdaad de woordvoerder van de zenders,' bevestigde Tom. 'Kortmann was een ambitieus man, maar zolang Luca aan het roer stond, bleef het Bibliofielgenootschap verenigd, al was het wel onrustig.' Hij stopte weer en keek naar zijn handen.

'En toen?' vroeg Jon.

'Ja, toen... toen werd je moeder vermoord,' zei Tom zacht.

Jon had ergens een voorgevoel gehad dat dit zou komen. Vanaf het moment dat hij had gehoord dat Lees zelfmoord misschien geen zelfmoord was, had die mogelijkheid door zijn onderbewustzijn gespookt. Maar hij had het kennelijk toch verdrongen, want Toms droge constatering dat Marianne hetzelfde was overkomen trof hem als een mokerslag tegen zijn borst. Hij hapte naar adem en boog zijn hoofd terwijl hij zich concentreerde op zijn ademhaling. Naast hem veranderde Katherina van houding, hij voelde een hand op zijn schouder. Hij knikte om aan te geven dat hij in orde was.

'Luca was er natuurlijk helemaal kapot van,' ging Tom verder. 'Hij verweet zichzelf dat het was gebeurd, alsof hij haar eigenhandig van de vijfde verdieping uit het raam had geduwd. Natuurlijk begreep hij wel dat hij er fysiek niets mee te maken had, maar hij was ervan overtuigd dat de moord was uitgelokt door ons onderzoek naar de Schaduworganisatie. Maar hij had eigenlijk niets aan die constatering. Hij had de kracht niet om er iets aan te veranderen. Hij trok zich helemaal terug. Uit het Bibliofielgenootschap, uit zijn gezin en uit het leven buiten de muren van Libri di Luca. De winkel werd zijn toevluchtsoord in alle uren dat hij wakker was.'

'Ja, bedankt,' zei Jon droog. 'Dat deel van het verhaal herinner ik me heel duidelijk.'

'Dat hij jou heeft afgestaan ter adoptie was om je te beschermen,' zei Tom indringend. 'Hij begreep dat ze niet zouden proberen om hém te pakken, maar degenen van wie hij hield. Marianne en jou. Toen hij je moeder kwijt was, wilde hij alles doen om wat er nog van zijn gezin over was te beschermen, zelfs als dat betekende dat hij je nooit meer zou zien.'

Jons misselijkheid was erger geworden. Hij hoorde wat Tom Nørreskov zei. Hij herkende en registreerde de woorden en probeerde te doorgronden wat ze betekenden. In de wereld waarin Luca zich op dat moment bevond, leek het vast logisch, maar vergeleken met zijn eigen herinneringen uit die tijd kon hij er geen touw aan vastknopen. Hij had altijd gedacht dat zijn ouders niets met hem te maken wilden hebben en vandaar was het een te grote stap om te accepteren dat ze zich juist voor hem hadden opgeofferd.

'Waarom heeft hij nooit iets gezegd?'

'Uit angst. Hij durfde tegen niemand iets te zeggen. Omdat hij bang was dat het Genootschap was geïnfiltreerd, durfde hij daar geen hulp te zoeken. Na Mariannes dood heeft hij zelfs mij heel lang niet opgezocht. Waar moest hij naartoe?'

'En Iversen dan?' vroeg Katherina. 'Kon hij niet helpen?'

'Dat heeft hij ook zeker gedaan,' antwoordde Tom. 'Meer dan hij zelf weet, maar alleen als steun en toeverlaat, als vriend en hulp in de winkel. Hij zorgde ervoor dat Luca genoeg at en hield hem op de hoogte van wat er binnen het Bibliofielgenootschap gebeurde. De breuk tussen zenders en ontvangers werd al snel nadat Luca zich had teruggetrokken een feit, en ogenschijnlijk hielp dat. De voorvallen hielden op, of waren tenminste niet langer zo duidelijk zichtbaar voor wie niet wist waarnaar hij moest zoeken. Kortmann werd de leider van het Genootschap aan de kant van de zenders en Clara aan de kant van de ontvangers. Alles was pais en vree.'

'Dus Iversen weet niets van die Schaduworganisatie?'

'Nee,' antwoordde Tom beslist. 'En dat is niet omdat we hem niet vertrouwden, maar hij is soms, sorry dat ik het zeg, een open boek. Hij zou, helemaal zonder dat hij het wilde, kunnen verraden dat wij op de hoogte waren van het bestaan van de Schaduworganisatie, alleen door te weten wat wij wisten. Daarom besloten we al in een heel vroeg stadium om hem er niet bij te betrekken. Voor zijn eigen bestwil.'

'Hoe ging het met jullie plan?' vroeg Katherina. 'Heeft de Schaduworganisatie ooit contact met u gezocht?'

Tom schudde zijn hoofd.

'Nooit.' Hij sloeg zijn handen in elkaar en kneep ze stevig dicht. 'Maar het was misschien ook een beetje moeilijk om mij te vinden. Ik was misschien wel een beetje paranoïde in die tijd. Als ik heel eerlijk ben, was ik doodsbang geworden door Mariannes zelfmoord en ik probeerde mezelf zo goed ik kon te beschermen. Na een tijdje liet ik alles achter en verhuisde hiernaartoe.' Zijn blik gleed door de kamer. 'Alleen Luca wist waar ik was. Dat dacht ik tenminste.' Zijn rode mond opende zich in een brede glimlach. 'Tot vandaag.'

'Ssst,' zei Katherina opeens en ze hief haar hand.

Tom hield zijn hoofd schuin en sloot zijn ogen. Zoals hij daar op de poef zat, met zijn handen gevouwen, leek hij wel een monnik die mediteerde. Jon draaide zich naar Katherina.

'"Verboden toegang voor onbevoegden",' fluisterde ze.

Jon knikte begrijpend en leunde achterover op de bank. Op dit moment wilde hij dat hij hetzelfde kon horen als zij, zodat hij tenminste betrokken was bij wat er gebeurde en niet alleen een toeschouwer was.

'"Privéterrein",' zei Katherina.

'Het tweede bord,' viel Tom in.

Jon keek van de een naar de ander. Ze hadden allebei hun ogen dicht en zaten geconcentreerd in dezelfde houding als toen het begonnen was; ze durfden zich niet te verroeren.

'"Verboden toegang",' bromde Tom. 'Ze zijn in het bos.'

'Ze zijn met z'n drieën,' voegde Katherina eraan toe.

Als hij niet zo bang was geweest om hun concentratie te verbreken, was Jon opgesprongen en naar buiten gerend om te kijken wie eraan kwam. Hij durfde niets anders te doen dan doodstil op de bank te blijven zitten. Jon liet zijn blik door de kamer glijden. Door het bonte mozaïek van boekruggen leek de kamer niet zo leeg als hij in werkelijkheid was, misschien doordat de banden ogenschijnlijk zo willekeurig waren neergezet. Hij boog zich naar de dichtstbijzijnde kast toe.

'Nee, Jon!' riep Katherina luid.

19

'MichelFoucaultGünterGrassDeWoordenEnDeDingenLullabyTho-
masPynchonMason&DixonRichardFordSusanSontagFinnCollin-
BentJensenHadetsAnatomieDeLaatsteWalküreDaniëlZoonVan-
DeWindArturoPérezReverteMarcelProustSneeuw...'

De stroom titels en auteursnamen die Jon las overstemde haar ontvangst van de personen die op weg naar de boerderij waren volledig.
Katherina sperde haar ogen open en draaide zich met een ruk naar
hem om.

'Stop,' riep ze hem toe.

Jon keek haar verrast aan, maar toen hij begreep wat er aan de hand
was, verscheen er meteen een spijtige uitdrukking op zijn gezicht en
hij richtte zijn ogen naar de grond.

Katherina deed haar ogen dicht en concentreerde zich weer op het
ontvangen, maar ze ving niets op. Wat betekende dat? Waren ze gestopt? Of zaten ze ergens tussen twee borden in? Zo handig als het kon
zijn om op afstand te kunnen ontvangen, zo frustrerend was het om
niet te kunnen zien wat er werkelijk gebeurde.

Ze sprong vlug van de bank en rende door de kamers naar de deur.
Ze rammelde ongeduldig aan de drie sloten die haar verhinderden om
buiten te komen. Toen ze de deur eindelijk open had, hadden de twee
anderen haar ingehaald.

Eenmaal buiten renden ze alle drie naar het pad, Jon was sneller
dan de andere twee. Hij had een kleine voorsprong, totdat hij bij de
eerste bocht in het pad kwam, waar hij plotseling stil bleef staan. Toen
Katherina en Tom bij hem kwamen, zagen ze een oude landrover achteruit het pad af rijden. Door de schaduwen die de bomen op de auto
wierpen, konden ze niet zien hoeveel mensen erin zaten. Katherina
wilde erachteraan rennen, maar Jon pakte haar bij haar schouder en
hield haar tegen.

'Ze hebben iemand opgepikt,' legde hij uit. 'Ik zag hem daar links tussen de bomen vandaan komen. Misschien zijn er nog meer.'

Katherina tuurde tussen de boomstammen, maar de begroeiing was zo dicht dat ze niet verder dan een paar meter kon kijken. De auto was uit het zicht verdwenen, maar ze konden het geluid van de motor nog horen. De landrover reed op hoge snelheid weg.

'Heb je het nummerbord gezien?' vroeg Katherina.

Jon schudde zijn hoofd.

'Iets met TX of zo.'

'Ik haal mijn geweer,' zei Tom en voordat ze konden reageren, rende hij terug naar het huis.

'Hoe zag hij eruit?' vroeg Katherina. 'Herkende je hem?'

'Nee,' antwoordde Jon met grote zekerheid in zijn stem. 'Hij was klein en mager. Hij had jagerskleding aan, met een hoed en zo.'

'En een geweer?'

'Misschien. Dat heb ik niet gezien.'

Jon liep een paar passen het pad op en speurde tussen de dichte begroeiing. Ze stonden een paar minuten te luisteren maar hoorden niets anders dan de wind in de boomtoppen.

'Het spijt me dat ik het heb verknald,' zei hij zonder zijn blik van de bomen te halen. 'Ik ben er nog niet aan gewend dat lezen zo verraderlijk kan zijn. Ik heb mijn hele leven gedacht dat in jezelf lezen privé was, een soort kamer waarin ik kon binnengaan om alleen te zijn. Maar in werkelijkheid heb ik al die tijd uitgezonden, als een radiostation.'

'Een radiostation met een minieme hoeveelheid luisteraars,' maakte Katherina hem duidelijk. 'De meeste mensen kunnen een leven lang lezen zonder op een ontvanger te stuiten.'

'Ze verstoppen zich ook wel heel goed,' zei Jon met een glimlach en hij knikte in de richting van de boerderij. 'Ja, ik weet dat Tom een speciaal geval is.' Zijn glimlach verdween en hij keek haar onderzoekend aan. 'Heel speciaal. De vraag is: kunnen we hem vertrouwen?'

'Hebben we een keus?'

Jon schudde langzaam zijn hoofd en spreidde zijn armen.

'Ik heb de afgelopen week zoveel ongelooflijke dingen gehoord, dat dit bijna klopt,' zei hij terwijl hij zijn blik weer op de bomen richtte. 'Het verklaart tenminste veel van wat er is gebeurd, in ieder geval met Luca. Ik had die kennis graag wat eerder willen hebben.'

Katherina zag dat hij zijn handen zo hard in elkaar klemde dat zijn knokkels wit werden.

'Het meest ongelooflijke vind ik dat Luca nooit iets heeft gezegd,' zei ze. 'Zelfs niet tegen Iversen...'

Jon stak zijn hand op ten teken dat ze stil moest zijn. Ze hoorden takken knappen tussen de bomen en het geluid van voetstappen op de bosgrond. Jon liep een paar passen verder het bos in en Katherina volgde zijn voorbeeld. Nu konden ze een gedaante onderscheiden die zich een weg baande in hun richting en ze hoorden iemand puffen van de inspanning om zich tussen de dichte begroeiing door te wringen.

Uit de schaduw trad Tom hun tegemoet, zwaar hijgend en met een rood hoofd. Hij had een jachtgeweer onder zijn arm dat was versierd met takken die er tijdens zijn tocht door het bos aan waren blijven hangen.

'Niets,' constateerde hij nadat hij een beetje op adem was gekomen. 'Als er al iemand was, dan zijn ze nu weer weg.' Hij gaf het wapen aan Jon zodat hij de dennentakjes en bladeren uit zijn haar en baard kon borstelen.

Katherina en Jon hadden geen van beiden veel zin om terug te gaan naar die donkere kamer. Terwijl ze terugslenterden naar het binnenerf, waar de auto's geparkeerd stonden, bleef Tom een beetje achter. Het was koud, maar Katherina genoot van de frisse lucht na de drukkende atmosfeer in het huis.

'Waren zij van de Schaduworganisatie?' vroeg Jon toen ze op het binnenerf waren aangekomen en Tom hen met een zekere aarzeling in zijn passen had ingehaald.

'Als dat zo is, dan ben ik nog nooit zo dicht bij ze geweest,' zei Tom terwijl hij zijn handen uitstak naar het geweer. Jon gaf het wapen terug aan zijn eigenaar, die zorgvuldig het stof en de viezigheid van de loop en de kolf af veegde.

'Zijn jullie gevolgd?' vroeg Tom zonder op te kijken van zijn werk. Jon schudde zijn hoofd.

'Ik heb niemand gezien.'

'Een beetje toevallig dat ze nou juist vandaag komen, nu jullie ook hier zijn,' zei Tom met een schuine blik op hen beiden. 'Wie wist er waar jullie heen gingen?'

'Iversen en Paw,' antwoordde Katherina.

'En mijn computermannetje,' vulde Jon aan.

'Vertrouwen jullie hen?'

Katherina en Jon knikten beiden.

Tom liet zijn blik over de boerderij gaan en slaakte een korte zucht.

'Ik wil graag dat jullie nu weer weggaan,' zei hij rustig.

Katherina en Jon keken elkaar aan.

'Moeten we niet blijven, voor het geval ze terugkomen?' vroeg Jon.

'Nee,' zei Tom en hij deed een stap naar achteren. 'Ik red me wel. Dat doe ik al twintig jaar. Als jullie me nu weer gewoon alleen willen laten...'

Zoals hij daar stond, recht voor hen, met zijn jachtgeweer onder zijn arm, kon Katherina het gevoel niet onderdrukken dat het meer was dan een beleefd verzoek. Zijn stem klonk beheerst, maar Toms lichaam zag er gespannen uit en zijn ogen schoten heen en weer tussen haar en Jon.

'Maar...' wilde Jon al protesteren, toen Katherina hem tegenhield met een hand op zijn schouder.

'Laten we gaan,' zei ze zacht. Tegen Tom zei ze: 'Bedankt voor alles, Tom. Je hebt ons vandaag belangrijke informatie gegeven. We zullen onze uiterste best doen om die zo goed mogelijk te gebruiken. We hopen natuurlijk dat we je nog eens zullen zien. Als de Schaduworganisatie echt een offensief start, kunnen we iedereen gebruiken.'

Tom knikte. Even lag er twijfel in zijn blauwe ogen, maar hij hield hen nauwlettend in de gaten terwijl ze in de auto stapten. Toen ze het pad af reden, keek Katherina naar hem in de achteruitkijkspiegel. Tom Nørreskov stond hen nog even na te kijken op het binnenerf, toen draaide hij zich om en liep haastig naar het woonhuis toe.

'Een beetje paranoïde, vind je ook niet?' zei Jon toen ze het bosje door waren.

'Als ik daar zestien jaar alleen had gewoond, zou ik ook een beetje vreemd zijn geworden,' zei Katherina en ze zei er snel achteraan: 'Nog vreemder dan ik al ben, bedoel ik.'

De rit terug naar Kopenhagen verliep in stilte. Katherina had het gevoel dat Jon de nieuwe informatie het liefst alleen wilde verwerken en ze gebruikte zelf de tijd om uit te kijken naar auto's die hen misschien volgden. Ze kwamen aan in Kopenhagen zonder dat ze een landrover of andere verdachte voertuigen hadden gezien en toen ze tussen de hoge huizenblokken in het centrum reden, verbeterde de sfeer aanzienlijk.

Toen ze voor Libri di Luca stonden, zette Jon de motor af, maar hij maakte geen aanstalten om uit te stappen.

'Ik geloof dat ik even moet nadenken,' zei hij terwijl hij haar met een verontschuldigende blik aankeek.

'Natuurlijk,' zei Katherina. 'Neem de tijd. Zeg het maar als ik iets voor je kan doen.' Ze zag Paw heen en weer lopen achter de winkelruiten. 'Wat zeggen we tegen de anderen?' vroeg ze met een knikje naar Paw, die nu bij het raam was komen staan met zijn handen in zijn zij en zijn blik op hen gericht.

'Daar heb ik ook over nagedacht,' zei Jon. 'Mijn vaders geheimzinnige gedoe is nergens goed voor geweest, integendeel zelfs, dus misschien moeten we gewoon maar heel open en eerlijk zijn en alles vertellen.' Hij haalde zijn schouders op. 'Misschien verraadt iemand zichzelf dan wel, als er tenminste een mol is binnen het Bibliofielgenootschap.'

Katherina knikte.

'Ik ga vanavond bij Iversen op bezoek in het ziekenhuis,' zei ze. 'Ik zal hem vertellen wat we hebben gevonden. Ik denk dat we aan hem verschuldigd zijn dat hij het als eerste hoort.'

'Prima, dan kunnen we het morgen aan Kortmann vertellen,' voegde Jon er tevreden aan toe.

Katherina nam afscheid en stapte uit de auto. Jon startte de Mercedes, maar ze zag dat hij pas wegreed toen zij veilig in de winkel was.

'En?' vroeg Paw nog voordat ze de deur achter zich had dichtgedaan. 'Wat is er gebeurd?'

Katherina keek rond in de winkel om zich ervan te verzekeren dat er geen klanten waren.

'Hij is niet degene die erachter zit,' zei ze. 'Meer kan ik op dit moment niet zeggen.'

'Ah, kom op, Katherina,' riep Paw teleurgesteld. 'Wat is het voor iemand? Vertel nou. Ik heb toch ook alles laten vallen om jouw dienst over te nemen!'

Katherina zuchtte. Ze vertelde Paw over Tom Nørreskovs kluizenaarsbestaan en over de boerderij, maar niets over de Schaduworganisatie of zijn band met Luca.

'Arme stakker,' mompelde Paw, toen ze uitgepraat was en zich niet door Paws gezeur liet overhalen om nog meer te zeggen. 'Ik zou wel eens willen weten wat hij daar écht doet op die boerderij in de rimboe.'

Katherina hoefde daar geen commentaar op te geven omdat er net een klant binnenkwam.

De rest van de dag ontliep ze Paws vragen en ze stuurde hem voor sluitingstijd naar huis, zodat ze even alleen kon zijn. Toen ze de winkel had afgesloten, fietste ze naar het ziekenhuis. Onderweg haalde ze een pizza met peperoni. Toen ze met de heerlijk geurende pizza door het ziekenhuis liep, keek iedereen in het ziekenhuis verlangend in haar richting.

Iversen leek weer helemaal de oude. De kleine man zat rechtop in bed en toen ze zijn kamer binnenkwam, lichtte zijn gezicht op in een brede glimlach. Toen hij ontdekte dat ze een pizza had meegenomen, lachte hij luid.

'Ik heb eigenlijk net gegeten,' zei hij. 'Als je dat tenminste eten kunt noemen, dat ziekenhuisvoedsel. "Absorberen" zou een beter woord zijn.' Hij klopte op de dekens die over zijn buik lagen. 'Maar een peperonipizza gaat er altijd wel in.'

Gretig zette hij zijn tanden in de pizza, terwijl Katherina vertelde wat zij en Jon hadden meegemaakt. Ze vertelde hem alles wat Tom Nørreskov haar en Jon had verteld. Tijdens haar verhaal verslikte Iversen zich een paar keer bijna van verbazing, maar hij liet haar praten totdat ze klaar was en hij zijn maaltijd had beëindigd.

'Ik heb altijd wel geweten dat Luca zijn kleine geheimpjes had, maar dit overtreft mijn stoutste vermoedens.' Hij veegde nadenkend zijn mond schoon na het laatste stuk pizza. 'Ben ik echt niet te vertrouwen?'

'Natuurlijk wel,' zei Katherina. 'Maar je kunt het zo zeggen: jouw open gemoed verraadt je.'

Iversen schudde zijn hoofd.

'Had ik maar iets geweten. Als ik beter had opgelet, had ik misschien kunnen helpen.'

Katherina pakte zijn hand. Die was warm en droog.

'Je hebt hem ook geholpen, als vriend en collega. Dat was wat hij nodig had.'

Iversen haalde zijn schouders op.

'Op die vraag zullen we nooit meer antwoord krijgen,' constateerde hij met een zucht. 'Ik ben blij dat je me dit vertelt. Maar denken jullie dat dat verstandig is? Als ik nou per ongeluk verraad dat wij van het bestaan van de Schaduworganisatie weten?'

Katherina gaf een kneepje in zijn hand.

'Iedereen binnen het Genootschap mag dat nu weten,' zei ze ernstig. 'Als we het tegen hen moeten opnemen, hebben we iedereen nodig.'

Ze hielden een paar minuten zwijgend elkaars handen vast.

'Wat ben ik blind geweest,' zei Iversen met een bittere klank in zijn stem. 'Zoveel puzzelstukjes vallen nu opeens op hun plaats. Toms verbanning, Luca's reactie op Mariannes zelfmoord, dat hij Jon afstond ter adoptie. Ongelooflijk dat dat kleine mannetje zulke grote geheimen voor zichzelf heeft kunnen houden.'

'Ik denk dat hij Tom als uitlaatklep heeft gebruikt,' zei Katherina.

'Tom,' zei Iversen zacht voor zich uit en hij schudde zijn hoofd. 'Ze hebben ons wel goed te pakken gehad.'

'Maar de prijs was hoog,' zei Katherina.

'We moeten hem terughalen,' zei Iversen vastbesloten. 'We moeten zorgen dat hij wordt gerehabiliteerd, na de manier waarop we hem hebben behandeld.' Hij sloeg op de dekens. 'En we hebben hem nodig. Wie kan ons beter helpen tegen de Schaduworganisatie? Hij is de expert.'

'Ik denk niet dat je er te veel op moet rekenen dat hij bereid is om zijn boerderij te verlaten,' zei Katherina. 'Volgens mij wil hij alleen maar voor zichzelf zorgen. Niet dat ik hem dat kwalijk neem, na alles wat hij heeft meegemaakt.'

'Er moet toch wel iets zijn wat we kunnen doen.'

'Ik denk dat we hem het beste met rust kunnen laten,' zei Katherina.

'Dat zal moeilijk worden als we de anderen willen overtuigen,' constateerde Iversen droog. 'Zal Kortmann, en Clara ook trouwens, ons geloven als Tom hier niet is om het verhaal te bevestigen?'

'Ze moeten wel,' zei Katherina. 'En ze zullen naar Jon luisteren. Hij heeft het meest geleden onder alles wat er is gebeurd. Tom heeft in zekere zin zelf gekozen voor zijn lot. Jon heeft geen invloed gehad op zijn eigen lot, maar wie weet wat er zou zijn gebeurd als hij bij Luca was gebleven.'

'Hoe nam hij het op?' vroeg Iversen ongerust.

'Naar omstandigheden verbazingwekkend rustig,' zei Katherina. 'Het is moeilijk te zeggen wat hij voelt. In dat opzicht lijkt hij op Luca – hij is veel te goed in het bewaren van geheimen. Ik denk dat hij nog het meest boos is dat de waarheid hem nooit is verteld.'

'Dat zijn we eigenlijk allemaal wel een beetje,' zei Iversen. 'Of het nou gerechtvaardigd is of niet, het is nooit leuk om ergens buiten te worden gehouden. Misschien is dit de kans om het Bibliofielgenootschap te herenigen – wat Luca's droom was.'

'Er kunnen nog steeds verraders tussen ons zitten,' zei Katherina.

'Dat is waar,' gaf Iversen toe. 'Meer dan ooit zelfs, maar het is tijd om ze uit te roken, we moeten de boom schudden zodat de rotte appels eruit vallen, en daarvoor kunnen we alle hulp gebruiken. Vooral die van Jon.'

'En Kortmann?'

'Kortmann en Clara moeten de strijdbijl begraven,' riep Iversen opgewonden. 'Al moet ik hen zelf dwingen een spade te pakken waarmee ze dat kunnen doen.'

Katherina zag dat de naald van de cardiograaf waar Iversen nog steeds op was aangesloten snelle uitschieters maakte en ze klopte hem zachtjes op zijn hand.

'Rustig maar, Iversen, anders komt straks het hele ziekenhuis aanrennen.'

De volgende dag was de eerste dag dat Katherina de winkel opende in de wetenschap dat de inhoud van de vele boekenkasten niet altijd voor een goed doel werd gebruikt. Tot nu toe had ze haar werk als boekverkoper als iets eerbiedwaardigs beschouwd – een bezigheid die ten doel had om mensen informatie en prettige ervaringen te bezorgen. Nu had ze het gevoel dat ze net zo goed in een wapenhandel zou kunnen staan. Er waren mensen die de boeken die zij verkocht konden gebruiken om andere mensen schade te berokkenen. Ze wist natuurlijk al langer dat dat risico bestond, maar dit was de eerste dag dat ze zich ervan bewust was dat het met opzet gebeurde, dat het was georganiseerd.

Haar nieuwe inzicht zorgde ervoor dat ze onwillekeurig alle klanten die de winkel binnenkwamen onderzoekend opnam en ze betrapte zichzelf erop dat ze stiekem achter sommigen aan sloop om hen niet uit het oog te verliezen. Ze gebruikte ook haar gaven om zoveel mogelijk indrukken te verzamelen en als ze een van de klanten verdacht vond, zorgde ze ervoor dat ze geen zin meer hadden om te lezen, zodat ze de winkel snel verlieten.

Later in de middag belde Jon. Katherina, die toch al extra alert was, hoorde meteen dat er iets aan de hand was.

'Hoe ging het met Iversen?' vroeg hij.

'Hij mag vandaag of morgen naar huis,' zei Katherina en ze vertelde over haar bezoek aan het ziekenhuis de vorige avond, maar ze kon aan Jons korte reacties horen dat hij met zijn gedachten heel ergens anders zat.

'Is er iets?' vroeg ze na een korte pauze waarin ze geen van beiden iets hadden gezegd.

Jon lachte laconiek aan de andere kant van de lijn.

'Ja en nee,' antwoordde hij. 'Ik heb een besluit ge... of laten we zeggen, ik ben gedwongen om een besluit te nemen.'

'Ja?' Katherina hield haar adem in. Haar hersenen produceerden in hoog tempo rampscenario's. Een besluit waarover? Over Libri di

Luca? Zou hij toch verkopen, nu, met het vooruitzicht dat hij midden in de strijd tegen de Schaduworganisatie zou belanden? Was hij bedreigd? Omgekocht?

Jon schraapte zijn keel voordat hij verderging: 'Hoe word je geactiveerd?'

20

Sinds Tom Nørreskov hun had verteld over de Schaduworganisatie en Luca's betrokkenheid hierbij, had Jon geprobeerd zijn hersenen in te stellen op die nieuwe informatie. Nadat hij zijn hersenen twintig jaar lang had gevoed met gissingen, beschuldigingen en boosheid, leek het wel of hij nu zijn hersenhelften moest omwisselen om de juiste betekenis te vinden. Daarvoor moest hij alleen zijn, en toen hij Katherina had afgezet bij Libri di Luca, was hij direct doorgereden naar zijn appartement.

Hij ging naar binnen, deed zijn jas uit en liep de woonkamer in. De werkster was geweest, constateerde hij op grond van de geur en omdat alle lifestylemagazines in een keurige stapel op de zwarte salontafel lagen. Het licht van de middagzon viel naar binnen door de schone ramen en weerkaatste zo fel op de witte plankenvloer en de witte muren dat hij zijn ogen moest dichtknijpen. Hij liep naar de zwarte leren bank en ging met een zucht zitten. Het enige andere meubelstuk in de kamer was een halfhoge, brede grijze kast, die tegen de muur tegenover de bank stond. Daarop stonden de breedbeeldtelevisie en de dolby surround set, die het grootste deel van de wand in beslag namen, terwijl de muur achter hem en de ruimte tussen de ramen werden gedomineerd door smalle zwarte banieren met Chinese karakters in zilver en rood.

Jon boog zich naar voren, pakte de stapel tijdschriften op, en schoof ze vervolgens zonder ernaar te kijken onder de bank. Lezen was op dit moment wel het laatste wat hij wilde.

Terwijl Jon op de bank zat, en naar het lege televisiescherm staarde, zakte de zon weg achter de daken. De kamer werd in een zachter licht gehuld. Hij bleef steken in een eindeloze reeks gedachten, vragen en theorieën, die hem niet los wilden laten. Het leek wel of hij was gevangen in een lus. Het contrast tussen Tom Nørreskovs verhaal en hoe hij zelf zijn jeugd had ervaren maakte het hem onmogelijk om daaruit los te breken. Ten slotte dreef de honger hem van de bank naar de keuken, waar hij de kastjes en de koelkast doorzocht op alles wat eetbaar was. Toen sleepte hij zich naar zijn bed.

Na een slapeloze nacht besloot Jon naar zijn werk te gaan. Om even aan iets anders te denken, maar ook om contact te houden met zijn oude leven, dat zo oneindig ver weg leek, dat hij moest checken of het wel echt bestond, of dat het een droom was.

Jenny knikte vriendelijk naar hem toen hij aankwam, maar ze zei niets. Jon dacht dat hij een mengeling van opluchting en bezorgdheid in haar ogen zag. Toen hij na een uurtje naar Halbechs kantoor werd geroepen, begreep hij wat de oorzaak was van die bezorgdheid.

'Hallo Campelli,' zei Frank Halbech zakelijk, toen Jon de deur achter zich had dichtgedaan en in de stoel tegenover zijn werkgever was gaan zitten. 'Leuk dat je weer eens komt opdagen.'

Jon, die zich er al op had voorbereid dat hij zich zou moeten verantwoorden voor de vrije dagen die hij had opgenomen, knikte.

'Ja, ik heb mezelf maar een paar vrije dagen gegund. Ik moet nog steeds een aantal dingen afhandelen na mijn vaders overlijden en omdat ik in de zaak-Remer niet verder kan zolang de hoofdpersoon ons de informatie niet geeft die we nodig hebben, dacht ik dat dat wel goed zou zijn.'

Halbech vertrok geen spier, hij keek Jon alleen onderzoekend aan.

'Ik heb geprobeerd hem zover te krijgen dat hij mijn vragen beantwoordde,' ging Jon verder. 'Maar hij is óf niet te pakken te krijgen, óf hij haalt er dingen bij die niets met de aanklacht te maken hebben.'

'Dat komt niet helemaal overeen met wat hij er zelf over heeft verteld,' zei Halbech en hij leunde achterover in zijn bureaustoel, met zijn armen over elkaar. 'Ik heb gisteren met hem gesproken, toen jij er niet was. Hij wil dat ik je van de zaak af haal.'

Jon deed zijn best om zijn verbazing te verbergen.

'Remer beweert dat je onverschillig, lui en niet serieus bent,' ging Halbech verder. 'Hij zegt dat hij al die tijd tot je beschikking heeft gestaan en dat hij zelf contact met jou moest opnemen om erachter te komen wat er gebeurde.'

Jon schudde zijn hoofd.

'Zo is het helemaal niet gegaan,' probeerde hij. 'Remer is degene die nooit te pakken te krijgen is, hij beantwoordt zelfs geen e-mails.'

'Je hebt in ieder geval iets gedaan wat hem kwaad heeft gemaakt, Campelli,' zei Halbech en hij boog zich weer over naar Jon. 'Remer levert dit kantoor veel geld op. Zoveel dat we het ons niet kunnen veroorloven om hem kwijt te raken door de familieomstandigheden van een van onze werknemers. Het is natuurlijk vervelend dat je vader is overleden, maar dat mag geen invloed hebben op je werk.'

'Dat heeft het ook helemaal niet,' zei Jon, zonder zijn verontwaardiging te kunnen verbergen. 'Ik kan u de correspondentie laten zien die...'

'Niet nodig,' onderbrak Halbech hem. 'Ik ken de correspondentie, Remer heeft me een paar passages voorgelezen en ik moet toegeven dat ik werkelijk een professionelere toon had verwacht tegen onze beste cliënt.'

Jon sperde zijn ogen wijd open.

'Heeft hij u voorgelezen?'

'Ja,' bevestigde Halbech geïrriteerd.

'Door de telefoon?'

'Nee,' antwoordde Halbech. 'Ik zei toch dat hij hier gisteren was. Hij had kopieën van jullie briefwisseling bij zich, waar hij mij een paar voorbeelden uit gaf, en ik moet zeggen dat...'

Jon luisterde niet meer. Hij zag Remer voor zich die in dezelfde stoel zat als hij nu en Halbech, de vennoot van het advocatenkantoor, voorlas. Die zou goed en oplettend hebben geluisterd naar wat de beruchte melkkoe van het kantoor te zeggen had. Jon wist wat voor invloed het accentueren van bepaalde tekstgedeelten kon hebben, zelfs als hij buiten beschouwing liet wat hij de afgelopen week had gehoord. Als Remer daarbij ook nog een zender was, had Halbech geen schijn van kans gehad. Zoals hij daar zat en vertelde hoe Remer het materiaal met hem had doorgenomen, leek Halbech er oprecht zeker van te zijn dat het zijn eigen mening was. Hij dacht dat hij echt een standpunt had ingenomen ten aanzien van hetgeen hem was voorgelezen en zelfstandig een conclusie had getrokken.

'... daarom hebben we besloten je van de zaak af te halen,' besloot Halbech en hij hief zijn geopende handen op, als om aan te geven dat hij het wel uit handen had moeten geven.

'Oké,' zei Jon met een zucht en hij maakte aanstalten om op te staan.

'In feite,' Halbech verhief zijn stem, waardoor Jon nog even bleef zitten, 'in feite hebben we nog eens goed nagedacht over jouw baan.'

Jon staarde geschokt naar de man aan de andere kant van het bureau.

'Dit kantoor kan geen mensen gebruiken die onze cliënten niet serieus nemen,' legde Halbech zonder met zijn ogen te knipperen uit. 'De cliënten komen bij ons omdat ze om de een of andere reden in de problemen zijn geraakt en het is verdomme onze plicht om hen professioneel te behandelen. Als het gerucht gaat dat we niet serieus zijn, of dat nou waar is of niet, zijn we klaar in dit wereldje.'

'Wat probeert u te zeggen?'

'Dat je bent ontslagen,' zei Halbech zonder zijn blik los te maken van die van Jon. 'Met onmiddellijke ingang. Je mag je persoonlijke eigendommen bij elkaar zoeken en dit pand nu meteen verlaten.'

Er was niets aan te doen, dat wist Jon, het had geen zin om het uit te leggen of met argumenten te komen. Deze ronde had Remer gewonnen, dat was duidelijk. Jon keek naar zijn handen, alsof die er de oorzaak van waren dat hij niet had kunnen werken. Hij voelde een hevige woede opkomen en hij klemde zijn kaken hard op elkaar. Halbech was niet zijn vijand, die dacht gewoon dat hij zijn kantoor beschermde. Jon knikte.

'Goed,' zei hij en hij stond op.

'Jenny zal je uitlaten,' zei Halbech en hij knikte naar de deur. 'Dag Campelli.'

Jon draaide zich zonder afscheid te nemen om en liep naar de deur. Daar stond Jenny, met tranen in haar ogen, ze kneep haar handen ineen.

'Ik vind het zo erg, Jon,' zei ze meteen.

'Het geeft niet,' zei Jon en hij omhelsde haar. Ze trilde een beetje en hield hem lang vast, totdat Jon voorzichtig kuchte.

Jenny liet hem met tegenzin los.

'Ik moet je mobiele telefoon en je autosleutels vragen,' zei ze met een door tranen verstikte stem en een verontschuldigende blik.

Jon knikte.

'Laten we dat dan maar gauw doen, dan zijn we ervanaf.'

Tien minuten later stond hij op straat, zonder baan, auto of telefoon. Hij wist zo gauw niet wat hij het ergst vond om kwijt te zijn. Zijn baan had hem verzekerd van een bepaalde levensstandaard, zijn auto had hem verzekerd van vervoer, maar zonder zijn mobiel voelde hij zich erg eenzaam, afgesneden van de informatiestroom en niet in staat om iemand te bereiken die hem kon helpen. Dat was natuurlijk onzin, probeerde hij zichzelf wijs te maken, maar het duurde toch een hele tijd voordat hij een werkende telefooncel had gevonden en toen hij er eindelijk een had, gaf hij het idee om te bellen op. Omdat hij niet wist welk nummer hij moest bellen – al zijn telefoonnummers zaten in de mobiele telefoon die hij zojuist had ingeleverd – maar ook omdat het hem opeens veel te openbaar leek om te bellen in een telefooncel midden in een grote winkelstraat, meer dan wanneer hij op diezelfde plek zijn mobiel zou hebben gebruikt.

Jenny had hem stiekem een tegoedbon voor de taxi gegeven, maar die liet hij in zijn zak zitten. In plaats daarvan liep hij naar huis. Onderweg had hij de tijd om zijn gedachten te ordenen. De woede zat nog steeds als een dreigende buikpijn in zijn lijf, maar het gaf hem in ieder geval een tevreden gevoel dat hij wist op wie hij hem kon richten: op Remer en de Schaduworganisatie. Ze waren erin geslaagd om Luca's leven te verpesten en ze waren een aardig eind op weg met Jons eigen leven. Ze hadden hem afgenomen waar hij het meest van hield: zijn werk. Dat dachten ze tenminste, maar zelf was hij daaraan gaan twijfelen. De gebeurtenissen van de afgelopen dagen hadden zijn carrière als advocaat naar de achtergrond geschoven en hij was er niet meer zo zeker van dat dat was wat hij het allerliefst wilde. Hij wilde dit niet zomaar voorbij laten gaan.

Toen hij terug was in zijn appartement, belde hij Katherina.

Vanaf dat moment ging het snel. Katherina belde binnen tien minuten terug. Ze had met Iversen gesproken, die diezelfde dag nog naar huis mocht, en hij had meteen voorgesteld dat de activering, of de seance, zoals zij het noemden, de volgende dag al zou plaatsvinden. Jon had gevraagd of hij zich kon voorbereiden, maar de enige raad die Katherina hem kon geven was dat hij zich moest ontspannen. Dat deed hij dan ook, met een fles rode wijn, en ten slotte viel hij op de bank in slaap, waar hij de volgende ochtend wakker werd.

In het zonlicht zag alles er anders uit. Hij overwoog een paar keer of hij Frank Halbech zou bellen om hem uit te leggen hoe het in elkaar zat, maar telkens als hij zich probeerde voor te stellen hoe dat gesprek zou verlopen, gaf hij het op. Bovendien had hij een stevige hoofdpijn, die hem belette om helder te denken en die hem eraan herinnerde hoe lang het geleden was dat hij een hele fles wijn in zijn eentje had leeggedronken.

De seance zou pas die avond na sluitingstijd plaatsvinden, in Libri di Luca, dus zijn kater had de hele dag de tijd om weg te trekken. Jon at een stevig diner, boeuf Stroganoff, dat hij voor de verandering helemaal zelf had klaargemaakt in zijn keuken. Daarna nam hij een taxi naar Libri di Luca, waar Iversen hem opwachtte.

Afgezien van een paar schrammen in zijn gezicht was de oude man weer helemaal fit en hij vertoonde geen tekenen van vermoeidheid nu hij voor het eerst nadat hij uit het ziekenhuis was ontslagen een hele dag in de winkel had gestaan.

'Het is heerlijk om weer terug te zijn,' zei hij met een gelukkige glimlach, terwijl hij de winkel rondkeek. 'Katherina heeft goed op de zaak gepast. Ik heb haar een vrije dag gegeven, maar ze komen allebei voor jouw activering – zij en Paw.'

'Is dat echt nodig?' vroeg Jon, die nu toch een lichte onrust begon te voelen in zijn lijf.

'Hoe meer deelnemers, hoe groter het effect,' legde Iversen uit. 'Vooral Katherina is belangrijk. Als ontvanger kan ze jouw gaven onder controle houden, als blijkt dat je een zender bent, net als je vader.'

'En als dat niet zo is?'

'Als je een ontvanger bent, net als Katherina, moeten we voorzichtig zijn. Niet omdat het gevaarlijk voor jou is, maar omdat er voor mij, als voorlezer van de tekst die we gebruiken, een risico aan verbonden is. Tijdens de activering zul je niet weten hoe je je nieuwe gaven onder controle moet houden.'

'En als ik nou helemaal geen gaven heb?' vroeg Jon.

'Ik weet zeker dat je die wel hebt, Jon. Ik heb al iets bij je gevoeld. Volgens de Campelli-traditie ligt het voor de hand dat je een zender bent, maar dat kunnen we feitelijk pas vaststellen als de seance is afgelopen.'

'Doet het pijn?'

'Niet als je ontspannen en open bent,' antwoordde Iversen. 'Maar als je tegenstribbelt, kan de activering best pijnlijk zijn. Als je volledig blokkeert, lukt het helemaal niet, al zetten we je nog zoveel onder druk. De meeste mensen zijn natuurlijk een beetje zenuwachtig in het begin en vinden het moeilijk om zich over te geven, maar als ze eenmaal in de gaten hebben dat het makkelijker gaat als ze zich ontspannen, verloopt de rest pijnloos.'

'Dat klinkt alsof je al heel wat seances hebt meegemaakt.'

'Eigenlijk maar drie.' Iversen glimlachte verlegen. 'En één daarvan was mijn eigen activering.'

Jon glimlachte.

'Nu voel ik me een stuk beter!'

Iversen nam Jon nauwlettend op.

'Het was niet mijn bedoeling om je zenuwachtig te maken, maar het is nu eenmaal zo dat dit geen exacte wetenschap is. Er zijn veel dingen die we nog niet begrijpen.' Iversen gaf Jon een klopje op zijn schouder. 'Je bent in goede handen, Jon. Als we het gevoel hebben dat er ook maar íéts niet in orde is, stoppen we meteen.'

'Maar jullie moeten niet stoppen omdat ik mijn wenkbrauwen even frons of zo,' drong Jon aan. 'Ik ben bereid te betalen wat het kost, ook als het een beetje pijn doet.'

'We zullen zien, Jon. We zullen zien.'

Op dat moment werd er op de deur geklopt en ze draaiden zich allebei om naar het geluid. Katherina stapte de winkel binnen in een lange, donkere jas. Ze drukte Iversen even tegen zich aan en stak toen glimlachend haar hand uit naar Jon. Hij pakte hem en trok haar naar zich toe om haar te omhelzen. Het was fijn om haar weer te zien, zo fijn, dat hij verlegen naar de grond keek toen hun lichamen zich weer van elkaar losmaakten.

'Nou, ben je er klaar voor?' vroeg Katherina terwijl ze haar jas uittrok en op de toonbank legde. Onder haar jas droeg ze een blauwe trui, een goed zittende spijkerbroek en korte zwarte laarzen.

'Zo klaar als ik kan zijn,' zei Jon met een schouderophalen.

'Maak je niet ongerust, wij zorgen dat je niets overkomt,' zei ze.

'Ja, dat zeggen jullie de hele tijd.'

Katherina ging naar beneden, terwijl de twee mannen bij de toonbank bleven staan.

'Nu moet alleen Paw nog komen,' zei Iversen en hij tuurde uit het raam.

Ze wachtten nog een paar minuten en toen stormde Paw zo wild naar binnen dat de belletjes boven de deur heen en weer dansten.

'Hallo Svend, hallo Jon.'

Ze begroetten hem.

'Wat een heerlijke avond voor een activering, hè? Ik bedoel, storm, regen en misschien later zelfs nog onweer.'

Iversen glimlachte.

'Zullen we dan maar naar buiten gaan?'

'Nee, dat hoeft niet hoor, Svend,' zei de jongeman terwijl hij zijn jack boven op Katherina's jas gooide. 'Is de prinses er al?'

'Ze is beneden,' antwoordde Iversen. 'We wachtten alleen nog op jou.'

Daar moest Paw kennelijk even over nadenken. Toen sloeg hij zijn handen ineen en keek naar Jon.

'Nou, laten we dan maar beginnen.'

Jon en Paw gingen vast naar beneden terwijl Iversen de deur afsloot en de lichten in de winkel uitdeed.

'Hoeveel activeringen heb jij meegemaakt?' vroeg Jon toen ze bij de trap waren.

'Eén,' zei Paw. 'Mijn eigen. Maar die heb ik eigenlijk niet bewust meegemaakt. Ik ben in de stad neergeslagen door een psychopaat, ik knalde met mijn hoofd op straat en toen ik drie weken later wakker werd uit mijn coma...' Paw knipte met zijn vingers. 'Beng! Toen was het er.' Hij liep de trap af. 'Het duurde even voordat ik precies in de gaten had wat er aan de hand was, maar ik voelde meteen dat er iets helemaal mis was. Maar nu duurt het niet lang meer voordat je weet waar ik het over heb, wacht maar.' Hij glimlachte.

Ze waren onder aan de trap gekomen en liepen door de donkere gang naar de eikenhouten deur van de bibliotheek. Een zwak licht- schijnsel kwam hun door de deuropening tegemoet.

'Hoi Kat,' riep Paw vrolijk toen hij de bibliotheek binnenging.

Jon liep achter Paw aan naar binnen. Het licht was gedimd en de ruimte werd bijna uitsluitend verlicht door kaarsen die op de tafel stonden en op de weinige planken waar geen boeken stonden.

'Dat is alleen voor de sfeer,' zei Katherina terwijl ze zich tot Jon wendde. 'Het heeft totaal geen invloed op de activering.' Ze glimlach- te.

'Het is hier helemaal gezellig!' riep Paw uit en hij liet zich in een van de stoelen vallen. 'Nu alleen nog wierook en kruidenthee.'

Katherina negeerde hem en pakte een boek uit de vitrinekast waar ze voor stond.

'Heb je dit gelezen?' vroeg ze terwijl ze het boek aan Jon gaf.

Hij pakte het boek en bekeek het. De omslag was van zwart leer en al had hij niet echt verstand van dat soort dingen, hij kon voelen dat dit kwaliteit was. Toen hij het in zijn handen draaide zodat hij de titel kon zien, zag hij dat het *Don Quijote* was.

'Nee,' antwoordde Jon ten slotte. 'Ik heb nooit de tijd gehad om het te lezen.'

'Jammer,' zei ze. 'Het is een klassieker. Iversen heeft het mij al een paar keer voorgelezen.'

Jon knikte en bladerde wat in het boek. Het papier was dik en het voelde prettig aan. Dit exemplaar was met liefde gemaakt, dat kon je zien.

'Dit gebruiken we voor de activering,' zei Katherina terloops en ze pakte nog een boek uit de vitrinekast en deed de deur toen weer dicht.

'Dit boek?' vroeg Jon verbaasd. 'Ik dacht dat er allerlei bezweringen en toverformules aan te pas zouden komen.'

Katherina moest lachen.

'Niet de woorden zijn belangrijk. Wat van belang is, zijn de energie en de emoties die de tekst teweegbrengt.' Ze legde haar vrije hand op het boek dat Jon vasthield. 'Dit is een krachtig exemplaar. Voel je het?'

Jon legde zijn vlakke hand op het boek en streek langs Katherina's vinger. Ze trok hem snel weg. Hij sloot zijn ogen en probeerde de energie waar ze het over had te voelen.

Paw stond achter hen te grijnzen.

'Voel je iets, Jon?' vroeg hij sarcastisch.

'Helemaal niets,' constateerde Jon terwijl hij zijn ogen opendeed.

Katherina haalde haar schouders op.

'Je bent ook nog niet geactiveerd. Dat scheelt meestal, maar zelfs mensen die geactiveerd zijn kunnen het niet altijd voelen.' Ze wierp een blik op Paw, en zijn glimlach verstijfde ogenblikkelijk.

'En, zijn jullie klaar?' klonk Iversens stem, terwijl hij de bibliotheek binnenkwam. Ze bevestigden allemaal dat ze klaar waren en Iversen deed de deur dicht. Katherina gaf hem het boek en ze gingen allemaal op de stoelen rond de tafel zitten. Het was even stil. De kaarsvlammetjes kwamen langzaam tot rust. Jons hart begon sneller te kloppen, zijn handen en het boek dat hij erin klemde werden vochtig van het zweet. Tegenover hem zat Iversen, rechts van hem Katherina, en links van hem zat Paw.

Iversen hield het boek omhoog. Het was in leer gebonden, net als het boek dat Jon had gekregen en er stak een witte boekenlegger uit het eerste gedeelte.

'Dit,' begon hij, 'is de tekst die we zullen gebruiken voor jouw activering. Het is dezelfde tekst als jij hebt en het enige wat we gaan doen is samen lezen. Ik begin hardop voor te lezen en jij valt in. Het is belangrijk dat we in hetzelfde ritme lezen, maar dat is meestal geen probleem als je eenmaal op gang bent.'

Iversen zweeg en keek Jon vol verwachting aan. Deze gaf met een knikje te kennen dat hij het begreep.

'Het is lang geleden dat ik hardop heb gelezen,' zei hij onzeker. 'In ieder geval literatuur.'

'Het zal vast wel goed gaan. Katherina zal ons allebei helpen om het tempo vast te houden,' legde Iversen uit. 'Als we wat verder zijn gekomen, zal ze de emoties die ontstaan versterken of afzwakken. Je hoeft niet bang te zijn, ontspan je maar en concentreer je op het lezen en het ritme. Laat je meevoeren door het verhaal en de sfeer van het boek. Hoe meer ontspannen je bent, hoe makkelijker de activering zal gaan.'

Jon knikte weer en haalde diep adem.

'Ik ben klaar.'

Iversen knikte en sloeg zijn boek open op de plek waar de boekenlegger uitstak.

'Pagina vijftig,' zei hij.

Jon bladerde in zijn exemplaar naar dezelfde bladzijde.

Iversen begon te lezen. Zijn stem was helder en het tempo was langzaam. Jon las mee in de tekst en na een paar alinea's viel hij in. In de loop van de eerste alinea kuchte hij een paar keer en hij moest zich concentreren om Iversens stem te volgen. De volgende alinea ging beter en hij kon het tempo makkelijker volgen. Samen voerden ze de snelheid een klein beetje op, zodat het niet meer zo geforceerd langzaam ging als toen ze waren begonnen. Ze sloegen een bladzijde om en Jon wierp een snelle blik op Iversen. Hij zat achterovergeleund in zijn stoel en tuurde geconcentreerd in zijn boek. Zijn hele gezicht straalde een ingespannen concentratie uit, waardoor hij een rimpel tussen zijn ogen trok en het boek dichter naar zijn ogen toe bracht.

Het voorlezen ging door en Jon voelde dat het ritme en het tempo langzaam stabiel werden, hij hoefde zich niet meer zo sterk te concentreren om het zo te houden. De letters en de woorden boden zich bijna aan, ze verleidden hem om eindelijk uitgesproken te worden, alsof ze jaren op dit moment hadden gewacht. Stukje bij beetje werd Iversens stem zachter en ten slotte hoorde Jon hem helemaal niet meer. Alleen nog zijn eigen stem. Hij had het gevoel dat hij in een kano lag die laag op het water dreef en in een aangenaam, gelijkmatig tempo werd meegevoerd door een rivier. Het wateroppervlak werd alleen gebroken door de boot terwijl een onzichtbare onderstroom hem meevoerde. Zelfs als hij een bladzijde omsloeg, aarzelde hij niet. Het leek wel of hij kon zien wat er op de volgende bladzijde stond, zodat hij zonder onderbreking kon doorlezen.

De letters leken zich scherper en duidelijker af te tekenen tegen de witte achtergrond, die ook van karakter veranderd leek te zijn. Van het dikke witte oppervlak, waarin je de structuur van het papier vaag kon vermoeden, veranderde de achtergrond in een gelijkmatiger, meer glanzend oppervlak, alsof het een witte gematteerde ruit was waar de letters in reliëf op waren gedrukt. Achter de ruit kon hij opeens silhouetten onderscheiden die tevoorschijn kwamen en weer verdwenen alsof het een schimmenspel was dat buiten zijn focus lag.

Jon merkte bijna niet meer dat hij hardop las. Het voorlezen ging haast automatisch en hij had tijd over om vol bewondering te kijken naar het samenspel tussen de letters en de achtergrond. Hij concentreerde zich op de schimmen als ze tevoorschijn kwamen en na een tijdje kreeg hij het gevoel dat ze het verloop van het verhaal volgden. Als de tekst over twee mannen te paard ging, zag hij twee gedaantes te paard achter de witte ruit en als de tekst over een molen ging, registreerde hij achter de witte mist de roterende wieken die de lucht doorkliefden.

Door die ontdekking concentreerde hij zich nog meer op de schimmen terwijl hij las, en net toen de hoofdpersoon uithaalde naar een van de wieken van de molen, brak de witte ruit. Hij viel in duizenden stukjes uiteen, waardoor het tafereel dat erachter lag werd onthuld.

Jon schrok even, maar het voorlezen ging in hetzelfde tempo door, ook al zweefden de woorden nu op een onwerkelijke manier in de lucht voor het tafereel met de hoofdpersoon en de molen. Het leek wel de ondertiteling van een film, alleen dreef hier het lezen van de woorden de beelden voort in plaats van andersom. Hij voelde dat zijn hart sneller begon te kloppen en dat zijn polsslag omhoogging.

Het lezen ging onverstoorbaar door, alsof hij er niet zelf de baas over was, en hij kon genieten van de beelden die werden opgeroepen. Naarmate hij verder las, werden ze steeds duidelijker, totdat hij het gevoel kreeg dat hij bijna in het landschap dat achter de tekst werd vertoond kon binnenstappen. De kleuren in die beelden waren verzadigd en helder, maar ze leken een beetje kunstmatig, alsof het een zwartwitfilm was die was ingekleurd met de computer. Het leek wel een televisie waarvan de kleurinstelling kapot was en dat leverde met kleur doordrenkte beelden op die dreigden door te lopen zoals waterverf in een kleurboek. De omtrekken van de personages en de omgeving waren een beetje wazig en hij probeerde de grenzen te bevriezen door zich intensief te concentreren op die onscherpe grensgebieden. Hij voelde een lichte weerstand, zoals wanneer je een verroeste deurknop omdraait, maar opeens leek het of hij erdoorheen brak. Hij ontdekte dat hij de scherpte van de beelden kon instellen, net als bij een camera. Stomverbaasd speelde hij met dit nieuwe werktuig. Hij liet de scène helemaal uitvloeien, zodat het eruitzag alsof hij zich in een dichte mist afspeelde, en daarna stelde hij haarscherp in zodat het leek of de personages met een stanleymes uit karton waren gesneden. Hij kon ook de kleurverhoudingen sturen. Hij kon de scène lichter of donkerder maken en hij kon controleren hoe warm hij leek, door hem te laten baden in een zachtgeel licht. Als een klein kind draaide hij al experimenterend aan alle instellingen en vond uitersten en combinatiemogelijkheden. Hij voelde dat sommige instellingen weerstand boden, maar als hij zich heel sterk concentreerde, kon hij die hindernis ook overwinnen en de scène precies de stemming geven die hij wilde.

Ook de snelheid waarmee hij las was van belang. Als hij langzaam las, had hij meer tijd om de scène met emoties en sfeer te vullen, terwijl een hoge leessnelheid veel minder genuanceerd was en zijn invloed beperkte tot slechts enkele, maar wel krachtige emoties. Jon merkte dat zijn polsslag omhoogging als hij snel las, zijn hart ging heftiger en een beetje onregelmatig kloppen en hij begon te zweten, alsof hij zich puur fysiek inspande. Hij probeerde erachter te komen hoe snel hij kon lezen, maar weer leek het wel of iets hem tegenhield, een soort rem die hem verhinderde om de rest van het scala te onderzoeken. Lichtelijk geïrriteerd begon hij te lezen als een stormram, hij liet zijn stem beuken om die hindernis weg te krijgen, maar opeens voelde hij een schok in zijn lichaam. Hij had het gevoel dat een reusachtige hand hem omsloot en in een stevige greep gevangen hield. Hij wilde zich losmaken, maar hoe harder hij worstelde, hoe steviger de greep werd, alsof hij was omstrengeld door een wurgslang, en hij had geen andere keus dan zijn leestempo helemaal omlaag te laten gaan. De greep werd nog niet losser, het leek wel of hij geen lucht meer in zijn longen kon zuigen.

Jon stopte met lezen.

Hij was niet in staat om zijn omgeving waar te nemen en hij sloot zijn ogen, zijn hoofd viel op zijn borst. Dat duurde niet meer dan een paar seconden, toen kwamen de indrukken van de kelder weer terug.

Als eerste kwam het geluid terug, heel langzaam, alsof iemand aan de volumeknop draaide. Hij hoorde een vaag tumult om zich heen, het geluid van voetstappen en meubels die werden verplaatst. Zenuwachtige stemmen spraken met elkaar, maar hij kon niet horen wat ze zeiden, een knetterend geluid doorsneed de lucht boven zijn hoofd. Toen rook hij opeens een brandlucht, de scherpe geur van verbrande wol en plastic drong zijn neus binnen en brandde in zijn neusgaten. Jon deed zijn ogen open.

Het tafereel dat hij zag was zo onwerkelijk dat zijn eerste gedachte was dat het een droom was, of dat hij zich nog steeds in het verhaal bevond. De ruimte stond bijna helemaal vol rook, een paar kaarsen waren omgevallen, de stoel links van hem was achterovergevallen en uit de stopcontacten kwamen vonken en elektrische ontladingen. Iversen en Paw sprongen rond om de vlammen op de vloerbedekking en de meubels te doven. Paw gebruikte zijn trui en Iversen was gewapend met een deken.

Katherina zat rechts van Jon. Ze staarde hem met een lege uitdrukking in haar ogen aan. Uit haar neus stroomden twee smalle straaltjes bloed die samenkwamen bij haar lippen en over haar kin liepen. Haar handen klemden de armleuningen zo hard vast, dat haar knokkels wit waren.

Jons volgende gedachte was dat er weer een aanslag op de winkel was gepleegd.

'Wie heeft dit gedaan?' wist hij uit te brengen en hij voelde hoe droog zijn keel was.

Paw wierp een blik op Jon terwijl hij langs hem liep op weg naar het stopcontact naast de deur, waaruit een steekvlam kwam die net de deurpost had bereikt.

'Hé, hij is terug,' riep Paw naar Iversen terwijl hij met zijn trui in zijn linkerhand naar de vlammen die uit het stopcontact kwamen sloeg. 'Het is haar gelukt.'

Jon zag dat Paws rechterarm slap langs zijn lijf hing.

'Jon?' Iversen liep naar Jon toe. 'Jon, doe dat boek dicht, hoor je me?'

Jon draaide zijn hoofd om naar Iversen, die met de deken over zijn ene arm geslagen naar hem toe kwam lopen. Hij wilde naar het boek kijken, maar Iversen schreeuwde naar hem: 'Jon, kijk me aan! Doe dat boek nu dicht, Jon. Kijk me aan en doe dat boek dicht!' Er lag angst in zijn blik.

Jon hield oogcontact met Iversen terwijl hij langzaam het boek dichtdeed. Een duidelijke trek van opluchting gleed over Iversens gezicht.

'Wie heeft dit gedaan?' vroeg hij nog een keer.

'Jij, Jon,' zei Iversen, die op hetzelfde moment nieuwe vlammen zag oprijzen achter Jons stoel. Hij liep er meteen op af en sloeg met de deken op het vuur totdat de vlammen waren gedoofd. Intussen had Paw het brandende stopcontact onder controle gekregen en hij hield de boel nauwlettend in de gaten voor het geval er opnieuw iets zou gaan branden. De trui die hij klaar hield in zijn hand rookte een beetje.

Katherina's hoofd was gebogen, haar kin rustte op haar borst. Haar handen lagen gevouwen op haar schoot alsof ze aan het bidden was. Ze trilden een beetje.

Jon probeerde op te staan, maar hij werd onmiddellijk overvallen door een aanval van duizeligheid en viel terug in zijn stoel. Hij voelde Iversens hand op zijn schouder.

'Blijf maar zitten, Jon. Het is bijna voorbij.'

Hij wilde zich naar Iversen toe keren om een verklaring te vragen, maar voordat hij zijn hoofd had kunnen omdraaien, verloor hij het bewustzijn.

21

'Wow, dat was gaaf!'

Katherina hoorde Paws opgewonden stem als een radio die opeens veel te dicht bij je oor wordt aangezet. Het klonk alsof ze in de winkel was. Ze voelde leer onder zich, dus ze nam aan dat ze in de fauteuil achter de toonbank zat. Haar hoofd lag op haar schouder.

Waarom zat ze daar? Ze was zo uitgeput dat ze haar ogen niet kon opendoen. Wat was er gebeurd?

Ze hoorde dat Iversen Paw antwoord gaf op een iets beheerstere toon en met een diepe ernst in zijn stem.

'Het had echt heel erg fout kunnen gaan,' zei hij nadrukkelijk. 'En we weten nog niet hoe het met ze gaat. Hoe is het met jou? Hoe gaat het met je arm?'

'Goed hoor,' antwoordde Paw nonchalant. 'Hij prikt een beetje, alsof hij slaapt. Shit, man, wat deed dat zeer toen hij me wegzapte. Hoe deed hij dat?'

'Dat weet ik niet, Paw,' antwoordde Iversen vermoeid.

'Als alle activeringen zo gaan, moeten we dat vaker doen!' zei Paw resoluut.

'Dit was absoluut niet normaal,' zei Iversen met klem. 'Ik... ik heb nog nooit eerder zoiets gezien.'

Katherina hoorde een spoortje nervositeit doorklinken in Iversens stem. Hij was bang. Waarvoor? Ze probeerde zich te herinneren wat er was gebeurd. Ze waren in de kelder geweest. Jon was er ook. De activering.

Er ging een schok door haar heen toen ze het zich weer herinnerde.

'Is ze wakker?'

Katherina voelde dat iemand zich over haar heen boog.

'Nee,' zei Iversen vlak bij haar. 'Het was een spiertrekking.'

Ze hield ze nog even buitengesloten. Eerst moest ze erachter zien te komen wat er was gebeurd.

Ze waren met z'n vieren in de kelder geweest voor Jons activering. Ze had zelf alles klaargezet, met kaarsen en zo. Het was de bedoeling dat het gezellig zou zijn, alsof er een nieuw lid werd opgenomen in de familie, maar er was iets misgegaan.

In het begin was alles volgens plan verlopen. Iversen was begonnen met lezen en Jon had al snel het juiste ritme gevonden, goed geholpen door Katherina's inspanningen om zijn aandacht gefocust te houden op de tekst. Paw had alleen met een dwaze glimlach op zijn lippen zitten toekijken, alsof hij zat te wachten tot hij de nieuweling kon gaan pesten.

Na een paar bladzijden had Iversen naar haar gekeken en geknikt. Ze had haar ogen gesloten en zich geconcentreerd op Jons voorlezen. Ze had al het andere buitengesloten. Langzaam versterkte ze de accenten die hij in de tekst aanbracht, terwijl ze ervoor zorgde dat zijn aandacht op de tekst gericht bleef. De beelden die hij opriep werden steeds rijker en gedetailleerder, totdat ze hem een beetje tegenhield. Ze voelde dat hij probeerde om door die plotselinge hindernis heen te breken, als een watermassa die wordt ingedamd.

Katherina had haar ogen geopend. Iversen was opgehouden met lezen en hij had nog een keer naar haar geknikt. Ze had haar ogen weer dichtgedaan en de blokkade voor Jons ontplooiing weggehaald, alsof ze de kurk uit een fles trok. Tegelijkertijd had ze zelf de accenten en beelden uit de tekst versterkt. Het resultaat was een explosieve sprong naar voren geweest, met heel veel kleuren en een snelle stroom van beelden. De activering was een feit. Ze was verrast door de rijkdom aan details en de diepte die in Jons interpretatie van de tekst lag. De beelden die hij als gewone lezer had opgeroepen hadden onscherpe zwart-witbeelden geleken vergeleken met deze beelden vol kleur, helderheid en accenten. Het was hetzelfde als wanneer je een film op televisie zag, of op een bioscoopdoek.

Ze had geleidelijk haar invloed verminderd. Jon kon nu heel goed zijn eigen concentratie vasthouden. Ze had zelfs gevoeld dat hij experimenteerde met zijn nieuw gevonden werktuigen. Toen ze haar ogen opende, zat Iversen met een brede grijs op zijn gezicht. Paw was zo meegesleept door het verhaal dat hij geen enkel besef meer leek te hebben van zijn omgeving.

'Wat heb ik gezegd?' fluisterde Iversen met een knipoog naar Katherina. Ze glimlachte terug.

Het was moeilijk om je niet te laten meeslepen door Jons pakkende verteltechniek. De beelden en associaties die hij opriep verleidden de luisteraar steeds om mee te gaan op een fantastische sprookjesreis. Katherina, die *Don Quijote* al meerdere keren had horen voorlezen, kon zich niet herinneren dat ze zich ooit eerder zo verleid had gevoeld om zich te laten meeslepen en weg te zinken in het verhaal. De haren op haar armen gingen overeind staan en ze kreeg een licht kriebelend gevoel in haar buik.

Katherina richtte haar aandacht weer op Jon, die bezig was de werking van zijn gaven te ontdekken. Ze vestigde zijn aandacht op de verschillende effecten die hij kon toepassen. Hij verraste haar steeds weer door een stapje verder te gaan dan wat zij dacht dat mogelijk was.

Tijdens een van deze doorbraken begonnen de fysieke verschijnselen zich te manifesteren. De kaarsen gingen uit. De lampen gingen eerst feller en dan weer minder fel schijnen, in een soort pulserende beweging, en de meubels begonnen licht te trillen.

Iversen vroeg Katherina of ze Jon wilde terugbrengen. Zijn stem klonk nerveus. Jon zelf had niets in de gaten, maar het zweet droop langs zijn gezicht en in het wit van zijn ogen verschenen kleine bloeduitstortinkjes. Hij bleef doorlezen met een luide, heldere stem en Katherina's pogingen om hem af te remmen hadden geen effect. De kasten begonnen hevig te trillen, boeken vielen op de grond.

Door de ontstane onrust werd Paw losgerukt uit zijn trance en hij stond op om Jon vast te pakken, maar nog voordat hij de kans kreeg hem aan te raken, sprong er een blauwe vonk vanuit Jons elleboog over in Paws gespreide vingers. Paw werd teruggesmakt in zijn stoel, die achteroverviel. Hij krabbelde snel overeind, maar hij greep naar zijn rechterarm en kreunde luid.

Katherina bleef proberen om Jon geestelijk te stoppen, maar de elektrische ontladingen werden steeds sterker, kleine bliksemschichtjes sprongen van Jons lichaam over naar de stopcontacten, die op hun beurt vonken door de kamer spoten. Paw en Iversen hadden hun handen vol aan het uittrappen van vonken en vlammen, terwijl de meubels steeds heviger begonnen te trillen en zelfs verschoven. Op een gegeven moment viel er een kast op Iversen, zodat Paw hem moest bevrijden.

Katherina probeerde mee te gaan op het ritme dat ze voelde in Jons energieontladingen. Ze kwamen schoksgewijs, met regelmatige tussenpozen, en toen de volgende pauze kwam, richtte ze al haar aandacht op het verbreken van Jons concentratie. Haar stoel schoof een meter bij hem vandaan, maar het voorlezen was gestopt en hij richtte zijn blik op uit het boek en keek Katherina even aan. De blik in zijn bloeddoorlopen ogen was vol verwarring en angst.

Daarna kon ze zich niets meer herinneren.

'Katherina?' Iversens stem klonk dichtbij.

Ze deed haar ogen open en keek recht in Iversens bezorgde gezicht. Hij glimlachte.

'Gaat het?'

Afgezien van een vermoeidheid in haar hele lijf en een gevoel alsof ze heel lang niet had geslapen, ging het goed met haar. Ze knikte.

'Hoe gaat het met Jon?' vroeg ze.

'De vuurwerkkampioen?' vroeg Paw, die zijn hoofd binnen haar gezichtsveld stak. 'Die is helemaal van de wereld. Maar hij leeft nog.'

De twee mannen richtten zich op en keken om. Jon lag achter hen op een stretcher. Voor zover Katherina kon zien, sliep hij rustig.

'We hebben jullie uit de kelder naar boven gedragen,' legde Iversen uit. 'Die moet luchten. Ik denk dat de stopcontacten voorgoed onbruikbaar zijn. Alles is totaal gesmolten.'

'Hoe kan dat?' vroeg Katherina met schorre stem.

Iversen haalde zijn schouders op.

'Ik heb echt geen flauw idee,' gaf hij toe. 'We hoopten dat jij ons dat kon vertellen.'

'Ik weet niet meer dan dat hij ongelooflijk sterk was,' antwoordde Katherina. 'Sterker dan alle andere zenders die ik ooit heb meegemaakt.'

Iversen knikte nadenkend.

'Maar bliksem?' viel Paw in. 'Is dat niet een beetje te veel van het goede?'

'Het lijkt me erg extreem,' gaf Iversen toe. 'We hebben latente gebieden in zijn hersenen geactiveerd. Wie weet wat er daar allemaal nog meer verborgen ligt?' Hij tikte met zijn wijsvinger tegen zijn voorhoofd. 'Misschien hebben we ervoor gezorgd dat er een paar extra contactjes zijn gemaakt.'

'Of we hebben een zekering laten doorbranden,' zei Paw cynisch.

Ze zwegen alle drie en wisselden een bezorgde blik. Zelfs Paw leek de ernst van de situatie in te zien, en er lag een lichte nervositeit in zijn blik. Ze hoorden Jons regelmatige ademhaling op de stretcher.

Katherina keek naar haar handen. Het was haar taak geweest om de seance onder controle te houden. Ze hadden natuurlijk geen van allen kunnen voorzien hoe het zou gaan, maar zíj had Jon eerder moeten tegenhouden en moeten verhinderen dat het zo uit de hand was gelopen. Misschien had ze hem te veel onder druk gezet. Ze was zo gefascineerd geweest door de manier waarop zijn gaven zich hadden ontplooid, dat ze had geaarzeld op het moment dat ze had moeten ingrijpen. Misschien waren de stopcontacten niet het enige wat was gesmolten. Al haalde Jon adem, ze konden niet weten of hij achter die gesloten oogleden een plantje was.

'Misschien moeten we iemand naar hem laten kijken?' stelde Katherina voor.

'Daar hebben we het al over gehad,' zei Iversen met een zucht. 'Maar wie zou dat moeten zijn en wat zouden we hem of haar vertellen?'

Daar wist Katherina geen antwoord op.

'We moeten hoe dan ook contact opnemen met Kortmann,' ging Iversen verder.

Katherina schrok. Door Iversens thuiskomst uit het ziekenhuis en alle voorbereidingen voor de activering was ze helemaal vergeten Kortmann te informeren over hun bezoek aan Tom Nørreskov en over de Schaduworganisatie. En nu hadden ze ook nog een activering gedaan die Kortmann hun sterk had afgeraden.

Ze stemde in met een knikje.

'Ik vind dat we Clara er ook bij moeten halen,' voegde ze er vastberaden aan toe. 'De ontvangers hebben evenveel recht om te weten wat er gebeurt als de zenders.'

Na een uur verscheen Clara als eerste van degenen die erbij waren geroepen. Jon sliep nog steeds. Katherina had het grootste deel van de tijd naast hem gezeten. Afgezien van een paar kreunen en wat onverstaanbare kreten, was hij rustig geweest. Clara begroette iedereen en boog zich toen over Jon, alsof ze zich ervan wilde verzekeren dat hij echt sliep en dat hij hen niet voor de gek hield. Ze knielde naast het bed en pakte zijn pols om zijn hartslag te voelen.

'En hij is vanaf de activering de hele tijd zo geweest?' vroeg ze geroutineerd.

Iversen bevestigde dat zijn toestand niet was veranderd en hij vertelde in grote lijnen wat er tijdens de seance was gebeurd. Toen Clara hoorde over de fysieke verschijnselen, werden haar ogen groot en ze liet Jons pols los alsof ze zich had gebrand.

'Heel interessant,' zei ze terwijl ze opstond. Haar ogen zochten die van Katherina, op zoek naar een antwoord, maar Katherina kon alleen zachtjes haar hoofd schudden.

Op dat moment ging de deur van de winkel open en er stapte een jongeman naar binnen. Zonder iemand aan te kijken, hield hij de deur open voor Kortmann, die met enige moeite over de drempel reed. Toen hij Clara zag, aarzelde hij even, maar daarna draaide hij zich om naar zijn helper en knikte. De jongeman verliet Libri di Luca en trok de deur voorzichtig achter zich dicht.

'Clara,' zei hij luid. 'Ik had niet verwacht jou hier te zien. Dat is lang geleden.'

'Ik jou ook niet, William,' zei Clara terwijl ze op de man in de rolstoel toe liep en haar hand naar hem uitstak.

Kortmann trok een gezicht en gaf haar een afgemeten hand.

'Iversen is er weer helemaal bovenop, zie ik.'

Iversen glimlachte en knikte.

'Ik ben weer helemaal de oude.'

Kortmann reed naar de stretcher toe en keek onderzoekend naar Jons gezicht.

'Dat is meer dan je van onze jonge vriend hier kunt zeggen,' constateerde hij en hij verplaatste zijn blik naar Katherina. Ze zag dat zijn kaakspieren zich spanden. 'Hoe halen jullie het in je hoofd om een ac-

tivering uit te voeren zonder mij daarvan op de hoogte te stellen?'
Kortmann keerde zijn gezicht met een ruk naar Iversen.

Iversen keek heel verschrikt en zocht naar woorden.

'We dachten dat het nodig was,' wist hij uit te brengen. 'Hij drong
er zelf op aan dat het zo snel mogelijk zou gebeuren.'

Kortmann zuchtte.

'Wat is er gebeurd?'

Iversen vertelde voor de tweede keer hoe de seance was verlopen.
Kortmann reageerde niet zichtbaar op wat hij hoorde, hij bleef Iversen
strak aankijken.

'Ik wil de kelder zien,' verlangde Kortmann toen Iversen klaar was
met zijn verslag van de gebeurtenissen. 'Zeg,' zei hij terwijl hij op Paw
wees. 'Als je arm weer in orde is, mag je mij naar beneden dragen.'

Paw knikte ijverig. Het duurde even voordat hij het tengere man-
nenlijf goed vasthad, toen tilde hij hem uit de rolstoel. Katherina
vond dat ze een buiksprekerspaar leken, met Kortmann als keurig
aangeklede pop. Terwijl de anderen de wenteltrap af liepen naar de
kelder, bleef zij bij Jon. Het was niet aan hem te zien dat er nog maar
een paar uur geleden vonken uit zijn lichaam waren geschoten. Zijn
ogen bewogen achter zijn oogleden en zijn ademhaling was rustig. Ze
legde voorzichtig een hand op zijn voorhoofd. Het was warm en een
beetje klam.

Na tien minuten kwamen de anderen terug. Paw zette Kortmann
weer in zijn rolstoel en veegde zijn voorhoofd af met de rug van zijn
hand.

Kortmann reed zich met enige moeite naar de stretcher toe en bestudeerde de bewusteloze Jon met hernieuwde belangstelling.

'Die jonge Campelli zit vol verrassingen,' zei hij voor zich uit.
'Hebben jullie wel eens eerder zoiets gezien?' vroeg hij aan Clara, die
aan de andere kant van het bed stond.

Die schudde haar hoofd.

'Nog nooit. Ik heb nog nooit iets meegemaakt wat ook maar leek
op fysieke verschijnselen of energieontladingen of hoe we het ook
moeten noemen.'

'Dus we weten eigenlijk niet waar we hier mee te maken hebben,' constateerde Kortmann. 'Het kan een nieuwe kant van de Lettore-gaven zijn die we nog nooit hebben gezien, of het kan een opzichzelfstaand fenomeen zijn – een gebied in de hersenen dat door een toeval is geactiveerd en geen enkele relatie heeft met onze gaven.'

Katherina kuchte even.

'Ik denk eigenlijk wel dat het verband houdt met zijn gaven.'

'Kun je dat nader verklaren?' vroeg Kortmann met een lichte irritatie in zijn stem.

'Als wij onze gaven op zenders gebruiken, voelen we een soort pulserend ritme in de accentuering of de energie die jullie uitzenden.' Clara knikte instemmend. 'Ik voelde dat die verschijnselen Jons ritme volgden,' legde Katherina uit. 'De frequentie van de pieken was niet echt regelmatig, maar de verschijnselen ontstonden en werden versterkt op de maat van het ritme, dat weet ik zeker.'

'En dat... ritme, dat hebben alleen zenders?' De klank in Kortmanns stem was iets vriendelijker geworden, maar zijn ogen stonden koud. Katherina keek naar Clara, die naar haar glimlachte als een trotse moeder.

'Ja,' antwoordde Katherina. 'Het heeft niets te maken met de normale hartslag. Het ontstaat alleen als zenders hun gaven gebruiken.'

'Zo kunnen wij als ontvangers vaststellen of iemand de zendergaven heeft en ze gebruikt, of niet,' voegde Clara er nog aan toe.

Kortmann reed een stukje weg van Jons bed.

'Dat wil dus zeggen dat hij ongevaarlijk is zolang hij niet leest, klopt dat?'

'Dat moeten we inderdaad concluderen,' zei Clara.

Kortmann wierp een blik op de kasten om hen heen.

'Maar als hij leest...' zei hij langzaam, alsof hij een ingewikkeld rekenvraagstuk hardop voordroeg. 'We moeten ervan uitgaan dat hij het niet met opzet heeft gedaan. Heeft hij überhaupt controle over deze ontladingen?' Kortmann liet zijn blik op Iversen vallen, die tegen de toonbank aan geleund stond.

'Voor zover ik het kon beoordelen, leek het of hij geen idee had wat er om hem heen gebeurde,' zei Iversen.

'Hij was helemaal van de wereld,' voegde Paw eraan toe.

'Voor mijn gevoel,' zei Katherina, 'was hij in staat om de intensiteit van die pieken te sturen, net zoals jullie een tekst sterk of minder sterk kunnen accentueren. Het register dat hij tot zijn beschikking heeft is alleen groter.' De anderen keken naar haar, maar leken de consequentie van wat ze vertelde niet te begrijpen. 'Als het klopt wat ik voelde, namelijk dat de verschijnselen ontstaan bij de zeer krachtige pieken, kan hij het ook tegenhouden.' Ze hief haar wijsvinger, voordat de anderen de kans hadden om iets te zeggen. 'Maar als ze eenmaal zijn vrijgekomen, denk ik niet dat hij de ontladingen kan beheersen.'

Een paar seconden lang zei niemand iets. Toen spreidde Kortmann zijn armen.

'Speculatie,' riep hij uit. 'Op dit moment is het allemaal speculatie. De enige manier waarop we antwoorden kunnen krijgen is door het hem te vragen als hij wakker wordt.'

Iversen knikte instemmend.

'Jullie wilden nog iets anders vertellen?' zei Kortmann en hij sloeg zijn armen over elkaar.

'We zijn op bezoek geweest bij Tom Nørreskov,' zei Katherina zonder omhaal. Ze bestudeerde de reactie op Kortmanns en Clara's gezicht. Kortmann fronste even zijn wenkbrauwen, maar toen werden zijn ogen groot en zijn mond viel open. Clara leek de naam onmiddellijk herkend te hebben. Ze keek naar de grond.

'Was dat niet de man die...' begon Kortmann.

'Ja, hij is twintig jaar geleden uit het Genootschap gezet,' bevestigde Iversen.

Katherina en Iversen vertelden samen over de ontmoeting met Tom Nørreskov en de theorie over de Schaduworganisatie. Het kostte Katherina bijna een uur om uit te leggen hoe ze Tom hadden gevonden en hoe hun gesprek was verlopen. Iversen vulde haar verhaal aan met overwegingen en gebeurtenissen die het verhaal van Tom Nørreskov ondersteunden. Tijdens haar hele uiteenzetting zat Kortmann met een sceptisch gezicht te luisteren in zijn stoel, zonder commentaar te leveren op haar verhaal. Clara liep heen en weer door de winkel terwijl ze luisterde, ze knikte een paar keer. Paw was in de lotushouding op de grond gaan zitten en keek beledigd, waarschijnlijk omdat hij niet eerder op de hoogte was gebracht.

Iversen en Katherina vertelden ijverig en hoe verder Katherina kwam in haar uiteenzetting, hoe meer ze werd gesterkt in haar vermoeden dat ze de ware oorzaak hadden achterhaald van de gebeurtenissen van twintig jaar geleden én nu. Alle hiaten in het verhaal konden door Iversen worden opgevuld met zijn waarneming van Luca's gedrag en zijn uitspraken.

Toen ze klaar was, viel er een lange stilte. Niemand zei iets. Clara was opgehouden met heen en weer lopen door de winkel en Paw had zijn hoofd naar de grond gebogen.

'Waar is Nørreskov nu?' vroeg Kortmann.

'Hij is vast nog op zijn boerderij,' antwoordde Katherina. 'Hij leek bijna verlamd door zijn paranoïde waanideeën en hij wil vast niet weg uit zijn schuilplaats.'

Kortmann schudde zijn hoofd.

'Luca is dood, dus het enige waarop jullie die theorie kunnen baseren is de fantasie van een kluizenaar,' zei hij sarcastisch.

'Maar...' protesteerde Iversen.

'Jullie theorie kan heel goed kloppen met sommige gebeurtenissen,' onderbrak de man in de rolstoel hem. 'Maar ik was erbij, twintig jaar geleden. Er was helemaal niets wat op geheime complotten wees. En dat is ook bewezen.' Hij knikte naar Clara, die hem met een kille blik aankeek, haar armen over elkaar heen geslagen. 'Zodra het Bibliofielgenootschap was opgesplitst, hielden de aanslagen op.'

'Dat bewijst toch juist dat de Schaduworganisatie had gekregen wat ze wilde?' probeerde Iversen. 'Het Genootschap zou worden verzwakt als het zou worden opgesplitst en dat is boven verwachting goed gelukt.'

'Het is volkomen belachelijk,' droeg Paw zijn steentje bij. Hij lachte laconiek. 'Een Schaduworganisatie? Wow, ik word er helemaal bang van.' Hij schudde zijn hoofd. 'Nou moeten jullie echt ophouden.'

Kortmann leek het voor één keer met Paw eens te zijn. Hij knikte waarderend.

'En waar zijn de sporen die ondubbelzinnig in de richting van die Schaduworganisatie wijzen? Dit is een op zijn zachtst gezegd fantasierijk verhaal en geen enkel bewijs dat hij bestaat, in tegenstelling tot een groep ontvangers die we al kennen en waarvan we weten dat ze ertoe in staat zijn. Hoe moeten we een dergelijke organisatie trouwens vinden, áls hij al zou bestaan? Waar moeten we beginnen te zoeken?'

'Dat weet ik wel,' klonk een schorre stem achter hen.

Ze draaiden zich allemaal om en staarden naar de stretcher, waar Jon zich op zijn ene elleboog overeind had gehesen.

'Ik weet precies waar we kunnen beginnen.'

22

De dorst was het ergst.

Jon had het gevoel dat zijn keel was bekleed met isolatiemateriaal. Van dat gemene spul met glaswol; telkens als hij slikte, deed het pijn. Bovendien had een grote vermoeidheid zijn hele lichaam overgenomen. Alleen het overeind komen op zijn elleboog was al een enorme inspanning, die een mentale aanloop en veel wilskracht vergde. Daarom had hij eerst een tijdje liggen luisteren naar het gesprek van de anderen, voordat hij de aandacht op zichzelf had gevestigd. Hij was wakker geworden halverwege Katherina's verslag van hun bezoek aan Tom Nørreskov en hij had het niet eerder nodig gevonden om zich ermee te bemoeien.

Jons arm trilde onder zijn lichaam en hij liet zich weer op zijn rug zakken. Een paar van de aanwezigen renden naar hem toe. Katherina was als eerste bij hem, hij glimlachte naar haar. Hij was blij te zien dat ze helemaal in orde was.

'Het gaat wel,' zei hij. 'Ik ben alleen een beetje moe.' Hij voelde haar hand op zijn voorhoofd en sloot zijn ogen.

'Doet het pijn?' vroeg Iversen.

Jon schudde zijn hoofd.

'Mag ik wat water?'

Iversen stuurde Paw naar de kelder om water te halen, een opdracht waar de jongeman duidelijk niet blij mee was, want ze hoorden hem ontevreden mompelen terwijl hij de trap af liep.

'Kun je je iets herinneren?' vroeg Kortmann ongeduldig.

Jon tilde zijn arm op, wees op zijn keel en schudde zijn hoofd.

'Je bent geactiveerd,' legde Iversen uit. 'En je bent flauwgevallen tijdens de seance. We waren bang dat je niet meer wakker zou worden.'

Jon deed zijn ogen open en glimlachte. Behalve de vermoeidheid en de dorst voelde hij niets bijzonders. Er was geen teken dat hij was veranderd. Heel even wenste hij dat hij de gaven niet bezat, maar doodnormaal was, zodat hij zijn oude leven weer kon oppakken.

'Je bent een zender, net als je vader,' zei Iversen met trots in zijn stem. 'En nog een beetje meer, kunnen we wel zeggen.'

Paw kwam terug met een glas water en Jon hees zich weer op zijn elleboog en dronk gretig van het lauwe water. Hij gaf het glas terug en knikte dankbaar naar Paw.

'Haal nog maar wat,' stelde Katherina voor en Paw sjokte weer weg.

'Ik voel niets,' zei Jon nadat hij langdurig zijn keel had geschraapt. 'Weet je zeker dat het is gelukt?'

'Nou en óf,' riep Iversen uit en hij lachte opgelucht. 'Het was boven alle verwachting.'

'Kun je je helemaal niets herinneren?' vroeg Kortmann nog een keer.

Jon probeerde na te denken, maar hij was te uitgeput om zich te kunnen concentreren.

'Ik kan me herinneren dat ik een film zag,' begon hij aarzelend. 'En er was heel veel rook en vuur.' Hij keek vragend naar Iversen. 'Zei je dat dat door mij kwam?'

Iversen knikte.

'Jouw gaven kunnen zich kennelijk manifesteren als een soort energieontladingen, waarschijnlijk elektrisch. Je hebt in ieder geval kortsluiting veroorzaakt in de stopcontacten in de kelder en er is brand uitgebroken.'

Jon keek de kring rond. Niemand lachte, integendeel; Clara en Kortmann leken het niet prettig te vinden om in dezelfde ruimte als hij te zijn. Clara stond aan het voeteneinde van het bed en wreef in haar handen en Kortmann zat een eindje bij haar vandaan in zijn rolstoel, zijn handen op de beugels rond de wielen, klaar om weg te rijden als dat nodig zou blijken te zijn.

Paw kwam terug met nog een glas water, ook hij leek bang te zijn om te dicht bij Jon in de buurt te komen. Toen hij hem het glas had gegeven, greep hij zijn rechterschouder vast en liep achteruit weg van het bed. Jon dronk het water.

'Je zei dat je wist waar we die Schaduworganisatie konden vinden,' zei Kortmann.

Jon knikte.

'Een cliënt,' zei Jon kort. 'Een man die verdacht veel interesse toonde in de overname van Libri di Luca.'

Kortmann en Clara keken vragend naar elkaar en toen naar Jon. Hij had geen zin om er verder op in te gaan. Hij was veel te uitgeput voor een uitgebreid verhoor, maar hij was ook nog steeds verbitterd over wat Remer hem had aangedaan, en die bitterheid zou een verkeerde indruk kunnen wekken bij de op voorhand toch al sceptische toehoorders.

'Ik geloof er niets van,' riep Paw onstuimig. 'Het kan net zo goed een fanatieke boekendealer zijn. Als die Schaduworganisatie er écht achter zou zitten, wat moeten ze dan met Libri di Luca?'

'Ik denk dat ik die vraag wel kan beantwoorden,' zei Iversen. 'Libri di Luca is een van de oudste antiquarische boekhandels hier in Kopenhagen. De boeken die hier boven ons staan en in de kelder hebben niet alleen een emotionele waarde voor bibliofielen, ze zijn geladen. Juist deze boeken zijn vele jaren lang gelezen door Lettores in juist deze ruimte waarin we ons bevinden. We weten niet precies hoe het werkt, maar iedere keer dat een boek gelezen wordt, wordt het opgeladen. Luca had zelfs een theorie dat die energie kon worden opgeslagen in het gebouw zelf.' Kortmann wilde al protesteren, maar Iversen hief zijn hand om te mogen uitpraten. 'Misschien is het geen toeval dat activeringen hier makkelijker gaan dan ergens anders,' ging hij verder. 'Misschien komt het door de boeken zelf, maar misschien hebben deze muren ook de energie van vele generaties in zich opgeslagen.'

'En die energie heeft Jon vrijgemaakt?' opperde Katherina.

'Ja, of hij heeft zichzelf er op de een of andere manier op aangesloten,' zei Iversen. 'Dat zou in ieder geval verklaren waarom de Schaduworganisatie niet alleen geïnteresseerd is in de boeken, maar ook in het pand zelf.'

'Maar waarom hebben ze dan geprobeerd de winkel in brand te steken?' vroeg Paw koppig.

'Dat zou gewoon een waarschuwing kunnen zijn geweest,' antwoordde Iversen. 'Misschien verdwijnt de energie niet door brand.'

Jon was weer gaan liggen na de inspanning. Hij had helemaal niet het gevoel dat hij energie had opgedaan; integendeel, het voelde eerder alsof zijn energie zo effectief was afgetapt, dat hij nauwelijks zijn ogen open kon houden. De stemmen om hem heen versmolten tot een gezoem en hij moest zich concentreren om niet in slaap te vallen. Hij dacht dat hij Katherina zijn naam hoorde roepen, maar hij kon zijn ogen niet langer openhouden.

Jon vond het heerlijk om wakker te worden in zijn eigen bed. Hij kon zich nauwelijks herinneren wanneer hij voor het laatst met een goed geweten had kunnen uitslapen. Hij hoefde niets, geen stapels werk die zijn gemoed bezwaarden, geen vergaderingen waar hij naartoe moest. Op zijn nachtkastje stond een glas water, dat hij achter elkaar leegdronk. Het was licht buiten. Zijn wekkerradio zei hem dat het vroeg in de ochtend was.

Hij herinnerde zich niet hoe hij thuis was gekomen en ten slotte dreef zijn nieuwsgierigheid hem uit bed. Hij droeg een T-shirt en een onderbroek, wat zou kunnen betekenen dat hij zichzelf niet had uitgekleed. Hij sliep normaal gesproken naakt.

In de woonkamer vond hij Katherina, die lag te slapen op de bank. Ze lag onder een grijze plaid, die slecht kleurde bij haar rode haar en bleke huid. Op de salontafel lagen een keurig opgevouwen spijkerbroek en een sweater, ernaast stond een glas water.

Hij stond te kijken naar de slapende vrouw. De bewegingen van haar ogen verraadden dat ze droomde en even wilde hij dat hij ook was waar zij was, dat hij de beelden kon zien die zij zag, net zoals zíj de beelden kon zien die zijn lezen opwekten. Hij glimlachte toen hij zich van haar losmaakte en naar de keuken sloop. In de kastjes was niets te vinden wat hij iemand kon aanbieden als ontbijt, dus Jon sloop terug naar zijn slaapkamer om zich aan te kleden.

Buiten was het mistig; er hing een dikke, bijna tastbare mist waardoor je niet verder dan een meter of twintig voor je uit kon zien. Met zijn handen in zijn zakken liep hij de paar honderd meter naar de bakker.

Pas toen hij in de bakkerij stond, merkte hij het voor het eerst.

Er waren nog twee andere mensen voor Jon. Eerst een oudere dame die onhandig rommelde met het kleingeld in haar portemonnee en na haar een in een pak geklede man van middelbare leeftijd, die zijn ongeduld niet probeerde te laten blijken. Hij was waarschijnlijk op weg naar zijn werk en gezien het tijdstip was hij tamelijk laat. Jons blik zwierf door de winkel, van de klanten naar de verkoopster en toen naar de standaard met kranten.

Toen hij de krant bekeek, voelde hij een schokje. Hij kromp ineen. Het artikel op de voorpagina was een relatief gewoon verhaal over een nieuwe schoolhervorming die door de regering werd voorbereid, maar toen Jon de inleidende alinea las, had hij het gevoel dat de tekst naar hem toe reikte, alsof hij elastisch was en er bijna op aandrong om hardop voorgelezen te worden.

Verschrikt wendde Jon zijn blik af, maar het maakte niet uit waar hij keek, hij had het gevoel dat overal woorden en boodschappen zich aan hem opdrongen, van borden, posters en briefjes die in de winkel hingen. Het leek wel of de letters naar hem toe sprongen. Jon had het gevoel dat ze hun best deden en hem probeerden te verleiden om zich te laten uitspreken en te vormen naar zijn wens.

Hij keek naar zijn schoenen en hield zijn blik daarop gericht, totdat de verkoopster hem vroeg waarmee ze hem van dienst kon zijn. Hij bestelde en betaalde zonder op te kijken en haastte zich met het brood de winkel uit.

Op weg naar huis hield hij zijn blik strak op de stoep gericht en hij liep snel door tot aan de voordeur van zijn huis. Hij rende de trappen op want als hij naar de naambordjes naast de deuren keek, leek het wel of die zich ook naar hem uitstrekten om hem stil te laten staan of te laten struikelen.

Jon deed vlug de deur van zijn appartement open en stapte naar binnen. Toen hij de deur achter zich had dichtgedaan, bleef hij hijgend staan, met zijn rug tegen de deurpost.

'Jon?'

Katherina's bezorgde stem klonk uit de woonkamer. Hij veegde het zweet van zijn voorhoofd en liep de gang in. Hij werd verwelkomd door Katherina, die de plaid om zich heen had geslagen en naar hem toe kwam lopen.

'Alles goed?'

'Ik heb brood gehaald,' zei Jon en hij hield de zak van de bakker omhoog. Zijn handen trilden zo erg dat de zak ritselde.

'Wat is er gebeurd?' vroeg Katherina bezorgd.

Jon ging aan de keukentafel zitten en beschreef wat hem in de bakkerszaak was overkomen. Toen pas ontdekte hij dat hij de zak nog steeds in zijn handen klemde en dat hij zijn jas nog aanhad.

'Ik denk dat dat heel normaal is,' zei Katherina. 'Iversen vertelt vaak over toen hij net was geactiveerd. Hij had het gevoel dat hij werd aangevallen door de boeken die daarvóór zijn beste vrienden waren.' Ze pakte de zak met brood uit zijn handen. 'Het lijkt alleen in het begin zo. Als je eraan gewend bent, kun je zelf bepalen wanneer het gebeurt.'

Jons ademhaling was weer normaal, maar hij bleef zitten terwijl hij zijn jas en schoenen uittrok. Katherina liep terug naar de woonkamer. Hij wreef met zijn handen over zijn gezicht. Wat zou er zijn gebeurd als hij die krant had gelezen? Was het wel verantwoord dat hij ooit weer zou lezen, of was hij alleen in Libri di Luca een gevaar voor zijn omgeving?

'Hoe zijn we gisteren eigenlijk thuisgekomen?' vroeg Jon luid.

'Je bedoelt eergisteren,' riep Katherina terug. 'Je hebt zesendertig uur geslapen.'

Ze kwam terug in haar spijkerbroek en sweater.

'Kortmann heeft ons hiernaartoe gebracht in zijn auto. Zijn chauffeur heeft je helemaal naar boven gedragen. Je was niet wakker te krijgen.'

'En jij bent hier al die tijd geweest?'

Katherina haalde haar schouders op.

'Ik had toch niets anders te doen,' zei ze met een verlegen glimlachje.

Jon bleef haar aankijken. Hij kon zien dat ze niet veel had geslapen en hij stelde zich voor dat ze naast zijn bed had gezeten terwijl hij sliep. Misschien had ze met haar lichte vingers over zijn voorhoofd gestreken, met een bezorgde uitdrukking in haar groene ogen.

Hij schraapte zijn keel en sloeg zijn blik neer.

De mededeling dat hij anderhalf etmaal had geslapen had zijn maag wakker gemaakt en hij had opeens heel erge honger. Hij stond op om koffie te zetten.

Terwijl ze aten, vertelde Katherina wat er in de winkel was gebeurd nadat hij in slaap was gevallen. Er was vooral veel discussie geweest of de Schaduworganisatie bestond of niet, maar ze waren het er niet over eens geworden. Ze hadden Clara kunnen overtuigen en zij vond dat de twee vleugels weer herenigd moesten worden, maar Kortmann en Paw weigerden het te geloven. Ten slotte hadden ze een compromis gesloten. Jon zou opdracht krijgen om Remer te zoeken en erachter te komen of hij bij de Schaduworganisatie hoorde of niet; daarna zouden ze besluiten wat er verder moest gebeuren.

'Dus hoe moeten we hem vinden?' vroeg Katherina opgewekt.

Jon zocht in zijn jasje, dat nog over de stoelleuning hing.

'Daar gaat deze ons bij helpen,' zei hij terwijl hij een sleutelbos op tafel legde.

Brilsmurf stond met een peinzende uitdrukking op zijn gezicht tussen de sleutels.

'Onze toegang tot de zaak-Remer,' legde Jon met een schouderophalen uit. 'Ik ben vergeten ze in te leveren toen ze me ontsloegen.' Hij stond op. 'Maar eerst ga ik onder de douche, dat heb ik wel even nodig.'

Het brood en de koffie hadden hun werk gedaan. Jon had geen honger meer en van de koffie was hij goed wakker geworden. Toen hij het water van de douche op zijn huid voelde, kon hij niet anders dan glimlachen, want hij voelde zich uitgerust en tevreden en over enkele ogenblikken zou hij ook schoon zijn. Hij genoot van het gevoel van het warme water op zijn lijf. Hij deed zijn ogen dicht en hief zijn gezicht naar de waterstraal.

Misschien merkte hij daarom niet dat Katherina was binnengekomen voordat ze haar armen om hem heen sloeg en haar lijf tegen zijn rug drukte. Ze was warm, warmer dan het water. Hij gromde tevreden en liet zijn handen over de hare glijden. Ze kuste zijn rug en streelde zijn borst en buik. Toen hij zich wilde omdraaien, hield ze hem stevig vast. Hij liet haar haar gang gaan en leunde met beide handen tegen de muur voor hem. Haar handen gleden over zijn buik naar beneden, naar zijn heupen en verder over zijn dijen. Ze liet haar handen dezelfde weg terug gaan, maar raakte hem alleen met haar vingertoppen aan, op dezelfde manier als hij haar de boekruggen had zien liefkozen, de eerste keer dat hij haar in Libri di Luca had gezien. Ze legde haar handen op zijn heupen en draaide hem naar zich toe. Jon deed zijn ogen open en keek in de hare. Bij het zien van haar rode haar, groene ogen en lichte huid hield hij zijn adem in. Hij boog zich naar haar toe en kuste voorzichtig het litteken op haar kin. Ze zuchtte en hij zocht haar lippen met zijn mond. Met een iets steviger greep trok ze hem dichter naar zich toe en beantwoordde zijn kus.

Het daarop volgende etmaal gebruikten ze om afwisselend te vrijen, te slapen en te eten. Ze sloten al het andere buiten. Zelfs Iversens bezorgde berichten op Jons antwoordapparaat konden hen niet zover krijgen om belangstelling te tonen voor de wereld buiten het appartement. Zo gesloten en schuw als Jon Katherina had gevonden toen hij haar voor het eerst zag, zo open en warm was ze nu. Het was onvoorstelbaar dat ze nog maar twee weken geleden niet eens op de hoogte waren geweest van elkaars bestaan.

Ze wisten allebei dat ze zich niet voor altijd konden afsluiten van de buitenwereld, maar ze stelden het zo lang mogelijk uit. Ze verzonnen steeds nieuwe uitvluchten, bij voorkeur seks, om de tijd stil te laten staan. Behalve dat het heel fijn was om zich samen met Katherina te verstoppen, was Jon ook ongerust over hoe het zou zijn als hij naar buiten ging, waar zijn nieuwe gaven zich konden manifesteren. Katherina dacht wel dat hij in staat zou zijn om ze in de hand te houden, nu hij wist wat de consequenties waren, maar hij was daar niet van overtuigd. Zijn activering had immers ook gewoon een formaliteit moeten zijn. Sinds hij was teruggekomen van de bakker, hadden ze zorgvuldig vermeden om iets te lezen, maar op een gegeven moment zou hij zijn appartement toch weer uit moeten. Katherina stelde voor dat ze zouden beginnen met gecontroleerd lezen.

Katherina belde voor de zekerheid Iversen, die, behalve dat het hem geruststelde om te horen dat ze in orde waren, het een goed idee vond om Jon een beetje te laten oefenen voordat hij werd losgelaten.

Jon had nog nooit van zijn leven een literair werk gekocht. Door de breuk met Luca was hij boeken zo erg gaat haten dat hij alleen vakliteratuur las, maar hij bezat wel een paar thrillers die hij cadeau had gekregen. Ze waren ver weggestopt onder in zijn garderobekast. Ze hoefden niet bang te zijn dat ze waren geladen, constateerde Katherina toen ze het stof eraf veegde. Ze waren waarschijnlijk nog nooit gelezen en dus waren ze 'dood' in Lettore-termen.

'We zullen je om te beginnen vertrouwd maken met de gaven,' zei Katherina. Ze probeerde serieus te klinken, ook al lagen ze naakt op Jons bed. 'Je hebt al gemerkt dat de tekst heel veel plaats inneemt in je bewustzijn. Je kunt de gaven niet negeren, maar je kunt wel leren om ze naar de achtergrond te schuiven als je ze niet nodig hebt.'

'Dus wat doen we concreet?' vroeg Jon.

'Jij leest en ik grijp in als het te heftig wordt,' antwoordde ze. 'Het is belangrijk dat je rustig aan doet en niet probeert om je gaven onder druk te zetten of extreme dingen te doen. Ik moet je de hele weg kunnen volgen.'

'Straks ga je me vertellen dat het net als fietsen is,' zei Jon droog.

Katherina lachte, ze bloosde een beetje.

'Begin maar gewoon als je er klaar voor bent,' zei ze en ze gaf hem een van de boeken. 'Als je een blokkade voelt, dan houd ik je tegen. Dan kun je beter stoppen.'

Jon knikte en bekeek de omslag. Hij schrok even toen de titel als een driedimensionale reclame op hem afkwam. Hij bestudeerde het fenomeen een poosje om te wennen aan de manier waarop de letters leken te verspringen in kleur en afmeting, in een soort pulserend ritme.

'Alles goed?' vroeg Katherina.

Hij knikte en sloeg het boek open. Opeens kwamen alle tekens op de pagina op hem afstormen, hij draaide zijn hoofd af. Het zweet brak hem uit. Koppig keek hij terug naar de bladzijde en begon voor te lezen. Op datzelfde moment leken de bladzijden van het boek te veranderen. De woorden en letters leken zich nu netjes in het gelid op te stellen en hun beurt af te wachten om te worden gelezen, in plaats van dat alle zinnen zich in een grote warboel tegelijk aanboden, zoals eerst. Opgelucht vond hij al snel een prettig leesritme, maar hij durfde nog geen emoties in zijn voordracht te leggen en hij keek af en toe met een schuin oog naar Katherina. Die lag op haar buik, met haar hoofd leunend op haar onderarmen en haar gezicht naar hem toe. Haar groene ogen waren gesloten en op haar lippen lag een glimlachje. Er was geen spoortje ongerustheid op haar gezicht te zien.

Deze keer had hij vanaf het begin het gevoel dat hij een heleboel onzichtbare knoppen voor zich had waaraan hij kon draaien om het verhaal tot leven te brengen. Langzaam begon hij meer emotie in zijn voordracht te leggen, hij gaf de personages meer karakter en de beschrijvingen meer kleur. Net als tijdens zijn activering, werd de achtergrond glasachtig en tekenden de letters zich duidelijker af, maar Jon aarzelde om dat witte oppervlak te doorbreken. Hij constateerde dat zijn idee van dat witte oppervlak en de beelden die hij vanuit de tekst schiep twee verschillende dingen waren. De beelden werden gevormd door zijn eigen beleving en interpretatie van de tekst; ze kwamen voort uit zijn eigen ervaringen, maar ook uit de accenten die hij de scène kon geven met behulp van zijn nieuwe gaven. Het verhaal speelde in Kopenhagen, waardoor hij details kon toevoegen die niet in de tekst stonden, maar die voortkwamen uit zijn eigen belevingswereld en associaties.

Jon experimenteerde met het kleuren van de sfeer in de beelden. Hij ontdekte dat de schaduwen achter het glazen oppervlak tevoorschijn kwamen als hij zich echt concentreerde en dat de beelden achter die glasplaat en de beelden die hij in zijn onderbewustzijn schiep naar elkaar toe kwamen. Op het moment dat hij zo dichtbij kwam, voelde hij dat hij werd afgeremd en hij probeerde niet verder aan te dringen in die richting. Zo probeerde hij een tijdje verschillende effecten, totdat hij Katherina hoorde roepen.

Hij maakte zijn blik los van het boek en ontdekte dat ze schrijlings op hem zat.

'Hoe ging het?' vroeg hij terwijl hij het boek naast zich neergooide.
'Het was mooi,' zei ze. 'Je hebt heel veel talent.'
Jon haalde zijn schouders op.

'Dank je, maar ik moet eerlijk bekennen dat ik geen idee heb wat ik doe.'

'Dat komt vanzelf,' zei Katherina met veel overtuiging. 'Ik vind dat het heel goed ging. Je moet twee dingen in de gaten houden. Ten eerste de luisteraars. Iedereen interpreteert een verhaal anders. Door zijn eigen ervaringen, maar ook doordat hij misschien juist die dag erg gevoelig of kwetsbaar is, of dat je juist moeilijk tot hem door kunt dringen. Daarom moet je leestoon het liefst binnen een zekere veiligheidsmarge blijven, zodat je de zwakste luisteraars niet te hevig beïnvloedt.'

'Hoe moet ik weten wat de luisteraars aankunnen?'

'Na een tijdje leer je te voelen hoe je voordracht wordt ontvangen. Daarom moeten we oefenen.' Ze drukte haar onderlijf tegen het zijne en glimlachte uitdagend.

'En wat voor oefening heb je nu in gedachte?' vroeg Jon lachend. 'Je zei dat er twee dingen waren die ik in de gaten moest houden.'

'Het andere is moeilijker,' zei Katherina ernstig. 'Omdat we niet weten hoe ze ontstaan. Dat zijn de fysieke verschijnselen die jij kennelijk kunt veroorzaken. Het is belangrijk dat we erachter komen onder wat voor omstandigheden ze precies optreden en hoe ver je kunt gaan voordat ze optreden. Anders kunnen we je niet stoppen voordat ze te erg worden.'

'Nou, bedankt.' Hij vertelde over het glazen oppervlak dat hij had gezien en hoe hij het tijdens zijn activering had doorbroken.

Katherina knikte.

'Het zou best kunnen dat dat de grens is,' zei ze.

'Mag ik dan nu even pauze?' vroeg Jon terwijl hij zijn handen op haar heupen legde.

'Dat heb je meer dan verdiend,' zei ze met een glimlach en ze boog zich naar hem toe.

23

'Waarom gebruiken we Mohammed niet?' vroeg Katherina.

Ze hadden een auto gehuurd, een Suzuki-busje. Ze waren naar Katherina's huis gereden om wat kleren te halen en nu reden ze door de avondspits naar Libri di Luca. De cabine was niet bijster goed geïsoleerd en ze moesten hard praten om elkaar te kunnen verstaan.

'Kan hij die informatie niet voor ons vinden?' Katherina vond het niet zo'n prettig idee dat ze moesten inbreken in Jons voormalige kantoor om informatie over Remer te zoeken.

'Dat zou hij vast wel kunnen,' antwoordde Jon. 'Maar het zou lang duren. In tegenstelling tot Tom Nørreskov is Remer heel erg goed in het uitwissen van zijn sporen. Als we in het archief kunnen komen, hebben we in ieder geval iets om mee te beginnen. Daar is alles wat we over hem weten bij elkaar gebracht. De informatie over zijn zakelijke imperium, zijn huizen, adressen, investeringen, alles.' Hij knarsetandde en schakelde onbedoeld ruw naar de volgende versnelling. Hij was nog niet gewend aan de auto. 'Bovendien wil ik Mohammed hier liefst zo lang mogelijk buiten houden.'

Ze hadden het grootste deel van de dag besteed aan het onderzoeken van Jons zendergaven. Ondanks de beperkte keuze aan lectuur die hij thuis had, was hij erin geslaagd om een idee te krijgen van wat hij kon. Katherina voelde dat hij zijn gaven onder controle had, maar pas toen hij zelf zei dat hij zich veilig voelde, waagden ze zich naar buiten. Ze wilde graag met hem oefenen met een paar van de geladen boeken uit de winkel, maar ze wilde hem niet te veel onder druk zetten. Het was moeilijk. Ze wist niet of het door de verliefdheid kwam of door zijn gaven, maar als hij las, leek het wel of ze waren ingesloten door een ondoordringbare muur die al het andere buitensloot. Met de juiste teksten zou hij onweerstaanbaar zijn, in ieder geval voor haar.

Jon was meer bezig met bedenken hoe hij Remer te pakken kon nemen. Als hij over zijn voormalige cliënt sprak, verhardde zijn blik en hij verweet zichzelf dat hij niet van het begin af aan achterdochtiger was geweest. Omdat hij het Remer zo graag betaald wilde zetten, hadden ze besloten dat ze nog diezelfde nacht zouden inbreken. Katherina had erop gestaan dat ze mee zou gaan, al wist ze dat ze hem niet echt zou kunnen helpen.

Ze parkeerden een eindje van Libri di Luca vandaan en haastten zich door de plakkerige motregen naar de winkel. Hoewel het ruim een uur na sluitingstijd was, was de deur nog open. Iversen slenterde zachtjes neuriënd door de gangpaden. Toen hij het geluid van de deurbel hoorde, kwam hij tevoorschijn.

'Ah, daar zijn jullie,' riep hij en hij liep snel op Katherina af en omhelsde haar hartelijk. 'Hoe gaat het?' vroeg hij terwijl hij Jon intensief opnam. 'Nog problemen gehad met...'

Jon schudde zijn hoofd.

'Het gaat prima,' antwoordde hij. 'Het is net of ik weer op school zit.' Hij knikte naar Katherina. 'Met een strenge juf voor de klas.'

Iversen lachte en liet zijn blik van de een naar de ander gaan. Katherina voelde haar wangen warm worden. De oude man glimlachte begrijpend en knikte.

'Je bent in goede handen, Jon. Maak je geen zorgen.'

'We hebben wat geschiktere boeken nodig voor onze oefeningen,' zei Katherina. 'Jons verzameling Grisham-thrillers heeft een beetje weinig diepgang.'

'Dat kan ik me voorstellen,' zei Iversen. 'Laten we maar meteen...'

Het licht in de winkel knipperde een paar keer hevig, toen werd het opeens veel zwakker, om vervolgens terug te keren naar de normale sterkte.

'O, nee,' riep Iversen. Hij liep naar de trap die naar de kelder leidde. 'Paw is de stopcontacten en de bedrading beneden aan het nakijken. Hij zei dat hij dat wel eens eerder had gedaan, maar tot nu toe heeft hij nog niet veel meer gedaan dan zekeringen laten springen.'

Jon en Katherina volgden hem naar beneden.

'Shit,' riep Paw vanuit de bibliotheek.

'Is er iets gebeurd?' riep Iversen.

Paw stak zijn hoofd om de hoek.

'Nee, alles oké,' mompelde hij. 'Die klotestopcontacten willen niet meewerken.'

'Misschien moet je de stroom uitschakelen terwijl je bezig bent,' stelde Jon voor.

'Dat maakt toch niks uit. 220 volt doet trouwens niet eens zoveel pijn.' Hij knikte naar Jon. 'Die klap van jou was erger.'

'Nou, je hebt toch iets voor elkaar gekregen,' zei Iversen terwijl hij langs Paw de bibliotheek binnenstapte. De lampen boven de kasten waren aan. Een zachtgeel schijnsel verlichtte de vele leren banden.

'En jij?' vroeg Paw terwijl hij naar Jon keek. 'Alles goed met jou?'

Jon knikte.

'Met mij gaat het prima.'

'Ben je weer een beetje tot bezinning gekomen?' vroeg Paw.

'Wat bedoel je?'

'Nou ja, dat van die Schaduworganisatie en zo,' zei Paw. 'Iemand moet die ouwe weer terug op aarde zien te krijgen.' Hij wees over zijn schouder naar Iversen, die langs de kasten liep en al een hele stapel boeken in zijn handen had.

'Vannacht gaan we het bewijs halen, Paw,' zei Jon vastberaden. 'En dan zullen we nog wel eens zien wie er tot bezinning moet komen.'

'Vannacht?' vroeg Paw belangstellend. 'Zal ik meegaan?'

'Nee, dank je,' antwoordde Jon. 'Hoe minder, hoe beter, denk ik.'

'Zeker weten? Ik ben erg goed in nachtelijke oefeningen,' zei Paw met een grijns naar Katherina.

Die zuchtte.

'Ik denk dat we heel goed in staat zijn om onszelf te redden, Paw, maar bedankt voor het aanbod.'

Paw haalde zijn schouders op.

'Oké, ik ben waarschijnlijk ook nog wel de halve nacht bezig met de stroom.'

Iversen kwam de gang weer in en gaf Katherina de stapel boeken.

'Ik haal er nog een paar voor jullie,' zei hij en hij ging de bibliotheek weer binnen.

Katherina voelde het bekende, gonzende gevoel van de boeken in haar armen. Het was een heel ander gevoel dan wanneer je een boek vasthield dat in massaproductie was gemaakt, zoals de boeken die ze bij Jon thuis hadden gebruikt. Deze leefden.

'Voel maar eens,' zei ze en ze hield Jon de stapel voor.

Hij legde resoluut zijn hand op het bovenste boek. Zijn vingertoppen hadden het oppervlak nog niet aangeraakt, of hij trok zijn hand verrast terug, alsof hij een schok had gekregen.

'Wat?' riep hij verbaasd uit en hij wreef zijn hand over zijn dij.

Paw lachte.

'Net goed,' zei hij en hij lachte nog harder.

Katherina negeerde hem.

'Het zijn geladen boeken,' legde ze uit. 'Ze verschillen in sterkte. De meeste Lettores kunnen de kracht voelen door ze alleen maar aan te raken.' Ze keek met een schuin oog naar Paw. 'Andere mensen moeten hun vingers in een stopcontact steken om datzelfde gevoel te krijgen.'

Paws ogen schoten vuur, maar hij zei niets en draaide zich om om verder te gaan met zijn werk.

'Deed het pijn?' vroeg Katherina.

'Nee,' antwoordde Jon. 'Ik was alleen verrast. Het voelde als statische elektriciteit.'

Iversen kwam tevoorschijn met nog meer boeken, die hij aan Jon gaf. Aarzelend nam hij ze aan.

'Jullie kunnen er altijd meer halen,' zei Iversen. 'Maar deze zijn goed om mee te beginnen. Het is van alles wat, in verschillende sterktes.' Hij knipoogde naar Jon. 'Maar ik denk dat we de krachtigste nog maar even bewaren.'

'Ja, graag,' zei Jon. 'Ik moet ze natuurlijk wel vast kunnen houden.'

Ze liepen terug naar de trap en lieten Paw met zijn elektriciteit achter in de bibliotheek. Boven legden ze de boeken op de toonbank. Katherina vertelde Iversen over de resultaten die ze tot nu toe hadden bereikt tijdens de oefeningen met Jon. Iversen knikte nadenkend.

'Iedere zender heeft zijn eigen idee over de gaven,' zei hij. 'Maar de meesten hebben het gevoel dat ze een soort gereedschapskist of een palet tot hun beschikking hebben, waarmee ze de luisteraars kunnen beïnvloeden.'

'Voor mij is het net of ik voor een grote mengtafel sta met oneindig veel instelmogelijkheden,' zei Jon met een lachje. 'Dat geeft een goed gevoel van... macht. Ik denk dat ik er wel aan kan wennen.'

Iversen keek hem onderzoekend aan.

'Wees voorzichtig,' waarschuwde hij. 'In het begin mag je je gaven alleen gebruiken op andere Lettores, en liefst alleen als Katherina erbij is.'

Jon knikte.

'Veel mensen komen de eerste paar keer in de verleiding om te overdrijven,' ging Iversen verder. 'In jouw geval kan dat ronduit gevaarlijk zijn, maar ook bij een gewone zender kan het vervelende consequenties hebben. Behalve dat de tekst emoties kan beïnvloeden, kunnen de toehoorders ook hoofdpijn krijgen of misselijk worden als de zender de accentuering niet voorzichtig en in overeenstemming met de boodschap van de tekst doceert.'

Katherina was een paar keer getuige geweest van een zender die dat soort vervormingen, zoals ze het noemden, had veroorzaakt. Het gebeurde meestal wanneer een onervaren zender probeerde de boodschap van een tekst te forceren of zelfs probeerde de betekenis van de tekst te ver van de oorspronkelijke bedoeling af te brengen. Paw had dat heel erg gehad toen hij net in Libri di Luca kwam. Omdat hij nooit was getraind, kende hij de kracht en de beperkingen van zijn gaven niet en de meeste van zijn voordrachten werden vervormd, uit onwetendheid of uit ongeduld. Gelukkig waren zijn gaven erg beperkt, een feit waar hij niet graag aan werd herinnerd, dus er gebeurde niet zoveel als hij het deed. Na een paar maanden oefenen met Luca had hij de vervormingen onder controle gekregen, maar hij zou nooit echt een heel goede zender worden zoals Iversen en al helemaal niet zo sterk als Jon.

'We gaan vannacht informatie over Remer halen,' vertelde Jon. 'Zullen we hier afspreken, morgen voordat je de winkel opendoet?' Hij stapelde de boeken op de toonbank en nam ze onder zijn arm.

'Natuurlijk,' antwoordde Iversen. 'Ik ben hier een uur voordat de winkel opengaat.' Hij omhelsde Katherina. 'Wees voorzichtig,' fluisterde hij in haar oor.

Het advocatenkantoor Hanning, Jensen en Halbech lag in de Store Kongensgade, in een oud, statig gebouw met uitzicht over de wijk Nyboder. Het was twee uur 's nachts, maar er brandde nog licht op de verdieping waar ze moesten zijn.

'En nu?' vroeg Katherina teleurgesteld, maar tegelijkertijd ook opgelucht bij het vooruitzicht dat ze hun inbraakplannen moesten opgeven.

'Het kan zijn dat er nog iemand aan het werk is,' gaf Jon toe. 'Of iemand is vergeten het licht uit te doen. Misschien zijn het de schoonmakers.' Hij keek naar links en naar rechts. Op dit tijdstip was er geen verkeer en er waren maar heel weinig ramen waar nog licht brandde. 'Laten we gaan kijken,' zei hij.

Ze staken de straat over naar het rode baksteen gebouw. Voor een grote eikenhouten deur bleven ze staan en Jon keek nog een keer goed rond. Toen haalde hij de sleutelbos met Brilsmurf tevoorschijn en maakte de deur open.

In stilte en zonder licht aan te doen, beklommen ze de trappen. Op iedere verdieping waren glazen deuren die toegang gaven tot prestigieuze bedrijven, maar overal was het licht uit, totdat ze op de tweede verdieping kwamen, waar Jons vroegere werkplek was.

Jon keek om het hoekje door het raam naast de ingang. Hij vloekte zacht.

'Anders Hellstrøm is er nog,' fluisterde hij en hij liet Katherina kijken.

Achter het raam lag een groot, open kantoorlandschap met grijze bureaus en platte beeldschermen op iedere werkplek. Aan een van de bureaus zat een man in overhemdsmouwen. Hij zat met zijn rug naar hen toe en de tafel om hem heen was bezaaid met ordners en stapels documenten, die dreigden op de grond te vallen als iemand de deur te hard dicht zou slaan.

Katherina concentreerde zich op zijn lezen. Ze voelde dat hij moe was – hij las onregelmatig en ongeconcentreerd. Met enige regelmaat doken er beelden van een slaapkamer en een comfortabel uitziende bank op tussen de stroom juridische termen en hij moest een paar keer opnieuw beginnen met een alinea die hij net had gelezen.

'Waar moeten we zijn?' vroeg Katherina zacht.

Jon wees op een van de deuren helemaal achter in de ruimte. Ze zouden daar met geen mogelijkheid kunnen komen zonder dat de man achter het bureau hen zou zien. Hij hoefde alleen maar even op te kijken.

'Ik kan hem afleiden,' stelde Katherina voor.

Jon keek haar verrast aan, maar knikte toen en pakte een sleutel uit de sleutelbos.

Katherina concentreerde zich weer op het lezen van de advocaat. Dit keer hielp ze hem met zijn concentratie, ze versterkte het geschrevene en sloot de beelden die er niets mee te maken hadden buiten. Ze merkte dat de man opgelucht was en ze voelde een stijgende interesse voor de tekst die hij voor zich had. Algauw ging hij er zo in op, dat ze hem maar een klein beetje hoefde te beïnvloeden om zijn concentratie vast te houden.

'Nu,' fluisterde ze. 'Maar we moeten heel stil zijn en langs de muur lopen.'

Jon knikte en schoof zachtjes de sleutel in het slot. De man had niets in de gaten, dus ze gingen naar binnen en sloten de deur achter zich. Katherina versterkte de aantrekkingskracht van de tekst nog iets meer terwijl ze langs de muur slopen, zoals ze had voorgesteld. De advocaat las verder, hij had geen idee wat er om hem heen gebeurde. Toen ze langs hem liepen, zag Katherina zijn rode gezicht met duidelijk afgetekende zwarte wallen onder zijn kleine oogjes, die naar de tekst staarden. De zaak ging kennelijk over burengeschillen en wat hij las was een droge tekst over erfdienstbaarheid van de vereniging van grondeigenaren en lokale bestemmingsplannen.

Toen ze aan het einde van de ruimte waren, deed Jon de deur van een klein kantoortje open dat vol archiefkasten stond. Pas toen ze de deur achter zich op slot hadden gedaan, durfden ze weer te praten.

'Pfff,' fluisterde Jon. 'Dat was effectief.'

'Hij zou ons eigenlijk moeten bedanken,' zei Katherina glimlachend. 'Hij zal nooit meer vergeten wat hij deze nacht gelezen heeft. Ik hoop dat hij nu eerder naar huis en naar bed kan.'

'Ik had jou wel kunnen gebruiken toen ik voor mijn examen aan het leren was,' zei Jon met een knipoog. 'Maar Anders is best aardig, ga maar gewoon door.'

Katherina knikte.

Jon begon te zoeken in de archiefkasten, en papieren door te nemen. De aktes, verslagen, fragmenten van rapporten en uitspraken die Jon inkeek, vermengden zich met Anders Hellstrøms zaak, maar Katherina onderdrukte Jons lezen zodat ze de aandacht van de advocaat kon blijven afleiden.

Er waren heel veel archiefladen in het kantoortje, maar Jon leek te weten waar hij moest zoeken. Hij bewoog zich behendig van de ene kast naar de andere en oogstte papieren uit de mappen.

Misschien werd hij een beetje té enthousiast. Opeens gooide hij een van de metalen lades met een harde klap dicht.

Ze verstijfden alle twee en Katherina merkte dat ook Anders Hellstrøm stopte met lezen. Ze stelde zich voor hoe zijn kleine oogjes naar de deur staarden waarachter zij verborgen waren. Met ingehouden adem en dichte ogen concentreerde ze zich uitsluitend op wat er in het kantoorlandschap aan de andere kant van de deur gebeurde.

Een paar seconden lang ontving ze niets, maar toen doken er stukjes tekst op. Het konden mededelingen op prikborden zijn of namen van producten. Ze kwamen in korte flarden. Ze deed haar uiterste best om zijn interesse in alles wat hij onbewust las te prikkelen. Ze merkte dat hij aarzelde, maar ook dat de tekstflarden bleven veranderen, er doken nieuwe woorden en zinnen op, wat betekende dat zijn blik zich verplaatste of dat hij in beweging was.

Katherina wist Jons aandacht te vangen en wees dringend op de deur. Jon knikte, liep er voorzichtig naartoe en deed het licht uit. Dat had hij nog maar net gedaan, toen de deurknop werd beetgepakt en er aan de deur werd gerammeld. Na een moment stilte hoorden ze de advocaat in zichzelf mompelen en toen weer weglopen van de deur.

Pas toen Katherina Anders Hellstrøm ontving, die nog weer een verslag van een algemene ledenvergadering las, fluisterde ze tegen Jon dat hij verder kon gaan. Het licht ging weer aan en Jon veegde demonstratief met zijn hand over zijn voorhoofd.

'Dat was op het nippertje,' fluisterde hij en hij gaf haar snel een kus voordat hij verderging met het doorzoeken van de kasten.

Na een half uur voelde Katherina dat de advocaat aan de andere kant van de deur zo moe was, dat zelfs zij zijn aandacht niet veel langer zou kunnen vasthouden. Als ze hem nog verder forceerde, zou hij bewusteloos kunnen raken en dan zou hij pas de volgende dag weer wakker worden met een hoofdpijn zo erg als hij nog nooit eerder had meegemaakt.

'Hij is bijna uitgeput,' fluisterde ze tegen Jon.

Die knikte en gooide nog een paar vellen papier op de stapel die hij op het bureau had verzameld.

'Kunnen we dat gewoon meenemen?' vroeg Katherina op zachte toon.

'Ze komen er nooit achter dat er iets ontbreekt,' fluisterde Jon terug. 'De zaak is zo ontzettend veelomvattend, dat het niet uitmaakt of er een paar bladzijden missen.'

Katherina schatte dat er ruim vijfhonderd pagina's op de stapel lagen die Jon had verzameld.

'Bovendien is het zijn verdiende loon,' zei Jon met een bittere klank in zijn stem. 'Ik denk dat we hebben gevonden wat we nodig hebben. Laten we maken dat we hier wegkomen.'

Katherina zorgde ervoor dat de uitgeputte advocaat zijn blik op zijn papieren gericht hield terwijl zij het kantoortje verlieten en langs de muur naar buiten slopen. Anders Hellstrøms ogen staarden met duidelijk zichtbare inspanning naar zijn papieren, en ze zagen dat zijn handen licht trilden.

Toen ze langs hem waren, gingen ze iets sneller lopen en het laatste stuk naar de deur renden ze zo snel ze durfden. Jon deed de deur achter hen op slot terwijl Katherina haar greep op de concentratie van de advocaat liet verslappen. Ze zag dat zijn lichaam ineenzakte op zijn bureaustoel, maar opeens richtte hij zich met een ruk op en keek om zich heen. Hij wreef in zijn ogen, stond op en rekte zich uit, terwijl hij zo luid geeuwde dat ze het buiten konden horen.

'Welterusten,' zei Jon.

De volgende ochtend kwamen ze bij Libri di Luca, precies op het moment dat Iversen de deur openmaakte.

'Hoe ging het?' vroeg hij.

'Goed,' antwoordde Jon. 'Ik geloof dat we hebben wat we wilden.' Hij hield de plastic tas omhoog waarin hij de papieren had gestopt.

'Ik wil niet weten hoe jullie daaraan gekomen zijn,' zei Iversen hoofdschuddend. 'We kunnen in de kelder zitten. Paw heeft gisteren al het licht weer gemaakt.'

Ze gingen naar binnen en liepen de trap af naar de kelder. In de bibliotheek verdeelden Jon en Iversen de stapel papieren. Jon nam de papieren die betrekking hadden op Remers uitgebreide netwerk van bedrijven voor zijn rekening en Iversen de knipsels uit de pers en de achtergrondinformatie over de man zelf.

Katherina voelde zich het derde wiel aan de wagen en liep een beetje doelloos rond tussen de boekenkasten terwijl de anderen aan de slag gingen. Ze ontving wat ze lazen terwijl ze de papieren doornamen, maar het waren voornamelijk lijsten van bedrijven en personen, dus ze verloor al snel haar belangstelling. Ze verdreef de tijd, zoals ze al zo vaak had gedaan, met het bewonderen van de vele werken in de bibliotheek. Ze kreeg nooit genoeg van het kijken naar al die mooie illustraties en de hoeveelheid werk die in ieder boek was gestopt. Een paar exemplaren waren tijdens Jons activering dusdanig beschadigd dat ze niet meer te redden waren, maar de snelle reactie van Iversen en Paw had de enorme ramp voorkomen die het zou zijn geweest als alle boeken waren verbrand.

Bij het stopcontact naast de deur was nog steeds een grote brandplek en de verbrande stukken in de vloerbedekking getuigden van de gebeurtenissen van een paar dagen geleden. De kans dat er iets mis zou gaan bij het lezen van de papieren die Jon nu las was heel klein, maar bij de gedachte aan zijn activering richtte Katherina toch haar aandacht maar op de lezende Jon. Er gebeurde niets bijzonders. Jon las de levenloze teksten zonder er gevoel in te leggen en te oordelen naar de beelden die zich er af en toe doorheen mengden, was hij niet erg geconcentreerd. Katherina bloosde even toen ze erachter kwam dat zij zelf in sommige van die beelden opdook.

'Stop,' riep ze opeens terwijl ze op Jon wees.

De twee anderen keken haar vragend aan.

'Wat lees je?' vroeg ze.

Hij keek even in zijn papieren.

'Een lijst van bestuursleden van een van Remers bedrijven,' antwoordde Jon. 'Hoezo?'

'Lees die namen nog eens,' vroeg Katherina.

Hij keek weer naar het papier en werkte zich langzaam door de lijst heen. Ongeveer halverwege sperde hij zijn ogen wijd open. Hij keek de anderen aan.

'W. Kortmann,' zei hij verbluft.

24

In het zonlicht zag de villa van Kortmann er nog grotesker uit dan de vorige keer, toen het al nacht was geweest. Het reusachtige rode gebouw met de glanzende rode stenen leek wel een snoephuis, al werd die indruk ernstig verstoord door de roestige liftkoker die als een oude holle boom tegen het huis aan leunde. De lucht was diepblauw en het grasveld rondom de villa had nog steeds een frisse, groene kleur, al was het ver in oktober.

Jon vroeg zich af of Kortmann hen vanwege het goede weer buiten op de oprit ontving in plaats van in zijn bibliotheek of omdat Katherina erbij was. Hij zat in een soort antieke rolstoel met een gebogen zwartmetalen frame en een zitting bekleed met rood leer.

Ze hadden Kortmann een paar uur eerder opgebeld en verteld dat ze hem graag iets wilden laten zien. Hij had niet verrast of bijzonder nieuwsgierig geklonken, maar hij had voorgesteld dat ze nog diezelfde middag zouden afspreken. Iversen en Katherina hadden er allebei op aangedrongen om mee te gaan. Om verschillende redenen, gokte Jon. Iversen was ervan overtuigd dat het feit dat Kortmann in het bestuur van een van Remers bedrijven zat nog niet betekende dat hij deel uitmaakte van de Schaduworganisatie. Het kon zelfs goed zijn dat hij er niets vanaf wist en dat hij gewoon werd gebruikt zonder dat hij het wist. Jon had het idee dat Katherina iets anders dacht. Ze wees erop dat Kortmann degene was die altijd had verhinderd dat de twee vleugels werden herenigd en dat hij de hoofdverantwoordelijke was voor de afsplitsing van twintig jaar geleden. Wie zou een betere mol zijn dan hij?

Jon probeerde neutraal te blijven. De structuur van Remers zakelijke imperium was zo uitgebreid en complex, dat het heel goed toeval kon zijn, maar hij kon de gedachte dat Kortmann Remers mysterieuze boekhandelaarvriend was toch niet uit zijn hoofd zetten. Kortmann was geen boekhandelaar, maar hij kende Luca, Jon en de winkel zo goed dat dat Remers kennis en belangstelling zou kunnen verklaren.

'Welkom,' riep Kortmann vriendelijk toen Katherina, Iversen en Jon uit de auto stapten. Jon had een envelop bij zich waarin de papieren zaten van de firma waarin Remer en Kortmann gemeenschappelijke belangen hadden.

Ze begroetten hem en schudden hem om beurten de hand, waarna hij voor hen uit reed over het pad dat om het huis heen liep.

'Ik dacht dat we misschien buiten konden zitten om van het mooie weer te genieten,' zei Kortmann.

Hij nam hen mee naar een groot terras achter in de tuin. De muur rondom het erf en de hoge, oude bomen gaven je het gevoel dat je volkomen geïsoleerd was van de buitenwereld.

Een in het zwart geklede man zette drankjes en glazen van een zilveren dienblad op een tuintafel, waar mahoniehouten stoelen omheen stonden. De man, die Jon herkende als Kortmanns chauffeur, knikte afgemeten naar hen en liep naar het huis.

'Ga zitten,' nodigde Kortmann hen uit en hij wees op de stoelen. 'Vertel eens wat jullie hebben gevonden.'

Ze gingen zitten en Jon haalde de papieren uit de envelop. Kortmann reageerde niet.

'We hebben informatie te pakken gekregen over de persoon van wie we denken dat hij deel uitmaakt van de Schaduworganisatie,' zei Jon terwijl hij het vel waar Kortmanns naam op stond naar het midden van de tafel schoof. De naam was onderstreept met een gele markeerstift.

Kortmann keek Katherina aan en vervolgens Jon.

'Wat is dat?' vroeg hij zonder het vel papier een blik waardig te keuren.

'Een lijst van bestuursleden van de vastgoedketen Habitat,' legde Jon uit. 'Uw naam staat op de lijst.'

'Ik zit bij zoveel bedrijven in het bestuur,' zei Kortmann vermoeid. 'Wat is er zo speciaal aan Habitat?'

'De meerderheid van de aandelen is in handen van Remer, en van hem weten we zeker dat hij lid is van de Schaduworganisatie.'

'Remer?' herhaalde Kortmann en hij keek even weg. Opeens lachte hij luid. 'Zou Remer lid zijn van jullie Schaduworganisatie? Nee, nu moeten jullie toch echt ophouden. Remer is soms inderdaad erg creatief in zijn interpretatie van de wet, maar dat hij achter een geheim complot zou zitten...' Hij lachte nog eens.

'We zeggen niet dat hij de leider is,' zei Katherina. 'Alleen dat hij er deel van uitmaakt.'

Kortmann keek naar Katherina en zijn glimlach verdween. Hij wendde zich tot Jon.

'Ik moet toegeven dat ik van jou meer had verwacht, Campelli. Eerst die krankzinnige theorie, bedacht door een zonderling, over een Schaduworganisatie waarvan je het bestaan onmogelijk kunt bewijzen en nu weer de bewering dat Remer, of all people, betrokken zou zijn bij die samenzwering.'

Jon voelde boosheid opkomen. Hij deed zijn uiterste best om zijn stem neutraal te laten klinken en vertelde over alle gebeurtenissen waar Remer bij betrokken was geweest, zijn belangstelling voor Libri di Luca en Jons ontslag.

'Dát klinkt meer als Remer,' zei Kortmann toen Jon was uitverteld. 'Je kunt hem hard, berekenend en opportunistisch noemen, maar een sekteleider is hij echt niet.'

Katherina schoof onrustig heen en weer op haar stoel, maar Iversen legde zijn hand op haar arm voordat haar uitbarsting kwam.

'Hoe goed ken je hem?' vroeg Iversen met een geruststellende klank in zijn stem. 'Is zijn relatie met jou anders dan met de andere leden van het bestuur?'

'Dat geloof ik niet,' antwoordde Kortmann. 'Er heerst een vriendelijke, professionele sfeer en we hebben over veel dingen dezelfde mening, dat is alles.'

'Heeft hij wel eens iets voor je gelezen?'

Kortmann haalde zijn schouders op.

'We hebben elkaar wel eens iets voorgelezen. Verslagen van vergaderingen, concepten voor persberichten, dat soort dingen.'

Kortmann zweeg en tuurde naar de blauwe lucht. Jon kon bijna zien dat hij nadacht over de consequenties van de vraag 'Stel dat...'

'Kunt u uitsluiten dat hij een Lettore is?' vroeg Katherina ongeduldig.

'Natuurlijk niet,' snauwde Kortmann. 'Dat kan alleen door een ontvanger worden vastgesteld.'

'Dus dáár had u onze hulp bij kunnen gebruiken,' constateerde ze.

Kortmann gaf geen antwoord.

'Er staat nog een andere naam op de lijst,' zei Jon. 'Ene Patrick Vedel. Kent u die?'

'Niet buiten het bestuurswerk,' antwoordde Kortmann. 'Waarom?'

'Hij zit in bijna al Remers besturen,' legde Jon uit. 'Wij denken dat hij een ontvanger is. Een team dat bestaat uit een zender, Remer, en een ontvanger, Patrick Vedel, is een heel sterke combinatie in een bestuur, geeft u ons daar geen gelijk in?'

'Als je in jullie theorie gelooft, dan wel ja,' antwoordde hun gastheer. Hoewel Kortmann een zonnebril droeg, zag Jon dat hij zijn harde blik op hem richtte. 'Maar ik geloof daar niet in,' zei hij nadrukkelijk.

Misschien was het een vergissing om hier al in zo'n vroeg stadium naartoe te gaan, zonder concrete bewijzen, maar Jon betwijfelde of ze Kortmann ooit zouden kunnen overtuigen. Omdat hij het niet wilde, of omdat hij er deel van uitmaakte.

'Waarom zijn jullie eigenlijk gekomen?' vroeg Kortmann terwijl hij zijn gezicht van Jon afwendde. 'Iversen, kun jij me niet vertellen waarom jullie hier zijn?'

Iversen kuchte en knikte naar het papier dat midden op de tafel lag. 'We hebben jouw naam gevonden,' zei hij zonder Kortmann aan te kijken.

'Word ik ergens van beschuldigd?' De man in de rolstoel klemde zijn handen in elkaar en zijn stem klonk allesbehalve vriendelijk.

'We hebben aangetoond dat er een verband bestaat tussen u en de Schaduworganisatie,' zei Katherina.

Kortmann sloeg met zijn gebalde vuist op de tafel, zodat de glazen en kopjes rinkelden.

'Er bestaat geen Schaduworganisatie!' schreeuwde hij. Er ging een schok door Iversen heen. 'Het is een verzinsel, een rookgordijn dat is opgetrokken door de enige die er voordeel bij heeft als de aandacht van hem wordt afgeleid.' Hij wees naar Katherina. 'Wie is er het eerst over begonnen? Tom Nørreskov, een ontvanger, en wie was er heel sterk betrokken bij het onderzoek en aan wiens mening is verdacht veel belang gehecht? Een ontvanger.'

Kortmann zette zijn zonnebril af en staarde Jon strak aan.

'Zie je het dan niet?'

Jon keek de man in de rolstoel rustig aan. Zijn reactie was overtuigend, zijn ogen stonden hard en zijn neusvleugels waren opengesperd. Als hij toneelspeelde, was hij er erg goed in, maar Jon had genoeg ervaring met machtige mensen om te weten dat ze vaak juist zover waren gekomen doordat ze heel overtuigend konden zijn, ook al hadden ze niets om overtuigd over te zijn.

'Ik zie een man die bang is om zijn macht kwijt te raken,' zei Jon rustig.

De man in de rolstoel keek Jon even aan en zette daarna zijn zonnebril weer op.

'Dat spijt me,' zei hij beslist. 'Ik had gedacht dat jij, als Campelli, voor het Bibliofielgenootschap zou willen werken.' Hij zuchtte. 'Maar het ziet ernaar uit dat dat onmogelijk is.'

'Maar hij is geactiveerd,' protesteerde Iversen. 'Jon is de sterkste Lettore die ik ooit heb meegemaakt.'

'En daarom des te gevaarlijker voor ons, Iversen.'

'Voor ons?' herhaalde Iversen.

Kortmann drukte op een koperen knopje op de armleuning van zijn rolstoel.

'Ik wil graag dat jullie nu weggaan,' zei hij rustig. 'Iversen mag natuurlijk blijven, maar jullie twee moeten nu meteen van mijn erf af.'

Ze hoorden een deur dichtvallen in het huis en de chauffeur kwam naar hen toe lopen. Jon en Katherina stonden op. Iversen aarzelde even, maar stond toen ook op.

'Iversen?' zei Kortmann en hij boog zich naar voren in zijn stoel. 'Bega nu geen domheid. Doe niet iets waar je later spijt van zult krijgen. Ik kan je een andere baan bezorgen. Het Genootschap is je leven, waarom zou je dat allemaal weggooien om een leugen?'

Iversen keek even naar Jon en Katherina. Toen keek hij Kortmann recht aan.

'Ik doe het niet voor mezelf en ook niet voor het Genootschap,' zei hij vastberaden. 'Ik doe het voor Luca.'

Hij draaide zich om en beende met doelbewuste passen naar de oprit. Jon en Katherina volgden hem.

'Gaat het?' vroeg Jon toen ze Hellerup uit reden.

Iversen zat zwijgend op de achterbank en staarde uit het raam. Hij schudde even met zijn hoofd en glimlachte toen naar Jon.

'Met mij gaat het prima,' zei hij. 'Ik ben alleen teleurgesteld, dat is alles.' Hij keek weer naar de voorbijglijdende huizen. 'We moeten de anderen te pakken zien te krijgen,' zei hij. 'Liefst voordat Kortmann het doet. We moeten weten hoeveel mensen aan onze kant staan.'

Jon knikte. Ze hadden geen idee hoe groot de Schaduworganisatie was, maar drie personen zou zeker te weinig zijn om iets tegen hen te beginnen.

'Kortmann heeft me een lijst gegeven van alle zenders,' zei hij. 'We kunnen gewoon bovenaan beginnen.'

'Prima,' zei Iversen. 'Ik wist niet zeker of ik alle namen nog wist.' Hij ving Jons blik op in de achteruitkijkspiegel. 'Maar ik denk dat het beter is als ik contact met ze opneem.'

'Oké,' zei Jon.

'Op hoeveel mensen kunnen we rekenen, denk je?' vroeg Katherina.

'Ik heb geen idee,' antwoordde Iversen. 'Iedereen moet zijn eigen keuze maken. We kunnen niet verwachten dat ze allemaal geloven in zo'n verhaal, maar dat is waarschijnlijk niet de enige factor die zal meespelen. Er zijn mensen die toch al ontevreden waren over Kortmann, maar er zijn vast ook mensen waar we problemen mee krijgen.' Hij zuchtte. 'En ik ben bang dat Paw daar één van is.'

'Ik kan heel goed zonder hem leven,' mompelde Katherina.

'En de ontvangers?' vroeg Jon. 'Kunnen we op hen rekenen?'

'Dat weet ik zeker,' antwoordde Katherina. 'Er zullen natuurlijk ook sceptici tussen zitten, maar ik denk wel dat ze ons zullen steunen.

Ik zal Clara vragen of ze zo snel mogelijk een bijeenkomst wil organiseren.'

'Kan ik iets doen?' vroeg Jon.

'Oefenen,' stelde Katherina met een glimlach voor.

Jon had het gevoel dat het jaren geleden was dat hij met Iversen over het kerkhof had gelopen. Toen had hij nog een carrière gehad en was hij gezegend onwetend geweest. Hij had ook een diepe, oude woede gekend tegenover de vader die hem, zo dacht hij, in de steek had gelaten. Die woede was nu verdwenen, constateerde Jon. Of hij had in ieder geval een ander karakter gekregen. Wat was overgebleven was een bitterheid over het feit dat hij overal buiten was gehouden, maar die woede was nu ergens anders op gericht, namelijk op de oorzaak van de dood van zijn ouders.

Luca was naast Arman begraven, maar het was heel lang geleden dat Jon voor het laatst bij het graf van zijn grootvader was geweest, dus het duurde even voordat hij de juiste plek had gevonden. De twee grafstenen stonden langs de buitenmuur van het kerkhof en er stond een solide smeedijzeren hekwerk van een halve meter om de graven heen. Veel van de graven langs de muur waren bedekt met klimop, maar het Campelli-graf was pas nog schoongemaakt en de donkere granieten stenen rezen trots op uit de witte kiezels, alsof het een Japanse tuin was. Voor Luca's steen lag een verlept boeket bloemen.

De inscriptie was met gouden letters in de steen gegraveerd en vermeldde nuchter Luca's naam, geboortejaar en sterfdag. De 'L' en de 'C' waren gevormd als kleine pictogrammen met gekrulde lijntjes, net als de beginletters in oude boeken.

De zon scheen vanuit een wolkeloze hemel en het was koud. Gelukkig hielden de muur en de bomen en struiken die in de buurt van het graf stonden de wind een beetje tegen, maar het was toch bijtend koud – waarschijnlijk was dat de reden dat er geen mens te zien was op het kerkhof.

Jon stond een tijdje zwijgend naar het graf te kijken. Hij wist niet goed waarom hij deze plek had gekozen om te oefenen. Zijn appartement was te benauwd en nu hij helemaal alleen zou gaan lezen, voelde hij zich geruster als hij ergens was waar geen stopcontacten in de buurt waren. Misschien wilde hij Luca iets bewijzen. Hij wist het niet, maar het voelde goed nu hij er was.

Hij ging op een steen zitten, in de zon, en voelde in zijn zak naar het boek dat hij had gekozen uit de stapel die Iversen hem had gegeven. Het was *De Goddelijke Komedie*, volgens Iversen een van Luca's lievelingsboeken, en al was het een kleine, compacte reisuitgave, het was overduidelijk dat de band met heel veel liefde was behandeld. Het leer had een dieprode kleur en de titel leek in zwarte letters te zijn gebeiteld.

Jon sloeg het boek op een willekeurige plaats open en begon te lezen. Het was een vreemd gevoel om hardop te lezen tussen de graven, maar hij voelde zich veilig tussen de bomen en struiken en de zware stenen. Hier was hij niet bang om gehoord of bekeken te worden. Hier was hij helemaal alleen en kon hij zich volledig concentreren op het lezen.

Hij had inmiddels wel een idee gekregen hoe ver hij kon gaan, maar het duurde even voordat hij het ritme van de dichtregels had gevonden. De dichtvorm maakte het moeilijker om er emoties in te leggen. Na een bladzijde of drie, vier had hij eindelijk het ritme en de concentratie te pakken die het papier een glasachtig uiterlijk gaven. De schaduwen achter het glas kwamen tevoorschijn als schimmen in de ochtendnevel. Hij concentreerde zich op die schimmen totdat ze zich zo scherp aftekenden als uit papier geknipte figuren.

Iversen en Katherina probeerden waarschijnlijk op datzelfde moment steun te vergaren, een karwei waar Jon kennelijk niet bij kon helpen. Hij had het gevoel gekregen dat hij alleen maar in de weg liep, daarom was het fijn dat hij er even uit kon. Op die manier kon hij het niet voor hen bederven, en hij kon ook even alleen zijn. Maar het was wel frustrerend dat hij niets kon doen.

Na nog een paar bladzijden probeerde hij zijn gaven weer wat verder te dwingen en de glasplaat waarop de beelden zich afspeelden versplinterde. Hij kreeg hetzelfde gevoel van macht dat hij tijdens zijn activering had gehad. Het lezen ging vanzelf, hij kon zich volledig concentreren op het inkleuren van het verhaal. Langzaam maakte hij de beschrijving van de personages en de troosteloze omgeving waarin de personen zich bevonden steeds kleurrijker. Hij ondervond geen weerstand, maar hij hield zich de hele tijd een beetje in. Als een filmeditor probeerde hij langzame, soepele overgangen tussen de scènes te maken in plaats van plotselinge schokken.

Hij wist niet hoe lang hij had gelezen, maar toen het hij boek neerlegde, zat hij in de schaduw. Zijn keel was droog en de vingers waarmee hij het boek had vastgeklemd waren koud en bijna gevoelloos. Hij bracht ze naar zijn mond en blies zijn warme adem erop. Om hem heen lag alles in de schaduw. Het was moeilijk om details te onderscheiden, maar toen zijn blik Luca's graf had gevonden, verstijfde hij en hield zijn adem in.

Het hekwerk rondom het graf, waarvan de spijlen eerst kaarsrecht waren geweest, was nu verbogen, uitgerekt en gedraaid, zodat er patronen in het hekwerk waren ontstaan die leken op draaikolken en golvende figuren. Als je het graf nog nooit eerder had gezien, zou je waarschijnlijk niets ongewoons opmerken behalve dat het een enorm werk moest zijn geweest om de ijzeren spijlen van het hek op zo'n hypnotiserende manier te verbuigen.

Jon keek rond en verwachtte half een groepje smeden te zullen zien staan die hem uitlachten, maar het enige wat bewoog waren de boomtoppen die heen en weer zwaaiden in de wind.

Toen hij opstond, voelde hij een overweldigende vermoeidheid, maar hij had nog genoeg energie om naar het hekje toe te lopen om het van dichtbij te bekijken. Aan het ijzer was niets te zien. Het zag eruit alsof het er altijd al zo had uitgezien, verweerd door weer en wind.

Voorzichtig bukte hij zich en raakte de ijzeren staven met zijn vingertoppen aan.

Het metaal was ijskoud.

25

Hoewel er ruim dertig personen aanwezig waren in het Centrum voor Dyslexie, was het er zo stil, dat Katherina zeker wist dat iedereen haar hart kon horen bonken. Ze had net haar verhaal over hun ontdekkingen in de Remer-papieren en Kortmanns definitieve afwijzing afgerond. Nu wachtte ze op het oordeel van de ontvangers. Er waren niet veel vrienden van Kortmann aanwezig, maar haar geloofwaardigheid hing ervan af of ze de theorie over de Schaduworganisatie zouden geloven of niet. Het kwam niet vaak voor dat ze zo lang achter elkaar sprak en ze had een paar keer een slok water moeten nemen om het droge gevoel in haar mond weg te krijgen.

Clara, die de ontvangers zoals gewoonlijk zeer effectief bij elkaar had geroepen, schraapte haar keel en nam als eerste het woord.

'Hoe zeker zijn jullie ervan dat die Remer een zender is?' vroeg ze terwijl ze Katherina indringend aankeek.

'Wij twijfelen er niet aan,' antwoordde ze.

'Maar jullie hebben hem niet getest?'

'Nee.'

Clara knikte. Een aantal van de aanwezigen stak de hoofden bij elkaar en fluisterde zacht.

Ze hadden hem niet getest om de eenvoudige reden dat Jon de enige was die contact had met Remer en dat was nog vóór zijn activering geweest. Hij had Remers gaven dus niet kunnen ontdekken.

Bovendien was er een ontvanger nodig om met zekerheid vast te stellen of iemand een Lettore was of niet.

'Ik had gehoopt dat er wat meer concrete bewijzen zouden zijn,' zei Clara en ze liet haar blik over de aarzelende gezichten gaan.

'En ik had gehoopt dat ik jullie die had kunnen geven,' gaf Katherina toe. 'Maar we dachten dat het beter was om iedereen zo snel mogelijk op de hoogte te brengen, ook de zenders.'

Haar lichaam was gespannen en haar ogen zochten koortsachtig naar bondgenoten in het vertrek. De meesten sloegen hun blik neer als ze hen aankeek, anderen keken terug met een verwachtingsvolle gezichtsuitdrukking, alsof ze dachten dat ze elk moment kon instorten of met het definitieve bewijs zou komen. Ze probeerde zich voor te stellen hoe ze zelf zou hebben gereageerd als zij dat verhaal voorgeschoteld had gekregen. Vast niet veel anders. Het was niet zo vreemd dat ze sceptisch waren, dus ze mocht niet verbitterd zijn.

'Ik denk,' begon Clara met luide stem om het gemompel te overstemmen. 'Ik denk dat we ons niet kunnen veroorloven om te doen alsof we niets hebben gehoord.' Iedereen zweeg. 'Als die Schaduworganisatie echt bestaat, móéten we wel reageren. Ik heb geen idee hoe, maar we kunnen niet doen alsof er niets aan de hand is.'

Katherina had wel kunnen opspringen om een dansje te maken met deze fantastische vrouw. Even was ze bang geweest dat ze haar de rug zouden toekeren, net zoals bij Iversen was gebeurd, maar het was dom van haar geweest om te denken dat deze groep, waarin de mensen elkaar al in zoveel verschillende situaties hadden geholpen, haar nu in de steek zou laten, net nu ze hun hulp het allerhardst nodig had. Ze voelde een brok in haar keel en nam een slokje water om haar reactie te verbergen.

'Dus wat doen we nu?' vroeg Clara.

Katherina kuchte.

'Iversen probeert uit te zoeken welke zenders aan onze kant staan,' zei ze. 'Het is de bedoeling dat we straks allemaal bij elkaar komen in Libri di Luca.'

Clara knikte.

'Zo zou Luca het gewild hebben,' zei ze. 'Een hereniging in zijn eigen winkel.'

'Het wordt misschien eerder een heel nieuwe groep dan een hereniging,' zei Katherina somber. 'Ik weet niet zeker of het Iversen zal lukken om alle zenders aan onze kant te krijgen. Veel van hen zijn Kortmann trouw en die zullen zich niet laten overtuigen, zelfs niet als de Schaduworganisatie visitekaartjes zou uitdelen.'

'Williams groep is altijd verdeeld geweest,' zei Clara zorgelijk. Ze liet haar blik over de verzameling mensen gaan. 'We moeten hen goed ontvangen. Dit is onze kans om het werk dat Luca is begonnen af te maken.'

Toen Katherina na de bijeenkomst met de ontvangers Libri di Luca binnenkwam, was Iversen bezig stoelen klaar te zetten. Het was na sluitingstijd, maar de deur was nog niet op slot en alle lichten waren nog aan in de winkel.

'Hoeveel hebben we er nodig, denk je?' vroeg Iversen bezorgd met een blik op de stapel stoelen die nog niet waren uitgeklapt.

'Alle ontvangers komen,' zei Katherina trots.

Iversen keek haar dankbaar aan en glimlachte opgelucht.

'Geweldig, Katherina, was het moeilijk?'

'Eigenlijk niet, maar ze zijn nog wel sceptisch. Hoe ging het met de zenders?'

De glimlach op Iversens gezicht verdween en hij keek naar de grond.

'Heel slecht. Kortmann had er al een heleboel gesproken.' Hij zuchtte. 'Er zouden er vijf moeten komen, misschien nog een paar meer, die hadden nog niet besloten.'

'En Paw?'

Iversen keek haar bedroefd aan en schudde zijn hoofd.

'Op hem hoeven we niet te rekenen.'

'Waarom?' riep Katherina verontwaardigd. Ook al kon ze het niet echt goed met Paw vinden, ze was toch teleurgesteld dat hij de mensen die zich om hem hadden bekommerd toen hij het het hardst nodig had nu in de steek liet.

'Hij was boos,' zei Iversen. 'Je kent hem toch. Altijd kort door de bocht en overtuigd van zijn eigen gelijk. Hij bleef erbij dat het allemaal de schuld van de ontvangers was en dat jij ons volledig hebt gemanipuleerd.'

Katherina klemde haar kaken op elkaar en knikte.

'We kunnen best zonder hem.'

'Natuurlijk,' zei Iversen. 'Ik hoopte alleen dat...' Hij maakte zijn zin niet af, maar richtte zijn blik op het plafond en spreidde zijn armen in een gebaar van onmacht.

'Misschien komt hij wel terug,' zei Katherina. 'Misschien komen ze allemaal wel terug, als we het kunnen bewijzen.'

Iversen knikte.

'Ik hoop dat je gelijk hebt.' Hij sloeg zijn handen ineen en pakte de volgende stoel van de stapel.

Katherina hielp hem met het klaarzetten van de laatste stoelen. Er was plek voor veertig personen in de ruimte. Dat was ongeveer het aantal mensen dat normaal gesproken aanwezig was op de leesavonden in Libri di Luca. Het waren niet echt comfortabele stoelen, maar de voordrachten op deze avonden waren altijd zo meeslepend, dat de toehoorders daar helemaal geen erg in hadden. Pas later, als het lezen was afgelopen, merkten ze dat ze stijf waren, een gevoel dat op de een of andere manier niet onaangenaam was; iedereen voelde hetzelfde en ze glimlachten begrijpend naar elkaar als ze in de pauze hun benen strekten.

Een voor een begonnen de Lettores binnen te druppelen. Ze knikten naar elkaar bij wijze van groet en liepen wat heen en weer tussen de boekenkasten om de boeken te bekijken. Katherina stond op het balkon en ontving de stroom van titels, namen van auteurs en fragmenten uit boeken. Al snel vloeide het in elkaar over tot een onverstaanbaar gemurmel, het leek wel een winkel vol radio's die allemaal op verschillende kanalen stonden afgestemd. Ze draaide de ontvangst omlaag en concentreerde zich op de gezichtsuitdrukking van de aanwezigen. De meesten waren zenuwachtig. Hun ogen zwierven langs de ruggen van de boeken zonder dat ze eigenlijk opnamen wat er stond en degenen die fragmenten van de boeken probeerden te lezen deden dat ongeconcentreerd en zonder betrokkenheid. Katherina herkende Henning van de bijeenkomst van de Zenders. Hij was vroeg gekomen en was gekleed in een grijs pak met een wit overhemd. Zijn haar leek een stuk donkerder dan toen ze hem de vorige keer had gezien. Toen hij haar zag, knikte hij beleefd. Ze kreeg het gevoel dat hij er de hele tijd voor zorgde dat zij binnen zijn gezichtsveld bleef en dat hij steeds met een schuin oog naar haar keek. Maar misschien was ze gewoon paranoïde.

Jon kwam de winkel binnen. Hij had een peinzende uitdrukking op zijn gezicht. Hij keek rond en vond al snel Katherina's blik. De glimlach die hij haar toezond deed haar naar adem happen. Ze kon er niets aan doen, ze glimlachte onwillekeurig net zo breed terug. Terwijl hij naar de trap liep, werd hij een paar keer tegengehouden door de aanwezigen, die hem allemaal wilden begroeten en nieuwsgierig naar zijn activering vroegen. Toen hij eindelijk bij haar was, omhelsde hij haar zonder enige aarzeling. Ze kusten elkaar lang, ze trokken zich er niets van aan dat iedereen hen kon zien daar op het balkon.

Toen Jon haar eindelijk losliet, werd Katherina vuurrood. Ze merkte dat er verlegen blikken in hun richting werden gezonden. Hennings ogen knipperden nog meer dan anders en er speelde een klein, speels glimlachje om zijn mond.

'Heb je geoefend?' vroeg Katherina, toen ze weer lucht kreeg.

Jon knikte. Hij wilde net iets zeggen, toen hij werd onderbroken door de winkeldeur. Een groepje van ongeveer tien ontvangers kwam binnen. Na hen kwam het echtpaar van de bijeenkomst in de bibliotheek in Østerbro. Behalve die twee en Henning had Katherina nog een man van middelbare leeftijd herkend die ze wel eens op de voorleesavonden had gezien, dacht ze. Als ze Iversen en Jon meetelde, kwam ze op zes zenders in totaal, niet erg indrukwekkend vergeleken met de ruim vijfentwintig ontvangers die tot nu toe waren komen opdagen.

Toen ze dat tegen Jon zei, knikte hij ernstig.

'Komt Paw niet?'

'Hij is bij Kortmann gebleven,' zei Katherina.

Jon leek daar niet verrast of geïrriteerd over.

'En de bibliothecaresse?' vroeg hij terwijl hij zich over de balustrade boog en zijn blik over de mensen onder hen liet glijden.

'Ik denk niet dat die komt,' antwoordde Katherina, 'maar Iversen zei dat er een paar waren die nog niet definitief een kant hadden gekozen.'

Jon knikte.

'Laten we hopen dat ze van mening verandert. Een historica kunnen we goed gebruiken.'

Katherina wilde net vragen wat hij bedoelde, toen Clara binnenkwam. Ze werd begroet door een van vriendelijkheid overlopende Iversen.

'We moeten maar eens naar beneden gaan,' stelde Jon voor terwijl hij haar zachtjes meevoerde naar de trap.

Beneden gingen de mensen op de stoelen zitten. De onderverdeling in zenders en ontvangers was duidelijk zichtbaar en er werden nerveuze blikken heen en weer geworpen tussen de beide fracties. Katherina en Jon vonden twee plekken op de voorste rij. Clara en Iversen stonden zachtjes te praten bij de toonbank. Vanaf hun plek konden ze horen dat Iversen Clara verslag uitbracht van zijn poging om de zenders over te halen om te komen. Clara zag er opeens heel vermoeid uit. Ze haalde mistroostig haar schouders op.

Iversen liep naar de deur, keek uit het raam en draaide toen de deur op slot.

'Ik denk niet dat er nog meer komen,' zei hij terwijl hij zich tot de groep mensen richtte.

'Jullie weten allemaal waarom we hier zijn,' begon hij, 'maar ik zal het nog even samenvatten: wij zijn ervan overtuigd dat er een Schaduworganisatie van Lettores bestaat en dat die achter de aanslagen zit die de afgelopen tijd op onze leden zijn gepleegd. Er zijn veel dingen die erop wijzen dat diezelfde organisatie achter soortgelijke gebeurtenissen zat die twintig jaar geleden hebben plaatsgevonden. Die gebeurtenissen hebben toen geleid tot de opsplitsing van het Genootschap in zenders en ontvangers. We hebben redenen om aan te nemen dat een zekere Otto Remer een belangrijke rol speelt in de Schaduworganisatie en we kunnen bewijzen dat hij contact heeft gehad met Kortmann.' Er klonk verspreid gemompel in de zaal, waarop Iversen zijn handen in een afwerend gebaar ophief. 'Het is niet duidelijk hoe serieus dit contact is geweest. Het kan zijn dat Kortmann niets van Remers bedoelingen af wist en het is niet eens zeker of Kortmann is gebruikt.'

'In het ergste geval is Kortmann lid van de Schaduworganisatie,' viel Clara in. 'Maar totdat we meer weten, moeten we hem beschouwen als slachtoffer.'

Katherina schoof onrustig heen en weer op haar stoel. Ze vond het moeilijk om zich Kortmann voor te stellen als een onschuldig slacht-offer. Zijn hele houding jegens haar en de andere ontvangers was in alle opzichten wantrouwend en arrogant. Hij had geen gelegenheid onbenut gelaten om de afstand tussen de twee groepen te vergroten, en hij had geen enkele bereidheid getoond tot verzoening. Zelfs Luca, die nooit kwaad over iemand kon spreken, had zich geërgerd aan Kortmanns afwijzende houding.

'Kortmann gelooft niet in het bestaan van de Schaduworganisatie,' ging Iversen verder. 'Daarom is hij hier vanavond niet aanwezig. Net als twintig jaar geleden legt hij de schuld van de gebeurtenissen bij de ontvangers.' Hij knikte naar de groep ontvangers, die mompelend uitdrukking gaven aan hun onvrede. 'Dat kan pure koppigheid zijn, of ijdelheid. Als hij zou toegeven dat hij het toen en nu fout had, zou dat een enorm gezichtsverlies betekenen, en degenen die Kortmann kennen weten dat hij er alles voor over heeft om dat te voorkomen.'

Henning stak zijn hand op en Iversen gaf hem het woord.

'Het maakt niet uit of we ervan uitgaan dat Kortmann de mol is, of dat hij onschuldig is en zonder dat hij het zelf weet wordt gebruikt door die Schaduworganisatie. Er is eigenlijk maar één ding van belang.' Hij hield een dramatische pauze. 'Dat ze heel dicht bij Kortmann hebben kunnen komen. Hij is van ons allemaal het best beschermd en geïsoleerd, met een privéchauffeur en dergelijke. Dus waarom zouden er niet meer van ons bij het complot betrokken kunnen zijn?'

'Dat klopt,' gaf Iversen toe. 'Het is zelfs waarschijnlijk dat een of meer van de hier aanwezigen voor de Schaduworganisatie werken, hetzij actief, hetzij zonder het te weten.'

Henning trok een gezicht.

'Dus hoe kunnen we ons ervan verzekeren dat er geen spionnen zijn?' vroeg hij gelaten.

'We moeten toegeven dat we het antwoord op die vraag niet weten,' zei Clara. 'Een leugendetector zou een mogelijkheid kunnen zijn, maar als de betreffende persoon zelf niet eens weet dat hij informatie doorspeelt, zou dat geen zin hebben. Het enige wat de Schaduworganisatie nodig heeft is een ontvanger in de buurt van een van onze leden, als hij of zij leest.'

'Als hij niet in staat is om zijn gedachten te focussen,' voegde Iversen er met een spijtige klank in zijn stem aan toe.

'Het kan ons allemaal overkomen,' zei Clara. 'Het kan een collega zijn, of een buurman, of een partner. Wij zijn niet gewend om onze gedachten te verbergen – of het zou uit ijdelheid moeten zijn. In dat opzicht zijn we altijd erg kwetsbaar geweest.'

Er barstte een hevige discussie los over hoe je een eventuele mol zou kunnen ontmaskeren. Sommige voorstellen grensden aan marteling, met gebruikmaking van waarheidsserum. Een ander voorstel was om iedereen afzonderlijk een stuk tekst te laten lezen terwijl hij zorgvuldig werd gevolgd door een groep ontvangers, die theoretisch gezien verdachte gedachten en beelden zouden kunnen ontvangen. Maar dat idee werd verworpen toen Katherina erop wees dat Luca in staat was geweest om zich zo sterk te concentreren dat geen enkele van zijn persoonlijke gedachten kon worden opgevangen. Bovendien zou het de mensen die niet wísten dat ze informatie doorgaven ook niet kunnen ontmaskeren.

Langzaam ontstond er een moedeloze sfeer in de ruimte, maar tegelijkertijd voelde Katherina dat de aanwezigen bereid waren om samen te werken. Er werden over en weer geen beschuldigingen geuit tussen de beide vleugels en iedereen was ervan doordrongen dat het een gemeenschappelijk probleem was. Iedereen probeerde een oplossing te bedenken. Helaas leek geen van de voorstellen overtuigend genoeg en algauw waren de ideeën uitgeput.

Er viel een stilte, totdat Iversen zijn keel schraapte.

'De enige van wie we zeker weten dat hij iets met de Schaduworganisatie te maken heeft is Remer,' constateerde hij.

'Nou, laten we dáár dan maar beginnen,' stelde Clara voor. 'Weten jullie waar die Remer te vinden is?'

'Hij is nooit lang op één plek,' zei Iversen. 'We hebben drie privéadressen gevonden en een heleboel bedrijfsadressen.' Hij zuchtte. 'Hij kan op minstens twintig plaatsen zijn, en dat is alleen nog maar hier in Denemarken.'

Clara keek de winkel rond en spreidde haar armen.

'Twintig plaatsen? Dan zijn we met meer dan genoeg mensen. We zouden al die plaatsen in de gaten kunnen houden.'

'We hebben ook een foto van hem,' voegde Katherina er ijverig aan toe.

'En we zouden genoeg auto's bij elkaar moeten kunnen krijgen,' zei Clara.

'Het enige wat we nodig hebben is een beetje geduld.'

Henning stak zijn vinger op, als een braaf schooljongetje.

'Ik vind het vervelend om dit te moeten zeggen,' begon hij met een gebaar alsof hij de discussie wel vermakelijk vond. 'Maar niemand van de hier aanwezigen heeft ervaring als privédetective. Ik kan het natuurlijk mis hebben, maar ik denk niet een van ons wel eens eerder een man of een auto heeft gevolgd, en als die Remer inderdaad zo doortrapt is als wordt beweerd, mogen we aannemen dat hij veel beter thuis is in dit soort situaties dan een stelletje amateurs. Ik weet zeker dat hij het meteen in de gaten zal hebben en ervandoor zal gaan zonder dat wij er íéts tegen kunnen doen. We moeten een andere manier bedenken om hem uit zijn tent te lokken.'

Clara en Iversen keken elkaar aan. Katherina zag de berusting in hun blik toen ze inzagen dat Henning gelijk had.

'Misschien kan ik daarbij helpen,' stelde Jon voor.

Alle ogen richtten zich op Jon, die tot nu toe geen woord had gezegd.

'Natuurlijk,' antwoordde Clara en ze knikte nadrukkelijk naar hem. 'Maar hoe?'

Jon haalde zijn schouders op.

'Ik kan hem bellen.'

26

'Met Remer, spreek een boodschap in na de piep.'

Jon herkende de stem op de voicemail als die van zijn voormalige cliënt en hij schraapte zijn keel voordat de pieptoon aangaf dat hij kon praten.

'Met Jon Campelli,' begon hij. Daarna hield hij een korte pauze. 'Ik vind dat wij eens met elkaar moeten praten. Morgen om drie uur in Het Schone Glas. Kom alleen, zonder leesstof van welke soort dan ook.' Hij hing op en bekeek de gezichten van Iversen en Katherina aan de andere kant van de toonbank. Iversen knikte goedkeurend. Zelf was Jon eigenlijk best verrast dat het nummer bestond. Het visitekaartje dat hij tijdens hun eerste ontmoeting van Remer had gekregen had net zo goed nep kunnen zijn.

'Het Schone Glas?' Katherina fronste haar wenkbrauwen.

'Daar zijn niet veel lezers,' antwoordde Jon met een scheef lachje.

'Ik vind het nog steeds te riskant,' zei Iversen. 'Hij snapt vast dat het een valstrik is.'

'Misschien,' zei Jon. 'Maar ik heb nog altijd iets wat zij willen hebben.' Hij spreidde zijn armen en draaide zich om naar de winkel.

Iversen had ervoor gezorgd dat het stuk tapijt dat tijdens de brand verloren was gegaan was vervangen. De nieuwe bordeauxrode ondergrond stak vreemd misplaatst af tegen de oude, versleten meubelen. Maar het zou niet lang duren voordat stof en voetsporen het tot een natuurlijk onderdeel van de ruimte zouden hebben gemaakt, en daarmee zou elk spoor van de brand zijn uitgewist.

'Bovendien, wat hebben we te verliezen?' vroeg Jon.

'Hij heeft in het verleden ook niet geaarzeld om mensen te vermoorden,' benadrukte Iversen.

Katherina zag er ongerust uit zoals ze daar tegen de toonbank geleund stond met haar armen over elkaar. Jon knikte naar haar.

'En jullie zijn er toch om op me te passen?' zei hij.

'Ja, buiten,' zei Iversen. 'Ik weet niet zeker of we erop kunnen rekenen dat hij zijn toevlucht niet zal nemen tot fysiek geweld. Wat weerhoudt hem ervan om een wapen mee te nemen?'

Jon keek naar de anders altijd zo opgewekte, vriendelijke man. Zijn schouders hingen een beetje omlaag en hij hield zijn handpalmen met een mismoedig gebaar omhoog. Iversen had natuurlijk gelijk, maar met de methodes die de Schaduworganisatie tot nu toe had gebruikt, was de kans dat ze naar conventionele wapens zouden grijpen klein. Jon richtte zijn blik op het nieuwe vloerkleed. In feite wisten ze het gewoon niet. Misschien wás er wel fysiek geweld gebruikt. Jon en de anderen hadden zich alleen gericht op de gevallen waarbij de gaven betrokken zouden kunnen zijn. Ze waren ervan uitgegaan dat het ging om beschaafde confrontaties tussen gentlemen. Gaven tegen gaven, maar waarom zouden ze het daarbij laten?

'Er zullen getuigen zijn,' zei Jon. 'Ik denk niet dat Remer iets zal proberen.'

Iversen knikte, maar hij leek nog niet helemaal overtuigd.

Er waren vier klanten in Het Schone Glas. Ze zaten allemaal aan de bar en draaiden zich niet eens om toen Jon de deur openduwde en een beetje frisse lucht binnenliet in de tabaksmist. Hij bestelde een biertje en ging aan een van de tafeltjes het verst van de bar zitten, met zijn gezicht naar de deur. In zijn binnenzak zat de mobiele telefoon die hij van Henning had geleend. Het microfoontje van de handsfreeset zat onder de kraag van zijn jas, zodat Katherina en Henning konden horen wat er gebeurde als hij hen belde.

Jon nam een slok van zijn bier. Hij was ruim op tijd. Het zou nog tien minuten duren voordat Remer kwam, als hij tenminste zou happen. Jon had dus genoeg tijd om na te denken over wat er zou gebeuren.

Het belangrijkste was dat Remer zou komen, of liever gezegd, dat hij weer wegreed, zodat de anderen hem konden volgen. Over de ontmoeting zelf had Jon niet zoveel nagedacht. Niet over wat hij zou zeggen, en ook niet of hij zijn woede over de rol die Remer had gespeeld bij zijn ontslag, en misschien ook bij Luca's dood, zou kunnen beheersen.

De deur ging open en een man in een lichte trenchcoat stapte binnen. Jon herkende Remer onmiddellijk aan zijn korte, grijze haar. Hij keek het café rond en liet zijn blik even op Jon rusten. Toen liep hij naar de bar en bestelde iets, terwijl hij de vier stamgasten koeltjes opnam. Jon benutte de gelegenheid om zijn hand in zijn zak te steken en de oproeptoets van de telefoon in te drukken.

De barman zette een glas met een goudgele vloeistof voor Remer op de bar. Hij rekende af, pakte het glas en liep rustig naar het tafeltje waar Jon zat. Jons hart begon sneller te kloppen, hij voelde de woede in zich opkomen.

'Campelli,' zei Remer met een knikje naar Jon. Hij verplaatste zijn stoel voordat hij ging zitten, zodat hij met zijn zij naar de deur zat.

'Remer,' begroette Jon hem.

Remer nam hem op terwijl hij aan zijn glas nipte. Hij trok een gezicht en keek een beetje beledigd naar de vloeistof die hij met kleine cirkelvormige bewegingen rond liet draaien in het glas.

'Niet bepaald kwaliteitswhisky wat ze hier schenken,' zei hij terwijl hij het glas op het tafeltje zette. 'Ik houd meer van single malts, niet van die blends.'

'Dan kun je beter de specialiteit van het huis nemen,' zei Jon terwijl hij zijn biertje pakte en een slok nam.

Remer glimlachte.

'Ik begrijp dat je toch graag boekhandelaar wilt worden?' zei hij. De klank van zijn stem leek aan te geven dat het gesprek hem nu al verveelde.

'Je kunt wel zeggen dat ik een duwtje in de goede richting heb gekregen,' antwoordde Jon droog. 'Maar ik heb er gevoel voor. Mijn gaven op het gebied van boeken blijken heel verrassend te zijn.'

Remer knikte terwijl hij Jon intensief opnam.

'Dat heb ik gehoord,' zei hij. 'Een man met zo'n talent zou zich misschien niet moeten beperken tot één boekhandel.'

Jon probeerde zijn verbazing zo goed mogelijk te verbergen. Hoe kon Remer nu al weten dat Jon was geactiveerd en wat voor gevolgen dat had gehad? Blufte hij?

Er verscheen een arrogant lachje op Remers gezicht.

'Van iemand met zo'n capaciteit zou je veel beter gebruik kunnen maken in een bredere samenhang,' voegde Remer er nog aan toe.

'Zoals in een keten van winkels?' vroeg Jon.

'Bijvoorbeeld,' zei Remer en hij nam een slok van zijn whisky en slikte die met een vies gezicht door. 'Iemand met zulke specifieke gaven zou je in heel veel verschillende situaties kunnen inzetten.'

'Als adviseur?'

'Probleemoplosser.'

'Hij zou wel duur zijn,' zei Jon.

'Dat is relatief,' zei Remer. 'Als hij het geld waard is, is het niet duur. Maar hij zou natuurlijk wel moeten bewijzen hoe goed hij werkelijk is.'

'Een test?'

'Of een onderzoek,' stelde Remer voor. 'Ik heb toevallig de beschikking over faciliteiten waarmee je dat soort dingen kunt meten.'

'Ik wist helemaal niet dat dat soort dingen gemeten en gewogen kon worden,' zei Jon.

Remer glimlachte geheimzinnig.

'O, dat kan heel goed. Als je de wil en de nieuwsgierigheid hebt om de beste resultaten te bereiken, moet je wetenschappelijk te werk gaan. Net zoals serieuze sporters tegenwoordig doen. Topsport is niet voor mensen met romantische ideeën over hardlopen in de natuur, gezonde voeding en een goede nachtrust. Het gaat om optimalisering, het volledig benutten van het potentieel en dan nog iets meer.'

'En sommige mensen worden geboren met een groter potentieel dan anderen?'

'Precies,' zei Remer beslist en hij prikte met zijn vinger op de tafel. 'En die paar mensen zijn verplicht om dat potentieel volledig te benutten in plaats van het te verspillen aan amateuristische flauwekul en onbelangrijke zaken.'

'Zoals het bevorderen van goede leeservaringen?' zei Jon.

'Bijvoorbeeld,' viel Remer hem ijverig bij. 'Literatuur staat tegenwoordig in een veel te romantisch daglicht. Lezen is een soort edel tijdverdrijf geworden voor intellectuelen, maar het is eigenlijk niet meer dan het doorgeven van informatie. Het is op z'n best vermaak, maar voorop staat het overbrengen van kennis, houdingen en meningen.'

'Dat klinkt een beetje cynisch in mijn oren,' zei Jon. 'Er zijn veel mensen die van lezen houden.'

'Er zijn ook veel mensen die voor hun plezier sporten,' gaf Remer toe. 'Maar die worden nooit meer dan een amateur. Als je een professional wilt zijn, moet je een professionele instelling hebben ten aanzien van het gereedschap dat je bezit.'

Ze namen elk een slok uit hun glas.

'Dus, Jon,' ging Remer na een korte pauze verder, 'wil jij een amateur zijn, of een professional?'

Jon keek naar de belletjes die opstegen in zijn glas. Ooit was hem verteld dat bier in een vuil glas meer bruiste dan in een schoon glas. Dat voorspelde niet veel goeds voor het oordeel over het café, maar hij had het vermoeden dat dat weinig indruk zou maken op de klanten die aan de bar zaten, de professionele klanten. Het gesprek was een beetje anders uitgepakt dan hij had verwacht. Hij had er niet op gerekend dat híj het onderwerp van de onderhandelingen zou zijn en niet Libri di Luca. Dat betekende natuurlijk dat er geen direct gevaar voor hem dreigde, maar ook dat daar snel verandering in zou kunnen komen, als hij zich niet bij hen aansloot.

'Je hoeft niet meteen te antwoorden,' zei Remer. 'Je mag erover nadenken als je kans ziet om even alleen te zijn.' Zijn blik verplaatste zich van Jons gezicht naar zijn jasje met in zijn binnenzak de mobiele telefoon. 'Maar je moet weten dat wij het antwoord hebben op veel van je vragen en dat we in het bezit zijn van faciliteiten die je kunnen helpen om je potentieel volledig te benutten. Bij ons zul je de zekerheid en de mogelijkheid krijgen om je gaven in te zetten voor iets reëels.'

Jon knikte.

'Ik denk dat ik wat bedenktijd nodig heb,' zei hij.

'Natuurlijk,' riep Remer. 'Maar wacht niet te lang. We worden snel ongeduldig.'

Remer sloeg de rest van zijn whisky achterover en stond op.

'Zullen we zeggen drie dagen?'

Jon haalde zijn schouders op.

'Oké, u hoort binnen drie dagen van mij.'

'Uitstekend,' zei Remer tevreden. 'We spreken elkaar, Jon.'

Hij wachtte niet op antwoord, maar liep meteen naar de deur en verliet zonder om te kijken Het Schone Glas.

Jon trok de kraag van zijn jasje omhoog en boog zijn hoofd.

'Hij is buiten,' zei hij in de microfoon.

'We zien hem,' klonk Katherina's stem aan de andere kant. Op de achtergrond hoorde hij het geluid van een motor. 'Ik bel je als we weten waar hij naartoe gaat.'

Jon verbrak de verbinding en legde de mobiele telefoon voor zich op tafel. Al was het niet zijn eigen telefoon, het gaf hem een rustig gevoel dat hij weer bij de communicatiemaatschappij hoorde. Hun kleine spionageact zou moeilijk uit te voeren zijn zonder.

Op datzelfde moment zetten Katherina en Henning de achtervolging op Remer in en met hun mobiele telefoon konden ze Jon bereiken in Het Schone Glas, of de andere auto's berichten dat ze de achtervolging moesten overnemen. Ze hadden, tot Hennings grote spijt, dus niet kunnen voorkomen dat ze de privédetective moesten uithangen, maar ze hadden tijdens de bijeenkomst van de vorige avond geen betere oplossing kunnen bedenken. Nu hoefden ze tenminste niet op twintig verschillende plaatsen in Denemarken te gaan zitten wachten tot Remer zich zou laten zien.

Er deden in totaal vier auto's mee, met elk twee personen, een zender en een ontvanger. Dat was een goede manier om het ijs tussen hen te breken, vond Iversen, en het zou ook nuttig kunnen zijn als beide gaven vertegenwoordigd waren als Remer zijn plaats van bestemming had bereikt. Jon vond dat ze overal aan gedacht hadden, maar ze bleven natuurlijk amateurs. Hij wist zeker dat Remer en zijn mensen veel meer ervaring met dit soort dingen hadden – het verschil tussen amateurs en professionals, zoals Remer hem net nog duidelijk had gemaakt. Maar hij schatte hen te laag in, en dat was hun kans.

Jon nam een slok van zijn bier. Een maand geleden zou hij een aanbod zoals Remer hem net had gedaan serieus in overweging hebben genomen. Als veelbelovend advocaat zou hij niet geaarzeld hebben om van baan te veranderen als dat goed was voor zijn carrière. Het ging erom dat je leerde van de besten en alle mogelijkheden die je kreeg gebruikte. Soms betekende dat dat je methodes moest gebruiken waar sommige mensen morele bezwaren tegen zouden hebben. Niet iedere advocaat was in staat gebruik te maken van de procedurefouten die de tegenpartij maakte, ook al kon hij daarmee de zaak winnen of tot een snelle schikking komen.

Jon trok een gezicht. Hij had het gevoel dat hij niet meer dezelfde was en hij kon zich op dat moment niet voorstellen dat hij ooit terug zou keren naar zijn vorige leven.

De mobiele telefoon die voor hem op tafel lag ging. Een paar van de klanten aan de bar wierpen een geïrriteerde blik op hem en hij nam het telefoontje vlug aan.

'Met Katherina,' klonk het aan de andere kant van de lijn. 'We zijn in Østerbro, ergens in de buurt van de ambassadewijk.' Ze werd even overstemd door het lawaai van het verkeer. '... het lijkt wel of hij bijna is waar hij zijn moet, waar dat dan ook is.'

'Oké,' zei Jon. 'Denken jullie dat hij iets heeft gemerkt?'

'We hebben ons best gedaan,' antwoordde Katherina. 'We zijn behoorlijk op afstand gebleven en we zijn een paar keer van auto gewisseld.'

'Mooi,' zei Jon. 'Ik ga nu terug naar de winkel. Bel maar als hij stopt.'

'Weet je trouwens in wat voor auto hij rijdt?' vroeg Katherina voordat Jon kon ophangen.

Jon antwoordde dat hij dat niet wist.

'Een landrover,' zei Katherina.

Toen Jon bij Libri di Luca kwam, stond Paw voor de winkel te wachten. Hij had zijn handen diep in zijn zakken gestoken en zijn schouders opgetrokken tot bijna boven zijn oren. Toen Jon dichterbij kwam, huiverde Paw even onder zijn blik.

'Hello boss,' zei hij met een verlegen glimlach.

'Hallo Paw,' antwoordde Jon neutraal en hij ging met zijn handen in zijn zij voor hem staan. Wat Paw ook wilde, Jon was niet van plan om het hem gemakkelijk te maken.

'Jullie zijn al vroeg dicht,' zei Paw met een lachje. 'Wat is er aan de hand? Hebben jullie een nieuwe feestdag uitgevonden of zo?'

'Iversen is er niet,' antwoordde Jon kortaf en hij knikte naar het bordje achter het raam waarop stond dat de winkel gesloten was.

'Wanneer komt hij terug?' vroeg Paw teleurgesteld. Het was duidelijk dat hij er niet op had gerekend dat hij Jon tegen zou komen. Iversen reed ergens door de stad achter Remer aan en Jon kon Paws vraag niet beantwoorden, al zou hij het willen.

'Wat kan ik voor je doen?' vroeg Jon rechtstreeks.

Paw knipperde met zijn ogen en knikte naar de deur.

'Zullen we naar binnen gaan?'

Jon knikte, maakte de deur van het antiquariaat open en liet zijn gast binnen. Hij ging zelf ook naar binnen en deed de deur achter hen dicht zonder het bordje met 'Geopend' om te draaien.

'Weet Kortmann dat je hier bent?' vroeg Jon nadat hij de deur achter hen op slot had gedraaid.

Paw schudde zijn hoofd.

'Kortmann is een psychopaat,' zei hij. 'Het enige waar hij over kan praten is dat de ontvangers alles kapot hebben gemaakt. Dat ze iedereen naar hun kant hebben gelokt en zo.'

'Het leek er anders op dat jij er ook zo over dacht,' zei Jon en hij probeerde oogcontact met Paw te krijgen.

'Ik geloof nog steeds niet in dat verhaal over die Schaduworganisatie,' zei Paw nadrukkelijk, 'maar Kortmann gaat te ver. Hij behandelt ons als zijn privélegertje dat hij precies kan laten doen wat hij wil.'

'En de anderen?'

'Die doen wel mee, maar ik denk dat ze vooral blijven om Kortmann niet kwaad te maken. Niet zozeer omdat ze hem geloven.'

'Dus wat kan ik voor je doen?' herhaalde Jon.

Paw keek naar zijn voeten.

'Ik wil graag terugkomen,' zei hij zacht. 'Ik wil liever bij jullie zijn.'

Jon keek Paw lang en doordringend aan. Het leek of hij het echt meende. Misschien waren ze te hard voor hem geweest. De paranoia had hen te pakken gekregen en ze zagen overal spionnen, niet alleen van de Schaduworganisatie, maar ook van Kortmanns troepen.

'Wat wil je dat ik doe?' vroeg Paw en hij spreidde geïrriteerd zijn armen. 'Moet ik echt op mijn knieën en smeken?'

Op datzelfde moment ging er een mobiele telefoon. Ze keken elkaar verwijtend aan, totdat Jon opeens bedacht dat het de ringtone van Hennings telefoon was die in zijn eigen binnenzak zat.

'Moment,' zei Jon terwijl hij een stukje wegliep. Met zijn rug naar Paw toe nam hij het telefoontje aan.

Het was Katherina.

'Remer is inderdaad gestopt in Østerbro,' zei ze. 'In de ambassadewijk. Het lijkt wel een soort particuliere school.'

Jon draaide zich om zodat hij Paw kon zien terwijl hij praatte.

'Hoe lang is hij daar al?' vroeg hij. De jongeman deed zijn best om eruit te zien alsof hij niet luisterde, maar de snelle blikken die hij op Jon wierp verraadden hem.

'Sinds de vorige keer dat ik je belde. Ongeveer een half uur,' antwoordde Katherina. 'Henning is uitgestapt om de buurt te verkennen. Hij wilde kijken of er nog ergens een ingang is van dat gebouw, in een andere straat.'

'Heb je iets opgevangen?'

'Heel weinig,' zei Katherina. 'Het lijkt wel of... Wacht even, er komt een auto aan.'

Jon luisterde naar Katherina's ademhaling door de telefoon. Hij kon er niets aan doen dat hij zelf zijn adem inhield.

'Een witte Polo,' fluisterde Katherina. 'Er stapt een man uit. Hij is een jaar of dertig, hij is lang, zwart haar, hij draagt een pak. Hij kijkt heel goed om zich heen.' Haar ademhaling stokte. 'Ik heb hem al eens eerder gezien,' zei ze plotseling.

'Waar?' vroeg Jon ijverig.

'O, nee, ik weet het al,' antwoordde ze verschrikt. 'Het is Kortmanns chauffeur.'

27

Katherina had zich zo ver onderuit laten zakken in de passagiersstoel, dat ze nog net over het dashboard heen kon kijken. Vijftig meter verderop in de straat stond de witte Polo waarmee Kortmanns chauffeur was komen aanrijden. Het was al vijf minuten geleden dat hij door de poort van het gebouw waarin ook Remer naar binnen was gegaan was verdwenen, maar ze bleef in dezelfde houding zitten en haar hart ging nog altijd hevig tekeer. Ze voelde nog steeds de blik van de man die de omgeving had afgezocht en als een bewakingscamera alles had geregistreerd wat verdacht was. Was zijn blik niet even blijven hangen op de auto waar zij in zat?

Opeens werd de deur van de bestuurdersplaats opengerukt. Ze dook ineen en slaakte een gil van schrik.

'Rustig maar,' zei Henning, die zich op de stoel naast haar liet vallen. 'Ik wilde je niet aan het schrikken maken.'

Katherina schudde haar hoofd. Ze was niet in staat om iets te zeggen.

Henning sloeg de deur dicht en keek haar met stijgende verbazing aan.

'Je bent echt bang,' zei hij verbaasd. 'Is er iets gebeurd?'

Ze knikte, waarop Henning zijn blik verplaatste naar de voorruit en de omgeving afzocht.

'Is hij naar buiten gekomen? Is hij weggereden? Nee, zijn auto staat er nog.'

'Kortmanns chauffeur kwam net aanrijden,' zei Katherina eindelijk toen ze weer lucht kreeg. 'In die witte Polo. Hij is de school binnengegaan.'

'Weet je het zeker?' vroeg Henning terwijl hij haar onderzoekend aankeek. 'Want dat zou betekenen...' Hij stopte midden in de zin en fronste zijn wenkbrauwen. 'Ja, verdorie, wat betekent dat?'

'Dat Kortmann zijn boodschappenjongen met een bericht naar Remer heeft gestuurd,' zei Katherina terwijl ze weer overeind kwam in haar stoel. Het ergerde haar dat ze zo had gereageerd en ze sloeg haar armen over elkaar, zodat Henning niet zou merken dat haar handen nog steeds een beetje trilden.

Henning knikte.

'Ik denk dat je gelijk hebt,' zei hij terwijl hij zijn ogen half dichtkneep. 'Als het echt zijn chauffeur is, is er geen twijfel meer over mogelijk of Kortmann erbij betrokken is of niet.' Hij pakte met beide handen het stuur vast en staarde door de voorruit. 'Weet je het heel zeker?' herhaalde hij.

'Ik zeg je toch dat hij het was,' benadrukte Katherina geïrriteerd.

'Godverdomme,' riep Henning plotseling woedend uit. Katherina zag dat hij het stuur nu zo stevig vastklemde, dat zijn knokkels wit werden.

'Jon komt eraan,' zei Katherina, maar het was duidelijk dat haar medepassagier niet langer luisterde. In plaats daarvan hield Henning zijn blik strak op de witte Polo gericht en hij mompelde nijdig in zichzelf.

'Al die jaren.'

Katherina bekeek het gedeelte van het gebouw dat niet aan het oog onttrokken werd door de twee meter hoge heg die eromheen liep. Het was een bakstenen gebouw van twee verdiepingen met een leistenen dak. Even daarvoor, toen ze de straat in waren gekomen, waren ze er langzaam langs gereden, zodat Henning het bord op het smeedijzeren hek dat toegang gaf tot het terrein kon lezen. 'Demetriusschool' stond erop, maar ze wisten geen van beiden wat dat betekende.

Er was een stevige wind opgestoken en de lucht boven hen was net zo loodgrijs als het leistenen dak van de school. Je kon de overgang tussen dak en lucht bijna niet zien. Het leek wel of het dak van het gebouw af was gehaald, net als bij een poppenhuis. Katherina wilde dat ze in de klaslokalen eronder kon kijken – en erachter komen welke geheimen die muren bewaakten.

Het geluid van de motor die startte rukte Katherina los uit haar gedachten.

'Wat gaan we doen?' vroeg ze terwijl ze naar Henning keek, die de auto met een ruk in zijn versnelling zette en wegreed uit het parkeervak.

'Ik moet met hem praten,' zei hij met een bittere klank in zijn stem. 'Hij moet verdomme niet denken dat hij ons voor de gek kan houden.'

'Is dat nou wel verstandig?' probeerde Katherina, maar haar protesten verdronken in de stroom van verwensingen die over Hennings lippen kwamen.

'Nu is onze kans,' zei Henning tussen opeengeklemde kaken door. 'Zijn bodyguard is hier, dus Kortmann moet alleen zijn. Wat kan hij doen? Op ons in rijden met zijn rolstoel?'

'Moeten we dan tenminste niet even op Jon wachten?' probeerde Katherina.

'Híj is de afgelopen twintig jaar niet door Kortmann voor de gek gehouden,' luidde het antwoord.

Katherina zag aan Hennings blik dat ze hem niet op andere gedachten zou kunnen brengen. Hij reed hard en schakelde wild, alsof hij de auto wilde straffen.

'Laat me hem dan tenminste even vertellen waar we heen gaan,' zei ze terwijl ze de mobiele telefoon uit het handschoenenvakje pakte.

Henning bromde een antwoord.

Jon was net zo verbaasd als zij, maar ze kon het niet met hem bespreken terwijl Henning luisterde. Vlak voordat ze de verbinding verbraken, zei Jon dat hij zo snel mogelijk naar Kortmanns villa zou komen. In de tussentijd moest zij proberen Henning over te halen om te wachten.

'Wat wil je eigenlijk doen als we er zijn?' vroeg Katherina toen ze een paar minuten hadden gereden zonder iets te zeggen.

'Ik wil dat hij de waarheid vertelt,' antwoordde Henning boos.

'En als hij dat weigert?'

Henning wierp een snelle blik op Katherina. Ze dacht dat ze een spoor van twijfel in zijn ogen zag.

'Dat kan hij niet,' zei hij vastberaden. 'Bovendien kan ik het waarschijnlijk zien. Ik ken hem al bijna mijn hele leven.'

'Maar hij heeft al die tijd tegen je gelogen,' zei Katherina. 'Waarom zou hij daar niet gewoon mee doorgaan?'

Henning gaf geen antwoord, maar zijn blik was niet meer zo hard en hij reed iets rustiger.

Toen ze de weg op reden waar Kortmanns villa aan lag, begon het te regenen. Eerst met grote, zware druppels die in een traag, onregelmatig ritme op de voorruit en het dak van de auto tikten, maar al snel begon het harder te regenen en de frequentie werd zo hoog dat het klonk als een aanhoudende statische ruis. De ruitenwissers konden het niet meer aan en Henning moest heel langzaam rijden en zich naar de voorruit toe buigen om te kunnen zien waar hij reed. Binnen een mum van tijd zakte de temperatuur in de auto een paar graden. Katherina huiverde.

'Het hek,' riep Henning opeens. 'Het is open.'

Katherina tuurde naar buiten door het scherm van water dat de voorruit bedekte. Henning had gelijk. Het grote smeedijzeren toegangshek naar Kortmanns erf stond open, precies ver genoeg om een auto door te laten. Ze wisselden een blik. In Hennings ogen was een bezorgde uitdrukking verschenen en hij had diepe rimpels in zijn voorhoofd.

'Dat heb ik nog nooit eerder meegemaakt,' zei hij terwijl hij de auto weer in beweging zette en door het hek reed. De parkeerplaatsen voor het huis waren leeg en Henning parkeerde de auto vlak bij de voordeur. Toen hij de motor had afgezet, zaten ze even te luisteren naar de regen.

'Ik denk niet dat het zo een-twee-drie weer ophoudt,' zei Henning en hij pakte de deurgreep. 'Ga je mee?'

Katherina knikte en ze sprongen elk hun portier uit en renden naar de eikenhouten deur. Een klein afdakje boven de ingang bood bescherming tegen de regen, maar ze waren al bijna doorweekt van de paar meter die ze van de auto naar de deur hadden gerend. Henning drukte op de bel en ze hoorden een gedempt belgeluid achter de deur. Ze wachtten een halve minuut, en toen drukte Henning opnieuw, dit keer wat langer. Katherina hoopte dat Kortmann toch niet thuis was, zodat ze onder deze geïmproviseerde confrontatie uit konden komen en weer konden vertrekken zonder dat iemand erachter zou komen dat ze hier waren geweest.

'Hij is vast boven,' zei Henning terwijl hij de bel tien seconden lang ingedrukt hield. 'Hij moet niet denken dat we gewoon weer wegrijden.'

Er kwam nog steeds geen reactie uit het huis en Henning begon hard met zijn vuist op de voordeur te bonken.

'Misschien is hij echt niet thuis,' probeerde Katherina. 'Misschien heeft de chauffeur hem ergens naartoe gebracht voordat hij zelf naar Remer ging.'

Henning schudde zijn hoofd.

'Hij is daarbinnen,' zei hij. 'Ik voel het.' Hij wees in de regen. 'Kom, we nemen de lift.'

Hij rende de regen in en Katherina volgde hem met tegenzin. Samen renden ze om het huis heen naar de liftschacht. Ze konden al vanaf ruime afstand horen hoe de regen onbarmhartig op de grote staalconstructie neerroffelde. Toen ze bij de deur van de toren aankwamen, waren ze drijfnat. Henning rukte hem open zodat ze snel naar binnen konden gaan, waar ze droog stonden.

'Jemig, wat een weer,' riep Henning en hij schudde zijn hoofd als een hond die het water van zich af schudt. Het regenwater dat van hen af druppelde vormde plasjes op de grond.

Binnen klonk het lawaai van de regen nog harder. Het was een onophoudelijk geroffel op het stalen bouwwerk dat al het andere geluid overstemde. Katherina verwachtte ieder moment de stem van Kortmann uit de luidspreker bij de deur te horen, maar het bleef stil. Henning vond de knop waarmee je de lift aan moest zetten. De grote tandwielen aan de zijkanten kwamen in beweging en brachten het platform heel langzaam omhoog.

'Wat is dat?' riep Henning opeens.

Hij keek naar de vloer en Katherina volgde zijn blik. Eerst begreep ze niet wat hij bedoelde maar toen zag ze dat er een schaduw op de vloer werd geworpen die niet van een van hen tweeën kon zijn. Het licht kwam van een lichtbron boven in de toren en ze keken allebei op, het was zo'n zeven, acht meter boven hun hoofden.

De schaduw werd veroorzaakt door een vormeloos silhouet recht boven hen, maar ze konden niet zien wat het was. De lift ging rustig verder naar boven en ze kwamen langzaam dichterbij. Er hing iets aan het plafond van de schacht. Katherina ging helemaal aan de zijkant staan om het beter te kunnen zien.

'O, nee,' zei ze, toen het tot haar doordrong wat het was.

Kortmanns levenloze lichaam hing aan het plafond, als een stuk vlees ingepakt in een duur maatpak.

'Jezus christus,' riep Henning en hij stapte ook naar opzij.

Het lichaam kwam onontkoombaar dichterbij, al drukte Henning wanhopig op alle knoppen die hij maar kon vinden. Langzaam gleden eerst Kortmanns dunne benen langs hen heen en daarna zijn bovenlijf, dat in een vreemde hoek gedraaid leek te zijn. Zijn gezicht was naar Katherina toe gericht en toen het op ooghoogte was, moest ze wegkijken. Kortmanns ogen waren wijd opengesperd en zijn mond was verstijfd in een uitdrukking van grote angst.

Toen zijn voeten de vloer van de lift raakten, begon het lichaam naar Katherina over te hellen en ze duwde er koortsachtig tegen om het niet over zich heen te krijgen. Het woog niets, maar het was helemaal stijf en het viel naar Henning toe, die aan de andere kant stond. Hij sprong opzij alsof het lijk een besmettelijke ziekte bij zich droeg en sloeg zijn hand voor zijn mond. Het lichaam zakte rustig neer op de vloer van de lift, vastgevroren in een merkwaardige houding, het leek wel een van de slachtoffers van de Vesuvius. Terwijl ze verder omhooggingen, viel het touw waaraan Kortmann had gehangen als een lange sliert spaghetti op zijn lichaam.

Met een ruk stopte de lift.

Bijna op hetzelfde moment hield het op met regenen, net zo plotseling als het was begonnen. Het was nu doodstil in de toren. Katherina en Henning keken elkaar aan. Hennings gezicht straalde niet langer woede uit, maar angst, en Katherina wist heel zeker dat haar eigen gezicht een soortgelijke uitdrukking had. Haar hart bonkte wild en ze was misselijk, ze hapte naar adem.

'Ik denk dat we dit keer zelfmoord kunnen uitsluiten,' zei Henning, die probeerde rustig te klinken. Hij knikte naar het plafond. 'Hij kan dat touw onmogelijk zelf hebben vastgemaakt.'

Katherina volgde zijn blik naar de stalen balken boven hen, waar het touw aan vast was geknoopt. Het was ruim twee en een halve meter naar het plafond. Ze volgde het touw tot aan het lijk op de vloer en dwong zichzelf ernaar te kijken, al wilde ze het liefst haar ogen sluiten of wegrennen. Er was een strop om de nek van het tengere lichaam gebonden en toen ze beter keek, zag ze dat ook de handen waren vastgebonden.

Ze wees Henning op Kortmanns handen, die achter zijn rug waren gebonden. Hij knielde naast het lijk en bekeek de handen. Hij knikte voor zich uit. Aarzelend stak hij twee vingers uit naar Kortmanns hals en raakte hem vlak onder zijn kaak aan. Toen trok hij zijn hand weer naar zich toe, alsof hij een elektrische schok had gekregen.

'Hij is ijskoud,' constateerde Henning terwijl hij zijn vingers afveegde aan zijn broek, alsof hij iets besmettelijks had aangeraakt.

Hij stond op, stapte over het lijk heen en duwde de deur open. Aan de andere kant van de deur lag een van Kortmanns rolstoelen op zijn kant, en een paar meter verder lag een geruite deken. De deur aan het einde van de loopbrug waarmee je het huis binnenkwam stond open en binnen brandde licht.

Ze keken elkaar aan.

'Denk je niet dat we beter weg kunnen gaan?' stelde Katherina voor.

'Laten we even kijken,' zei Henning terwijl hij de loopbrug op liep. Katherina volgde hem. Ze vond dat hun voetstappen veel te hard weerklonken op de stalen ondergrond en ze probeerde zo zacht mogelijk te sluipen. Henning leek zich niets aan te trekken van het geluid. Hij beende resoluut op de deur af.

Ze kwamen in een gang met schilderijen aan de muren en dik tapijt op de grond dat het geluid van hun voetstappen dempte, tot Katherina's grote opluchting. Henning liep verder naar nog een openstaande deur aan het einde van de gang. Die leidde naar de bibliotheek. Jon had hem beschreven, maar ze was toch verrast door de consequent doorgevoerde stijl en de rustige sfeer die in de ruimte heerste. Ze kende Kortmann alleen als een achterdochtige, op macht beluste man en ze was helemaal vergeten dat ze eigenlijk de passie voor boeken deelden.

Langs alle wanden stonden kasten vol prachtig geconserveerde leren banden. De kroonluchter aan het plafond wierp een zacht schijnsel op de leesstoelen in het midden van de kamer, en het indirecte licht boven de kasten deed het plafond van de bibliotheek hoger lijken, zodat het iets van een museum had.

Ze bevonden zich niet meer dan twintig meter van Kortmanns lijk, maar zodra ze de bibliotheek binnenstapten, leek het wel of ze een totaal andere wereld van orde en verfijning binnenstapten. De rusteloosheid die Katherina had gevoeld voordat ze Kortmanns lichaam hadden gevonden was verdwenen en nu wilde ze dat ze konden blijven. Ze liep naar de dichtstbijzijnde kast toe en legde haar vlakke hand op de boekruggen. Ze voelden warm aan onder haar aanraking.

'Indrukwekkend, hè?' zei Henning met een zucht. 'Wat zal er nu mee gebeuren?' Er lag een grote droefheid in zijn stem, alsof hij het over verlaten kinderen had. Hij liet zich in een van de leren stoelen vallen en keek naar de boekenkasten die hen omringden. Zijn oogleden knipperden vlug, alsof hij gulzig foto's maakte van een fenomeen dat binnenkort verdwenen zou zijn.

Katherina bewoog zich langs een van de wanden terwijl ze haar vingertoppen over de boeken op de boekenplanken liet glijden. Er bestond geen twijfel over of dit waardevolle banden waren, sommige waren zelfs zo sterk geladen dat haar vingers tintelden als ze ermee over de boekruggen streek. Henning had gelijk, het zou een groot verlies zijn als ze werden verspreid, maar wat konden ze doen?

'Ik wou dat we ze konden meenemen,' zei Henning, alsof hij haar gedachten had geraden.

Katherina knikte. Ze had het gevoel dat ze een zeeroversschat moesten achterlaten omdat hun reddingboot niet meer dan alleen hen tweeën kon dragen.

'We moeten weg,' zei ze terwijl ze zich losscheurde van de boeken.

Henning stond met tegenzin op uit de stoel en keek nog een laatste keer rond voordat ze terugliepen naar de toren.

In de lift werden ze teruggeworpen in de wrede werkelijkheid in de vorm van Kortmanns lijk, dat als versteend midden op het platform lag.

'Hij sprak dus toch de waarheid,' zei Henning met een spijtige klank in zijn stem.

'Dat ziet er wel naar uit, ja,' antwoordde Katherina. Ze schaamde zich dat ze zich had laten meeslepen en Kortmann had veroordeeld zonder dat er werkelijk bewijs was. Maar ze troostte zich met de gedachte dat hij nou ook niet bepaald bereidwillig was geweest om mee te werken.

'We kunnen hem niet zomaar achterlaten,' zei Henning beslist.

'Als we hem verplaatsen, richten we de verdenking op ons,' suggereerde Katherina.

'Het is sowieso een moordzaak,' zei Henning. 'Als de politie ons vindt, hebben we hoe dan ook een probleem om het uit te leggen.' Hij ging op zijn tenen staan en strekte zijn armen naar het plafond; hij kon net bij de knopen in het touw.

Nadat hij Kortmann had losgemaakt, tilde hij het lichaam op in zijn armen en droeg het naar binnen, het huis in. Katherina bleef staan. Ze had het gevoel dat ze een grote fout begingen, maar ze begreep ook heel goed dat Henning niet wilde accepteren dat zijn mentor van al die jaren daar in die koude liftschacht moest blijven liggen. Toen hij terugkwam, zei hij niets. Hij veegde zorgvuldig de deurknop en de knoppen van de lift schoon met zijn mouw.

De tocht naar beneden leek Katherina een eeuwigheid te duren. Ze wilde alleen maar zo snel mogelijk weg van die plek. Ze had vanaf het moment dat ze waren aangekomen het gevoel gehad dat ze in de gaten werden gehouden. Alsof de hele situatie in scène was gezet en alleen op hen had gewacht, zodat ze hun rollen in het spel zouden kunnen vervullen. Was het de bedoeling geweest dat juist zij en niet de politie Kortmann zouden vinden? Was het een waarschuwing van de Schaduworganisatie?

De lucht boven hen was nog steeds loodgrijs en hier en daar viel nog een druppel op de grond, met een hoorbaar tikje. Al was het pas laat in de middag, het was zo donker dat het wel nacht leek en ze konden het pad waarop ze liepen nauwelijks zien. Ze haastten zich de tuin door, terug naar de voorkant van het huis, waar de auto stond.

Net toen ze in de auto wilden stappen, hoorden ze het geluid van een motor op de oprit. Ze verstijfden allebei en richtten hun gezicht op het geluid.

Een seconde later werden ze verblind door de koplampen van een auto.

28

'Er is iets aan de hand,' zei Jon zodra hij de gezichtsuitdrukking van Katherina en Henning zag in het licht van de koplampen. Ze zagen bleek in het scherpe licht en hun ogen waren wijd opengesperd van verrassing en iets wat op angst leek. Achter hen was Kortmanns villa gehuld in duister, op een raam op de bovenste verdieping na.

'Hij heeft ze er vast uit gegooid,' suggereerde Paw vanaf de achterbank. 'Dat is echt iets voor hem, die ouwe dictator.'

Jon had zich er ten slotte van laten overtuigen dat Paw oprecht was, en dat hij aan hun kant stond, en hij had hem mee laten gaan. Maar Jon was natuurlijk niet de enige die moest beslissen of Paw door hun nieuwe groep zou worden geaccepteerd. Nu had Jon spijt dat hij hem had laten meekomen.

Jon stuurde de auto naar hen toe. Katherina leek hem eindelijk te herkennen en er verscheen grote opluchting op haar gezicht. Meteen toen de auto stilstond, rende ze erop af en zodra hij was uitgestapt, viel ze Jon in de armen. Hij voelde dat ze trilde.

'Wat is er gebeurd?' vroeg hij.

'Kortmann is dood,' vertelde Henning, die aan de andere kant van de auto stond.

'Dood? Maar hoe dan?'

'We vonden hem opgehangen in de toren,' legde Henning uit en hij knikte met zijn hoofd naar het huis. 'Het zag ernaar uit dat iemand hem... had geholpen.'

Jon hield Katherina een stukje van zich af en bestudeerde haar gezicht. Haar ogen waren vochtig en ze trilde nog steeds een beetje. Met een knikje bevestigde ze Hennings verhaal. Jon trok haar tegen zich aan en sloeg zijn armen om haar heen.

'Kan het een inbraak zijn geweest?' vroeg hij over Katherina's schouder. 'Ik bedoel, het hek stond open, dus iedereen kon zo naar binnen.'

Henning schudde zijn hoofd.

'Dat lijkt me niet waarschijnlijk. Voor zover ik kon zien, was er niets meegenomen.'

Jon voelde dat Katherina verstijfde toen Paw opeens uit de auto stapte en zich erin mengde.

'Nou, daar gaat jullie theorie over dat hij lid was van een Schaduworganisatie.'

Henning was net zo verrast om Paw te zien als Katherina en hij keek Jon verontwaardigd aan.

'Wat doet hij hier?'

'Het ziet ernaar uit dat hij van mening is veranderd,' antwoordde Jon.

'Ik had geen zin om Kortmanns boodschappenjongen te zijn,' zei Paw. 'Maar dat zal ik nu ook nooit meer worden.' Hij schudde zijn hoofd. 'De arme gek.'

Henning nam Paw doordringend op, maar haalde toen met een gelaten gebaar zijn schouders op.

'We kunnen hier niet blijven,' zei hij.

'Laten we teruggaan naar Libri di Luca,' stelde Jon voor. 'Iversen en de anderen zullen ook wel gauw komen.'

Henning knikte en wierp nog een laatste blik op Paw, voordat hij in zijn auto stapte en wegreed.

Toen ze bij Libri di Luca aankwamen, brandde er licht achter de ramen. Katherina was weer een beetje gekalmeerd, al had ze niet veel gezegd tijdens de rit vanuit Hellerup terug naar de stad. Paw had ook niet veel gezegd, behalve af en toe wat binnensmonds gemompel. Een paar keer had hij kreten geslaakt als 'Arme gek' of hij had diep gezucht terwijl hij uit het zijraampje staarde.

Henning was er al en hij had kennelijk Iversen op de hoogte gebracht van wat er was gebeurd, want de oude boekhandelaar zat duidelijk aangeslagen in de leunstoel achter de toonbank met een glas cognac in zijn hand. Hij keek bedroefd op toen Katherina en Jon de winkel binnenkwamen, maar zelfs toen hij Paw achter hen aan zag komen, was er geen reactie te zien op zijn gezicht. Clara was er ook, zij was Iversens chauffeur geweest toen ze Remer schaduwden. Ze stond met haar armen over elkaar en een ernstige uitdrukking op haar ronde gezicht tegen een van de boekenkasten aan geleund.

'Ik denk dat ik er ook wel een kan gebruiken,' zei Henning met een knikje naar Iversens cognac. 'Wil er nog iemand?'

Katherina knikte dat ze ook wilde maar de anderen bedankten. Henning liep achter de toonbank om en haalde twee glazen tevoorschijn, die hij ruim vulde. Katherina nam dankbaar het glas aan en hield het met twee handen vast, alsof ze zich aan de inhoud wilde warmen.

'Weet je zeker dat het Kortmanns chauffeur was?' vroeg Clara nadat Henning had uitgelegd waarom ze naar de villa in Hellerup waren gegaan.

'Heel zeker,' antwoordde Katherina met schorre stem. Ze nam een slokje van de cognac en trok een gezicht toen ze de vloeistof doorslikte.

Clara knikte ernstig.

'Dan is er geen twijfel meer mogelijk,' zei ze. 'Die Remer is op de een of andere manier betrokken bij de gebeurtenissen van de afgelopen tijd en er zit hoogstwaarschijnlijk een grotere organisatie achter. Een organisatie die er niet voor terugdeinst om iemand te vermoorden om hun doel te bereiken.'

Iedereen behalve Paw stemde in met een knikje of een korte opmerking.

'Ach, jullie zijn gek,' riep Paw en hij deed een stap in Iversens richting. 'Zie je dan niet dat het onderdeel is van hun plan? Ze proberen de aandacht af te leiden van zichzelf. Wie is de enige die Kortmanns chauffeur heeft gezien?' Hij wees zonder haar aan te kijken naar Katherina. 'Een ontvanger. En wie heeft er voordeel bij om Kortmann te vermoorden?' Hij wees met zijn andere hand op Clara. 'De ontvangers. Zien jullie het dan niet? Ze manipuleren ons en dat doen ze al heel lang.'

'Je vergeet dat Kortmann nooit een ontvanger zou hebben binnengelaten,' zei Jon.

Paw hief zijn handen naar het plafond.

'Niet vrijwillig natuurlijk,' riep hij uit. 'Ze kunnen hem toch hebben gedwongen. Misschien hebben ze hem wel tijdens het lezen over-vallen en hem zover gekregen dat hij het hek voor hen opendeed.'

'Kan dat?' vroeg Jon sceptisch.

'Nee,' zei Clara beslist. 'We kunnen mensen niet op afstand bestu-ren, we kunnen hoogstens hun gevoelens en hun interpretatie van wat ze lezen beïnvloeden.'

Paw liet zijn armen langs zijn lichaam vallen.

'We hebben alleen jullie woord dat het niet kan,' zei hij. 'Niemand van ons weet wat jullie écht kunnen.'

'Onzin,' riep Iversen. 'Je roept maar wat, Paw. Degenen onder ons die hier al langer bij betrokken zijn weten dat het waar is. We moeten, zoals Clara zei, onder ogen zien dat de Schaduworganisatie werkelijk bestaat en hoe eerder we dat doen, hoe beter we ons tegen hen kunnen verdedigen.'

Paw deed zijn mond open om te protesteren, maar hij werd onder-broken door Iversen.

'Ga zitten, Paw. Denk nou eens even na over wat er is gebeurd, dan zul je tot dezelfde conclusie komen.'

Paw liet mistroostig zijn blik en schouders zakken. Toen liep hij al protesterend naar een van de kasten en ging daar op de grond zitten.

'Wat ik wilde zeggen,' begon Clara met een korte blik op Paw. 'We moeten hun op de hielen zitten, als ze zo heftig reageren. Het is geen toeval dat Kortmann juist op dit moment is vermoord, net nu we be-zig zijn het Genootschap te herenigen. Zijn rol was uitgespeeld, ze konden hem nergens meer voor gebruiken.' Ze zuchtte. 'We moeten onder ogen zien dat Kortmann hun man was. Waarschijnlijk stond hij onder invloed van zijn chauffeur, van wie we moeten aannemen dat hij een ontvanger is. Zo wisten ze altijd wat de zenders deden en kon-den ze Kortmann beïnvloeden om de beslissingen te nemen die in hun plannen pasten.'

'Die er natuurlijk hard aan meewerkten om hun eigen organisatie verborgen te houden,' voegde Iversen eraan toe. 'Maar als ik me goed herinner, heeft Kortmann die chauffeur pas een jaar of zeven of acht. Dat is nog steeds lang, maar het verklaart Kortmanns betrokkenheid bij de opsplitsing twintig jaar geleden niet.'

Een tijdlang zei niemand iets. Jon voelde een moedeloze sfeer op hen neerdalen. Zijn eigen gevoelens waren gemengd. Hij was ook geschokt over de moord op Kortmann, maar ze hadden elkaar nooit echt gemogen. Vanaf het allereerste moment tijdens de begrafenis, toen ze elkaar voor het eerst zagen, had Jon een waakzaamheid gevoeld bij Kortmann, alsof hij zijn concurrent in de ogen keek. Daardoor had Jon eigenlijk makkelijker kunnen accepteren dat Kortmann hun directe tegenstander was, maar nu het ernaar uitzag dat hij ook onschuldig was, werd het onoverzichtelijker dan ooit. Wat eigenlijk nog veel zorgwekkender was en wat niemand hardop zei, ook al dachten ze waarschijnlijk allemaal hetzelfde, was dat als de Schaduworganisatie zo dicht bij de leider van de zenders had kunnen komen, het onmogelijk te zeggen was wie er verder nog bij betrokken waren, direct of indirect. Was het niet naïef om te denken dat er niet ook spionnen onder de ontvangers waren?

'Dus wat blijft er over om te onderzoeken?' vroeg Iversen, de stilte doorbrekend. 'Wat is onze volgende stap?'

De aanwezigen keken elkaar aan.

'Die school,' stelde Jon voor. 'We kwamen uit bij de Demetrius-school. Dat moet iets betekenen. Dáár heeft Remer ook Kortmanns chauffeur ontmoet.'

'Dat ben ik helemaal vergeten te vertellen,' riep Katherina en alle aandacht richtte zich op haar. 'Toen ik alleen in de auto zat, terwijl Henning de omgeving onderzocht, heb ik geprobeerd of ik kon opvangen of er daarbinnen iets gebeurde – of er werd gelezen en wát er werd gelezen.' Ze nam een slokje van haar cognac. 'Ik kon een paar leesklassen onderscheiden, er werd hardop gelezen uit leesboekjes, maar er was ook nog iets anders – een groep stemmen die anders waren, ze vielen me op doordat hun lezen meer geconcentreerd was en meer slagkracht had...'

'Bedoel je dat...' riep Clara, maar ze maakte haar zin niet af.

'Ik ben ervan overtuigd dat daar een groep zenders was,' zei Katherina beslist.

'Hoeveel?' vroeg Iversen.

Katherina haalde haar schouders op.

'Een stuk of vier, of vijf misschien,' antwoordde ze.

'Dus de Demetriusschool is het instituut waar de Schaduworganisatie zijn Lettores opleidt?' suggereerde Clara. 'Heeft iemand er wel eens eerder van gehoord?'

Jon schudde zijn hoofd. Katherina en Henning ook.

'Demetrius?' zei Iversen voor zich uit en hij richtte zijn blik op het plafond. 'Ik geloof dat een van de personages in een toneelstuk van Shakespeare zo heet. *Midzomernachtsdroom*, voor zover ik me kan herinneren. Demetrius drinkt een liefdesdrankje en wordt verliefd op de verkeerde.' Hij keek weer voor zich. 'Dat past niet echt in onze situatie.'

'Hoe dan ook, die school is ons beste spoor,' stelde Jon vast. 'Ik stel voor dat ik erheen ga om hem eens nader te onderzoeken. Als die school het centrum is voor de activiteiten van de Schaduworganisatie, moet er iets in dat gebouw zijn wat dat kan bewijzen.'

'Je bedoelt inbreken?' vroeg Iversen.

'Als dat moet, dan moet het,' antwoordde Jon bijna nonchalant.

'Ik ga mee,' zei Katherina vlug.

Jon wilde al protesteren, maar hij werd tegengehouden door de blik in haar ogen. Het was duidelijk dat ze een besluit had genomen en hij zou haar daar niet van af kunnen brengen, wat hij ook zou zeggen. Iversen probeerde haar over te halen om het niet te doen, daarbij gesteund door Clara, maar Katherina hield vol dat er een ontvanger mee moest, voor de zekerheid.

Toen iedereen akkoord was, mengde Paw zich er ook in.

'Als er een ontvanger meegaat, wil ik ook mee.' Hij stond op van zijn plek op de grond en zette zijn handen in zijn zij. 'Jullie hebben iemand nodig die sceptisch is, iemand die jullie met beide benen op de grond kan houden zodat jullie niet gaan flippen in één grote samenzweringstrip.'

Jon haalde zijn schouders op.

'Als dat jou kan overtuigen, vind ik het best.' Hij richtte zijn blik op Katherina.

Haar vastberadenheid leek te zijn verdwenen, haar ogen schoten heen en weer en ze aarzelde even, voordat ze knikte dat het goed was.

'Maar we doen het op onze manier, Paw,' drong ze aan.

'Ja, ja,' zei Paw vrolijk. 'Ik zal me heus netjes gedragen.'

Ze hadden afgesproken dat ze elkaar nog diezelfde nacht om drie uur zouden ontmoeten.

Jon en Katherina reden samen langs hun respectievelijke appartementen om te halen wat ze nodig hadden. Daarna pikten ze Paw op en reden door naar de ambassadewijk, niet ver daarvandaan. Onderweg zeiden ze geen van drieën iets.

Jon parkeerde de auto op ongeveer honderd meter afstand van de school en ze stapten uit. Het was nog steeds onbewolkt en er waren veel sterren. Jons donkere trainingspak hield de kou niet tegen en hij had spijt dat hij zich niet warmer had aangekleed, maar het was de enige donkere kleding die hij had, behalve dan donkere pakken.

Hij had een sporttas bij zich met verschillende gereedschappen uit de werkplaats in de kelder van Libri di Luca. Hij had geen enkele praktische ervaring met inbreken, dus had hij een heleboel verschillende soorten gereedschap meegenomen. Paw droeg donkere kleding en hij had een koevoet bij zich in een witte plastic tas. Jon had het vermoeden dat dit soort activiteiten de jongeman niet helemaal vreemd was. Katherina droeg een spijkerbroek, een paar gympen en een donker windjack. Haar rode haar was bijeengebonden in een knot in haar nek en ze had een zwarte pet diep over haar ogen getrokken.

Ze liepen rustig over de stoep naar de school toe. In de gebouwen in de buurt brandde geen licht. Het waren voornamelijk grote, opvallende villa's, waarvan er veel in gebruik waren als ambassade van kleinere landen. Op dat tijdstip van de nacht was het er erg verlaten, bijna spookachtig, en de weinige auto's die er geparkeerd stonden waren waarschijnlijk afkomstig uit de omliggende straten met meer parkeerproblemen.

De straat was spaarzaam verlicht en ze liepen de hele weg naar het toegangshek in het halfduister.

Zonder te aarzelen draaide Jon de knop van het smeedijzeren hek om en duwde het open. Hij was verbaasd, maar ook opgelucht dat het niet op slot zat. Er was niemand in de buurt, maar het zou er toch niet goed hebben uitgezien als ze in het holst van de nacht over het drie meter hoge hek hadden moeten klimmen. Ze liepen met z'n drieën vlug het terrein op en gingen in de schaduw van een heg links van de toegangspoort staan. Katherina, die de laatste was, duwde het hek weer dicht. Eenmaal binnen bleven ze even staan om zich te oriënteren.

Rechts van de poort liep een drie meter hoge muur langs het gebouw en verdween vervolgens in het donker. De heg waar ze voor stonden liep verder langs de stoep over de gehele breedte van het terrein en aan het einde konden ze nog een muur onderscheiden van ongeveer drie meter hoog. Deze lag tussen het huis links van de school en de school in. Voor hen lag het schoolplein, dat was geasfalteerd. Er waren een voetbalveld en een hinkelbaan op geschilderd.

Het schoolgebouw strekte zich twee verdiepingen hoog uit naar de nachtelijke hemel, het was van rode baksteen met witgeschilderde kozijnen en een leistenen dak. In het midden van het gebouw leidde een brede granieten bordestrap omhoog naar een grote, zware deur. In die deur zaten kleine ruitjes, waar stevig uitziende tralies voor zaten.

Er brandde nergens licht in het gebouw.

'Voelen jullie het?' fluisterde Paw. 'Voelen jullie de energie?'

Jon hield zijn adem in en probeerde de kracht te voelen die Paw beweerde te voelen.

'Nee, ik voel niets,' fluisterde hij na een paar seconden. Hij vroeg zich af of Paw een geintje met hen uithaalde.

'Ik ook niet,' zei Katherina zacht.

'Hmm,' bromde Paw ontevreden. 'Deze kant op,' fluisterde hij en hij wees naar de dichtstbijzijnde hoek van het gebouw, waar een gangetje tussen het gebouw en de buitenmuur naar de achterkant liep.

Ze liepen voorzichtig langs de muur naar het gangetje dat naar de andere kant van de school leidde. Daar was een kleine tuin die bestond uit een strook gras van ruim vijf meter breed met struiken en een paar fruitbomen langs de drie buitenmuren. Aan de achterkant van het gebouw waren twee deuren; één was van een grote schoolkeuken, de andere was een kelderdeur onder aan een trap die vier meter naar beneden ging.

Jon gebaarde naar de andere twee dat ze de kelderdeur moesten proberen. Paw liep zonder te aarzelen als eerste de trap af terwijl Jon en Katherina bovenaan bleven staan. Ze zagen dat hij eerst naar binnen keek door de ruitjes in de deur, waarna hij de deurknop probeerde. Toen de deur openging, schrok hij. Hij keek verrast op naar de andere twee. Toen grijnsde hij breed, zijn lach lichtte griezelig wit op in het donker.

Jon en Katherina slopen de trap af tot ze bij de triomfantelijke Paw waren.

'Treed binnen,' fluisterde hij vrolijk terwijl hij de deur voor hen openhield.

Ze stapten het donker in, gevolgd door Paw, die de deur achter hen dichtdeed. Jon zocht in zijn sporttas en viste er een zaklantaarn uit. Hij richtte hem op de vloer voordat hij hem aandeed. Ze bevonden zich in een witgestuukte gang met nog drie deuren. De ruitjes van de deur waardoor ze naar binnen waren gekomen waren aan de binnenkant afgedekt met spaanplaat, zodat je niet naar buiten of naar binnen kon kijken. De deuren aan de linker- en de rechterkant stonden op een kier en er stonden wc-symbolen op: rechts de jongens, links de meisjes. De laatste deur aan het einde van de gang was gesloten.

'Ben ik de enige die het vreemd vindt dat die deur niet op slot was?' fluisterde Katherina. Jon gaf haar gelijk.

Op hetzelfde moment gingen de lichten aan en ze knipperden met hun ogen door het schelle licht op de witte muren. Jon draaide zich met een ruk om. Achter hem stond Paw, met zijn vinger op een lichtknop naast de deur.

'Is dat niet beter?' vroeg hij zonder zijn stem te dempen. Die echode heen en weer tussen de kale muren.

Jon deed zijn zaklantaarn uit en liep naar de deur aan het einde van de gang. Het was een witte paneeldeur met een messingen deurknop. Ook die deur was niet op slot en Jon duwde hem langzaam open en keek voorzichtig in het rond. Het bleek weer een gang te zijn die zo te zien over de gehele breedte langs de voorkant van het gebouw liep. Vlak onder het plafond zaten met enige meters tussenruimte ramen, waardoor het licht van de sterren naar binnen viel op de bleke muren.

Daar waar het licht de vloer en de muren raakte, wierp een ruitvormig traliehek voor de ramen schaduwen die op een groot spinnenweb leken.

Jon duwde de deur niet verder open dan nodig was en schoof voorzichtig zijwaarts de gang in. Hij wenkte de anderen dat ze hem moesten volgen. Paw, die de laatste was, sloot de deur achter zich. In de muur waar ze tegenaan gedrukt stonden, zat een aantal deuren en aan het andere einde van de gang konden ze een trap onderscheiden die naar boven leidde.

'Voelen jullie het nog steeds niet?' vroeg Paw lichtelijk geïrriteerd.

Jon en Katherina antwoordden dat ze niets voelden.

'Daar is het het sterkst,' zei Paw en hij wees in de tegengestelde richting.

Jon deed zijn zaklantaarn aan en scheen de kant op die Paw aanwees. Aan het einde van de gang was een trap die nog verder naar beneden voerde. Ze slopen naar de trap toe. Jon voorop met de zaklantaarn op de vloer gericht. Vlak voor de trap was een stevig traliehek dat openstond.

'Ik vertrouw het niet,' mompelde Katherina terwijl ze de spijlen van het hek vastpakte. Die waren van gedraaid smeedijzer en ruim twee centimeter dik. 'Het gaat allemaal een beetje té makkelijk, of vinden jullie van niet?'

'Misschien hebben ze niets te verbergen,' suggereerde Paw sarcastisch. 'Wat voor geheimen zou een school moeten hebben?'

'Jíj voelt iets ongewoons,' merkte Katherina boos op.

Jon maande de andere twee tot stilte en sloop de trap af.

'Weet je zeker dat we deze kant op moeten?' vroeg hij terwijl hij de zaklantaarn op Paw richtte.

'Ja, ja,' antwoordde Paw terwijl hij met zijn hand de lichtbundel afweerde. 'Voelen jullie het niet? De energie komt daarvandaan. Geloof me maar.'

'Wat ben jij opeens gevoelig geworden,' mompelde Katherina.

Jon richtte zijn zaklantaarn weer op de treden en liep verder naar beneden. Na een paar meter ging de trap met een knik de hoek om. Bij die hoek voelde Jon de tinteling in zijn nekharen die hij ook had gevoeld toen hij de eerste keer naar binnen ging in de bibliotheek onder Libri di Luca.

'Oké,' gaf hij toe. 'Ik denk dat we op het goede spoor zitten. Nu voel ik het ook.'

Katherina bevestigde dat ze de energie ook had gevoeld.

'Ik zei het toch,' mompelde Paw.

Op zijn hoede sloop Jon verder de trap af. Met iedere trede voelde hij de energie sterker worden, terwijl de lucht vochtiger en bedompter werd. Onder aan de trap liep een gang een paar meter verder en daarna weer een hoek om. Voor zover Jon zich kon oriënteren, liep die gang langs de achterkant van het gebouw.

De muren in dit deel van het gebouw waren rustieker, met grote onregelmatigheden en er waren flinke brokken steen blootgelegd.

Toen ze de hoek om gingen, zagen ze weer twee deuren. Rechts een stalen deur met een kijkgat zoals je zou verwachten in de deur van een gevangeniscel. De andere deur vormde het einde van de gang. Dat was een zware eikenhouten deur met opzichtig ijzerbeslag en een ijzeren deurkruk.

Jon keek door het kijkgat in de stalen deur, maar het was te donker om iets te kunnen zien. Hij legde zijn oor tegen de deur en luisterde geconcentreerd. Toen hij niets hoorde, duwde hij de stalen deurkruk naar beneden en deed de deur open.

Achter de deur was een kleine kamer van niet meer dan twee meter breed en ongeveer vijf meter diep. De muren waren bekleed met panelen van een lichte houtsoort. In het midden van de kamer stonden twee grote leren stoelen met de voorkant naar elkaar toe gericht. Ze hadden allebei armleuningen en op de rug van beide stoelen lag een stalen helm waar een wirwar van draden aan vastzat. Jon volgde de draden met de lichtbundel van de zaklantaarn en zag dat ze bij elkaar kwamen in één kabel, die in de muur links van de stoelen verdween. In diezelfde muur zat een groot raam waardoor je vanuit de ruimte ernaast naar de stoelen kon kijken.

Jon vond een lichtknopje en zette dat aan. Een tl-balk zette de kamer in fel licht en ze gingen alle drie naar binnen. Zodra Jon over de drempel stapte, voelde hij dat de energie weg was, alsof iemand een schakelaar had omgezet. Te oordelen naar de reactie van de andere twee, voelden zij het ook.

'Het moet op de een of andere manier geïsoleerd zijn,' constateerde Paw.

'Wat is dit voor ruimte?' vroeg Katherina.

'Een elektrische stoel,' stelde Paw voor. 'Ik weet zeker dat alle leraren zo'n ding af en toe wel eens zouden willen gebruiken voor hun leerlingen.'

Jon boog zich naar het raam toe en keek in de ruimte ernaast. Daar kon hij vaag een aantal rode en groene diodes onderscheiden. In het licht dat uit de cel naar binnen viel, zag hij direct onder het raam een tafel en langs een van de muren stond een rij computers. Op de tafel stond een computermonitor met allerlei papieren en halflege koffiebekers ernaast.

'Remer zei dat hij apparatuur had om de gaven te meten,' zei Jon. 'Ik denk dat dat hier gebeurt.'

Katherina pakte een van de helmen op om hem te bekijken.

'Ja, waarschijnlijk,' zei ze met een uitdrukking van afschuw voor de helm die ze in haar handen hield. 'Ik denk dat die isolatie verhindert dat de metingen worden verstoord door de energie hierbeneden, waar die ook vandaan komt.'

'Oké, meneer en mevrouw Sherlock, zullen we dan niet eens onderzoeken waar hij vandaan komt?' vroeg Paw terwijl hij naar de deur liep. 'Ik krijg de kriebels van dit hok.'

'Denk je nog steeds dat dit een onschuldige school is?' vroeg Katherina, maar ze kreeg geen antwoord.

In de gang voelden ze weer de welbekende tinteling en die werd nog sterker toen ze verder in de richting van de eikenhouten deur aan het einde van de gang liepen. Ook deze deur was niet op slot, maar gaf hun vrije toegang tot de ruimte die ze door het raam van de cel hadden gezien. Behalve de rijen computers, printers en de tafel met aantekeningen, was er nog een deur, waardoor je nog verder onder de school door kon.

Jon zette zijn sporttas neer en liep naar de tafel om de papieren te bestuderen.

Ze stonden vol grafieken, omtrekken van hersengedeeltes en rijen getallen, waarvan sommige met potlood waren onderstreept of omcirkeld. Boven aan de bladzijden stond de naam en de leeftijd van de persoon die was getest. Te oordelen naar de papieren waren de laatste proefpersonen in de leeftijd van tien tot twaalf jaar geweest. Bij sommigen gaven de metingen hun actuele kracht weer, terwijl voor anderen een schatting werd gemaakt van hun te verwachten potentieel.

'Het ziet ernaar uit dat ze zelfs de kracht van niet-geactiveerde mensen kunnen voorspellen,' constateerde Jon.

'Zou het een aannamecriterium zijn voor deze school?' suggereerde Katherina, die naar de tafel toe was gekomen en over zijn schouder meekeek. Paw was bij de deur blijven staan en keek zenuwachtig de gang in.

'Misschien, maar ik kan me moeilijk voorstellen hoe ze dat doen zonder wantrouwen te wekken bij de ouders,' zei Jon.

Katherina haalde haar schouders op.

'Ouders willen hun kinderen aan zo'n beetje alles blootstellen als het ze een voorsprong geeft.'

'God weet of die ouders ooit de waarheid te horen krijgen,' dacht Jon hardop. 'Het is natuurlijk helemaal niet zeker dat het zelf ook Lettores zijn. En hun kinderen, wanneer krijgen die het te horen? Worden de ouders erbij betrokken, of worden de kinderen gedwongen om tegen hun eigen vader en moeder te liegen?' Hij schudde zijn hoofd. 'Wat zou dat met een kind doen?'

'Het klinkt niet gezond,' deed Katherina een duit in het zakje. 'Ze moeten nog meer tests hebben dan deze om geschikte kandidaten te vinden. Dat ze de gaven bezitten, geactiveerd of latent, is één ding. Maar of de kinderen rijp genoeg zijn om toe te treden tot de Schaduworganisatie is iets anders.'

Katherina keek onder de tafel en vond wat ze zocht. Ze bukte zich, pakte de prullenbak en zette hem op de tafel. Ze haalde er een handvol geprinte pagina's uit die hetzelfde waren als die op de tafel, vouwde ze op en stak ze in de achterzak van haar spijkerbroek.

'Die zullen ze niet missen,' zei ze terwijl ze de prullenmand terug onder de tafel zette.

Het beeldscherm dat op de tafel stond was zwart, maar met een druk op het toetsenbord kwam het tot leven. Langzaam kwam er een beeld tevoorschijn. Tot Jons teleurstelling werden er een naam en een wachtwoord gevraagd om de computer op te starten.

'Nu hadden we Mohammed hier moeten hebben,' zei hij somber.

Paw stond nog steeds zenuwachtig heen en weer te trappelen bij de deur.

'Zullen we maar eens verder gaan?' drong hij aan.

Jon knikte.

'Hier worden we in ieder geval niets wijzer van.'

Hij liep naar Paw toe en pakte zijn sporttas op. Bij de volgende deur knikte hij naar de anderen en duwde toen de deurkruk naar beneden. Voordat Jon de deur opendeed, deed Paw het licht in de kamer waar ze vandaan kwamen uit. Het was donker, maar toen Jon de volgende ruimte binnenstapte, voelde hij een zacht tapijt onder zijn voeten. Hij rommelde even met zijn zaklantaarn, kreeg hem eindelijk aan en vond een lichtschakelaar naast de deur. Hij stond met zijn rug naar de ruimte toe, Paw stond in de deuropening met zijn koevoet in zijn hand en Katherina stond een paar passen verder naar binnen. Haar blik was gericht op de andere kant van de kamer. Die blik drukte tegelijkertijd verrassing en angst uit.

'Campelli,' klonk het van de andere kant van de kamer. 'Wat gezellig dat je langskomt.'

Jon herkende de stem onmiddellijk.

Het was Remer.

'Wegwezen!' riep Jon en hij rende naar de deur, maar Paw ging niet opzij. Hij bleef in de deuropening staan en grijnsde breed en hij zwaaide zonder enige aarzeling de koevoet naar Jons hoofd.

Jon was zo verrast, dat hij geen tijd meer had om de klap af te weren. Er trok een felle pijnscheut door zijn schedel.

29

Katherina stortte zich op Jons levenloze lichaam. Na de klap was hij log omgevallen, alsof alle spieren in zijn lichaam tegelijkertijd waren opgehouden met functioneren en de rest aan de zwaartekracht hadden overgelaten. Waar de koevoet hem had geraakt, liep een straaltje bloed over zijn voorhoofd, langs zijn wang, en verder op het tapijt. Hij kreunde zacht.

Katherina keek boos op naar Paw. Hij stond met een triomfantelijke glimlach op zijn lippen en zijn wapen geheven, klaar om nog een keer te slaan.

'Dát zal niet nodig zijn, denk ik,' zei Remer van de andere kant van de kamer.

Paws glimlach verdween en hij liet de koevoet zakken.

'Ik weet zeker dat Katherina heel goed begrijpt dat het spel uit is.'

Remer was naar hen toe gelopen terwijl hij sprak en Katherina draaide zich naar hem om. Hij droeg een zwart pak en een grijs overhemd zonder stropdas. Zijn ogen rustten op haar, ze toonden geen enkele emotie.

'Want jij bent toch Katherina, of niet?' vroeg hij.

Katherina gaf geen antwoord, maar richtte haar aandacht weer op Jon. Ze streek over zijn voorhoofd zonder het bloed aan te raken.

'Je hebt toch niet te hard geslagen, hè?' vroeg Remer achter haar. 'We hebben hem nog nodig.'

'Hij komt heus wel weer bij,' antwoordde Paw. 'Hij heeft hoogstens een hersenschudding.'

'Dat kunnen we nou net niet gebruiken,' zei Remer boos. 'Ik had je toch gezegd dat hij niet gewond mocht raken.'

'Ik had geen keus,' protesteerde Paw.

Remer zuchtte luid.

'Denk je dat je voor háár kunt zorgen, terwijl wij alles klaarmaken?'

Paw mompelde een antwoord en Katherina voelde een hand op haar schouder.

'Kom maar mee, prinses, we hebben een plaatsje voor je gereserveerd.'

Hij trok haar met zijn linkerhand overeind, in zijn rechter hield hij de koevoet klaar. Katherina probeerde zich los te wringen, maar ze kon niet wegkomen. Twee mannen kwamen de kamer binnen. Ze knielden naast Jons lichaam op de vloer. Een van hen was Kortmanns chauffeur. Hij keek niet één keer naar Katherina. Ze pakten Jon bij zijn armen en sleepten hem dezelfde deur uit als waar ze door naar binnen waren gekomen.

Paw voerde Katherina mee. Ze gingen achter de twee mannen aan de controlekamer binnen, waar hij haar op een bureaustoel duwde. Jon werd verder de gang op gesleept en de deur ging achter hen dicht.

'Waar brengen ze hem naartoe?' vroeg Katherina terwijl ze Paw vol haat aanstaarde.

'Niet ver,' antwoordde Paw glimlachend.

Zonder zijn blik van haar af te halen, stak hij zijn hand in een kast en pakte daar een rol sterke tape uit. Hij draaide haar met stoel en al om, ze hoorde dat hij de koevoet neerlegde op de betonnen vloer.

Dat was haar kans.

Alle spieren in haar lichaam spanden zich, maar precies op het moment dat ze van de stoel af wilde springen, kwam Remer de kamer binnen. Hij had een pistool in zijn hand. Het was niet erg groot, het was een klein zwart ding met een donkere houten kolf, maar toch veranderde de aanwezigheid ervan alles. Ze wist dat de Schaduworganisatie er niet voor terugdeinsde om te doden, maar tot nu toe hadden ze minder grove middelen gebruikt. Ze hadden het met behulp van de gaven gedaan, een wapen dat paste in de context, en niet met een kille revolver, die merkwaardig misplaatst leek in de wereld van de Lettores.

Paw pakte haar armen en tapete ze aan elkaar en vervolgens aan de stoelrug. Remer ging achter het bureau bij het raam zitten en legde het pistool achteloos op een stapel papieren, alsof het een presse-papier was. Hij boog zich over het bureau naar een microfoon, die hij aanzette door op een knop te drukken.

'Jullie moeten hem wel goed vastbinden,' zei hij terwijl hij een korte blik op Paw wierp. 'Hij moet niet nog meer beschadigd raken.'

Katherina werd weer omgedraaid en Paw tapete haar benen vast aan het onderstel van de bureaustoel. Ze staarde hem aan, maar hij ontweek haar blik.

'Dus jij hoorde al die tijd bij hen,' zei ze met zoveel verachting in haar stem als ze er maar in kon leggen.

Hij lachte.

'Denk maar niet dat ik het leuk vond,' zei hij terwijl hij een gezicht naar haar trok. 'Al die naïeve shit van jullie over leeservaringen, literatuur en "Het Goede Verhaal". Ik dacht dat ik gek werd.' Hij wierp een schuine blik op Remer. 'Maar nu is het afgelopen. Ik heb mijn plicht gedaan.'

'En de winkel dan?' vroeg Katherina. 'En Iversen? En Luca?'

Paw stond op en plantte zijn beide handen op de armleuningen van de stoel. Hij kwam met zijn gezicht tot vlak voor het hare en keek haar strak aan. Er lag afschuw in zijn blik. Hij was zo dichtbij dat Katherina zijn tanden kon horen knarsen.

'Jullie mogen allemaal naar de hel lopen.'

Katherina spuugde hem in zijn gezicht en wierp zich naar voren in de stoel, maar Paw kon zich nog net op tijd terugtrekken. Hij ging overeind staan en veegde zijn gezicht af met zijn mouw. Toen scheurde hij nog een stuk tape af en duwde dat ruw op haar lippen. Hij deed een stap naar achteren, sloeg zijn armen over elkaar en bekeek zijn werk glimlachend.

Ze draaide haar gezicht vol afschuw van hem af.

Paw lachte en liep de gang op.

Katherina wrong met haar armen om de tape losser te krijgen, maar het hielp geen zier. De tape sneed alleen maar in haar huid, en als Paw haar lippen niet op elkaar had geplakt, had ze het uitgegild van de pijn. Wanhopig zakte ze in elkaar op de stoel, ze voelde tranen opkomen. Hoe hadden ze zo naïef kunnen zijn? Paws terugkeer had hun achterdocht moeten wekken, in ieder geval genoeg om hem hier niet bij te betrekken. Maar ze hadden het te druk gehad met Kortmanns dood. Ze draaide met haar hoofd alsof ze de tranen wilde afschudden.

Nu moest het afgelopen zijn, het was tijd om al haar kracht bijeen te rapen om uit deze situatie te komen. Ze liet haar blik door de kamer gaan, op zoek naar iets wat haar kon helpen.

Remer zat naar het computerscherm op het bureau te kijken, hij lette niet op wat er aan de andere kant van de kamer gebeurde. Katherina kon maar heel kleine stukjes opvangen van wat hij las en voor haar klonk het als pure nonsens. Technische termen, getallen en uitdrukkingen die ze nog nooit eerder had gehoord liepen in elkaar over tot een wazige lettersoep. Af en toe keek Remer door het raam en gaf aanwijzingen aan iemand aan de andere kant.

Vanaf haar plek kon Katherina niet rechtstreeks door het raam kijken, ze zag alleen vaag dat het licht was aangedaan en dat iemand zich achter het glas door de cel bewoog. Maar ze twijfelde er geen moment aan wie daarbinnen was vastgebonden.

Door zich met haar voeten af te zetten tegen het onderstel van de bureaustoel, probeerde ze de tape om haar enkels op te rekken. Het gaf slechts een heel klein beetje mee, maar genoeg om haar weer moed te geven.

'Oké,' zei Remer in de microfoon. 'Komen jullie er maar uit. Nu hoeven we alleen te wachten tot hij wakker wordt.'

Paw en een van de twee andere mannen kwamen terug in het kantoor en gingen aan weerskanten van Remer zitten. Kortmanns chauffeur was niet teruggekomen.

In het kwartier dat volgde, leek Remer een aantal voorbereidingen en tests uit te voeren op de computer. Paw zat te kijken wat hij deed en wierp af en toe een blik op Katherina. De derde man keek in een stapel papieren. Hij antwoordde kort en geroutineerd als Remer iets vroeg over 'RL-waarden', spanningsniveaus en 'IR-blokkades', begrippen die Katherina niets zeiden. In de tussentijd concentreerde ze zich op het oprekken van de tape om haar voeten.

'Hij is er weer,' zei Paw opeens en de drie mannen richtten hun aandacht op de cel achter het raam.

'Goedemorgen, Campelli,' zei Remer in de microfoon. Door een luidspreker hoorden ze Jon iets onverstaanbaars mompelen. 'Ik bied je mijn excuses aan voor de ietwat hardhandige ontvangst, maar het leek erop dat je ons alweer wilde verlaten voordat we met elkaar hadden gepraat.'

'Paw,' klonk het door de luidspreker, alsof dat het antwoord was op een raadsel.

Remer lachte.

'Paw, zoals jij hem noemt, werkte al die tijd al voor mij. Hij is een product van deze plek, kun je wel zeggen. Hij heeft hier vroeger op school gezeten en hij heeft in dezelfde stoel gezeten als waar jij nu in zit en dezelfde helm opgehad.'

'Waar is Katherina? Wat hebben jullie met haar gedaan?'

'Rustig maar, Campelli,' zei Remer. 'De jongedame is hier vlakbij.' Hij knikte naar Paw, die naar Katherina toe liep en de bureaustoel naar het raam duwde.

Aan de andere kant van het raam zat Jon op een van de twee stoelen, vastgebonden met plastic strips om zijn armen en enkels. Het bloed op zijn voorhoofd was opgedroogd en er was een blauwzwarte plek verschenen waar de koevoet hem had geraakt. Toen hij Katherina zag, trok er een golf van opluchting over zijn gezicht.

'Ze is ongedeerd, zoals je ziet,' ging Remer verder. 'Nog wel.'

'Wat wil je, Remer?' vroeg Jon zonder zijn ogen los te maken van die van Katherina.

'Samenwerken. Dat is echt het enige,' antwoordde Remer. 'Ik wil een kleine demonstratie van wat je allemaal kunt en ik wil dat je je een beetje openstelt voor mijn organisatie. Wij hebben een man met jouw gaven veel te bieden.'

'Waarom denk je dat ik jouw proefkonijn wil zijn? Verwacht je nou echt dat ik vrijwillig zal meewerken aan je experimenten?'

'Ja, dat verwacht ik inderdaad,' antwoordde Remer zelfverzekerd. 'Als je dat niet deed, zou dat zeer onverstandig zijn.' Hij gaf Katherina een klopje op haar schouder. Ze kromp ineen bij de aanraking. 'Ze is nog ongedeerd, zoals ik al zei.'

Jon knarsetandde.

'En als op ik je verzoek inga, laten jullie haar dan gaan?'

'Natuurlijk,' antwoordde Remer. 'Voor wat hoort wat.'

'Het gaat niet,' zei Jon terwijl hij zijn ogen dichtkneep, het was duidelijk dat hij pijn had. 'Ik ben niet in staat om iets te lezen. Dankzij je schoothondje.'

Remer boog zich naar voren en keek Jon doordringend aan.

'Hij doet maar alsof,' riep Paw. 'Zó hard heb ik hem nou ook weer niet geslagen.'

Remer wierp een geïrriteerde blik op Paw en leunde weer achterover in zijn stoel.

Jon opende zijn ogen en keek Remer recht aan.

'Als jullie Katherina laten gaan, beloof ik dat ik blijf totdat ik in staat ben om die test van je te doen,' bood hij aan.

'Ik weet zeker,' begon Remer terwijl hij het pistool van het bureau pakte en het aan Jon liet zien, 'dat je je uiterste best zult doen.'

Katherina schudde heftig haar hoofd, maar ze zag de berusting in Jons gezicht. De aanblik van dat simpele, kleine voorwerp had hem duidelijk gemaakt dat dit gewoon een brute gijzeling was en geen onderhandeling.

'Oké,' zuchtte Jon. 'Wat moet ik doen?'

'Waar je zo goed in bent,' antwoordde Remer, 'voorlezen.' Hij knikte naar Paw, die de kamer uit liep.

'Laat haar eerst gaan,' verlangde Jon.

Remer lachte.

'Nu ben je naïef, Campelli. Het meisje blijft totdat we hebben gekregen wat we willen.'

De deur van de cel werd opengeduwd en Paw kwam binnen met een boek in zijn ene hand en een mes in zijn andere.

'Klootzak,' snauwde Jon tegen hem.

Paw lachte terwijl hij naar hem toe liep en hij zorgde ervoor dat Jon het mes zag door het met twee vingers voor hem omhoog te houden.

'Pas maar op, Jon,' waarschuwde hij. 'Je wilt toch niet nog erger gewond raken?' Zijn blik bleef hangen op een plek boven Jons linkerwenkbrauw. 'Ai, dat ziet er niet zo best uit. Doet het pijn?' Paw grijnsde.

Jon wrong zijn armen, maar die waren stevig vastgebonden aan de armleuningen. Hij liet zijn schouders hangen en staarde Paw vol haat aan.

'Ga jij de bladzijden voor me omslaan?'

'Nee, dank je,' riep Paw afwerend. 'Ik zorg dat ik heel ver uit de buurt ben.' Hij stopte het boek in Jons rechterhand.

Jon keek naar het boek.

'*Frankenstein?*' zei hij verrast.

Vanaf haar plek bij het bureau kon Katherina zien dat het een pocketuitgave was, versleten als een exemplaar dat je mee op vakantie hebt gehad. Ze merkte ook dat ze niet kon ontvangen dat Jon de omslag las. De cel was geïsoleerd, zoals ze al eerder hadden geconstateerd.

Paw pakte met zijn ene hand Jons linker onderarm en duwde die tegen de armleuning, met zijn andere hand sneed hij de plastic strips door waarmee Jons arm was vastgebonden. Toen de strips waren doorgesneden, deed hij vlug een stap achteruit, zodat hij buiten Jons bereik was.

Jon schudde zijn vrijgekomen arm. Hij rukte aan de plastic strips om zijn andere arm, maar hij kon ze niet loskrijgen.

Paw lachte.

'Vergeet het maar, Jon. Dat lukt je niet.' Hij draaide zich om en liep de deur van de cel uit, gevolgd door Jons boze blik.

'Je mag beginnen,' zei Remer.

Jon verplaatste zijn blik naar het raam en Katherina knikte even naar hem. Paw kwam het kantoor weer binnen en ging achter de anderen staan, die aan het bureau zaten.

'Heb je misschien een favoriete passage?' vroeg Jon spottend.

Remer schudde zijn hoofd.

'Het maakt niet uit waar je begint.' Hij drukte op een paar toetsen op het toetsenbord en het beeldscherm toonde een serie grafieken die langzaam van rechts naar links bewogen. Er was geen noemenswaardige uitslag.

Jon verplaatste het boek, zodat hij het met zijn vastgebonden rechterhand vasthield en met zijn linker de bladzijden kon omslaan. Hij sloeg het boek in het midden open en begon te lezen.

Voor Katherina was het een vreemde gewaarwording om Jon te horen lezen. Tot nu toe was ze altijd bij hem geweest als hij las en daardoor had ze tegelijkertijd kunnen ontvangen, maar nu hoorde ze alleen zijn eigen stem, het boek zweeg. Het was net als wanneer je naar een luisterboek luisterde. Daarin ontbrak ook alle energie waarmee de lezer of het boek zelf de tekst kon laden. Maar hij was nog steeds een uitstekend voorlezer en als de omstandigheden een beetje anders waren geweest, zou ze hebben kunnen genieten van het verhaal. Met al haar kracht probeerde ze de tape rond haar enkels nog verder op te rekken. Ze voelde een klein schokje toen de tape brak en ze keek verschrikt naar de anderen. Maar die hadden al hun aandacht op de monitor gericht die op de tafel stond en hadden niets gemerkt.

Op het beeldscherm kwamen de grafieken in beweging. Een groene lijn boven in het beeldscherm maakte op sinussen lijkende golfbewegingen, Katherina gokte dat die het pulserende ritme van de gaven van een zender weergaf. Onder de groene lijn liep een rode curve, die gestaag bleef stijgen naarmate Jon verder kwam in de tekst.

'Vijf komma één binnen drie minuten,' zei Remer, onder de indruk.

Paw snoof.

De rode curve werd vlakker en stabiliseerde op een niveau boven de helft van de schaal.

'Zeven,' constateerde Remer en hij hief zijn wijsvinger op en legde die nadenkend tegen zijn kin terwijl hij Jon opnam. 'Zou hij zich inhouden?'

'Ik zie in ieder geval geen vuurwerk,' zei Paw.

Remer boog zich naar de microfoon toe, maar net toen hij iets wilde zeggen, veranderde de groene sinuscurve van patroon. De golfbewegingen gingen sneller, alsof het een metronoom was die sneller was gezet. Tegelijkertijd maakte de rode curve een bijna loodrecht sprongetje omhoog en daarmee had hij bijna de bovenkant van de schaal bereikt.

'Tien,' riep Remer verbluft uit.

Achter het raam was Jon nog steeds ogenschijnlijk onaangedaan. Alleen de zweetdruppels die langzaam op zijn voorhoofd verschenen verrieden dat hij zich inspande.

De tl-balken aan het plafond boven zijn hoofd knipperden een paar keer onregelmatig, toen ging er opeens een uit, de andere twee gingen feller branden. De kamer baadde in het licht, maar het was net of het licht rondom Jon verdween. Langzaam ontstond er een bol om hem heen, waarin het donkerder was dan in de rest van de cel. Het leek wel of er vonken en kleine bliksemschichtjes over het oppervlak van de bol liepen. Algauw konden ze hem niet meer zien omdat het zo donker was en omdat de ontladingen steeds heviger werden.

'Shit,' riep Paw. 'Hij gaat boven de schaal uit.'

Katherina wierp een blik op het beeldscherm. De sinuscurve sloeg nog steeds regelmatig uit, maar sneller dan eerst. De rode curve was verdwenen. Ze wikkelde haar voeten los uit de rest van de tape en zette ze op de grond.

Het licht aan de andere kant van het raam leek naar binnen te worden gezogen in de nu gitzwarte bol, alsof het een zwart gat was. Bliksemschichten en vonken schoten in vreemde patronen over het oppervlak van de bol. Af en toe sprong er een van de bol de kamer in en maakte contact met voorwerpen en de apparatuur die in Jons buurt stonden. De vonken dansten door de lucht totdat opeens al het licht met één grote inhalatie naar binnen leek te worden gezogen in de bol.

Katherina zette zich af tegen de vloer en reed zichzelf met bureaustoel en al naar het andere eind van de kamer, weg van het raam. Onderweg zorgde ze ervoor dat ze zich omdraaide zodat ze met haar rug naar het raam zat en ze boog zich voorover. Achter haar hoorde ze geschreeuw en tumult.

Toen kwam de explosie.

Door de kracht van de explosie werd ze zijwaarts tegen de muur geslingerd en voordat ze tijd had om zich los te maken, werd alle lucht uit haar longen weggedrukt. Er volgde een hevige hitte, haar longen brandden toen ze naar adem hapte. Na de klap volgde het geluid van versplinterend glas en het gesis van rondvliegende vonken. Ze hoorde gejammer aan de andere kant van de kamer, alle lichten waren uitgegaan; het enige wat nog licht gaf waren de vlammen die de papieren op de tafel en op de grond te pakken hadden gekregen.

Katherina's armen deden pijn op de plekken waar ze niet beschermd waren geweest tegen de hitte. De tape om haar polsen was zacht geworden en ze kon het er zo af trekken. Ze trok de tape voor haar mond weg en liep op de tast naar de deur, die ze openrukte. Voordat ze de kamer uit liep, keek ze nog een laatste keer naar het bureau waar Remer en Paw achter hadden gezeten. Ze zag hun lichamen vaag op de grond liggen, maar ze kon niet zien of ze nog leefden.

Op de gang knipperde een enkele tl-balk en door het stroboscoopeffect leek de gang op een gang uit een nachtmerrie. De stalen deur van de cel was naar buiten toe gebogen en het kijkgat was eruit geblazen, er kwam rook uit alsof het een schoorsteen was. Op de grond voor de deur lag Kortmanns chauffeur. Zijn ene oog was een diep, gapend gat en uit de wond stroomde bloed over zijn gezicht. Het vormde een groeiende plas op de vloer.

Katherina moest het lichaam opzijduwen om de celdeur open te krijgen. Rook sloeg in haar gezicht en ze stortte zich hoestend naar binnen met haar handen voor zich uit. De ene stoel was veranderd in een abstracte, verwrongen metalen sculptuur, de bekleding was gedeeltelijk verdwenen en de rest stond in brand. In de andere stoel zat Jon.

Zijn hoofd was gebogen, maar verder leek hij onberoerd door de krachten die de kamer hadden verwoest. Hij had zelfs het boek nog in zijn hand. Katherina liep langzaam naar de stoel en legde een hand op Jons schouder. Hij tilde zijn hoofd op en glimlachte met veel moeite.

'Hoe ging het?'

Katherina drukte zich tegen hem aan en snikte zachtjes.

'Ik ben heel moe,' zei hij. Het kostte hem moeite om zijn hoofd overeind te houden.

Katherina liet hem los en streek met haar hand over zijn voorhoofd.

'We moeten hier weg,' zei ze. 'Denk je dat dat lukt?'

'Moe,' herhaalde Jon.

Katherina probeerde hem overeind te trekken, maar hij was nog vastgebonden. De explosie had de stoel waarin hij zat en ook de plastic strips waarmee hij zat vastgebonden gespaard.

'Campelli,' daverde Remers stem opeens door de cel. Door het gat waar het raam had gezeten, zagen ze een gestalte in gescheurde kleren en een gezicht vol bloed. 'Welkom. Nu ben je van mij.'

'Wegwezen,' fluisterde Jon tegen Katherina.

Ze rukte aan de strips, maar ze gaven niet mee.

Met een enorme krachtinspanning kwam Jon overeind in de stoel.

'Je moet,' siste hij, met een trillende stem van uitputting. 'Ze mogen jou niet te pakken krijgen.'

Die laatste woorden werden bijna overstemd door een harde knal. Katherina dook ineen. Ze had nog nooit een echt pistoolschot gehoord, maar ze twijfelde er niet aan dat dit er een was. Bovendien zei Remers lichaamshouding genoeg.

Hij had een pistool in zijn hand en dat hield hij op haar gericht.

30

Jon draaide met grote moeite zijn hoofd om naar Remer. Hij zag het pistool in zijn hand. Remers tanden ontblootten zich in een rood met witte grijns van tanden en bloed. Jon richtte zijn aandacht weer op Katherina, hij zag de angst in haar blik.

Hij had het boek nog steeds in zijn hand. Met een laatste krachtsinspanning concentreerde hij zich op de letters op de bladzijde en las zo hard als hij kon. Ook al had hij niet genoeg kracht meer over om de tekst te laden, Remers reactie kwam onmiddellijk. Hij deed een stap achteruit en hield een arm afwerend voor zijn gezicht.

'Nu,' schreeuwde Jon tegen Katherina en ze rende naar de deuropening, waar Remer haar niet kon zien. Daar aarzelde ze even, ze draaide zich om naar Jon, maar hij knikte dringend naar haar. Ze bewoog zich niet.

'Ren,' schreeuwde Jon met zoveel woede als hij kon opbrengen.

Er verscheen een verschrikte uitdrukking op Katherina's gezicht, maar ze beheerste zich en rende weg uit zijn gezichtsveld.

Opgelucht liet hij het boek los. Het viel met een klap op de grond. Met een glimlach op zijn lippen zakte hij in elkaar en deed zijn ogen dicht. Hij hoorde lawaai om zich heen. Mensen renden heen en weer en voerden verhitte discussies. Iemand jammerde, het klonk als Paw. Jon hoopte dat het Paw was.

De geur die in de cel hing deed hem denken aan zijn activering in Libri di Luca. Hetzelfde elektrische gevoel hing in de lucht, hij rook de stank van verbrand hout en plastic en hij had een metaalsmaak in zijn mond. De vermoeidheid die hij voelde was ook dezelfde, het was een allesoverheersende matheid die het hem onmogelijk maakte om te bewegen zonder dat hij daar zijn volledige concentratie voor gebruikte.

Maar één ding was niet hetzelfde geweest. Dat was de manier waarop het lezen was verlopen. Tijdens zijn activering was hij helemaal van de wereld geweest. Toen had hij een soort black-out gehad. Hij had niets gemerkt van wat er om hem heen gebeurde.

De krachtproef hier in deze cel was heel anders geweest. In het begin had hij niets ongewoons gemerkt. Omdat hij het boek met een gestrekte arm moest vasthouden, was de leesafstand iets groter dan hij prettig vond en hij moest een beetje met zijn ogen knijpen om het te kunnen lezen. De hoofdpijn die hij aan de klap op zijn hoofd had overgehouden maakte het er niet beter op en hij worstelde zich moeizaam stamelend door de eerste bladzijden heen. Na een poosje ging het makkelijker, zijn lezen werd vloeiender en meer samenhangend, totdat hij het inmiddels bekende gevoel van controle voelde.

Jon had zo'n vier, vijf bladzijden van *Frankenstein* gelezen zonder grote uitschieters te maken. Hij probeerde naar een ritme toe te werken waarbij hij de mogelijkheid had om zich te oriënteren in de ruimte, de tekst en de energie. Hij spaarde zijn krachten zoals een hardloper voor de eindsprint, hij spande zijn gaven als spieren, klaar voor de afzet.

Toen de passage over de opstand van de dorpelingen en de wanhoop van het monster begon, liet Jon zich naar binnen zuigen in de tekst, de beelden sprongen op hem af, duidelijk afgebakend en in heldere kleuren. Dit keer verdween zijn omgeving niet plotseling, alsof iemand op een knop had gedrukt, maar was de overgang veel geleidelijker, als een soort fade-effect in een film. Voorwerpen om hem heen kregen een rol in het verhaal – zo veranderde de stoel die tegenover hem stond in de brits waarop dr. Frankenstein zijn monster fabriceerde en de gedaanten die hem door het raam gadesloegen werden heen en weer zwaaiende bomen voor de ramen van het kasteel.

Jon versterkte de effecten nog wat verder, de beelden baadden in een fel, doordringend licht alsof ze overbelicht waren, de gevoelens in het verhaal werden zo sterk, dat ze tastbaar leken te worden, als een soort bijfiguren in het verhaal. Hij versterkte de gruwelijkheden in de scènes, de wanhoop van het monster en de onmenselijke bloeddorst van de volksmenigte. Plaats en ruimte waren bijna verdwenen uit de

beelden, alleen de zuivere gevoelens op de gezichten sneden caleido-
scopisch door het licht in een steeds sneller wordend ritme. Hij voerde
de snelheid nog verder op. De beelden leken nu een wervelstorm
waarin de gezichten en scènes vervormden, en werden uitgerekt in de
spiraalvormige bewegingen. De kleuren sloegen over als de toppen
van golven, zodat de figuren binnenstebuiten gekeerd leken, als op
een negatiefbeeld. De zwarte tanden van de afschrikwekkende gezichten van de personages brandden gaten in de beelden. Witte pupillen
lichtten op, fel genoeg om sporen achter te laten op het netvlies tijdens hun weg door de maalstroom. Met nog één laatste grote krachtsinspanning stortte Jon zich in de wervelstorm van beelden.

Tot zijn verrassing was het daar heel donker en stil.

'Gefeliciteerd, Campelli.'

Remers stem bracht Jon weer terug naar de werkelijkheid van de
cel. Hij opende langzaam zijn ogen en keek naar Remer, die een paar
meter van hem af stond, met zijn handen in zijn zij. Er liep bloed uit
kleine wonden in zijn gezicht en zijn ene wang was zwart van het roet.

'Je hebt een record gevestigd,' ging hij verder terwijl hij de cel rondkeek. 'Het heeft zijn prijs, mag ik wel zeggen, maar je was zeer overtuigend.'

'Katherina?' vroeg Jon hees.

'Maak je geen zorgen, ze zal niet ver komen,' zei Remer.

Jon glimlachte. Dat zou betekenen dat ze tenminste het gebouw uit
had weten te komen. Opeens was zijn eigen situatie niet zo belangrijk
meer. Hij kreeg het gevoel dat hij onoverwinnelijk was.

'En? Wat was mijn score?'

Remer lachte.

'We weten het precieze getal niet. Je bent boven de schaalverdeling
uit gegaan. Dat heeft nog nooit eerder iemand gedaan.'

'Ik ben blij dat ik jullie een beetje heb kunnen vermaken,' zei Jon
sarcastisch. 'Mag ik nu weg?'

Remer lachte weer.

'Maar je bent er nog maar net.' Zijn glimlach verdween en zijn grijze ogen staarden Jon met een mengeling van waakzaamheid en verwachting aan. 'We zoeken iemand zoals jij, Campelli. Jij bent degene

die ons verder kan helpen naar het volgende niveau.'

Jon schudde zijn hoofd.

'U bent gek. Ik zou jullie nooit helpen.'

'Daar zou ik maar niet zo zeker van zijn,' zei Remer. 'Ik weet zeker dat je er anders tegenaan zult kijken als je de kans krijgt om te horen wat wij je te bieden hebben.'

Jon snoof.

'En anders zijn er nog andere methodes,' ging Remer verder. 'Methodes waar je vriendin niet noodzakelijkerwijs bij betrokken hoeft te zijn, mocht ze toch weten te ontsnappen.' Hij zuchtte. 'Maar dwing ons er niet toe. Je kunt je veel beter vrijwillig bij ons aansluiten.'

Er was iets verontrustends aan de manier waarop Remer zijn dreigement uitte. Hij was niet fysiek bedreigend of agressief, hij wekte eerder de indruk dat hij een beetje verdrietig was.

Jon klemde zijn handen in elkaar. Wat Remer ook voor verrassingen in petto had, hij zou zich nooit overgeven aan de man die achter de moord op zijn ouders zat.

'Ik moet u teleurstellen,' zei Jon tussen zijn opeengeklemde kaken door. 'Dat zal nooit gebeuren.'

Remer riep iets door de deur de gang op, toen deed hij een stap naar Jon toe.

'Je bent moe, Campelli,' zei hij op toegeeflijke toon. 'Als je wat hebt geslapen, kijk je er heel anders tegenaan, dat zul je zien.'

Er kwam een lange man met donker haar en enorme kaken binnen. Hij gaf Remer iets. Remer knikte naar Jons vrije arm. De man liep naar de stoel, pakte Jons vrije arm voordat hij hem kon wegtrekken, en drukte hem met een ijzeren greep tegen de armleuning. Het voorwerp dat Remer in zijn hand had was een injectiespuit. Hij kwam langzaam naar Jon toe en stak hem in zijn arm, die nog steeds vastzat met de plastic strips.

'Je hebt gewoon een beetje rust nodig,' herhaalde hij glimlachend.

Jon probeerde tegen te stribbelen, maar in zijn toch al uitgeputte toestand slaagde hij er niet in om nog langer wakker te blijven.

Hij had niet meer over Marianne, zijn moeder, gedroomd sinds zijn kindertijd. Toen waren het dromen over verlies geweest. Ze zat bijvoorbeeld in een trein die hij net niet haalde, of ze viel in een diepe kloof zonder dat hij iets kon doen om haar tegen te houden. In zijn dromen was Jon altijd alleen met haar en het eindigde er altijd mee dat ze hem op de een of andere manier verliet, vaak heel definitief. Sommige van die dromen had hij zelfs al gehad voordat ze was gestorven, als een soort waarschuwing. Hij had lang gedacht dat die dromen de oorzaak waren geweest van haar dood, alleen doordat hij ze had gedroomd. Hij werd meestal wakker met een heel wanhopig gevoel, maar toch had hij later het idee dat die dromen hem uiteindelijk hadden geholpen om over het verlies heen te komen, alsof ze de scherpe kantjes van zijn verdriet hadden afgesleten. Ten slotte waren de nachtmerries helemaal weggebleven en sindsdien had hij niet meer over zijn moeder gedroomd.

Opeens was ze er, samen met Luca. Het leek wel een verjaardag, Jons eigen verjaardag. De tafel was gedekt voor een echt kinderfeestje, met een papieren tafelkleed, vlaggetjes en ballonnen, maar er zaten ontelbaar veel kaarsjes op de taart, meer dan hij kon tellen of uitblazen. Nadat hij een tijdje had geprobeerd ze uit te krijgen, kregen zijn gelukkige ouders medelijden met hem en ze gaven hem een groot cadeau. Het was ingepakt in blauw papier met een zilveren strik eromheen en hij scheurde meteen het papier eraf. Onder de eerste laag zat een laag rood papier en daaronder een laag geel papier. Zo ging het een hele tijd door en Jon raakte steeds gefrustreerder en trok steeds harder aan het papier, terwijl Marianne en Luca de hele tijd enthousiast bleven, alsof hij bijna bij het doel was. Net toen hij het wilde opgeven, kwam hij bij de laatste laag. Om hem heen lagen bergen gescheurd papier, zijn ouders waren helemaal verdwenen onder de papiermassa. Als hij goed luisterde, kon hij hun vrolijke aanmoedigingen nog horen, maar het klonk alsof ze onder een dekbed zaten. Het cadeau was aanzienlijk kleiner geworden en toen hij de laatste laag eraf haalde, had hij een boek in zijn handen.

Het was *Don Quijote*.

Hij had ook andere dromen, maar die waren erg onsamenhangend en vaag. Hij zag zichzelf een paar keer in een ziekenhuisbed, waar hij werd verzorgd door wisselende personen. Soms was het Katherina, soms Iversen of Remer of mensen die hij helemaal niet kende. In één droom was hij aan het duiken zonder uitrusting en naarmate hij dieper ging, dreigde de druk van het water zijn schedel te verpletteren, totdat hij in zijn droom het bewustzijn verloor en als een baksteen naar beneden zonk.

Toen Jon eindelijk wakker werd, twijfelde hij geen moment of hij echt wakker was. Hij lag inderdaad in een ziekenhuisbed, net als in zijn dromen, maar wat hem overtuigde was de pijn in zijn keel. Hij had een enorme dorst en zijn tong voelde ruw en veel groter dan normaal. Toen hij zijn hoofd draaide, zag hij een nachtkastje waar een glas water op stond, maar toen hij het wilde pakken, werd hij tegengehouden door de riem waarmee hij was vastgebonden. Zijn beide polsen waren met leren banden vastgebonden aan de metalen spijlen van het bed.

Jon keek vertwijfeld naar zijn boeien, alsof hij ze met wilskracht zou kunnen losmaken, maar ze zaten goed vast en gaven niet mee, hoe hard hij er ook aan trok. Hij liet zijn blik omhooggaan langs zijn arm en stopte bij zijn elleboogholte. In zijn rechterarm zaten vijf prikgaatjes van injectienaalden en toen hij zijn linkerarm onderzocht, vond hij er nog zeven.

Hoe lang was hij weg geweest?

Hij voelde zich moe en uitgerust tegelijk, en toen hij zijn hoofd liet zakken en zijn kin op zijn borst liet rusten, voelde hij dat hij pas was geschoren.

Ook de kamer waarin hij lag vertelde hem niet veel. Afgezien van het bed en het nachtkastje was de kamer leeg. Er hadden makkelijk nog drie bedden bij gekund, maar de kamer was kaal, wat nog verder werd onderstreept door de witte muren en een roodachtige marmeren vloer. Helemaal aan de andere kant van de kamer fladderde een wit gordijn dat tot de grond hing heen en weer voor een raam. Fel zonlicht probeerde zich een weg naar binnen te banen. Ondanks het feit dat het raam openstond en er niets anders dan een dun wit laken over hem heen lag, had hij het verrassend warm.

De enige deur van de kamer zat aan de overkant van het bed. In de deur, die geen deurknop had en, te oordelen naar de nagels, van staal was, zat een kijkgat dat beschuldigend naar hem wees.

Even dacht hij dat hij was opgenomen in een psychiatrisch ziekenhuis en dat hij alles wat hij de afgelopen weken had meegemaakt had gehallucineerd. Dat leek in veel opzichten logischer dan wat hij in werkelijkheid had meegemaakt, maar die illusie werd meteen verbroken toen de deur openging en Remer binnenkwam.

'Campelli,' zei Remer glimlachend. 'Ik ben blij dat je eindelijk weer eens wakker bent.'

Jon wilde antwoorden, maar hij kon geen woord over zijn droge lippen krijgen. Remer zag het en liep naar het nachtkastje. Hij pakte het glas water en hield het Jon voor om te drinken. Het water was lauw, maar Jon nam het dankbaar aan en dronk het glas helemaal leeg. Hij liet zijn hoofd terugvallen op het kussen en nam de tijd om Remer eens goed op te nemen. Er was iets veranderd. De wondjes in zijn gezicht waren weg en zijn huid had een heel andere kleur dan de laatste keer dat ze elkaar hadden gezien. Het pak dat hij aanhad was licht van kleur en los en luchtig, als uit een zomercollectie.

'Hoe lang ben ik weg geweest?' vroeg Jon ten slotte.

Remer haalde zijn schouders op.

'Een dag of drie, vier,' antwoordde hij.

Jon schudde zijn hoofd. Hij begreep het niet. Het zonlicht, de warmte, Remers kleren. De twaalf prikgaatjes in zijn armen vertelden hem niets. Hij had geen idee wat ze hem hadden gegeven, of hoe lang de werking van iedere prik was geweest.

Remer glimlachte om zijn verwarring en liep naar de deur, die open was blijven staan. Hij riep iets naar de kamer erachter in een taal die in Jons oren als Turks of Arabisch klonk.

'Voel je je goed?' vroeg Remer toen hij weer bij het bed kwam staan. 'Heb je ergens pijn? Hoofdpijn?'

Jon schudde zijn hoofd. Zijn rug deed een beetje pijn en hij was nog wat slaperig, maar wat kon je anders verwachten na een paar dagen in bed? Hij was niet van plan om Remer iets van zwakte te laten blijken.

'Was het echt nodig om me te prikken?' vroeg hij met een knikje naar de gaatjes in zijn linkerarm.

'Helaas wel,' antwoordde Remer. 'We dachten dat dat veiliger zou zijn als we je verplaatsten.'

Hij werd onderbroken toen er een donkere vrouw met een wit schort met vaste tred de kamer binnenkwam met een nieuw glas water. Zonder naar Jon te kijken, zette ze het glas op het nachtkastje, draaide zich om en liep de kamer weer uit. Toen ze langs hem heen liep, zei Remer iets tegen haar wat Jon niet verstond.

'Zoals ik al zei,' ging Remer verder terwijl hij zijn armen spreidde, 'het was beter dat je tijdens de reis niet bij bewustzijn was. We wilden natuurlijk niet dat je onderweg een scène zou schoppen.' Hij lachte. 'Bekijk het van de positieve kant. Je hebt niet in de rij hoeven staan, je hebt niet hoeven wachten en je hebt geen problemen met je bagage gehad.'

Jon nam hem onderzoekend op. Remer vond het duidelijk grappig, maar niets wees erop dat hij niet de waarheid sprak.

'Waar ben ik eigenlijk precies?' vroeg Jon.

31

Katherina wist niet goed hoe ze uit het schoolgebouw had weten te ontsnappen. Het was donker en ze zag niet helder door de tranen, maar toch was het haar gelukt om de weg terug te vinden uit de kelder en weer buiten te komen in de frisse avondlucht. Daar was ze even stil blijven staan om zich te oriënteren, tot ze stemmen en rennende voetstappen had gehoord in de school. Ze had het op een rennen gezet, om het gebouw heen, over het schoolplein en door het hek naar buiten. Ze had geen autosleutels, dus ze rende verder en ging de eerste zijstraat in. Daar bleef ze staan met haar rug tegen een struik, terwijl ze naar adem hapte en probeerde te luisteren.

Even later hoorde ze het hek opengaan en daarna hoorde ze rennende voetstappen en geschreeuw. Naar de stemmen te oordelen, waren ze minstens met z'n drieën. Ze hoorde voetstappen dichterbij komen en zette het op een lopen. Achter haar riep iemand en ze ging nog harder rennen. De straten waren spaarzaam verlicht en ze maakte gebruik van de vele zijstraatjes om uit het zicht van haar achtervolgers te blijven. Na een paar minuten ging ze langzamer lopen en ze keek achterom. Ze bleef staan in het donker tussen twee straatlantaarns en zag dat er een gestalte opdook aan het eind van de straat. Hij stopte en keek in alle richtingen van het kruispunt.

Opeens blafte er vlak achter Katherina een hond en ze gilde van schrik. Een donkere hond stortte zich razend op het hek dat tussen hen in stond en hij blafte hard en doordringend alsof zijn leven ervan afhing. De gestalte aan het eind van de straat draaide zich meteen om en keek haar kant op en ze dwong zichzelf om weer in beweging te komen. Haar hart ging wild tekeer en ze moest zich tot het uiterste inspannen om niet langzamer te gaan lopen. De voetstappen achter haar kwamen dichterbij, ze kon haar achtervolger duidelijk horen hijgen. Bij de volgende hoek sloeg ze een zijstraat in en rende zo'n vijftien, twintig meter midden op de weg, om vervolgens tussen een fietssluis door te zigzaggen. Achter haar vloekte de gestalte luid. Het was een man en het klonk alsof hij was gevallen, maar ze verspilde geen tijd aan omkijken.

Na de fietssluis werd de straat breder. De gebouwen veranderden van karakter. In plaats van villa's werden het flats. Katherina kon niet meer verder rennen, haar benen konden haar nauwelijks nog dragen en ze struikelde meer vooruit dan dat ze liep.

Opeens kwam er een gestalte uit een deur. Hij ging met open armen voor haar staan. Ze kon niet meer stoppen en botste tegen de persoon aan, die bijna omviel. Even was ze gevangen in de kleding van de persoon; de geur van sigarettenrook, bier en zweet drong haar neusgaten binnen.

'Kom maar mee naar binnen,' zei een mannenstem terwijl hij haar achteruit door een deur naar binnen trok.

Katherina liet zich meetrekken. Niet omdat ze dat wilde, maar omdat ze de kracht niet meer had om iets anders te doen. Ze hoorde dat de deur achter hen werd dichtgetrokken.

'Verdomme, Ole,' klonk een hese vrouwenstem. 'Ik had toch gezegd dat je moest ophoepelen? We zijn gesloten.'

De man die Katherina vasthield trok haar mee naar een stoel en zette haar neer.

'Gerly, je ziet toch wel dat ze hulp nodig heeft,' zei hij met een stem die klonk alsof hij al dagenlang op kroegentocht was. 'Bovendien... bovendien ken ik deze jongedame.'

Katherina was zo uitgeput dat ze haar ogen niet goed kon scherpstellen, dus ze was niet in staat om te bevestigen wat de man zei. Ze liet zich voorover op de tafel vallen met haar hoofd in haar armen.

'Oké, Ole,' zei de vrouw. 'Maar je krijgt geen drank meer.'

De deur ging open, er ging een schok door Katherina heen.

'Eruit!' riep de vrouw achter haar. 'We zijn gesloten.'

Een hijgende mannenstem protesteerde vanuit de deuropening, maar hij werd meteen onderbroken.

'Ik zei toch dat we gesloten zijn. Kom na twaalf uur maar terug.'

De deur werd dichtgetrokken en met veel lawaai op slot gedaan.

Katherina kon haar tranen niet meer inhouden en ze begon zo heftig te snikken, dat haar hele lichaam ervan schokte. Ze had niet serieus gedacht dat het zo gevaarlijk zou worden. Ze bedacht hoe onoverwinnelijk ze zich samen met Jon had gevoeld. Dat ze hem had moeten achterlaten en had moeten vluchten kwam haar onwerkelijk en totaal ondenkbaar voor. Katherina voelde Oles hand op haar schouder. Hij gaf haar een voorzichtig klopje, maar dat maakte het alleen maar erger.

'Nou ja, een kop koffie kan natuurlijk geen kwaad,' zei de vrouw achter hen en het geluid van rinkelende kopjes en het snorren van het koffieapparaat veranderde opeens in een veilige arm die zich om Katherina heen legde.

Haar huilen ging over in zacht snikken en ze kwam omhoog van de tafel en keek beschaamd rond.

Ze zaten in een aftandse kroeg met zware houten tafels en stoelen met roodleren bekleding. Een massieve bar strekte zich uit over de hele lengte van een van de muren en daarachter stond de vrouw die blijkbaar Gerly heette, een kleine, dikke vrouw met een rood gezicht en ogen die zelfs de meest dronken klanten konden tegenhouden. Ze kwam naar de tafel toe lopen met twee kopjes zwarte koffie, die ze voorzichtig voor hen neerzette.

Naast Katherina zat haar redder, een magere man met ingevallen wangen. Hij droeg een gekreukt pak en een overhemd dat ooit wit was geweest maar nu een doorrookte, gelige kleur had.

Opeens wist ze weer dat ze hem kende.

Haar redder, Ole, was een ontvanger. Dezelfde ontvanger over wie Jon haar had verteld. Die had hem na Luca's begrafenis ontmoet in Het Schone Glas. Katherina had hem niet zo vaak gezien, hij bestreed zijn problemen liever op plaatsen zoals deze, maar ze was er zeker van dat hij het was.

Hij moest de herkenning in haar ogen hebben gezien, want hij knipoogde naar haar met een blik van verstandhouding en glimlachte breed, waarbij hij een rij gele tanden toonde.

'Die koffie van jou is helemaal zo slecht nog niet, Gerly,' zei Ole hardop en hij nam een slok uit zijn kopje.

'Nee, je zou hem eens wat vaker moeten drinken, dan zou je heus best prettig gezelschap zijn.' Gerly richtte haar aandacht op Katherina. 'Gaat het weer een beetje, kind?'

Katherina knikte en pakte de koffiekop tussen haar beide handen. De warmte maakte haar rustig en ze dronk voorzichtig met gesloten ogen.

'Mannen zijn varkens,' ging Gerly verder. 'Vuile verkrachters zijn het, stuk voor stuk. Ze zouden ze allemaal moeten castreren!'

'Dan zou jij niet eens geboren zijn,' riep Ole en hij lachte luid.

'Nou moet je niet te bijdehand worden, slimmerik. Breng dat meisje liever naar het politiebureau in plaats van hier grapjes te zitten maken.'

Katherina schudde haar hoofd.

'Dat hoeft niet,' zei ze vlug. 'Ik red me wel.'

Gerly keek haar onderzoekend aan.

'Weet je het zeker? Je moet ze er niet zo makkelijk van af laten komen, die vuile viezeriken.'

'Het gaat wel,' zei Katherina en ze snoof luid. 'Er is niets gebeurd.'

Gerly mompelde iets onverstaanbaars. Ze liep achter de toonbank om en begon op te ruimen.

'Ik wil je er best naartoe brengen,' zei Ole, ook al verried zijn blik dat hij daar nou niet bepaald op zat te wachten.

'Ik kan niet naar de politie gaan,' fluisterde Katherina. 'Maar ik moet zo snel mogelijk Clara spreken.'

Ole knikte vastberaden en rechtte zijn rug.

'Ik regel wel een taxi.'

Hij stond op en wankelde naar de bar, waar hij met Gerly begon te redetwisten.

Katherina wist niet wat ze moest doen. Misschien was de politie nu de enige oplossing, maar ze kon niet overzien of ze de hele situatie moest uitleggen, nu Jon zo dichtbij was en haar hulp nodig had. Clara zou wel weten hoe ze hem terug moesten krijgen.

De discussie aan de bar was erop uitgedraaid dat Gerly het had opgegeven en een taxi had gebeld. Ole kwam naar Katherina toe en dronk zijn koffie op.

'We gaan achterom, via de binnenplaats,' zei hij terwijl hij een blik op de ramen wierp. 'Kom.'

'Wees voorzichtig, kind,' zei Gerly met een knikje naar Katherina. Die stond op en volgde Ole naar een deur helemaal achter in het café. Een bijna onleesbaar bordje gaf aan dat dat de weg naar de toiletten was en toen hij de deur openduwde, was er geen twijfel mogelijk. Het stonk er ontzettend. Ze hield haar adem in. Ole voerde haar verder mee naar een smalle achterdeur. Hij stond er een tijdje aan te rammelen voordat hij met een luid gekraak openging.

De binnenplaats was heel groot, dat voelde Katherina zelfs in het donker. Terwijl ze zich liet meetrekken, keek ze naar de paar verlichte ramen van de woningen die aan de binnenplaats lagen en ze vroeg zich af hoe mensen gewoon konden opstaan en naar hun werk gaan alsof er niets was gebeurd. Begrepen ze dan niet wat er in hun eigen achtertuin gebeurde, wat er op het spel stond?

Ole wankelde verder en ze kwamen bij een donkere poort waardoor ze op straat konden komen. Katherina's redder vloekte toen hij de deurknop niet kon vinden. Zijn bewegingen waren Katherina veel te langzaam, dus ze duwde hem zachtjes opzij en had de poort snel open.

In tegenstelling tot de binnenplaats was de straat helverlicht en zodra ze uit het donker stapte, drukte ze zich tegen de muur aan. Ole struikelde half achter haar aan en stond even vervaarlijk heen weer te zwaaien op de stoep.

'Waar is de taxi?' fluisterde Katherina zo hard ze durfde.

'Hij zou hier moeten zijn,' antwoordde Ole en hij draaide een rondje om zijn as, maar toen moest hij stoppen om niet om te vallen. 'De Nordre Frihavnsgade. Dat is hier.'

Een zwarte auto reed in hoog tempo langs en Katherina drukte zich instinctief nog harder tegen de muur aan.

'Híér,' riep Ole en hij deed een stap naar de stoeprand, terwijl hij met zijn armen boven zijn hoofd zwaaide. 'We zijn híér.' Er kwam een taxi aanrijden, hij stopte voor hen.

Katherina stapte vlug naar voren en pakte Ole beet voordat hij omviel. De chauffeur opende het raampje en stak zijn hoofd naar buiten.

'Heb je hulp nodig?' vroeg hij in gebrekkig Deens.

'Misschien kunt u de deur opendoen?' stelde Katherina voor terwijl ze haar redder in de richting van het achterportier manoeuvreerde.

De chauffeur stapte uit en opende het achterportier in één glijdende beweging. Katherina slaagde erin om Ole door de deuropening naar binnen te werken en hij liet zich dankbaar mompelend op de achterbank vallen. Zelf rende ze om de auto heen en ging op de bijrijderplaats zitten.

'Het is goed dat jij erbij bent,' zei de chauffeur terwijl hij de auto in beweging zette. 'Op dit tijdstip nemen we dat soort figuren eigenlijk niet mee.'

Als het een ander moment was geweest, had Katherina hem meteen laten stoppen en was ze uitgestapt, maar nu kon ze het niet opbrengen om te protesteren en ze noemde alleen het adres van Clara's rijtjeshuis in Valby.

De zon scheen al toen Katherina wakker werd. Het zonlicht drong in dunne strepen door de witte luxaflex. Ze lag met haar spijkerbroek en t-shirt nog aan onder een crèmekleurige plaid op een heerlijk zachte bank met grote gebloemde kussens.

Clara woonde vijf maanden per jaar eigenlijk voornamelijk in de serre. De rest van het huis gebruikte ze alleen als opslagruimte en om te slapen. Haar eten maakte ze buiten klaar op een barbecue of boven een vuurtje. De muren van de serre waren bekleed met witgeschilderde profielplaten en aan alle balken hingen bloempotten, en de vensterbanken stonden vol planten.

Katherina was er al vaak geweest, maar ze had er nog nooit geslapen. Ze kon zich zelfs niet herinneren dat ze in slaap was gevallen.

Toen ze uit de taxi was gestapt, was het nog nacht geweest en Clara's rijtjeshuis was donker. Ole was wakker geworden en had erop gestaan om door te rijden naar zijn eigen huis. Katherina had de kracht niet meer gehad om te protesteren of hem te bedanken en de taxi was weggereden en had haar alleen achtergelaten op de stoep.

Toen ze over het tuinpad liep, herhaalde ze haar wens dat Clara thuis was, ze wist niet wat ze moest doen als er niemand thuis was. Nadat ze een paar keer had aangebeld, deed Clara eindelijk open en Katherina stortte zich luid snikkend in de armen van de stomverbaasde vrouw.

Een paar minuten lang kon Katherina niets anders dan huilen. Clara nam haar mee naar de bank in de serre. Katherina liet haar geen moment los. Toen ze zo ver was gekalmeerd dat ze weer kon praten, vroeg ze om een glas water, wat Clara haar meteen bracht. Toen ze het bijna leeg had, begon ze te vertellen wat er die nacht allemaal was gebeurd.

Clara luisterde aandachtig, alle tekenen van vermoeidheid waren verdwenen en ze gaf Katherina zachte klopjes op haar schouders om haar aan te moedigen om verder te gaan met haar verhaal. Toen het tot haar doordrong dat Paw een verrader was, vloekte ze luid en ze moest opstaan en heen en weer benen door de serre om haar woede te kunnen beheersen.

'Die kleine...' siste ze tussen opeengeklemde kaken. 'Ik heb altijd al gevonden dat er iets verdachts aan hem was.' Maar Katherina's blik vertelde haar dat er nog meer slecht nieuws was en ze kalmeerde en ging weer op de bank zitten. 'Sorry, ga door.'

Katherina vond het moeilijk om over de test te vertellen en ze stortte weer in toen ze opnieuw moest doormaken hoe ze Jon had achtergelaten in de kelder.

Clara haalde nog wat water en probeerde haar gerust te stellen.

'Je kon niets doen,' zei ze terwijl ze haar arm om Katherina heen sloeg. 'Als je was gebleven, hadden ze jou tegen hem kunnen gebruiken. Nu hebben ze niets om mee te onderhandelen.'

Katherina snikte.

'Maar als ze hem vermoorden?'

'Dat doen ze niet,' antwoordde Clara beslist. 'Ik heb het gevoel dat ze hem ergens voor nodig hebben. Er is iets waar hij ze bij moet helpen, iets wat alleen hij kan.'

Het was niet duidelijk of het door Clara's geruststellende woorden kwam of door de uitputting na de gebeurtenissen van die nacht dat Katherina uiteindelijk in slaap viel. Ze herinnerde zich niet meer wat er was gebeurd.

Ze hoorde stemmen in het huis. Een ervan was van Clara.

'Was het echt nodig om haar te verdoven?' zei de andere stem, die Katherina onmiddellijk herkende als die van Iversen.

'Ze was helemaal over haar toeren,' antwoordde Clara. 'Je had haar moeten zien. Ze moest echt rusten, maar ze was te erg overstuur om in slaap te kunnen vallen. Soms moet het lichaam rusten voordat de geest tot rust kan komen.'

'Als jij het zegt,' zei Iversen, maar hij klonk niet erg overtuigd.

Katherina hoorde voetstappen dichterbij komen.

'Hoe lang werkt het?' vroeg Iversen.

'Ik ben wakker,' zei Katherina en ze draaide zich om naar de deur.

Clara wrong zich langs Iversen heen en liep snel naar de bank toe.

'Gaat het?'

Katherina knikte.

'Hoe laat is het?'

Iversen ging tegenover haar zitten in een leunstoel met een kleurige gehaakte plaid over de rugleuning.

'Het is tien uur 's morgens,' zei hij terwijl hij een blik op Clara wierp. 'Je hebt dertig uur geslapen.'

'Dertig uur!' riep Katherina verschrikt en ze sprong van de bank. 'Hoe konden jullie...' Ze stopte toen het zwart werd voor haar ogen en ze viel terug op de bank.

'Het was voor je eigen bestwil,' verzekerde Clara haar. Ze pakte haar handen vast. 'Je moest echt rusten.'

Katherina trok haar handen terug.

'Maar Jon dan,' zei ze. 'We moeten Jon vinden.'

'Daar zijn we mee bezig,' zei Iversen geruststellend. 'We houden al Remers adressen in de gaten. Zodra hij ergens opduikt...'

'Is hij verdwenen?' onderbrak Katherina hem.

Iversen knikte en hij keek naar zijn handen, die hij samenbalde op zijn schoot.

'Maar de school dan?' zei Katherina. 'We moeten terug naar die school.'

'De school is afgebrand, Katherina,' zei Clara en ze voegde er snel aan toe: 'Maar er zijn geen slachtoffers. Het gebouw is een paar uur nadat jij bent ontsnapt tot de grond toe afgebrand.'

'De brandweer denkt dat het komt door een kortsluiting,' vulde Iversen aan. 'Ze hadden al snel in de gaten dat ze niets meer konden doen en hebben geprobeerd om het vuur beperkt te houden tot de school.'

'Ze wissen hun sporen uit,' zei Katherina. Ze keek Iversen en Clara aan. Die knikten allebei.

'Er is nog een brand geweest,' zei Iversen. 'Kortmanns villa is diezelfde nacht afgebrand. Zijn lichaam is gevonden tussen de resten van de bibliotheek. Ze denken dat de brand is veroorzaakt door een sigarettenpeuk.'

Katherina dacht terug aan haar laatste bezoek aan de villa in Hellerup. Henning had Kortmanns lijk naar de bibliotheek gebracht, waar het nu was gecremeerd.

'Maar hij was opgehangen,' protesteerde ze. 'Dat moeten ze toch kunnen zien. De plekken in zijn nek, geen rook in zijn longen.'

'Er is niets bekendgemaakt over de omstandigheden,' zei Clara. 'Het zou gek zijn als Remer geen contacten bij de politie had en daardoor is hij natuurlijk in staat om het onderzoek te beïnvloeden.'

'En vanaf dat moment is Remer niet meer gezien?'

'Nee,' antwoordde Iversen. 'Het lijkt wel of hij van de aardbodem verdwenen is. We hebben alle telefoonnummers gebeld die in de papieren stonden, maar we krijgen overal hetzelfde antwoord: Remer is niet te bereiken.' Hij spreidde zijn armen. 'Zoals ik al zei, we houden al zijn adressen in de gaten. Ik moet Henning trouwens zo aflossen. Maak je niet ongerust, vroeg of laat zal hij echt wel opduiken.'

Katherina balde haar handen ineen. Vroeg of laat was niet goed genoeg. Jon werd ergens gevangen gehouden omdat zij hem in de steek had gelaten. Het was slechts een kwestie van tijd voordat Remer het zou opgeven en zich voorgoed van Jon zou ontdoen, tenzij hij zich bereid verklaarde om met hen samen te werken. Ze voelde de woede vanbinnen groeien. Waarom hadden ze haar zo lang laten slapen? Waarom hadden ze niet meer gedaan om Jon te vinden?

'We hebben alles gedaan wat we konden,' zei Iversen, alsof hij haar gedachten kon lezen. 'Je moet ons geloven. We hebben zelfs overwogen om naar de politie te gaan en alles te vertellen.'

'Maar dat idee hebben we al snel weer laten varen,' zei Clara. 'Jon zou er niets aan hebben en Remers contacten zouden waarschijnlijk kunnen voorkomen dat er iets aan de zaak zou worden gedaan.'

Katherina begreep dat ze gelijk hadden. Met de informatie die ze hadden, konden ze niet veel meer doen dan wat ze hadden gedaan. Frustratie kwam in de plaats van haar woede. Wat kon ze doen? Ze moest iets doen. Het deed te veel pijn om stil te blijven zitten en af te wachten tot Remer zich ergens liet zien, als hij überhaupt nog zou opduiken.

'En Paw?' vroeg ze koortsachtig.

Iversen schudde zijn hoofd.

'De kamer waar hij woonde is leeg. Niemand heeft hem de afgelopen drie dagen gezien.' Hij zuchtte. 'Paw was natuurlijk niet zijn echte naam, dus dat spoor loopt net zo dood als alle andere sporen.'

Katherina stond langzaam op. Ze wist niet wat ze moest doen, alleen dat ze daar niet gewoon kon blijven zitten. Al moest ze heel Kopenhagen uitkammen op zoek naar Jon, dan zou ze dat doen. Alles liever dan passief afwachten.

'Ik ga naar huis,' zei ze.

Clara wilde protesteren, maar Katherina onderbrak haar.

'Het is oké. Ik voel me goed.'

'Ik breng je wel,' zei Iversen en hij stond op.

'Graag,' zei Katherina en ze omhelsde Clara. 'Bedankt voor alles, Clara.'

'Als ik iets kan doen, moet je het zeggen.'

Katherina knikte en ze liep samen met Iversen door het huis heen en via de voordeur naar buiten. Het gras in het voortuintje was pas gemaaid en dat deed haar denken aan zomer, terwijl het toch herfst was. Op de stoep aan het einde van het tuinpad lag een vuilniszak die was opengegaan. Alle afval lag verspreid over de stoep. Enveloppen, koffiedik en melkpakken lagen door elkaar heen en verpestten de aanblik van de keurige woonwijk.

Laat me je vuilnisbak zien, en ik vertel je wie je bent.

Nu wist Katherina wie haar zou kunnen helpen.

Mohammed sperde zijn ogen wijd open van verbazing toen hij Katherina voor zijn tuindeur zag staan. Ze had zich thuis laten afzetten door Iversen, maar was meteen doorgelopen naar de fietsenkelder om haar mountainbike te pakken, en naar Nørrebro gefietst. Iets had haar ervan weerhouden om Iversen te vertellen wat ze van plan was, misschien omdat ze dit alleen wilde doen.

'Als dat niet de vriendin van Lawman is,' zei Mohammed verbaasd toen hij de tuindeur opendeed. Hij keek over haar schouder de tuin in. 'Heb je Jon afgeschud?'

'Dat kun je wel zeggen,' antwoordde Katherina en ze probeerde te glimlachen. 'Ik heb je hulp nodig.'

Mohammed glimlachte vriendelijk en nam haar nieuwsgierig op. 'Natuurlijk, kom binnen.'

De kamer zag er nog steeds uit als een berghok, overal stonden wankele stapels dozen. Vlak naast de deur stond een complete golfset, met een tas en clubs. Er hing zelfs een geruite tweedpet aan een van de clubs. Katherina trok er een uit en woog hem in haar handen.

'Golf je?' vroeg Mohammed met een hoopvolle klank in zijn stem. 'Je krijgt hem goedkoop.'

'Nee, helaas,' antwoordde Katherina.

'Dat dacht ik al,' zei Mohammed. 'Maar daar kwam je vast niet voor.' Katherina zette de golfclub weer terug en schudde haar hoofd.

'Ik wil graag dat je een paar mensen voor me opspoort.'

'No problem.' Mohammed ging er eens goed voor zitten achter zijn beeldschermen, vlocht zijn vingers in elkaar en strekte zijn armen. Zijn vingers knakten duidelijk hoorbaar en hij glimlachte.

'Ik moet weten waar ze op dit moment zijn. Je hoeft niet hun hele levensverhaal na te trekken,' zei Katherina.

Mohammed knikte.

'Om te beginnen iemand die Otto Remer heet,' zei Katherina en ze pauzeerde even terwijl Mohammed de naam intoetste op de computer. 'En verder een man van ongeveer midden dertig die als chauffeur werkte voor ene William Kortmann.'

Mohammeds vingers vlogen over het toetsenbord terwijl hij herhaalde wat ze zei en hij knikte.

'Nog meer?' vroeg hij terwijl hij haar aankeek.

'De laatste is Jon Campelli,' zei Katherina en ze keek de beroeps-wedstrijddeelnemer strak aan.

'Jon Campelli?' herhaalde Mohammed na een stilte die een paar se-conden duurde. 'Je wilt dat ik Jon Campelli zoek?'

Katherina knikte en ze voelde dat haar keel werd dichtgeknepen bij het horen van zijn naam.

'Ik weet dat ik heb gezegd dat ik niet wil weten waar jullie mee be-zig zijn,' zei Mohammed ernstig. 'Maar wat is er aan de hand? Is hij er-vandoor gegaan? Als hij niet gevonden wil worden, kan ik je niet hel-pen.'

Katherina schraapte haar keel.

'Jon wordt tegen zijn wil vastgehouden,' zei ze. 'Door die twee an-dere mannen die ik noemde.'

Mohammed fronste zijn wenkbrauwen, maar hij kwam niet in be-weging.

'Otto Remer is de baas van een criminele organisatie die nergens voor terugdeinst,' ging Katherina verder. 'Het is ontzettend belangrijk dat we Jon zo snel mogelijk vinden, want anders...' Ze voelde tranen opkomen. 'Anders zullen ze hem iets aandoen.'

Mohammed zuchtte diep.

'Wat voor shit hebben jullie je op de hals gehaald?' zei hij. 'Eerst hoorde ik dat Jon ontslagen was en nu dit weer.' Hij schudde zijn hoofd. 'Waarom gaan jullie niet naar de politie?'

'Dat is een lang verhaal,' zei Katherina, 'en we hebben weinig tijd.'

Mohammed knikte en hij richtte zijn blik op het computerscherm voor hem.

'Oké,' zei hij. 'Laten we onze vriend zoeken.'

Het wachten was verschrikkelijk. Katherina kon niets doen behalve antwoord geven op de vragen die Mohammed haar af en toe stelde. Verder was het geratel van het toetsenbord het enige geluid dat er klonk. Mohammed had zijn mobiele telefoon uitgezet nadat hij de eerste keer was afgegaan en Katherina wilde zijn concentratie niet ver-storen. Hij was haar enige kans.

Terwijl Mohammed werkte, liep Katherina door de kamer, ze kon niet stil blijven zitten. Ze bekeek al die verschillende spullen die in de dozen zaten en verbaasde zich erover dat je kon leven van het meedoen aan spelletjes en wedstrijden. Jon had haar verteld over een Japanse televisieshow waarbij de deelnemers werden opgesloten in een appartement en moesten leven van wat ze konden winnen bij wedstrijden op internet of met bonnen voor gratis producten. De meesten moesten het opgeven omdat ze niet genoeg te eten hadden.

Af en toe sloop ze achter Mohammeds rug langs om naar de beeldschermen te kijken, maar zelfs als ze had kunnen lezen, wist ze zeker dat het haar toch niets zou hebben gezegd. Figuren en tekens rolden over de drie schermen in zo'n hoog tempo dat je onmogelijk kon zien wat het was en Mohammeds vingers dansten over het toetsenbord.

'Oké,' zei Mohammed na bijna anderhalf uur zoeken. 'Ik weet waar hij is, maar ik denk niet dat je er blij mee zult zijn.'

Katherina liep om het bureau heen en keek naar de beeldschermen. Op een ervan was een wereldkaart te zien die vol lijnen stond.

'Ik heb alle luchthavens gecheckt,' begon Mohammed. 'Geen spoor van Otto Remer, maar Jon is gevlogen van...' Hij zette zijn vinger op Denemarken, vanwaar de vele lijnen naar allerlei bestemmingen over de hele wereld liepen. '... Kopenhagen naar...' Hij verplaatste zijn vinger langs een van de lijnen in zuidelijke richting.

Katherina sperde haar ogen wijd open.

'Dat kan niet,' zei ze.

32

'Egypte?' zei Jon ongelovig.

Remer glimlachte en spreidde zijn armen.

'Het rijk van de farao's, de bakermat van de beschaving.'

Jon verplaatste zijn blik van de man in het lichte kostuum naar het raam achter hem. De losse witte gordijnen bewogen zachtjes heen en weer op de wind. Het leek wel of zijn gevoel voor oriëntatie in Denemarken was achtergebleven, maar hij moest toegeven dat de puzzelstukjes nu wel op hun plaats vielen. De warmte, Remers kleren, de vreemde geuren. Hij vertrouwde Remer niet erg, maar alles wees erop dat hij de waarheid sprak.

'We zijn hier meteen de ochtend na onze... bijeenkomst naartoe gevlogen,' vertelde Remer. 'Het was niet makkelijk om op zo korte termijn ziekenvervoer te regelen, maar het is ons toch gelukt om plaats te krijgen op een chartervlucht.' Hij liet een kort, ontevreden gebrom horen. 'Nog zo'n ervaring waarvan je blij moet zijn dat je hem niet hebt hoeven meemaken.'

'Maar waarom?' vroeg Jon.

Remer glimlachte weer en hief zijn hand geruststellend op.

'Rustig, daar kom ik zo op.'

Jon vond het heel moeilijk om rustig te blijven nu hij tegen zijn wil was ontvoerd en vastgebonden aan een ziekenhuisbed. Voor hem was het niet meer dan een paar minuten geleden dat hij in de kelder van de Demetriusschool was en Katherina de deur uit had zien rennen, zoals hij haar had opgedragen. Op dat moment had het hem niets kunnen schelen wat er met hem zou gebeuren, maar deze schending wekte wel een grote woede in hem op. Er waren een paar dagen voorbijgegaan, hij was in een vliegtuig naar een ander land vervoerd en hij had geen idee waar Katherina was; hij wist zelfs niet of ze aan Remers mensen was ontsnapt.

'Je begrijpt toch wel dat ik jou echt nóóit zou helpen?' siste Jon vanaf zijn bed.

'Als zakenman heb ik geleerd om nooit het woord "nooit" te gebruiken,' zei Remer nonchalant. '"Nooit" betekent oneindig, maar het begrenst onze fantasie en ons potentieel. Als zakenman moet je alle deuren tot het laatste moment openhouden en zelfs dan moet je nog een kattenluikje hebben om weer door naar binnen te komen.' Hij legde zijn handen op zijn rug en leek daardoor ongewild iemand die een lezing hield. 'Mensen die "nooit" zeggen krijgen daar uiteindelijk spijt van. Had jij ooit gedacht dat je je baan zou opgeven om boekhandelaar te worden? Of dat je vader de leider was van een groep goedgelovige, intellectuele hippies met magische gaven? Nee toch? "Nooit," zou je hebben gezegd.'

'Dat is een belachelijke vergelijking,' protesteerde Jon boos.

'Is dat zo?' vroeg Remer. 'Je moet toegeven dat het toch is gebeurd en dat je er zelfs beter van bent geworden. Je bent eigenaar geworden van je vaders rijkdommen, je hebt krachten gekregen waarvan je niet eens wist dat ze bestonden en je hebt de liefde gevonden.'

Bij die verwijzing naar Katherina schrok Jon op. Hij keek Remer doordringend aan. Had hij even naar de deur geknikt, of was dat verbeelding geweest? Zijn hart ging tekeer. Als ze hier was, zou alles vergeefs zijn geweest.

Remer moest zijn reactie hebben opgemerkt, want hij lachte een duivels lachje.

'Zie je wel, je wéét dat je er beter van bent geworden. Zoveel beter dat je bang bent om het weer kwijt te raken.' Hij sloeg met zijn gebalde vuist in de palm van zijn andere hand. 'Stel je eens voor wat je nog allemaal te wachten staat.'

Jon keek langs zijn lichaam.

'Voorlopig ben ik vastgebonden aan een bed,' constateerde hij droog.

'Ja, ja,' gaf Remer geïrriteerd toe. 'Maar dat is alleen om je te beschermen.'

'Waartegen?' vroeg Jon spottend.

Remer knipoogde naar hem.

343

'Tegen "nooit".'

Hij draaide zich om, liep resoluut de deur uit en sloot die vervolgens achter zich met een metalige klap.

Jon staarde naar de gesloten deur, maar daar werd hij niet veel wijzer van. Hij liet zijn blik door de lege kamer gaan. Hij wist nu waar hij was, maar hij kon die informatie nergens voor gebruiken.

Egypte. Wat moest hij in Egypte? Jon had wel gedacht dat er buiten Denemarken ook Lettores zouden zijn, maar hij begreep het verband met Egypte niet. Voor hem was dat het land van piramides, zand en de sprookjes van Duizend-en-een-nacht, geen schuilplaats voor een organisatie van misdadigers.

Jon wist niet zeker of het nog een nawerking van de verdoving was of dat het licht gewoon zo snel verdween. Voor hem was het net alsof hij met zijn ogen knipperde en het volgende moment was het donker buiten. Het enige licht in de kamer kwam van de lamp op het nachtkastje, die niet sterk genoeg was om de kamer tot in de verste hoekjes te verlichten. De temperatuur was nu veel draaglijker geworden maar nog steeds hoog genoeg om hem warm te houden zonder dat hij zweette.

De deur ging open en een vrouw met een schort kwam binnen met een dienblad. Achter haar kwam Remer en na hem drie zuidelijk uitziende mannen.

'Het is hoog tijd dat je eens wat vast voedsel tot je neemt, Campelli,' zei Remer en hij ging aan het voeteneinde van het bed staan. Hij knikte naar de drie mannen, en twee van hen gingen aan weerskanten van het bed staan. De laatste bleef bij de deur staan. Na nog een teken van Remer maakten ze de riemen waarmee Jons armen vastzaten los en de vrouw zette het blad op zijn schoot.

Jon merkte dat hij honger had, maar hij aarzelde met eten. Hij keek naar de bewakers die naast zijn bed stonden. Ze bleven op één pas afstand staan en staarden voor zich uit.

'Ze verstaan ons niet,' zei Remer. 'En al verstonden ze ons wél, ze zijn trouw aan de Orde.' Hij knikte naar de schaal met rijst en vlees die op het blad stond. 'Eet maar, dan vertel ik je een verhaaltje voor het slapengaan.'

Er lag geen bestek op het blad dus Jon begon met zijn handen te eten. Eerst voorzichtig en iedere hap aandachtig proevend, maar het kruidige lamsvlees met rijst smaakte zo onverwacht lekker, dat hij algauw het eten gulzig naar binnen werkte.

'De gaven die jij bezit kennen geen landsgrenzen,' begon Remer en hij knikte naar de vrouw, die de kamer onmiddellijk verliet. 'Maar dat had je misschien al geraden. Natuurlijk zijn er anderen zoals jij en ik op de wereld maar de taal brengt wel een zekere beperking met zich mee. Jij zou ongetwijfeld iets moois kunnen doen met een Engelse tekst en misschien zelfs met een Italiaanse, maar het effect is toch het grootst in je moedertaal. Om een tekst te kunnen laden, moet je een taal kunnen gebruiken, en hoe beter je dat kunt, des te beter het werktuig dat je in handen hebt om je doel te bereiken.'

De vrouw kwam terug met een hoge kruk, die ze achter Remer neerzette, en toen verdween ze weer. Remer ging zitten en trok zijn jasje recht voordat hij verderging.

'Voor ontvangers is het iets anders. Zij kunnen hun gaven in meer situaties gebruiken, ook al is de tekst die wordt gelezen onbegrijpelijk voor hen. De gevoelens en de beelden die de tekst oproept zijn universeel en niet afhankelijk van taal, maar de specifiekere details van de beïnvloeding vereisen nog steeds kennis van de taal.'

'Dus u heeft me meegenomen naar Egypte om me in bedwang te houden?' vroeg Jon tussen twee happen door.

Remer lachte.

'Helemaal niet,' antwoordde hij. 'Ten eerste zijn jouw fysieke ontladingen niet afhankelijk van de vraag of de luisteraar de tekst begrijpt of niet.' Hij bracht zijn hand naar zijn kin. 'Wat erg interessant is en nog nooit eerder vertoond. Wij denken eigenlijk dat lezen een noodzakelijke katalysator is, maar dat dat het enige verband is dat het fenomeen met lezen heeft.' Hij schudde zijn hoofd. 'Daar willen we in de loop van de komende dagen achter zien te komen.'

Jon snoof.

'Ten tweede,' ging Remer verder, zonder zich iets aan te trekken van Jons interruptie. 'Is Alexandrië altijd een belangrijke plek geweest voor onze organisatie.'

'Alexandrië?' zei Jon. Hij probeerde een verband te vinden tussen die naam en iets wat hij kende, maar het enige wat hij zich kon herinneren was dat het een stad aan de kust van Noord-Afrika was.

Remer knikte.

'Onze organisatie is oorspronkelijk hier in Alexandrië ontstaan,' legde hij uit. 'Volgens de overlevering zijn de gaven die jij en ik bezitten hier voor het eerst ontdekt.'

Jon was klaar met eten en schoof het bord van zich af. Het werd meteen weggehaald door een van de twee bewakers, waarna hij hem het glas water voorhield. Jon nam het aan en dronk.

Remer wachtte geduldig tot hij klaar was en knikte toen naar de bewakers. Ze bonden Jons armen weer vast aan de spijlen van het bed en verlieten zonder een woord te zeggen de kamer. Toen ze weg waren, wreef Remer met een verwachtingsvolle blik zijn handen tegen elkaar.

'Nou, Campelli,' zei hij vrolijk. 'Ben je klaar voor de geschiedenisles?'

Jon gaf geen antwoord. Hij had toch geen keus.

'Alexandrië is ongeveer 330 jaar voor het begin van onze jaartelling gesticht door Alexander de Grote,' begon Remer. 'De stad moest het centrum van de wereld worden voor wetenschap en kennis, niets minder dan dat. Daarom werd hier de waarschijnlijk beroemdste bibliotheek ter wereld gebouwd, de Bibliotheca Alexandrina. Behalve bibliotheek was het ook een mekka voor wetenschappelijke studies en intellectuele verdieping. Veel van de mensen die wij vandaag de dag de eer voor het grondleggen van de wetenschap toekennen hebben hier gestudeerd. Onder anderen Euclides, Heron en Archimedes.' Remer schraapte zijn keel. 'De verzameling perkamentrollen en codices groeide omdat alle schepen die de haven binnenliepen wettelijk verplicht waren om een kopie van al het geschreven materiaal dat ze aan boord hadden achter te laten, als een soort tol. Er wordt aangenomen dat de bibliotheek rond de 750.000 banden bevatte voordat deze grote boekenschat werd vernietigd door verschillende oorlogen, plunderingen en branden. Gedurende ruim zevenhonderd jaar was de Bibliotheca Alexandrina het middelpunt van de wereld voor literatuur en kennis.'

'Maar hij is afgebrand?' vroeg Jon.

'Ja, meerdere keren,' antwoordde Remer terwijl hij zijn blik neersloeg. 'De teloorgang van de bibliotheek bestreek een paar honderd jaar. Het begon met de Alexandrijnse oorlog in het jaar 48 voor Christus, waar Julius Caesar zelf bij betrokken was. Het was iets met Cleopatra. Branden verwoestten grote delen van de bibliotheek en veel van de codices en geschriftrollen gingen verloren. In de eeuw na de val van het Romeinse Rijk is bij de vele plunderingen de bibliotheek volledig leeggeroofd.'

'En de gaven zijn ontstaan in die bibliotheek?'

Remer stak zijn wijsvinger omhoog.

'Ontdekt, niet ontstaan,' zei hij. 'De gaven zijn er waarschijnlijk altijd al geweest, maar ze zijn pas door Demetrius voor het eerst onderzocht.'

Jon fronste zijn wenkbrauwen. Hij had de naam Demetrius pas nog gehoord.

'De school waar je hebt ingebroken is naar hem vernoemd,' zei Remer, die moest hebben opgemerkt dat Jon zich afvroeg waar hij die naam eerder had gehoord. 'Hij was de man achter de oprichting van de oorspronkelijke Bibliotheca Alexandrina. Behalve filosoof, staatsman en raadsheer was hij waarschijnlijk ook de eerste hoofdbibliothecaris.'

Jon dacht aan de bijeenkomst van de zenders in de bibliotheek in Østerbro, waarbij de bibliothecaresse, niet zonder een zekere afgunst, de invloed van bibliotecarissen in de oudheid had beschreven.

'Gelukkig was Demetrius ook een voorzichtig man,' ging Remer verder. 'Hij begreep algauw wat hij op het spoor was gekomen en hield zijn kennis over de gaven diep geheim. Zo heeft hij onze organisatie gesticht. Toen was het een geheim genootschap van speciaal ingewijden, dat wil zeggen, mensen die de gaven bezaten en invloedrijke posities bekleedden. In die tijd, en nog vele eeuwen erna, bestond er een enorm aantal min of meer geheime religieuze en filosofische sektes in Alexandrië. De meeste geleerden waren lid van één of meer genootschappen – dat was waarschijnlijk de mode in die tijd – en het was vast niet moeilijk voor Demetrius om de juiste mensen te werven.'

'Noemt u dit werven?' vroeg Jon en hij trok aan de riemen waarmee hij was vastgebonden.

Remer haalde zijn schouders op.

'Dat was nodig om je volle aandacht te krijgen,' constateerde hij droog. 'Demetrius hoefde waarschijnlijk niet dit soort drastische maatregelen te nemen. Hij was een gerespecteerd man en ik weet zeker dat iedereen die hij uitnodigde zich vereerd zou voelen en ook loyaal zou zijn.' Er verscheen een teleurgestelde uitdrukking in Remers ogen. 'Dat zou jij ook moeten zijn, Campelli. Er zijn niet veel mensen die waardig genoeg worden bevonden om toe te treden tot onze organisatie.'

Jon wilde protesteren, maar Remer verhief zijn stem en onderbrak hem.

'Ik weet zeker dat je het op onze manier zult gaan zien, wacht maar.'

Jon twijfelde er niet aan dat dat een dreigement was, en geen belofte. Zijn gedachten gingen weer naar Katherina. Was zij ook in Alexandrië? Hoe kon Remer zo zeker van zijn zaak zijn?

'Met de uiteindelijke ondergang van de bibliotheek raakte Alexandrië ook zijn status als centrum voor kennis kwijt en omdat de organisatie natuurlijk dáár moest zijn waar de ontwikkeling plaatsvond, werd ze opgedeeld. De leden verspreidden zich over de hele wereld om plaatselijke afdelingen op te zetten.' Remer trok een wenkbrauw op en knikte kort naar Jon. 'Een aantal van hen ging naar Italië.'

Jon had wel verwacht dat er ergens in het verhaal een verband met hemzelf zou worden gelegd. Remer had vast iets wat hij wilde gebruiken om hem aan zijn kant te krijgen.

'Wilt u zeggen dat mijn familie lid was van die sekte van Demetrius?'

'Die kans is groot,' bevestigde Remer. 'Er zijn geen volledige stambomen of lijsten van leden bewaard gebleven, maar veel wijst erop dat de groepen van georganiseerde Lettores die overal ter wereld bestaan allemaal afstammen van de oorspronkelijke orde die bijna 2400 jaar geleden hier in Alexandrië is opgericht.'

'En waar is het misgegaan?' vroeg Jon. 'Waarom hebben jullie de wereldheerschappij niet in handen?'

Remer trok een gezicht.

'Dat heeft verschillende oorzaken,' antwoordde hij. 'Die decentralisatie heeft de organisatie verzwakt. Er ontstonden fracties die verschillende agenda's hadden en de verschillende richtingen verbruikten veel energie om elkaar te bestrijden. Bovendien is het lange tijd direct gevaarlijk geweest om geleerd te zijn. Geleerden werden al snel beschouwd als heksen of tovenaars en op de brandstapel gezet. Daarom was het belangrijk om niet te veel op te vallen, wat het niet makkelijker maakte om nieuwe leden te vinden en te werven.' Hij stond op om zijn benen te strekken. 'Pas tijdens de renaissance kwam de organisatie weer goed op gang, maar het duurde heel wat jaren voordat de verloren gegane kennis weer bij elkaar was vergaard.'

Jon werd meegesleept door het verhaal, al bevond hij zich in het hol van de vijand. Het verbaasde hem wel dat het Bibliofielgenootschap thuis hem niets had verteld over zijn wortels. Misschien wisten ze niets van het ontstaan, of misschien hadden ze het geheimgehouden totdat hij er klaar voor was om de waarheid te horen.

'De renaissance is lang geleden,' zei Jon. 'Waarom hebben jullie de wereld nog niet overgenomen?'

'Wie zegt dat dat niet zo is?' vroeg Remer met een schalkse glimlach. 'Nee, je hebt gelijk. We hebben pas de laatste decennia het juiste gereedschap gekregen.' Hij zweeg.

Jon trok zijn wenkbrauwen op.

'Moet ik raden?'

Remer lachte.

'Democratie. Daar hebben we op gewacht.'

'Democratie?' herhaalde Jon verrast.

'Democratie is het beste wat de Orde ooit is overkomen.' Hij spreidde zijn handen. 'Natuurlijk, de monarchie bood ook best mogelijkheden, maar dat was veel te kwetsbaar. Enerzijds was heel moeilijk om mensen dicht bij de macht te krijgen en anderzijds was het heel gevaarlijk voor hen als er een machtswisseling plaatsvond. Hun hoofd rolde meestal tegelijk met dat van de koning. Nee, democratie is perfect.' Remer stak zijn wijsvinger op. 'Het is relatief makkelijk om dicht bij de machthebbers te komen en veel effectiever als iedereen denkt dat hij zelf heeft meegewerkt aan een beslissing. In werkelijkheid geloven ze wat wij hen willen laten geloven. Bovendien kunnen de meesten van onze mensen aanblijven als er een regeringswisseling plaatsvindt.'

'Ambtenaren?' vroeg Jon.

Remer knikte.

'Onder andere. Vergeet niet dat wij alleen maar in de buurt hoeven te zijn als degenen die we willen beïnvloeden lezen. Ze omringen zich met secretaresses, assistenten en juristen. We kunnen zelfs bodes en kantine- en schoonmaakpersoneel gebruiken.'

'Dat verklaart waarom je nooit verschil ziet tussen de ene en de andere regering,' merkte Jon droog op.

'Wij bedrijven geen politiek,' zei Remer. 'Vergis je daar niet in. We creëren alleen op zoveel mogelijk plaatsen ter wereld de optimale omstandigheden voor onze organisatie.'

'U hebt me nog steeds niet verteld waarom we in Alexandrië zijn,' zei Jon. 'Als de organisatie over de hele wereld verspreid is, en er niet langer één centrum is, waarom dan híér?'

'Het klopt dat de oorspronkelijke Bibliotheca Alexandrina niet meer bestaat,' zei Remer. 'Maar we hebben een nieuwe gebouwd.'

'We?' vroeg Jon verrast.

Remer glimlachte geheimzinnig.

'De Egyptische regering heeft in samenwerking met de UNESCO een enorme nieuwe bibliotheek gebouwd op dezelfde plek als de oorspronkelijke Bibliotheca Alexandrina, of tenminste heel dicht erbij. Hij is in 2002 geopend, na zo'n twaalf, dertien jaar inspanning en een bedrag dat ergens rond de vierhonderd miljoen dollar ligt. Een gigantisch project dat Alexandrië terug heeft gezet op de kaart van de informatiewetenschap. Het is een officiële doelstelling dat de herbouw van de bibliotheek de regio weer terug moet brengen naar de vroegere grootheid als verzamelplaats voor kennis en geleerdheid.'

'En wat is jullie rol in de herbouw?'

'Laten we zeggen dat we het proces een beetje hebben versneld,' antwoordde Remer glimlachend. 'We hebben de benodigde vergunningen geregeld, we hebben de juiste personen geïnspireerd en ervoor gezorgd dat mensen van ons hier kwamen te werken. Dat soort kleine dingen verschaft ons toegang tot de bibliotheek wanneer wij dat willen.'

Jon vroeg zich af achter hoeveel andere soortgelijke projecten de Schaduworganisatie zat. De nieuwe vleugel van de Koninklijke Bibliotheek in Kopenhagen? De hoofdbibliotheek in New York? Hij stelde zich voor dat er over de hele wereld monumenten verrezen, als zendmasten die de boodschap van de organisatie verspreidden. En wat nog erger was, hij wist dat het waarschijnlijk niet de doelstelling van de Schaduworganisatie was om over de hele wereld gebouwen neer te zetten. Dat was slechts een administratieve handeling, vergelijkbaar met het vestigen van een kantoor.

'De Egyptische regering, zegt u? De UNESCO?'

Remer haalde zijn schouders op.

'Een kleinigheid.'

'Maar waar hebben jullie mij dan voor nodig?' vroeg Jon terwijl hij zijn armen zo hoog ophief als de riemen toelieten.

'Zoals je weet zijn jouw gaven uitzonderlijk,' begon Remer. 'Zelfs zonder de fysieke verschijnselen ben je veel sterker dan enige andere Lettore die we ooit hebben gemeten. Wij denken dat de combinatie van jouw gaven en deze plek ons naar een volgend niveau zal kunnen brengen.'

'En wat is dat volgende niveau?'

'Om te beginnen dat van jou,' antwoordde Remer. 'En daarna... Wie weet?'

Jon wilde niet laten blijken dat hij het niet begreep, maar hij kon Remers gedachtegang niet helemaal volgen. Iversen had hem verteld dat alle Lettores hun grens hadden, een potentieel waar ze niet overheen konden komen, hoe intensief ze ook trainden. Remer was kennelijk een andere mening toegedaan.

'De tijd is er rijp voor,' ging Remer verder. 'Steeds meer landen kiezen voor een democratisch model en onze positie is nog nooit zo sterk geweest. De UNESCO en de Egyptische regering, dat is nog maar een kleinigheid. Zegt de EU, de NAVO, de G7, de VN je iets? Om nog maar te zwijgen van de FBI, de CIA, de NSA en de meeste andere inlichtingendiensten over de hele wereld. Komend jaar zijn er presidentsverkiezingen in Amerika, vijf parlementsverkiezingen in Europa, een enorme hoeveelheid referenda en een duizelingwekkend aantal EU-bijeenkomsten, regeringsconferenties en topontmoetingen.'

'En jullie mensen zitten daar aan tafel?'

'Aan tafel, of ze staan achter de mensen die aan tafel zitten.' Remer wees op Jon. 'Je zou vereerd moeten zijn. Ze zijn allemaal hier in Alexandrië om jou te ontmoeten. Jij moet ze het laatste duwtje in de goede richting geven, zodat ze hun opdracht met zoveel mogelijk effect kunnen uitvoeren.'

Het duizelde Jon door Remers woorden. Hij voelde zich niet lekker en hij deed zijn ogen dicht.

'Nou, wat zeg je ervan, Campelli?' vroeg Remer met stemverheffing. 'Sluit je je bij ons aan en maak je je stoutste ambities waar, of wil je de rest van je leven een slaaf blijven en dat ook weten?'

Jon keek naar de riemen waarmee zijn armen vastzaten. Hij wist niet wat er met hem zou gebeuren als hij nee zou zeggen, maar hij kon zich onmogelijk bij Remer aansluiten. Er was echt geen enkele kans dat hij de man zou helpen die waarschijnlijk zijn ouders had vermoord en mogelijk Katherina gevangen hield. Hij balde zijn handen tot vuisten en keek Remer aan.

'Ik zal jullie nooit helpen,' zei hij, met extra nadruk op 'nooit'.

Remer verplaatste teleurgesteld zijn blik naar de grond.

'Dat spijt me oprecht, Campelli,' zei hij. 'Maar ik had eigenlijk geen ander antwoord verwacht.' Hij stond op, liep naar de deur en deed hem open. 'Kom maar binnen,' riep hij.

Jons hart ging wild tekeer in zijn borstkas. Hij had er alles voor over om Katherina weer te zien, maar niet op dit moment. Als zij nu door de deur naar binnen zou komen, was alles vergeefs geweest. Hij wist dat Remer alles van hem gedaan zou kunnen krijgen als ze Katherina als pressiemiddel zouden gebruiken.

Er klonken voetstappen in de gang. Jon hield zijn adem in.

Een kleine, magere man kwam de kamer binnen. Hij droeg sandalen, een licht joggingpak en een klassieke ziekenfondsbril. Hij was kaal en bruinverbrand, waardoor hij eruitzag als een sportieve uitvoering van Ghandi. In zijn ene hand droeg hij een aluminium koffertje. 'Jon Campelli,' zei de man met een stem die verrassend laag was voor zijn lichaamsbouw. 'Ik ben heel blij om u eindelijk te ontmoeten.' Achter de bril staarde een paar blauwe ogen Jon met een staalharde blik aan.

'Het spijt me dat ik u geen hand kan geven,' zei Jon met een knikje naar zijn riemen. Er was iets verontrustends aan de kleine man, maar de opluchting dat het Katherina niet was, was zo groot, dat hij zijn zelfvertrouwen terugkreeg.

'Dat geeft niets,' antwoordde de man en hij legde zijn koffertje op het voeteneinde van het bed. Hij maakte het open en haalde er een voorwerp uit dat hij aan Remer gaf. 'Ik denk dat we hier het beste mee kunnen beginnen.'

Remer liep naar het hoofdeinde van het bed en liet Jon een rol grijze tape zien. Hij scheurde er een stuk af en plakte dat op Jons lippen. Jon wierp hem een hatelijke blik toe, maar hij reageerde niet.

'Je kunt beter weggaan,' zei de man tegen Remer, die gehoorzaam de deur uit liep. Die werd meteen achter hem gesloten.

Vanaf zijn plek in het bed kon Jon niet zien wat er in het koffertje zat, maar hij was voorbereid op de ergste martelwerktuigen die hij kon bedenken. Op de een of andere vreemde manier voelde hij zich opgelucht. De pijn die het hem zou doen om toe te kijken hoe Katherina aan iets dergelijks werd blootgesteld leek hem veel erger dan het zelf te moeten ondergaan.

Maar toen hij zag wat er uit de koffer kwam, besprong de paniek hem.

De kleine man met de ziekenfondsbril stak langzaam zijn beide handen in de koffer en haalde er heel voorzichtig een voorwerp uit.

Het was een boek.

33

Toen Katherina hoorde dat Jon op reis was, was ze in eerste instantie opgelucht. Dat betekende dat hij nog leefde. Maar vlak daarna werd ze overvallen door een grote moedeloosheid. De afstand tussen haar en Jon was op Mohammeds computerbeeldscherm afgebeeld als een lange, flauwe boog van Denemarken naar Egypte en het leek haar een onoverbrugbare afstand. Ze had geen idee hoe ze daar moest komen, of hoe ze hem zou kunnen vinden in een land dat zo groot was. Wanhopig stortte ze in.

Mohammed deed precies het goede. Hij nam haar voorzichtig mee naar de bank, ging naast haar zitten en sloeg zijn arm om haar schouders. Hij vroeg niet naar de reden van Jons reis, of waarom ze zo reageerde. Hij liet haar gewoon rustig uithuilen.

Toen ze ten slotte weer een beetje was gekalmeerd, bedankte ze hem meerdere malen en ze beloofde dat ze hem het hele verhaal zou vertellen als de tijd daar rijp voor was. Mohammed reageerde door zijn hulp aan te bieden, het maakte niet uit wat hij kon doen. Katherina wist zeker dat ze over niet al te lange tijd gebruik zou moeten maken van dat aanbod.

Er waren nog steeds heel veel vragen die ze eigenlijk aan Mohammed wilde stellen, maar ze kon niet langer passief blijven. Ze had al bijna twee dagen verloren aan slapen en ze wilde het liefst meteen naar het vliegveld rijden en het eerste het beste vliegtuig naar Egypte pakken. Maar toen ze bij Mohammed wegging en weer op haar fiets zat, kwam ze tot bezinning en ze fietste zo hard ze kon naar Libri di Luca.

Henning stond achter de toonbank. Ze was verrast, totdat ze zich herinnerde dat Iversen had gezegd dat hij Henning ging aflossen, die aan het posten was bij een van Remers adressen.

'Jullie mogen stoppen met zoeken,' zei Katherina toen ze de winkel binnenkwam. 'Ik weet waar hij is.'

Henning staarde haar stomverbaasd aan.

'Katherina... Was jij niet...' Hij wees uit het raam. 'Alles goed?'

'Met mij gaat het prima,' loog Katherina. Ze had het geduld niet om vragen over haar gezondheid of gemoedstoestand te beantwoorden. 'Je mag de anderen terugroepen. Jon is helemaal niet in Denemarken. Hij is in Egypte.'

Op Hennings gezicht was een geïrriteerde, bezorgde uitdrukking verschenen en hij wilde zijn mond al opendoen, maar Katherina was hem voor.

'Ik weet niet waarom. Het enige wat ik weet, is dat ze hem vierentwintig uur geleden met het vliegtuig daarnaartoe hebben gebracht.'

Henning knikte en hield wijselijk zijn mond totdat hij weer genoeg bij zijn positieven was om de telefoon te pakken en Iversen te bellen. Een paar telefoontjes later had het bericht dat ze zich konden terugtrekken alle betrokkenen bereikt.

Intussen pakte Katherina een grote atlas en legde die op de toonbank. Ze bladerde naar de pagina's waar Noord-Afrika op stond. Haar ogen vlogen heen en weer over de detailkaart, tussen rivieren, steden en de grote, open woestijngebieden. Als kind had ze vaak in atlassen gebladerd en soms had ze zich voorgesteld dat ze een god was die kon neerkijken op zijn werk. Als ze haar ogen een beetje dichtkneep, kon ze daarbeneden zelfs mensen door elkaar zien krioelen. Ze wilde dat ze haar hand in het zand van Egypte kon steken en Jon tussen haar vingertoppen kon oppakken om hem terug naar huis te halen.

Iversen was er als eerste en Katherina vertelde hem waar ze de informatie over Jons reis vandaan had. Hij knikte nadenkend terwijl hij de landkaart op de toonbank bestudeerde. Terwijl hij las, kwamen de namen van landen en steden op Katherina af rollen en ze probeerde zich vast te klampen aan de stroom namen om er eentje te vinden die ze ergens mee in verband kon brengen of iets betekende. Ze zorgde ervoor dat Iversen meer geconcentreerd las, zodat hij de kaart sneller kon scannen, maar in haar ijver forceerde ze hem. Hij legde rustig zijn hand op de hare en vroeg of ze zich wilde inhouden. Ze knikte, bood haar excuses aan en stopte meteen met beïnvloeden.

'Wat zijn ze van plan?' vroeg Iversen retorisch. Hij schoof twee vingers onder zijn bril en masseerde zijn oogleden. 'Waarom Egypte?'

'Het kan natuurlijk een afleidingsmanoeuvre zijn,' stelde Henning voor, maar hij klonk niet erg overtuigd. 'Als ze echt Jons verblijfplaats geheim willen houden, zouden ze zijn paspoort toch niet hebben gebruikt?'

'Misschien hadden ze geen tijd om het anders te doen?' zei Iversen. Katherina stond met haar armen over elkaar. Ze had moeite om kalm te blijven.

'Wanneer kunnen we vertrekken?' vroeg ze ongeduldig. 'We hebben al een dag achterstand.'

'Egypte is een groot land,' zei Iversen. 'We moeten nauwkeuriger weten waar hij is. Ze kunnen ook verder zijn gereisd.'

'Niet met hetzelfde paspoort,' zei Katherina. 'Dat heeft Mohammed gecheckt.'

Iversen knikte.

Een voor een dook een aantal van de andere Lettores op, onder wie Clara, die beschaamd Katherina's blik ontweek. Katherina negeerde haar. Ze kon Clara nog steeds niet vergeven dat ze haar had laten slapen. Iversen bracht de aanwezigen op de hoogte van de situatie, terwijl Katherina zich een beetje terugtrok naar de achtergrond. Binnen een mum van tijd was er een levendige discussie ontstaan rondom de toonbank. De fantastische theorieën volgden elkaar in hoog tempo op. Ze begreep niet waarom ze tijd moesten verspillen aan speculaties. Iversen had natuurlijk gelijk. Egypte was een heel groot land om één enkele persoon te zoeken, maar ze zou zich zoveel beter voelen als ze daar was, in plaats van dat ze hier stond te praten over wat ze zouden doen als ze er waren.

Katherina ging bij het raam staan en keek naar buiten. Ze bracht haar hand naar haar kin. Het was laat in de middag en donkere schaduwen hadden zich over de stad gelegd. Het zou niet lang meer duren voordat het begon te regenen. Het was harder gaan waaien en de mensen liepen voorovergebogen tegen de wind in terwijl ze hun jas probeerden vast te houden. Er kwam een gedaante naar de winkel toe lopen. Hij stopte bij het raam, vlak voor Katherina. Het was een man met een grote baard en een warrige haardos die wild wapperde in de wind. Hij keek niet naar de uitgestalde boeken in de etalage, maar richtte een stel helderblauwe ogen op Katherina.

Ze gilde het bijna uit van verbazing toen ze Tom Nørreskov herkende. Hij had niet de moeite genomen om iets anders aan te trekken en droeg nog steeds dezelfde kleren als toen ze hem hadden opgezocht op zijn boerderij in Vordingborg. Zijn grote rode lippen vormden een brede grijns.

Katherina rende naar de deur en rukte hem open zodat de bellen wild heen en weer zwaaiden. De andere aanwezigen draaiden zich om en staarden met open mond naar de deur toen Katherina de bezoeker naar binnen trok.

Clara deed een stap naar voren.

'Tom?' vroeg ze met ongeloof in haar stem.

Tom Nørreskov knikte. Hij keek een beetje verlegen de groep mensen rond.

'Dit is Tom Nørreskov,' zei Katherina.

Iversen deed een stap naar voren en nam Toms hand tussen zijn beide handen en schudde die.

'Welkom, Tom. Goed je te zien.'

Tom Nørreskov knikte alleen maar en hij keek rond, alsof het de eerste keer was dat hij in Libri di Luca was. Zijn blik gleed langs de kasten op het balkon en verder over de vele banden en stapels boeken op de begane grond. Langzaam verscheen er een brede glimlach op zijn volle lippen.

'Dat is lang geleden, Iversen,' zei hij grijnzend. 'Maar er is godzijdank niets veranderd.'

De andere aanwezigen vergaten de kaart van Noord-Afrika en begroetten Tom Nørreskov alsof hij een oude klasgenoot was. Zijn ogen schoten heen en weer tussen de Lettores. Veel van hen had hij waarschijnlijk nog nooit gezien, maar hij nam iedereen aandachtig op, alsof hij iemand zocht.

'Waar is die jongen van Campelli?' vroeg hij ten slotte en hij stak zijn hand in zijn binnenzak. 'Ik heb een kaart van zijn vader.'

Niemand zei iets. Een bedrukte sfeer daalde neer over de aanwezigen.

'Hij is lang onderweg geweest,' ging hij verder. 'Ruim een maand, maar het is ook een heel eind vanuit Egypte.'

Katherina veerde op en ze rukte de ansichtkaart uit Toms hand. 'Egypte?' riep ze en ze staarde naar de kaart. Op de voorkant stond een groot, cirkelvormig gebouw van zandsteen. Het dak liep schuin af. Het was van glas dat metaalachtig glansde in de felle zon. Het leek nog het meest op een vliegende schotel die een noodlanding had gemaakt in het zand van de woestijn. Met trillende handen draaide Katherina de kaart om.

Nooit eerder in haar hele leven was ze zo gefrustreerd geweest dat ze niet kon lezen, als toen ze de nietszeggende tekentjes op de achterkant van de kaart zag. Met tegenzin gaf ze hem door aan Iversen. Hij pakte hem aan en las hardop: '"Ze zitten híér – Luca".'

Voor de tweede keer die dag voelde Katherina zich ontzettend opgelucht. De kaart gaf hun de naam van de stad en misschien zelfs het gebouw waar Jon zich bevond. De gedrukte tekst op de achterzijde van de kaart vertelde hun dat het gebouw op de voorkant de Bibliotheca Alexandrina in de havenstad Alexandrië was.

Iversen reageerde door zichzelf tegen zijn voorhoofd te slaan en uit te roepen: 'Natuurlijk.' Hij liet een opgelucht lachje horen. 'Hoe heb ik dat over het hoofd kunnen zien?'

Tom Nørreskov stond beteuterd naar de anderen te kijken, hij was verrast door het effect dat de ansichtkaart had.

'Maar waar is Jon?' vroeg hij nog een keer.

Opnieuw zweeg iedereen. Ze keken elkaar schuin aan.

'Hier,' zei Iversen ten slotte terwijl hij de ansichtkaart omhooghield. 'Je hebt zelf het antwoord meegebracht.'

Terwijl Iversen de verblufte Tom op de hoogte bracht van de gebeurtenissen van de afgelopen weken, ging de ansichtkaart van hand tot hand. De aanwezigen bestudeerden hem een voor een zorgvuldig, alsof het een zoekplaatje was waar meerdere geheimen in verstopt waren.

Toen Katherina eindelijk de kans kreeg om de kaart nog een keer aan een onderzoek te onderwerpen, staarde ze doordringend naar de foto en prentte alle details van het ronde gebouw en de omgeving goed in haar hoofd. Voor de bibliotheek lag een waterbassin in de vorm van een halve maan, dat een natuurlijk tegenwicht vormde voor de reusachtige glasvlakken van het schuin aflopende dak van het gebouw. Metaalachtige lichtbakken onder het glas moesten indirect licht binnenlaten in de leeszalen onder het dak. Die gaven het glazen oppervlak een futuristisch uiterlijk. Het leek wel een beetje op een cd. Rechts in de cirkel was een inkeping uitgespaard en op het rechthoekige plein dat daardoor was ontstaan lag een apart gebouw dat gedeeltelijk was verzonken in de stenen bestrating. Het had de vorm van een rugbybal. De ingang lag in de uitsparing in het hoofdgebouw.

Dáár moest ze naartoe.

'De Bibliotheca Alexandrina,' zei Iversen achter haar rug. 'Waarschijnlijk de beroemdste bibliotheek van de oudheid. Hij is herbouwd in de oorspronkelijke geest; kennis verzamelen en voor iedereen toegankelijk maken.' Hij zuchtte. 'Laten we hopen dat hij niet hetzelfde lot zal ondergaan als de oorspronkelijke bibliotheek. Er zijn teksten van onschatbare waarde verloren gegaan tijdens oorlogen, plunderingen en branden. Ze zeggen dat de constructietekeningen van de piramide van Cheops in die bibliotheek werden bewaard. Stel je eens voor. Wie weet hoeveel belangrijke documenten voor ons verloren zijn gegaan door de gulzigheid van vuur en de domheid van mensen. Documenten die onze opvattingen over de geschiedenis, de cultuur of de wetenschap zouden veranderen.' Hij zweeg vol respect voor de gecremeerde boeken.

'Maar waarom zijn ze daarnaartoe gegaan?' vroeg Katherina.

'Daar kunnen we alleen maar naar raden,' antwoordde Iversen. 'Misschien is het een ritueel. Misschien is de bibliotheek de plek waar de Schaduworganisatie bijeenkomt.'

'Ik denk dat het de lading is,' zei Tom Nørreskov.

Iedereen in de winkel draaide zich naar hem om. Hij sloeg vlug zijn ogen neer en keek naar zijn handen.

'Luca had een theorie,' begon hij met zachte stem. Iedereen kwam dichter bij hem staan en luisterde aandachtig. 'Hij dacht dat niet alleen de kracht van het boek dat bij een activering werd gebruikt bepalend was, maar dat ook de lading van de boeken die de deelnemers omringden de activering kon bevorderen, alleen al door hun aanwezigheid. Een activering uitgevoerd in aanwezigheid van de Campellicollectie zou dus veel effectiever zijn dan een activering in een willekeurig weiland.'

Iversen knikte.

'Dat is algemeen bekend,' zei hij, maar hij klonk niet overtuigd.

'Dus de collectie in de bibliotheek van Alexandrië zou de activering bevorderen?' vroeg Clara.

'Er is één probleem,' benadrukte Iversen. 'Voor zover ik weet is de bibliotheek nog bezig met het opbouwen van de collectie en de ontwikkeling van de elektronische media is zo snel gegaan sinds de start van het project, dat veel werken nu beschikbaar zijn op cd-rom of dvd in plaats van de papieren uitgave.' Hij spreidde zijn handen. 'En we weten dat deze media niet worden geladen, zoals echte boeken.'

'Klopt,' gaf Tom toe. 'Maar Luca en ik hadden allebei het idee dat de energie als het ware kon worden overgedragen op de omgeving, een soort ophoping van energie uit de geladen boeken dus, en misschien ook wel door het gebruik van de gaven zelf.'

'Dat is nooit bewezen,' merkte Iversen sceptisch op.

'Maar stel je eens voor wat het zou betekenen voor de Bibliotheca Alexandrina, als het wél zo is,' hield Tom vol. 'Daar heb ik vanaf het moment dat die kaart kwam over nagedacht. Ruim zevenhonderd jaar lang hebben honderdduizenden boeken van onwaarschijnlijk hoge kwaliteit op die plek opgeslagen gelegen. We kunnen alleen vermoeden dat er in de oudheid ook Lettores bestonden en aangezien Alexandrië een soort bastion van kennis was, moeten er daar ook Lettores zijn geweest, Lettores die de verzameling konden onderhouden en sterker maken.'

Niemand zei iets. Iedereen leek Toms theorie te verwerken.

'Ik weet zeker dat daar een gigantische bron van energie is,' ging hij verder. 'En die nieuwe bibliotheek is als het ware geschapen om die energie te bundelen, als een soort vuurtoren.'

'En de Schaduworganisatie wil die energie gebruiken om nieuwe Lettores te activeren?' vroeg Katherina.

Tom Nørreskov knikte.

'Maar waar hebben ze Jon dan voor nodig?' vroeg ze mistroostig.

Hij keek naar de grond en haalde zijn schouders op.

'Daar weet ik het antwoord niet op.'

'Ik denk nog steeds dat het een ritueel is,' zei Iversen. 'Maar alles wijst erop dat er daar een bijeenkomst zal plaatsvinden. Of ze gaan theedrinken of activeringen gaan uitvoeren is niet van belang. Jon is daar, dus wij moeten er ook naartoe.'

Katherina knikte ijverig. Niets kon haar tegenhouden.

'We moeten erachter zien te komen met hoeveel zij zijn,' ging Iversen verder. 'We moeten ervan uitgaan dat daar nog meer mensen zijn behalve Remer en Jon. Ik heb het idee dat er ook mensen van die school zullen zijn.' Hij wendde zich tot Katherina. 'Denk je dat jouw computervriend erachter kan komen of er leerlingen van de Demetriusschool op schoolreis naar Alexandrië zijn?'

'Dat weet ik zeker,' antwoordde Katherina.

Mohammed had zijn telefoonnummer voor haar op een briefje geschreven en gezegd dat ze hem altijd mocht bellen, ook 's nachts. Hij had er waarschijnlijk niet op gerekend dat ze al een paar uur later gebruik zou maken van dat aanbod, maar hij leek heel bereidwillig toen ze hem belde.

'De Demetriusschool, zeg je?' klonk het aan de andere kant van de lijn. Katherina hoorde het toetsenbord al ratelen op de achtergrond. 'Oeps, die is afgebrand,' riep hij een seconde later.

'Dat weten we,' zei Katherina. 'Kun je erachter komen of er kort geleden nog leerlingen van die school naar Egypte zijn vertrokken?'

'Ja, als hun internetserver tenminste niet ook in vlammen op is gegaan,' antwoordde Mohammed en hij neuriede zachtjes, terwijl de toetsen rammelden. 'Nee hoor, hier is hij,' riep hij ineens. 'Alive and kicking.' Hij begon weer te neuriën, maar onderbrak zichzelf af en toe met tevreden kreetjes en gromgeluidjes. 'Hoor eens, Katherina, dit gaat wel even duren. Kan ik je terugbellen?'

Katherina gaf haar nummer en brak het gesprek af.

'En?' vroeg Iversen gespannen.

'Hij belt terug,' antwoordde ze teleurgesteld. Ze had het liefst bij

Mohammed gezeten of hem gewoon aan de lijn gehouden, zodat ze het gevoel had dat er tenminste iets gebeurde. Ze klemde haar handen in elkaar. 'En nu? Hoeveel vliegtickets hebben we nodig?'

Iversen zond een bezorgde blik in haar richting, maar hij protesteerde niet. Hij kende haar goed genoeg om te weten dat hij haar niet zou kunnen tegenhouden.

'Ik kan niet mee,' zei Iversen, hij keek naar de grond. 'Ik ben te oud en die hitte... Ik zou alleen maar in de weg lopen.'

'Het geeft niet, Iversen,' zei Katherina. 'We hebben jou hier nodig.'

Iversen knikte zonder zijn blik van de vloer te halen.

'Jullie zullen een zender nodig hebben,' constateerde Henning terwijl hij zijn hand opstak alsof hij een eed aflegde. 'Ik ga mee.'

De rest keek elkaar aan.

Tom schudde zijn hoofd.

'Ik ben nu al te ver van mijn boerderij weg,' zei hij met een bedroefde uitdrukking op zijn gezicht. 'Het spijt me.'

'Misschien is het beter als er een klein groepje gaat,' stelde Clara voor.

Iedereen was het daarmee eens, sommigen duidelijk opgelucht. Het kon Katherina niets schelen. Zolang ze zelf maar kon gaan, maakte het haar niet uit of er één of honderd mensen met haar meegingen. Als ze Jon maar eerst gevonden had, dan zou ze daarna wel een manier vinden om hem te bevrijden.

Na een uur had Mohammed nog steeds niet teruggebeld. De meesten waren inmiddels weggegaan. Iversen bleef nog. Hij rommelde wat tussen de boeken, maar bleef een beetje op een afstand van Katherina, die de wachttijd doodde met beurtelings zitten en heen en weer ijsberen voor de etalageruiten. Ze had het gevoel dat Iversen zich er nog steeds een beetje voor schaamde dat hij niet mee kon. Hij ontweek haar blik en liep voorzichtig tussen de kasten door, alsof hij haar niet wilde storen.

Toen er nog een uur voorbij was gegaan, ging Iversen ook weg. Katherina had erop aangedrongen dat hij wat zou gaan slapen. Ze belde Mohammed een paar keer, maar hij nam niet op. Na verloop van tijd werd haar geijsbeer door de winkel steeds rustelozer. Ze liep om haar gedachten in bedwang te houden. Nadat ze ruim twee uur heen en weer had gelopen, ging ze op de grond zitten, met haar rug tegen een kast. Haar benen deden pijn en dat was een welkome afleiding voor haar gepieker. Ze sloeg haar armen om haar benen en liet haar voorhoofd op haar knieën rusten. Als ze haar ogen hard dichtkneep, dansten er vlekjes voor haar ogen, als vliegen in de middagzon. Ze voelde zelfs de warmte van de zon op haar rug branden. De Egyptische zon.

De telefoon ging.

Katherina werd met een schok wakker en keek verschrikt rond. Ze lag in de foetushouding op de grond. Buiten was het licht.

Ze stond met veel moeite op. Haar benen waren stijf en de eerste paar passen naar de toonbank wankelde ze.

'Libri di Luca,' wist ze uit te brengen toen ze eindelijk de telefoon te pakken had.

'Met mij,' klonk het aan de andere kant.

Katherina herkende Mohammeds stem en ze was meteen klaarwakker.

'Kom over een half uur naar de centrale bibliotheek.'

'Wat?' wist Katherina uit te brengen, maar Mohammed had alweer opgehangen.

Terwijl ze naar de centrale bibliotheek fietste, lapte Katherina alle verkeersregels aan haar laars. Ze fietste over de stoep, reed straten met eenrichtingsverkeer in en ging over de busbaan zonder acht te slaan op verkeerslichten of toeterende auto's. Haar toch al pijnlijke beenspieren waren zo ongeveer verzuurd, dus toen ze eindelijk voor de bibliotheek in de Krystalgade van haar fiets kon stappen, viel ze bijna om. Ze zette haar fiets neer en rende zonder hem op slot te doen door de draaideur de bibliotheek binnen.

De witte hal reikte tot aan het dak van het gebouw. Dat bestond uit gematteerde ruiten, die de zon doorlieten om de grote ruimte te verlichten. Katherina ging midden in de hal staan en keek rond. De bibliotheek was pas een uur open en het was nog niet druk. Ze ontving veel minder lezende mensen dan waar ze bang voor was geweest, en ze kon zich concentreren op de aanwezigen.

Achter de balie aan de rechterkant stond een bibliothecaresse die niets te doen had, anderen reden rond met karren vol boeken die ze methodisch op hun plaats in de kasten zetten. Bij een groepje computerterminals op de begane grond zat een vrouw die helemaal opging in het beeldscherm.

Mohammed was nergens te zien.

Katherina liep door naar de roltrappen die vanuit de hal omhooggingen naar de verdiepingen erboven. Ze verliet de roltrap op de afdeling Literatuur op de eerste verdieping en ging bij de balustrade staan zodat ze goed zicht had op de grote hal. Haar hart ging nog steeds tekeer door de wilde fietstocht en ze merkte dat het zweet haar uitbrak. Ze nam een groepje nieuwe bezoekers oplettend op totdat bleek dat het een groep studenten was die op de afdeling Stripboeken ging zitten.

'Deze kant op,' klonk Mohammeds stem achter haar.

Ze draaide zich om en zag Mohammed naar de roltrap naar de volgende verdieping lopen. Hij droeg een grijze sweater met een capuchon. Ze zag dat hij met één been mank liep en toen hij zijn hoofd omdraaide om er zeker van te zijn dat ze hem volgde, zag ze dat hij een zonnebril droeg, die de grote blauwe plek rond zijn ene oog niet helemaal kon verhullen.

Op de tweede verdieping liep hij naar een computerterminal die een beetje verscholen tussen de kasten stond.

'Wat is er gebeurd?' vroeg Katherina toen ze naast hem bij het beeldscherm kwam staan.

Mohammed trok een gezicht en ging zitten.

'Het is misschien beter dat je dat met eigen ogen ziet,' zei hij en hij drukte een paar toetsen in.

Op het beeldscherm verscheen het beeld van een kamer. Het beeld was onscherp en niet erg goed belicht maar het was toch goed te zien dat het Mohammeds appartement was. Mohammeds kamer was nooit erg netjes geweest, maar het was duidelijk dat er iets helemaal mis was. Alle dozen en meubels waren door elkaar gegooid en de inhoud lag over de hele vloer verspreid. Het bureau was omgegooid en de beeldschermen die erop hadden gestaan waren nergens te zien.

'Zo ziet het er nu uit,' mompelde Mohammed. 'We moeten terug naar gisteren om te zien hoe dat komt.'

Onder in het beeld was een balk met knopjes met dezelfde symbolen als een videorecorder. Mohammed drukte op de knop voor terugspoelen. De tijdsaanduiding in de rechterbovenhoek begon terug te tellen. Het beeld bleef hetzelfde, maar Katherina kon zien dat het licht dat van buiten kwam veranderde. De teller ging steeds sneller en opeens was er een heleboel beweging in het beeld.

'Kíjk,' zei Mohammed en hij drukte op de knop voor afspelen.

Op het beeldscherm zag Mohammeds kamer er nu weer uit zoals hij er normaal uitzag en Mohammed zelf zat achter zijn beeldschermen.

'Dit is er vlak voor.'

De beelden toonden Mohammed, die zat te werken achter zijn toetsenbord. Hij knikte ritmisch op de maat van muziek die ze niet konden horen. Opeens stond hij op, stak zijn armen in de lucht en maakte een overwinningsdansje.

Mohammed schraapte zijn keel.

'Oké. Toen had ik de beveiliging van de school gekraakt. Het is maar goed dat er geen geluid bij zit.'

Hij drukte heel even op vooruit spoelen en toen weer op afspelen.

Op het beeldscherm zat Mohammed weer achter zijn computers, maar opeens stond hij op en staarde naar de deur naar de gang. Door de deuropening zagen ze een stapel dozen omvallen. Mohammed liep naar de deuropening, maar op hetzelfde moment kwam er een gestalte in beeld die hem met een soort knuppel in zijn rug sloeg. Hij wankelde een paar passen vooruit, maar wist zich om te draaien voordat de volgende klap kwam. Die kon hij afweren met zijn arm en hij stortte zich op de gestalte, die achteroverviel en in zijn val een stapel dozen meenam. Dat gaf Mohammed de tijd om een van de golfclubs uit zijn prijzenassortiment te grijpen en de gestalte een klap op de borst te geven. Intussen kwamen nog twee personen de kamer binnen vanuit de gang. Zij waren ook gewapend met knuppels en Mohammed moest zich nu aan meerdere kanten tegelijk verdedigen. Hij werd een paar keer geraakt, een keer op zijn scheen en een paar keer in zijn gezicht, maar hij wist ze van zich af te houden en liep achteruit naar de tuindeur.

In de bibliotheek schoof Mohammed onrustig heen en weer op zijn stoel, hij keek telkens rond.

Op het beeldscherm gooide een van de indringers zijn slagwapen op de grond en trok toen een pistool, dat hij op Mohammed richtte. Deze stak zijn armen in de lucht, maar hij had geluk en raakte een stapel dozen vlak bij de deur. Die viel om. Er kwamen twee korte steekvlammen uit de loop van het pistool, maar toen was Mohammed al door de tuindeur verdwenen. Twee van de overvallers klauterden over de hindernissen heen terwijl de man met het pistool nog een schot afvuurde door het tuinraam.

'Dat was het wel zo'n beetje,' zei Mohammed bedroefd.

Op het beeldscherm gaven de inbrekers de achtervolging op, maar voordat ze het appartement verlieten, reageerden ze hun frustratie af op de inboedel.

'Is alles goed met je?' vroeg Katherina terwijl ze haar hand op zijn schouder legde.

'Het gaat wel,' antwoordde Mohammed. 'Die schrammen zijn niet het ergst.' Hij wees op het beeld van zijn vernielde appartement. 'Klootzakken.'

'Ben je nog iets te weten gekomen over die school?'

'Natuurlijk,' zei Mohammed en voor het eerst sinds het begin van hun ontmoeting glimlachte hij. 'Ik ben het laatste stuk nu aan het binnenhalen.' Hij keek rond. 'Laten we naar een andere terminal gaan.'

Ze stonden op en liepen naar de roltrappen.

'Je kunt deze terminals niet voor iets bijzonders gebruiken,' zei hij. 'Maar ik kan hiervandaan op de server van de bibliotheek komen en daarvandaan verder naar... ja overal naartoe.'

'Als jij het zegt,' zei Katherina.

Ze namen de roltrap naar de derde verdieping.

'Het was niet makkelijk om op de servers van de school te komen.

Niet direct wat je van een school zou verwachten,' fluisterde Mohammed onderweg. 'Maar het is waarschijnlijk ook geen normale school, hè? Ik ken in ieder geval geen enkele school die zo'n beveiliging heeft en zo snel kan reageren. In ken eigenlijk níémand die een hacker zo snel kan opsporen en er meteen een knokploeg op af kan sturen.'

Op de derde verdieping vonden ze een vrije terminal. Mohammed ging erachter zitten en begon het toetsenbord te bewerken. Het beeldscherm werd zwart en vulde zich langzaam met tekens.

'Wat heb je gevonden?' vroeg Katherina ongeduldig.

'Ik heb uiteindelijk hun beveiligingssysteem gekraakt en toen heb ik de klassenlijsten gevonden,' begon hij. 'Zoals ik al zei, het is een vreemde school. Het lijkt wel of ze een heel eigen beoordelingssysteem hebben. Alle leerlingen hebben een RL-waarde, wat dat dan ook mag zijn. Maar goed, ik heb de namen van de leerlingen vergeleken met de vliegtuigmaatschappijen en ik vond twee hits op dezelfde vlucht als Jon.'

'Maar twee?' riep Katherina verrast. 'Weet je het zeker?'

'Honderd procent zeker,' antwoordde Mohammed. 'Maar toen heb ik de particuliere maatschappijen geprobeerd. Privévluchten moeten ook passagierslijsten bijhouden, al is er geen sprake van lijndiensten.'

'En?'

'De afgelopen week zijn er twee vliegtuigen vertrokken. Op beide vluchten zaten vijfentwintig personen die óf op de Demetriusschool zitten óf erop hebben gezeten. Het zijn mensen van verschillende leeftijden.'

Katherina zuchtte.

'Vijftig,' zei ze moedeloos.

'Plus nog wat losse,' voegde Mohammed eraan toe. 'Er zaten ook nog een paar mensen op die vluchten die niet op de leerlingenlijsten voorkwamen. Een stuk of tien extra.'

'Kun je die lijst uitdraaien?'

'Natuurlijk,' antwoordde Mohammed. 'Je kunt de namen, de adressen en zelfs de foto's krijgen als je dat wilt. In ieder geval van de leerlingen.' Hij stond op. 'Ik denk dat we nog een keer van terminal moeten wisselen.'

Ze vonden nog een terminal helemaal in een andere hoek van de verdieping. Even later rolden er foto's en namenlijsten over het beeldscherm.

'Maar nu vind ik het wel eens tijd worden dat jij míj iets geeft,' zei Mohammed. 'Je mag beginnen met vertellen wat er nou eigenlijk aan de hand is.'

Hij deed zijn zonnebril af en keek Katherina recht in de ogen.

'Het kan me niet schelen wat jullie allemaal uitspoken, maar als het ten koste van mijn zaak en mijn gezondheid gaat, vind ik dat ik wel recht heb op een verklaring.'

Katherina knikte.

'En die krijg je ook,' antwoordde ze. 'Alleen niet hier.'

Mohammed keek haar wantrouwend aan.

Ze keek weer naar de klassenlijsten.

'Stop,' zei ze opeens en ze wees naar het beeldscherm.

Mohammed stopte de stroom op het beeldscherm met een druk op een van de toetsen.

'Iets terug,' vroeg Katherina.

Op het scherm verscheen een foto van een jongen met donker haar. Het was een oude foto, maar er was geen twijfel mogelijk over die arrogante, scheve glimlach.

Het was Paw.

34

Jon werd wakker met een knallende hoofdpijn.

Nog niet helemaal helder, strekte hij zijn arm uit naar het glas water dat op het nachtkastje stond en dronk het in één teug leeg. Er zaten rode striemen om zijn polsen en hij draaide ze onderzoekend rond om ze te bekijken. Toen brak er een brede glimlach door op zijn gezicht. Hij maakte deel uit van iets groots.

Hij was zijn hele leven tegengewerkt en hij was afgehouden van zijn lotsbestemming, maar nu was het tijd om alles wat hij had gemist in te halen. Het had geen zin om zich kwaad te maken over alle verloren tijd en alle leugens die hem waren verteld. Het doel was dat allemaal waard.

Jon stond op en liep naar het raam. Het was licht buiten, hij dacht dat het vroeg in de ochtend was. Hij schoof de gordijnen open en keek naar het landschap. Op minder dan honderd meter afstand liep een brede rivier. Het onrustige oppervlak glinsterde in het zonlicht. Tussen het water en het huis waarin hij zich bevond lagen zorgvuldig aangelegde perceeltjes grond met donkergroene planten in rode aarde. Aan de overkant van de rivier was het beeld hetzelfde: akkers met daartussen verspreid gelegen gebouwen. Op sommige akkertjes zag hij mensen die in de grond hakten of oogst van het land haalden.

De avond ervoor had hij de omgeving niet kunnen bekijken. Toen was er alleen hier en daar een lichtje te zien. Hij was ook te moe geweest en zo vol van zijn nieuw verworven kennis om de details in het landschap op te merken, al was het klaarlichte dag geweest.

Poul Holt, de man die Jon nu als zijn gids beschouwde, had drie uur naast het ziekenhuisbed zitten lezen. Jon voelde zich beschaamd als hij daaraan terugdacht. Hij had zich onnozel en dwaas gedragen, te trots om de waarheid te zien en te zwak om af te rekenen met zijn verleden en zich open te stellen voor zijn voorbestemming. Dát was in die drie uur wel veranderd. In de loop van die tijd had hij het begrepen en hij bedankte Remer en Poul Holt omdat hij nu eindelijk zijn potentieel ten volle kon benutten.

In het begin had hij zich verzet. Het boek was zijn vijand geweest en toen Poul Holt begon te lezen, had Jon van alles geprobeerd om zijn aandacht af te leiden en zich te concentreren op alles behalve op wat hij hoorde. Het lezen was doorgegaan en na verloop van tijd had hij onwillekeurig toch geluisterd. Het was het verhaal over het ontstaan van de Orde en de successen die ze in de loop der tijden hadden behaald. Het in leer gebonden boek was een kroniek van wat hij vroeger de Schaduworganisatie had genoemd, maar wat hij nu kende als The Order of Enlightenment, de Orde van de Verlichting. Die tegenstelling maakte dat hij moest glimlachen om zijn eigen naïviteit. Deze Orde wierp helemaal geen schaduwen.

Poul Holt was zonder enige twijfel een heel goede zender en dat hij vanaf het eerste woord dat hij las zijn gaven had gebruikt, daar twijfelde Jon ook niet aan, maar hij zag nu in dat dat nodig was geweest. Hij was zo vastgeroest in zijn eigen wereldbeeld, dat hij geholpen moest worden, al betekende dat dat ze hem een klein beetje moesten beïnvloeden.

Tijdens het lezen was Poul Holt drie keer gestopt. Hij had de tape voor Jons mond weggehaald en hem water gegeven. Hij had iedere keer bezorgd gevraagd hoe het met hem ging. Of hij hoofdpijn had, pijn in zijn achterhoofd of vlekken voor zijn ogen zag. De laatste keer had Jon het water afgeslagen. Hij wilde veel liever dat Poul doorging met lezen, zodat hij meer kon leren over de fantastische ontwikkeling van de Orde. Daarna was de tape ook niet meer nodig geweest en toen Poul Holt had besloten dat ze nu echt moesten stoppen, waren de riemen van zijn armen gehaald en mocht Jon zich vrij door de kamer bewegen.

Even later was Remer bij hem komen zitten en die was, voor zover Jon zich kon herinneren, pas weggegaan toen hij in slaap was gevallen. Hij voelde zich veilig hier. Veiliger dan hij zich in lange tijd had gevoeld, misschien had hij zich niet meer zo veilig gevoeld sinds die keer dat... Jon duwde die gedachte met een geïrriteerde uitdrukking op zijn gezicht weg. Hij was voor de gek gehouden door de mensen van wie hij had gehouden en die hij had vertrouwd, dat zag hij nu heel duidelijk. Hij moest het achter zich laten en zich concentreren op zijn toekomst.

Op dat moment werd er op de deur geklopt en Jon draaide zich om.

'Kom maar binnen,' riep hij vrolijk.

Poul Holt kwam binnen met een blad waar een ontbijt van brood en thee op stond. Op het blad lag ook een boek met een zwartleren omslag.

'Smakelijk eten,' zei Poul Holt met een glimlach terwijl hij het blad neerzette.

Jon ging op zijn bed zitten, nam het blad op schoot en begon te eten.

'Wat gaan we vandaag lezen?' vroeg hij met zijn mond vol brood en hij knikte naar het boek.

'Vandaag mag jij lezen,' antwoordde Poul Holt en hij keek hem verwachtingsvol aan.

Jon hield op met kauwen en keek onderzoekend naar het gezicht van zijn gids.

'Weet je het zeker?' vroeg Jon terwijl hij het laatste stukje brood doorslikte. 'De vorige keer...'

Remer had hem verteld dat Kortmanns chauffeur was omgekomen tijdens de leessessie in de school. De chauffeur was een van de echte helden van de Orde geweest. Hij had acht jaar lang toezicht gehouden op Kortmann en daarmee had hij ervoor gezorgd dat hun geheim bewaard bleef. Door de nonchalante manier waarop Kortmann en Clara het Genootschap leidden, was het slechts een kwestie van tijd voordat de gaven algemeen bekend zouden worden. Ze waren te zwak. Maar wat erger was – ze stelden er een eer in om de gaven breed in te zetten, waardoor het effect minder was en het eigenlijk geen enkel nut had, terwijl de Orde gecontroleerde speldenprikjes uitdeelde op een kleine hoeveelheid mensen, maar wel met volle kracht en volledig resultaat.

'Je moet het deze keer niet forceren,' zei Poul Holt rustig. 'Bovendien staat een van onze ontvangers klaar om in te grijpen.'

Jon knikte en nam een slok van zijn thee. De cel in de kelder van de school waar ze hem hadden getest was geïsoleerd, dus ze hadden niet eens de kans gehad om een ontvanger in te zetten om hem tegen te houden, ook al hadden ze snel genoeg kunnen reageren.

'Het is de bedoeling dat je precies de juiste toon vindt,' legde Poul Holt uit. 'Die moet zo sterk zijn dat de fysieke ontladingen zich beginnen te manifesteren, maar niet hevig genoeg om schade aan te richten. Je krijgt elektrodes op zodat we de ontwikkeling kunnen volgen.'

Alsof er een codewoord was gezegd, kwam de vrouw met het schort binnen. Ze duwde een serveerwagentje voor zich uit. Daarop lag precies zo'n helm als die in de school; de bedrading liep van de helm naar een pc.

Jon at zijn ontbijt verder en ging toen klaarzitten. Hij glimlachte naar de vrouw toen ze de helm op zijn hoofd zette en controleerde of hij goed aansloot. Vastbesloten om zijn uiterste best te doen, sloot hij zijn ogen en concentreerde zich. Hij mocht hen niet weer teleurstellen. Nu moest hij bewijzen dat hij in de Orde thuishoorde.

'Als je denkt dat je klaar bent, mag je beginnen,' zei Poul Holt, die op een stoel achter het computerscherm was gaan zitten.

Jon deed zijn ogen open en pakte het boek. Het sidderde bijna onmerkbaar in zijn handen. Hij sloeg het boek open en begon te lezen. Vol ijver om te laten zien wat hij kon, begon hij al na een paar zinnen de tekst te accentueren.

Net als bij de leestest in de school, had hij het gevoel dat zijn omgeving langzaam veranderde, zodat hij aansloot op de scène die hij las. De witte muren strekten zich uit en werden het sneeuwlandschap dat hij beschreef en het bed waarop hij zat werd een slee getrokken door paarden. Aan weerskanten van het spoor waarin ze reden doemden bomen op en de sneeuwvlokken wervelden steeds dichter om de slee heen. Het leek wel of de tijd steeds langzamer ging totdat hij een traag voorbijtrekkend panorama vormde, en hij voelde dat hij bij iedere zin die hij las beelden kon vormen, precies zo gedetailleerd als hij wilde. Hij had ieder sneeuwvlokje onder controle.

Jon maakte een donkere, grauwe reis van de sledetocht; het leek wel of de kou als een loden deken over het landschap lag. In het struikgewas naast het sledespoor waren vaag verontrustende schaduwen te zien, maar door de snelheid van de slee was het onmogelijk te zien of het dieren, mensen of verbeelding waren.

Hij voelde voortdurend de aanwezigheid van de ontvanger, maar niet storend of controlerend, eerder ondersteunend, alsof er een hand op zijn schouder lag.

Na een reis die oneindig lang leek te duren, kwam de hoofdpersoon aan bij een kleine herberg. Een armzalige houten deur voerde naar de gelagkamer en de kleuren van het tafereel veranderden onmiddellijk van alle nuances grauwwit naar gouden tinten door de gloed van het haardvuur en de olielampen op de houten tafels. De gasten in de herberg bekeken de nieuw aangekomene met grote achterdocht. De gezichten waren in schaduw gehuld of ze kleurden oranjerood in het licht en ze straalden een ongastvrije arrogantie uit. Jon versterkte de sfeer tot een claustrofobisch visioen uit een nachtmerrie. De gezichten van de aanwezigen kwamen steeds dichterbij, hun gele tanden waren ontbloot en de rimpels in hun gezichten leken nog dieper door de schaduwen.

Het leek of de hand op zijn schouder een kneepje gaf en opeens werd de scène verlicht door een korte lichtflits. De beelden stopten even met een schokje als een film die vastloopt.

Jon hield op met voorlezen en liet het boek zakken.

'Echt heel goed,' zei Poul Holt en hij knikte naar Jon. Zijn blik was vol waardering en bewondering. 'We moesten je wel stoppen, het begon een beetje te heftig te worden.'

Jon knikte. Hij voelde dat hij zich had ingespannen, maar de blijdschap dat hij het goed had gedaan woog op tegen de verloren energie. Zijn hele lichaam vulde zich met een aangenaam zoemen, het leek een beetje op het gevoel dat hij kreeg als hij het boek aanraakte. Hij zag dat hij kippenvel had op zijn armen. Hij legde het boek neer en wreef over zijn armen.

'Wie heeft me tegengehouden?' vroeg hij. Poul en hij waren de enigen in de kamer.

'Een ontvanger in de kamer hiernaast,' antwoordde Poul Holt. 'Wat je moet leren, is de signalen van de ontvanger te herkennen, zodat je weet of je verder kunt gaan of moet stoppen. Deze keer heb je het signaal perfect opgevangen.'

Hij stond op en hielp Jon de helm af te zetten.

'Hoe ging de meting?' vroeg Jon met een knikje naar de computer.

'Echt heel goed,' antwoordde Poul Holt tevreden. 'Je bent net onder de twintig gebleven.'

'Is dat goed?'

'Dat kun je wel zeggen. Ik zit zelf op acht, en ik ben een van de sterkste Lettores van de Orde.' Hij legde de helm voorzichtig op de tafel. 'We kunnen niet zeggen hoe ver jij kunt gaan. Misschien het dubbele, misschien nog meer. Daar zouden we andere apparatuur bij nodig hebben.'

'Betekent dat dat we klaar zijn?' vroeg Jon, een beetje teleurgesteld.

'Helemaal niet,' antwoordde Poul Holt. 'Het is belangrijk dat we niet te snel gaan. Je moet uitrusten tussen de tests.'

'Ik voel me prima,' zei Jon.

'Dat is mooi, maar we moeten ook nog andere voorbereidingen doen.'

Op dat moment kwam Remer binnen met een boek onder zijn arm. Tot zijn grote blijdschap herkende Jon de kroniek waaruit hij de vorige avond was voorgelezen.

'Campelli,' zei Remer hartelijk. 'Ik heb gehoord dat de eerste test goed ging?'

'Schijnbaar,' antwoordde Jon en hij probeerde niet al te trots te klinken.

Remer nam hem aandachtig op.

'En je voelt je goed? Zorgen we goed genoeg voor je?'

'Ik voel me prima,' antwoordde Jon. 'Ik kan best meteen verdergaan. Hoe eerder ik klaar ben met de training, hoe sneller ik iets kan betekenen voor de Orde.'

Remer glimlachte.

'Het is belangrijk dat je uitrust tussen de sessies,' benadrukte hij. 'Je zult heus meer dan genoeg de kans krijgen om voor ons te werken.' Hij hield het boek omhoog. 'Intussen moet je nog meer leren over onze achtergrond.'

Jon stak ijverig zijn hand uit naar het boek, maar Remer lachte. 'Als ik zeg uitrusten, dan bedoel ik ook echt uitrusten. Ga maar liggen en doe je ogen maar dicht, dan zal Poul verdergaan waar jullie gisteren zijn gebleven.'

Jon deed wat Remer had voorgesteld en hij glimlachte tevreden toen hij even later Poul Holts rustige stem hoorde voorlezen.

De vierentwintig uur die daarop volgden gingen voorbij met oefenen, slapen en luisteren naar geschiedenis. Nooit eerder in zijn leven had Jon een bevredigender gevoel gehad. Hij werd gewaardeerd om zijn gaven, hij werd met iedere sessie beter en hij ontdekte steeds nieuwe kanten van de Orde, die het steeds duidelijker voor hem maakten dat hij zijn plek had gevonden. Zijn ambities hadden lange tijd op een dwaalspoor gezeten. Hij was sinds zijn rechtenstudie niet meer zo vastberaden geweest. Nu wist hij dat er als de Orde achter hem stond, geen grenzen waren voor wat hij kon bereiken. Zij konden en wilden hem helpen om alles te realiseren wat hij zich ten doel stelde. Zijn succes was het succes van de Orde.

Jon had nog niet bedacht wat hij wilde, maar Remer had voorgesteld dat hij een advocatenkantoor zou oprichten met vestigingen over de hele wereld en dat ook zou besturen. Het kantoor zou bij voorkeur de bedrijven van de rest van de organisatie als cliënt hebben, maar ze zouden er ook voor zorgen dat ze zogenaamd onpartijdige onderzoeken zouden winnen. Daar hadden ze erg om gelachen. Het grootste deel van de werknemers zouden Lettores zijn en met Jons gaven en achtergrond konden ze, volgens Remer, geen enkele rechtszaak verliezen. Maar Remer had nadrukkelijk gezegd dat het maar een voorstel was. Jon mocht zelf beslissen over zijn toekomst.

'Vandaag heb je een vrije dag,' zei Remer toen hij zich weer vertoonde. 'We gaan een toeristisch uitstapje maken.'

Jon wilde het liefst blijven, maar toen bedacht hij opeens dat hij het huis helemaal nog niet uit was geweest, terwijl hij toch in het buitenland was.

De vrouw met het schort kwam binnen met een stel kleren voor hem, die hij meteen aantrok. Ze zaten als gegoten. Remer nam hem mee naar buiten. Daar stonden Poul Holt en een roodharige man van een jaar of dertig op hen te wachten. De man met het rode haar werd voorgesteld als Patrick Vedel, de ontvanger die hem tijdens de trainingen in de gaten hield. Jon vond het een beetje vreemd dat hij tijdens de sessies in een andere kamer zat, maar Poul Holt had geantwoord dat hij dat zelf prettiger vond.

De man met het rode haar gaf Jon een hand terwijl hij hem vreemd afwachtend aankeek. Het leek wel of hij verwachtte dat Jon hem zou herkennen. Jon negeerde die gedachte en ze stapten allemaal in de landrover die Remer had gehuurd en reden naar Alexandrië.

Ze reden over de boulevard Al-Comiche, die zich over de volle lengte van Alexandrië uitstrekte, twintig kilometer in totaal. Op het stuk dat langs de oostelijke haven liep stonden honderden kraampjes langs de boulevard en grote drommen toeristen en plaatselijke bevolking liepen over de brede stoep die aan de zeekant lag. Een lage stenen muur diende als bankje en ook als bescherming tegen de zee. Aan de andere kant van het muurtje lagen grote rotsblokken, die bescherming moesten bieden tegen de golven van de Middellandse Zee.

De eerste stop was Fort Qaitbey, op het westelijk schiereiland dat de havenkom insloot. Het fort leek nog het meest op een legomodel dat was gebouwd met blokken van verschillende afmetingen en kleuren, maar het lag op dezelfde plek als waar een van de zeven wereldwonderen, de Pharos van Alexandrië, had gestaan. Er werd gezegd dat de grote, roodachtige blokken graniet afkomstig waren van de vuurtoren uit de oudheid, die naar sommige schattingen meer dan honderdvijftig meter hoog zou zijn geweest en Alexandrië letterlijk tot een lichtbaken had gemaakt, net zoals de bibliotheek dat op het gebied van kennis was geweest.

De volgende stop was bij een groot plein waar een markt was met een enorme hoeveelheid kramen. Sommige kramen bestonden gewoon uit auto's waar de eigenaar kleren voor alle gelegenheden op had uitgespreid, andere bestonden uit kleden op de grond waarop een groot assortiment sieraden, schoenen en elektronica lag uitgestald. De meer professionele handelaars hadden echte kramen opgezet van houten tafels overdekt met stof en daar hun koopwaar op uitgestald.

Behalve kleding, elektronica en antiek werd er ook een ruim assortiment voedsel aangeboden. Alle mogelijke soorten kruiden werden direct uit zakken verkocht en vruchten lagen in grote bergen op de tafels, die eruitzagen alsof ze ieder moment konden instorten onder het gewicht van al die kilo's. Vlees en vis lagen uitgestald in de zon en werden ingepakt in kranten en plastic tasjes als ze waren verkocht. De geuren van al die verschillende etenswaren vermengden zich steeds meer met elkaar. Met iedere stap kwamen er nieuwe geuren bij en die vermengden zich weer met de andere tot een steeds exotischer gerecht.

Jon liep voorop en bekeek de uitgestalde koopwaar. Hij moest telkens nee zeggen en afwerende gebaren maken als de verkopers hem iets probeerden aan te smeren. Hij was een stukje voor de anderen uit geraakt en begon te genieten van het uitje. Het was een goede beslissing geweest om even pauze te houden tussen de trainingen door.

Opeens verstijfde hij.

Niet meer dan vijf meter voor hem stond Katherina. Ze ging op in de antieke spulletjes en had hem nog niet gezien, maar net toen Jon weer in beweging wilde komen, keek ze op. Ze keek hem recht in de ogen.

Ze was kennelijk net zo verrast als Jon, want haar ogen werden groot en ze opende haar mond, maar er kwam geen geluid over haar lippen. Toen verscheen er een brede, warme glimlach op haar lippen en ze spreidde haar armen naar hem uit, alsof ze een omhelzing verwachtte.

Jon deed een stap naar achteren. De glimlach verdween van Katherina's gezicht. Hij zag dat ze volkomen in de war was. Ze deed aarzelend een stap naar hem toe, nu met een vertwijfelde en tegelijkertijd vragende uitdrukking op haar gezicht. Langzaam liep Jon achteruit, bij haar vandaan, zonder haar los te laten met zijn blik. Hij had haar doorzien. De Orde had zijn ogen geopend voor haar bedrog.

'Alles in orde?' klonk Remers stem achter hem.

Jon hief zijn arm op en wees naar de vrouw.

'Dat is Katherina,' zei hij. 'De ontvanger van Libri di Luca.'

35

Katherina begreep het niet.

Drie dagen lang zocht ze Jon al in de Egyptische havenplaats en opeens stond hij daar, op minder dan tien meter afstand. Maar in plaats van naar haar toe te rennen, zoals ze al talloze malen voor zich had gezien, had hij haar aangewezen aan zijn ontvoerders.

Geschokt staarde ze hem aan. Ze kon niet bewegen. Zijn blik was vol haat. Haat die op haar was gericht. Pas toen Jon opzij werd geduwd en het oogcontact tussen hen werd verbroken, kwam ze weer bij haar positieven. Ze zag dat er twee mannen haar kant op kwamen. Hun gezichten stonden allesbehalve vriendelijk. Ze draaide zich om en wrong zich tussen de mensenmenigte door, weg van hen, weg van Jon.

Gezichten keken verwonderd naar Katherina terwijl ze zich een weg baande, weg van het marktplein, zo snel als ze kon. Het leek wel of er steeds meer marktbezoekers waren en ze waren steeds minder bereid om voor haar opzij te gaan. Ze wierp een blik over haar schouder en die bevestigde dat ze haar nog steeds achternazaten. Een lange man met rood haar en een klein, kaal kereltje met een ziekenfondsbrilletje. Haar hart ging wild tekeer. Wat was er met Jon?

In een van de smalle paden tussen de kramen waren zoveel mensen dat iedereen stilstond en niet voor- of achteruit kon. Wanhopig probeerde ze zich verder te wringen, maar er was geen ruimte. In het stalletje waar ze voor stond werd vis verkocht en de eigenaar van het geïmproviseerde winkeltje schold op de vele marktbezoekers, terwijl hij probeerde te voorkomen dat zijn tafel omver werd gegooid door de duwende menigte.

Het hoofd van de roodharige man stak boven alle andere uit en toen hij zag dat Katherina vastzat, verscheen er een verontrustende grijns op zijn gezicht. Ze keek koortsachtig in het rond, op zoek naar een uitweg. De visverkoper schreeuwde nu direct tegen haar en maakte een serie dreigende gebaren om haar achteruit te laten gaan.

Na een laatste blik op haar achtervolgers dook Katherina naar beneden en kroop onder de tafel met vis door. Aan de andere kant verwelkomde de visverkoper haar door met een krant naar haar te slaan en haar in het Arabisch uit te schelden. Ze stond op en voelde dat de visverkoper haar beetpakte en ruw door elkaar schudde. De tafel schoof vervaarlijk en leidde heel even zijn aandacht van haar af. Katherina benutte het moment door hem hard van zich af te duwen, zodat hij haar losliet. Vlug dook ze onder nog een tafel door en kroop naar het volgende pad. Daar kon ze weer opstaan en ze begon te rennen, zigzaggend tussen de toeristen en de marktbezoekers. Achter zich hoorde ze dat de tafel van de visverkoper met een klap omviel.

Aan de rand van de markt bleef Katherina staan. Ze keek om. De twee mannen waren nergens te zien.

Ze wilde dat de anderen er waren.

Henning lag met buikpijn in het hotel en Mohammed zwierf alleen door de stad, net als zij. Toen hij op de hoogte was gebracht van het geheim van het Genootschap, had hij aangeboden om met hen mee te gaan. Hij kon toch niet meteen terug naar huis en hij vond dat hij een rekening te vereffenen had. Katherina had het aanbod dankbaar aangenomen. Ze had het gevoel dat Mohammed degene was die ze het meest kon vertrouwen. Hij had haar nog nooit in de steek gelaten.

Het was inderdaad gebleken dat hij niet van plan was om te gaan zitten niksen, net zoals Katherina, die gewoon niet stil kon blijven zitten in het hotel. Ze was op alle tijdstippen van de dag de stad in getrokken om Jon te zoeken. Alleen als ze moest slapen, of als ze dat hadden afgesproken, keerde ze terug naar hotel Acropole, waar ze hun intrek hadden genomen.

Een kreet verderop in de straat trok haar aandacht. Een man met kort haar in een licht kostuum wees in haar richting. Ze herkende hem als Remer. Vlak achter hem stond Jon. Hij deed niets, hij staarde alleen naar haar alsof hij er helemaal niets mee te maken had. Remer zwaaide met zijn ene hand in de richting van de markt, terwijl hij met zijn andere naar haar bleef wijzen. Katherina volgde zijn blik naar het marktplein en zag de roodharige man in de mensenmassa. Op datzelfde moment zag hij haar ook.

Ze zette het op een lopen en rende de eerste de beste zijstraat in. Het was een smal steegje en ze werd bijna aangereden door een oude Lada. Ze moest helemaal opzij springen en zich tegen de muur aan drukken om hem te ontwijken. In nissen aan weerskanten van de straat huisden kleine winkeltjes, vooral elektronicawinkels die tot de nok toe volgestouwd waren met elektronische apparatuur. Van klokken, camera's en telefoons tot computers, televisies en videogames. Katherina had de afgelopen dagen al honderden van dat soort winkeltjes gezien tijdens haar zoektochten door de stad.

Er reden voortdurend brommers in een levensgevaarlijk tempo door het straatje en Katherina liep dan weer over de straat en dan weer over de stoep om vooruit te komen. Bij de eerste hoek bleef ze staan en keek achterom. Net toen ze dacht dat ze was ontsnapt, hoorde ze iemand schreeuwen aan het andere eind van het straatje.

'Ze ging naar rechts,' klonk het in onmiskenbaar Deens.

Katherina dwong zichzelf om verder te rennen en zocht intussen een uitweg. Deze straat was iets breder en veel langer dan die waar ze net uit was gekomen, dus ze zouden haar meteen zien als ze de hoek om kwamen.

Na tien meter durfde ze niet meer verder te gaan en ze rende een winkel binnen. Het was een bruidswinkel, die alles verkocht wat je je maar kon voorstellen op het gebied van bruidsartikelen, van menukaartjes tot taarten. Er waren bijna evenveel bruidswinkels als elektronicawinkels in Alexandrië. Eén muur was helemaal bedekt met bruidsjurken. Katherina stapte er resoluut op af en pakte de eerste de beste jurk.

Er was verder niemand in de winkel, behalve zij en de eigenares, een stevige vrouw van middelbare leeftijd, die opstond van haar stoel achter de toonbank en glimlachend naar haar toe kwam lopen. Voordat de vrouw de kans kreeg om Katherina te verwelkomen, had ze de jurk al over haar hoofd getrokken en voelde op haar rug naar de rits.

'You want dress?' vroeg de verkoopster met een mengeling van vriendelijkheid en verbazing.

Katherina draaide zich om naar een spiegel die achter in de winkel stond. Daarin kon ze de straat achter zich in de gaten houden.

'Too big,' zei de vrouw lachend. 'Too big.'

De verkoopster begon aan de rits te trekken, maar Katherina hield haar tegen.

'Baby,' zei ze en ze wees op haar buik.

Op hetzelfde moment zag ze de kale man van de markt. Hij staarde door de etalageruit naar binnen.

'Ahhh,' riep de verkoopster met een veelbetekenende knipoog naar Katherina. 'Baby.' Ze begon vrolijk tegen haar te kwebbelen in het Arabisch terwijl ze almaar ijverig knikte en glimlachte.

De man buiten bleef nog even staan, Katherina ontmoette één seconde zijn zoekende blik in de spiegel, maar hij herkende haar niet en liep verder de straat in.

'But too long,' zei de verkoopster en ze lachte nog harder.

Katherina keek langs de jurk naar beneden. Hij was bijna twintig centimeter te lang. Ze spreidde haar armen.

'Too long,' gaf ze toe.

De verkoopster hielp haar uit de jurk en begon andere jurken tevoorschijn te halen die Katherina moest passen. Katherina bleef haar hoofd schudden en wees naar de deur.

'Must go,' herhaalde ze. 'Do not feel well.' Ze wees naar haar buik.

'Ahhh,' riep de verkoopster weer, ditmaal teleurgesteld. 'You feel better. You come back.' Ze gaf Katherina een klopje op haar wang. 'You get good price. Baby price.'

Katherina bedankte haar en glipte de winkel uit. Eenmaal op straat liep ze zonder om te kijken terug in de richting waar ze vandaan was gekomen. Pas toen ze tien meter had gelopen, stopte ze voor een etalage en deed alsof ze de inhoud bekeek. Er lag een hele serie namaakwapens uitgestald, messen, pistolen en grotere schietwapens. Ze keek met een schuin oog terug de straat in, maar de twee mannen waren nergens te zien, dus ze liep verder, zo snel ze durfde zonder te rennen.

Nadat ze een paar keer een hoek om was gegaan en door kleine, smalle steegjes was gerend die ze had leren kennen tijdens haar wandelingen, was ze er eindelijk zeker van dat ze aan hen was ontkomen. Ze ging op een stoepje zitten en begroef haar gezicht in haar handen. Toen kwamen de tranen.

Ze had Jon gevonden en was hem weer kwijtgeraakt. Ze had minder dan vijf meter van hem af gestaan en toen was ze de andere kant op gerend. Ze vervloekte haar eigen lafheid. Als ze maar tot hem had kunnen doordringen. Het was duidelijk dat hij was veranderd, of dat hij zich in ieder geval niet herinnerde wat zij samen hadden. Wat hadden ze met hem gedaan?

'Heb je iets gevonden?' vroeg een stem.

Katherina keek op. Er stond een man in een wit gewaad voor haar. Op zijn hoofd had hij een traditioneel Arabisch hoofddeksel, dat ook een groot deel van zijn gezicht bedekte. Alleen zijn taalgebruik verried hem als Europeaan.

'Mohammed,' riep ze opgelucht en ze stond op en omhelsde hem.

Mohammed sloeg voorzichtig zijn armen om haar heen en streek haar zacht over haar rug.

'Ik geloof het wel, hè?'

Hij wachtte niet op een antwoord en vroeg haar verder niets meer. Hij voerde haar mee door de smalle straatjes, terug naar het hotel.

'Ik hoop dat ik hem straks weer om krijg,' zei Mohammed terwijl hij de sjaal waar zijn hoofddeksel van was gemaakt op de stoel in Katherina's kamer legde.

Het was een bescheiden gemeubileerde kamer met een bed, een tafel en een gebloemde leunstoel. De luiken waren gesloten en de kamer was halfdonker.

Katherina was op de rand van het bed gaan zitten met haar benen naast elkaar en haar ellebogen op haar knieën.

Mohammed klopte op de muur van de kamer ernaast.

'Kom je even, Henning?' zei hij hard. De muren waren zo dun dat je alles kon horen wat er op de rest van de verdieping gebeurde, maar voor zover ze wisten, waren zij de enige Scandinaviërs in het hotel, dus ze konden rustig met elkaar praten.

Even later kwam Henning. Zijn gezicht was bleek en het zweet stond op zijn voorhoofd.

'Wat is er aan de hand?' vroeg hij terwijl hij zich met de bewegingen van een oude man in de leunstoel liet zakken.

'Ik heb Jon gezien,' zei Katherina.

Mohammed kwam naast haar zitten en wachtte tot ze verder zou gaan.

'Op de markt,' legde ze uit. 'Opeens stond hij daar gewoon. Hij staarde me heel raar aan, alsof ik een volkomen vreemde voor hem was.' Ze zuchtte diep. 'Toen stuurde hij zomaar zijn bodyguards op me af.'

'Bodyguards?' vroeg Henning. 'Weet je zeker dat het niet zijn bewakers waren?'

Katherina knikte.

'Hij wees me aan.'

Mohammed keek naar zijn handen.

'Daar moet hij een goede reden voor hebben gehad,' zei hij. 'Misschien wilde hij je aan het schrikken maken zodat je zou wegrennen en ze je niet te pakken kregen?'

'Maar zijn blik,' zei Katherina bedroefd. 'Die was zo veranderd. Alsof hij me uit het diepst van zijn hart haatte.'

'Misschien probeerde hij je van zich af te stoten om je te beschermen,' stelde Henning voor.

Katherina schudde heftig haar hoofd.

'Hij *meende* het,' zei ze stellig.

'Dat kan maar één ding betekenen,' zei Henning ernstig. 'Ze hebben voor hem gelezen.'

De gedachte dat hij was gehersenspoeld was wel door Katherina's hoofd gegaan bij het zoeken naar een antwoord, maar ze had er niet aan gedacht dat dat door middel van lezen kon zijn gebeurd. Ze was zelf een keer aanwezig geweest bij een Lezing, maar ze bracht dat niet direct in verband met hersenspoeling of marteling.

'Maar kan dat dan?' vroeg ze. 'We waren... We zijn verliefd... Hoe kan dat in zo korte tijd worden omgezet in haat?'

'Daar is een onwaarschijnlijk goede zender voor nodig,' gaf Henning toe. 'En een nog beter alibi.'

'Een alibi?' vroeg Mohammed. 'Ik volg het niet helemaal.'

'Door een Lezing kan de ene mening niet zomaar veranderen in een andere. Van wit naar zwart. Als je dát probeert, mislukt het. Maar als je een alternatieve verklaring presenteert, zal de persoon er met behulp van de juiste beïnvloeding zélf voor kiezen om van mening te veranderen. Het slachtoffer kan zich alles herinneren, de mening die hij eerst had en zelfs het lezen, maar hij zal het idee hebben dat hij zelf de keuze heeft gemaakt.'

'Jemig, wat geniepig,' riep Mohammed en hij leunde achterover.

'Dus Jon heeft er zelf voor gekozen om mij te haten?' vroeg Katherina.

Henning schoof onrustig heen en weer op de stoel.

'Ze hebben hem in ieder geval een leugen voorgehouden waardoor hij jou wel móét haten.'

Katherina stond op en liep naar het raam. Door de luxaflex kon ze de straat voor het hotel zien. Er was niet zoveel verkeer in dit deel van de stad, er kwam alleen af en toe een brommer voorbij.

Was ze helemaal voor niets naar Alexandrië gekomen?

'Kunnen we iets doen?' vroeg ze zonder zich om te draaien. Ze voelde dat de tranen over haar wangen liepen.

Henning zuchtte diep.

'Dat is moeilijk te zeggen. Als het conflict tussen de twee keuzes groot genoeg is, zal hij op een gegeven moment een terugval krijgen. Ik denk dat hij alleen al door de schok dat hij jou vandaag heeft gezien zal gaan twijfelen over wat er is gebeurd.'

'Als ze hem tenminste niet nog meer leugens vertellen.'

'Dat klopt,' antwoordde Henning somber. 'Hoe meer argumenten ze hem geven om afstand van jou te nemen, hoe beter.'

'Voor hen,' zei Katherina en ze klemde haar kiezen op elkaar.

Mohammed stond op, liep naar haar toe en streek over haar schouder.

'Als hij van je houdt, zal hij heus wel weer bij zijn positieven komen.'

Katherina knikte en vocht tegen haar tranen.

'We weten nu in ieder geval dat hij hier is!' constateerde Mohammed. 'En ik denk dat ik vandaag de rest heb gevonden.'

'Waar?' vroeg Katherina.

Ze hadden tot nu toe niet een van de personen die de Schaduw-organisatie naar Alexandrië hadden gestuurd gevonden. Ze hadden dagenlang rondgezworven en de toeristen in de stad geobserveerd. Als ze iemand in een toeristengidsje zagen lezen of de menukaart van een restaurant, hadden ze steeds geprobeerd om erachter te komen of diegene een Lettore was. Ze hadden zich de gezichten van de zwart-wit-schoolfoto's die Mohammed had gevonden goed ingeprent, maar de meeste waren verouderd, dus ze verwachtten niet dat ze hen alleen aan hun uiterlijk zouden herkennen.

'Er logeert een grote groep in het Seaview Hotel bij de haven,' vertelde Mohammed. 'Een van hen zou jullie mol kunnen zijn.'

'Paw?'

'Of Brian Hansen, zoals hij echt heet,' verklaarde Mohammed.

In de papieren van de school hadden ze Paws ware identiteit en zijn RL-waarde gevonden. Die was nul komma zeven, een zeer bescheiden niveau in vergelijking met de andere leden, die gemiddeld een factor tien hoger hadden. Des te pijnlijker was het dat een persoon die zo laag in de rangorde stond in staat was geweest om hen maandenlang voor de gek te houden.

'Kunnen we hem gebruiken?' vroeg Katherina terwijl ze zich omdraaide naar Henning.

'Als gijzelaar?' Henning schudde zijn hoofd. 'Dat denk ik niet. Zijn rol is uitgespeeld. Na de neutralisering van Luca en Jon is hij niet belangrijk meer voor hen.'

'Misschien kan hij vertellen wat er gaat gebeuren,' stelde Katherina voor.

'Moeten we hem dwingen?' Mohammed glimlachte een beetje scheef.

'We zouden gewoon volgens hun regels spelen,' zei Katherina. 'Henning zou voor hem kunnen lezen.'

Ze wist niet hoe sterk Hennings gaven als Lettore waren. Tot nu toe hadden ze niet veel aan hem gehad. Hij was meteen de eerste dag ziek geworden en op bed gaan liggen en had niet mee kunnen doen aan hun zoektocht. Misschien was hij niet eens in staat om te lezen.

'Ik denk dat ik Nessim wel zover kan krijgen dat hij wil uitzoeken in welke kamer Paw zit,' zei Mohammed.

'Nessim?'

'De portier,' antwoordde Mohammed. 'Ik heb het idee dat hij een goed netwerk heeft hier in de stad. Toen hij hoorde dat we Luca kenden, wilde hij echt alles voor ons doen.'

Voor hun vertrek had Mohammed zoveel mogelijk informatie proberen te vinden over Luca's reis en een van de dingen waar hij achter was gekomen was dat Luca in het hotel had gelogeerd waar zij nu ook zaten. Verder had Luca heel weinig sporen achtergelaten. Zijn creditcard was op een paar plaatsen in de stad gebruikt, onder andere in de Bibliotheca Alexandrina, maar dat was dan ook alles.

'Wist Nessim iets over Luca?' vroeg Katherina.

'Nee,' antwoordde Mohammed. 'Behalve dan dat ze over de hitte, de bibliotheek en nog wat andere dingen hadden gepraat. Hij beschreef Luca als een vriendelijke man die ruime fooien gaf.'

Mohammed liep naar de deur.

'Ik zal hem er meteen op afsturen.'

Toen hij de kamer uit was, liet Katherina zich weer op het bed vallen. Ze had zichzelf niet veel slaap gegund sinds haar overnachting bij Clara. Pas als ze bijna omviel van vermoeidheid, gaf ze zich over en sliep ze een paar uurtjes. Zelfs dan sliep ze onrustig en ze werd meestal badend in het zweet en niet uitgerust wakker, maar ze kon ook niet meer in slaap komen. Haar ontmoeting met Jon maakte het er niet beter op. Ze had het gevoel dat als ze niet snel achter hem aan gingen, het te laat zou zijn.

Ze schrok op toen de telefoon ging.

'Het zal wel een paar uur duren voordat Nessim Paws kamernummer heeft,' zei Mohammed aan de andere kant van de lijn. 'Probeer intussen maar wat te slapen, Henning ook.'

Katherina accepteerde Mohammeds voorstel gelaten en hing op. Henning leek opgelucht dat hij terug kon naar zijn eigen kamer.

Katherina was oneindig dankbaar dat Mohammed was meegekomen. Hij was de perfecte gids gebleken; hij maakte razendsnel contact met de plaatselijke bevolking en hij kende de stad op zijn duimpje.

Dat kwam waarschijnlijk door zijn huidskleur, want de andere twee werden nauwelijks met rust gelaten.

Henning en Katherina waren de eerste dag, voordat Henning ziek was geworden, naar de bibliotheek gaan kijken, maar Katherina was veel te ongerust geweest om te genieten van het imposante bouwwerk. Henning was wel overweldigd en enthousiast geweest bij het zien van het enorme monument en nog meer toen hij de grote leeszaal onder het glazen dak binnenkwam.

Op het moment dat de leeszaal zich voor hen openbaarde, hadden ze elkaar aangekeken. De aanwezigheid van de energie was zo overweldigend dat Katherina's nekharen overeind kwamen. Het was hetzelfde tintelende gevoel als in Libri di Luca, maar dan honderd keer sterker.

Maar Henning had zich daar niet lang door laten tegenhouden. Er kwam geen einde aan de stroom vragen die hij stelde over de geschiedenis en het dagelijks functioneren van de bibliotheek en zijn ogen fonkelden als van iemand die hevig verliefd was.

Katherina ging liggen en deed haar ogen dicht. Paw was hun laatste kans. Ze konden niets anders doen dan wachten.

Ze moest toch in slaap zijn gevallen, want toen ze werd gewekt door de hoteltelefoon ging de zon al onder.

'Mohammed speaking. We wachten op je in de hal.'

Een beetje groggy stond Katherina op en ging naar het kleine badkamertje. Ze waste haar gezicht en bond haar rode haar in een knot in haar nek. Toen ging ze de kamer uit.

In de lobby stonden Mohammed en Henning te wachten. Henning was nog steeds lijkbleek, maar hij slaagde er toch in om een glimlach tevoorschijn te toveren toen hij Katherina zag.

Mohammed, die zijn hoofddeksel weer ophad, voerde hen mee door de straten, die nu bijna helemaal verlaten waren. Pas toen ze verder de stad in kwamen, dichter bij de haven, waren er nog toeristenwinkels open en was er wat meer leven op straat.

De gebouwen die om het Seaview Hotel heen stonden waren allemaal hoger, dus het hotel leek bijna te verschrompelen in de schaduw van die andere gebouwen. De gevel was slecht onderhouden, de verf bladderde in grote vellen van de muren en de kleuren van de luiken voor de ramen waren verbleekt. Het was best mogelijk dat je ooit echt de zee had kunnen zien vanuit het Seaview Hotel, maar dat was dan wel lang geleden. Alleen aan het licht in het naambord van het hotel kon je zien dat het gebouw nog in gebruik was. Een openstaande dubbele deur heette hen welkom.

De receptie was een bont geheel. Alle vloeren waren van marmer maar de muren waren allemaal verschillend. Sommige waren behangen, andere betimmerd met houten panelen of bekleed met bedrukt fluweel. De balie was van donker glimmend hout en er stond een glanzend gepoetste koperen bel op. Aan de muur achter de balie hing, behalve spiegels in gouden lijsten, een bord met de sleutels van alle kamers.

Er stond niemand achter de balie, dus de drie liepen heel zachtjes langs de receptie en toen een trap op die bekleed was met rood tapijt. Aan de muren hingen overal waar maar een plaatsje vrij was schilderijen in druk versierde gouden lijsten. De onderwerpen van de schilderijen varieerden van gewaagde illustraties uit de Kamasutra tot amateurschilderijtjes van de stad en het hotel.

Pas toen ze op de tweede verdieping waren, durfden ze te praten.

'205,' zei Mohammed en hij wees de gang in die op deze verdieping witte muren en een roze marmeren vloer had.

'Weten jullie zeker dat hij er is?' fluisterde Katherina sceptisch.

'Nessim zei dat Paw nog ongeveer een uur op zijn kamer zou blijven,' antwoordde Mohammed zacht.

'Hoe kan hij dat zo zeker weten?'

'Hij kent de portier. Ik geloof dat ze elkaar allemaal kennen. Hij heeft gehoord dat tien van de gasten over een uur worden opgehaald met een busje.'

Katherina was niet erg enthousiast over het plan. Het leek haar wel erg optimistisch om gewoon een hotel vol Lettores binnen te wandelen en iemand uit te horen zonder dat de anderen het in de gaten hadden.

'Hoe wilden jullie voorkomen dat hij ervandoor gaat?' fluisterde Katherina. Mohammed stak zijn hand onder zijn gewaad en haalde een pistool tevoorschijn.

'Het is namaak,' verzekerde hij haar toen hij haar verschrikte gezicht zag. 'We gaan hem alleen een beetje bang maken.' Mohammed grinnikte. 'Maar het lijkt op het echte werk, toch?'

Toen ze bij kamer 205 waren, gingen Katherina en Henning ieder aan een kant van de deur staan terwijl Mohammed aanklopte. Hij had het pistool in zijn hand, maar hield het verborgen achter zijn rug.

'Wat is er?' klonk het uit de kamer. Het was zeker Paws stem.

'Ben je klaar?' zei Mohammed met een licht verdraaide stem.

Ze hoorden voetstappen achter de deur.

'Klaar? Waar heb je het over?'

De sleutel werd omgedraaid en de deur ging open.

In de deuropening stond Paw. Hij droeg een lange, crèmekleurige cape met op de mouwen en de zoom een zwarte boord met een slangenmotief. Het eerste wat hij zag was Mohammed, helemaal in Arabische kledij. Paw staarde verbijsterd op en neer langs de man.

'Wie ben jij in godsnaam?' zei hij boos, maar op dat moment zwaaide Mohammed het pistool achter zijn rug vandaan en richtte het op Paws voorhoofd. Hij stapte verschrikt achteruit de kamer in, op de voet gevolgd door Mohammed. En daar weer achteraan kwamen Katherina en Henning.

'Jullie,' riep Paw toen hij hen zag. 'Shit.'

36

Er had iets in Katherina's blik gelegen wat Jon zorgen baarde. In de groene ogen was een mengeling van opluchting en een ongelooflijke warmte te zien geweest. Hoe kon ze denken dat die truc nog steeds werkte? Was het wel een truc? Als hij niet beter wist, zou hij zeggen dat haar blik vol liefde was geweest. Liefde voor hem. Hij draaide zijn hoofd heen en weer, alsof hij de onzekerheid die zijn geest was binnengeslopen wilde afschudden.

'Alles goed?' vroeg Remer vanaf de bestuurdersplaats.

Toen hij Poul Holt en de man met het rode haar achter Katherina aan had gestuurd, had Remer Jon mee terug genomen naar de auto. Terwijl ze erheen liepen, hadden ze Katherina weer weg zien rennen van de markt. Zij had hen ook gezien. Jon was getroffen door haar aarzeling toen ze hen had ontdekt. Even was ze als aan de grond genageld blijven staan in de middaghitte en ze had Jon nog één laatste keer recht aangekeken voordat ze in een zijstraatje was verdwenen.

'Ja, hoor, prima,' zei Jon mat.

Hij voelde Remers blik in het achteruitkijkspiegeltje. Jon zat op de achterbank en keek naar de stad die voorbijgleed. Er waren zoveel mensen op straat. Hoe kon het dat hij nou juist Katherina was tegengekomen? Had ze hen gevolgd? Was ze van plan geweest om hem te overvallen door zich op de markt aan hem te laten zien? Dat leek hem onwaarschijnlijk. Haar reactie had echt geleken.

Remer had niet gewacht tot de anderen terug waren. Hij had de auto meteen gestart en was zonder Poul Holt en de man met het rode haar weggereden, alsof Jon in groot gevaar verkeerde. Jon vond het een overdreven reactie. Wat kon ze doen? Maar aan de andere kant was hij ook blij dat de Orde achter hem stond en hem beschermde. Dat maakte dat hij zich belangrijk voelde, maar ook een beetje hulpeloos, alsof hij niet in staat was om voor zichzelf te zorgen.

Hij kon de uitdrukking op Katherina's gezicht niet uit zijn hoofd zetten. Op het moment dat hun blikken elkaar ontmoetten, was er iets in hem wakker geworden. Alsof iemand hem met een vuist recht op zijn borst had geslagen, en alle lucht uit hem had weggedrukt zodat hij onmogelijk nog kon ademhalen. Misschien was ze toch gevaarlijk.

'Hoe zou ze ons gevonden hebben, denk je?' vroeg hij zonder zijn blik af te wenden van het zijraampje.

'Geluk,' zei Remer. 'Of misschien hebben ze wel spionnen in Egypte, wie weet.'

Jon fronste zijn wenkbrauwen. Er klopte iets niet. Remer had steeds beweerd dat het genootschap van Libri di Luca een verzameling ongeorganiseerde fantasten was, die alle Lettores in gevaar brachten door de nonchalante manier waarop ze met de gaven omsprongen. Nu dacht hij opeens dat ze een netwerk hadden dat zich uitstrekte over meerdere continenten.

'Maak je geen zorgen,' zei Remer. 'We zijn bijna terug.'

Waarom zou Jon zich zorgen maken? Hij nam Remer op in de achteruitkijkspiegel. Hij leek zich meer zorgen te maken dan Jon zelf. Remer wierp regelmatig een onderzoekende blik op Jon en zijn rijden leek geforceerd, op de grens van onverantwoord.

Ze waren de stad uit en Jon wist dat het niet ver meer was naar het buitenhuis waar ze verbleven.

'Hebben we het druk?' vroeg hij en hij bestudeerde Remers reactie in de spiegel.

'Nee, eigenlijk niet,' zei Remer en hij wierp nog een onzekere blik op Jon. 'Maar ik denk dat het beter is als je nog wat rust voor vanavond.' Hij glimlachte breed. 'Vanavond gaan we naar de bibliotheek,' zei hij trots. 'Het is belangrijk dat je goed voorbereid bent.'

Jon knikte. Hij had begrepen dat vandaag een bijzondere dag was. Enerzijds door hun uitstapje naar Alexandrië, anderzijds doordat er de hele dag een sfeer van verwachting had geheerst. Totdat Katherina was verschenen en alles had bedorven. Hij had heel erg uitgekeken naar deze dag, waarop hij eindelijk zijn bijdrage aan de Orde zou kunnen leveren, maar nu had hij niet zo'n haast meer. Het was duidelijk dat hij zou deelnemen aan een soort inwijdingsritueel, maar hij was er niet meer zo zeker van waarin hij nou in werkelijkheid zou worden ingewijd.

Ze waren aangekomen bij het buitenhuis en nog voordat de auto de oprit op was gereden, kwamen er mensen naar buiten lopen. Remer stapte uit en sprak in het Arabisch met hen terwijl Jon zich uitrekte na de autorit.

'Kom, laten we naar binnen gaan,' stelde Remer voor en hij wenkte Jon om voor hem uit het huis binnen te gaan.

Ze gingen meteen naar boven, naar Jons kamer. Jon ging op het bed zitten. Hij voelde zich inderdaad een beetje moe en wilde graag even alleen zijn. Hij was er nog steeds niet helemaal uit wat Katherina betrof en hij wilde daar graag nog even in zijn eentje over nadenken.

Een van de bewakers kwam de kamer binnen met de kroniek en gaf die aan Remer.

'Nou, zullen we verdergaan?' zei Remer en hij installeerde zich op de stoel naast het bed.

De bewaker ging de kamer niet uit, maar bleef bij de deur staan. Remer keek Jon aan met een verwachtingsvolle gezichtsuitdrukking, alsof hij zelf graag een verhaaltje voor het slapengaan wilde horen.

'Ik denk eigenlijk dat ik er even mee wil wachten,' zei Jon. 'Ik wil graag even alleen zijn.'

Remers glimlach verstarde.

'Het is belangrijk dat je goed voorbereid bent voor vanavond, Campelli,' drong hij aan. 'Niet alleen voor jezelf.'

Jon was verbaasd. Er lag een dreigende ondertoon in Remers stem, en dat vond hij niet prettig.

'Ik vraag alleen een half uurtje om mijn gedachten op een rijtje te zetten,' zei Jon.

'Het spijt me,' zei Remer vlug. 'We moeten nog veel doen.' Hij draaide zijn hoofd om naar de man bij de deur en knikte kort.

Jon stond op van het bed.

'Ik geloof dat je niet hebt gehoord wat ik zei,' begon Jon, maar de bewaker was in twee stappen bij hem, pakte zijn arm en duwde hem terug naar het bed. Jon keek verontwaardigd naar de plek waar de bewaker hem vasthield.

'Dit is echt niet nodig,' zei hij. 'Ik wil alleen even...'

'Het is wél nodig,' onderbrak Remer hem. 'Dat zul je zien.'

Een tweede bewaker kwam de kamer binnen en liep naar de andere kant van het bed. Rustig maar beslist duwden de twee mannen Jon neer totdat hij lag. Hij probeerde zich te verzetten, maar ze waren te sterk en binnen de kortste keren lag hij vastgebonden met leren riemen en kon hij niet meer bewegen.

'Wat is er aan de hand?' wilde Jon weten. 'Hier is geen enkele aanleiding voor. Je kunt me gewoon uitleggen waarom.'

'Dat zal ik ook doen,' zei Remer en hij knikte weer naar een van de bewakers.

'Nee,' kon Jon nog net roepen voordat de bewaker een stuk tape op zijn mond duwde.

Het was nodig geweest.

Dat begreep Jon nu heel goed. Hij had op Remers oordeel moeten vertrouwen en Katherina's macht niet moeten onderschatten. Ze waren goed, de Lettores van Libri di Luca, het waren experts in het zaaien van tweestrijd en onrust onder de leden van de Orde als ze niet oppasten. Als Remer niet zo snel en adequaat had ingegrepen, zou het hun misschien zijn gelukt om Jon zo in de war te brengen, dat hij zichzelf de toekomst die hij bij de Orde had zou hebben ontzegd. Misschien zou hij hen zelfs zijn gaan tegenwerken.

Na ongeveer een uur lezen hadden ze de tape voor Jons mond weggehaald en de riemen om zijn armen en benen weer losgemaakt. Hij was helemaal rustig geweest, bijna uitgeput, en hij mocht slapen totdat Remer hem weer wakker kwam maken. Het was donker geworden buiten en Poul Holt was teruggekeerd. Hij onderzocht Jon met de geroutineerde gebaren van een arts. Hij scheen in zijn ogen, keek in zijn keel en controleerde zijn reflexen.

'Je bent in topvorm,' zei hij ten slotte met een glimlach naar Jon.

Remer, die zich een beetje afzijdig had gehouden, kwam naar het bed toe.

'Het spijt me dat we gedwongen waren om je vast te binden,' zei hij, en het klonk alsof het hem oprecht speet. 'Maar dat was helaas nodig. Ik hoop dat je het begrijpt.'

Jon knikte.

'Het was nodig,' zei hij. 'Ik was bijna gezwicht voor hun beïnvloeding. Het zal niet meer gebeuren.'

'Zeker niet,' zei Remer met een tevreden knikje. 'Maak je geen zorgen, vanavond ben je onder vrienden. Er kan niets meer tussen komen.'

Jon voelde zich gerustgesteld. De wolk van verwarring die hij een paar uur geleden had gevoeld was met zoveel kracht weggeblazen, dat hij zich niet eens meer goed herinnerde waar het nou eigenlijk allemaal om ging.

'En nu we het toch over vanavond hebben,' zei Remer en hij wees naar een zwarte cape die op het voeteneinde van het bed lag, 'wil je kijken of hij past?'

Jon stond op en hield de cape voor zich. Hij was pikzwart en op de mouwen en de zoom zat een boord met witte slangen.

'Gaan we naar een togaparty?' vroeg Jon.

Remer lachte.

'Zoiets ja.'

Jon trok de cape aan. Hij was van zijde en werd bijeengehouden met een dik koord, ook van zijde. Zelfs met gewone kleren eronder viel hij erg ruim en als hij de kap opdeed, werd zijn gezicht in schaduw gehuld. Dat was een prettig, veilig gevoel. Hij voelde zich net een monnik. Hij glimlachte bij dat idee.

'Perfect,' riep Remer en hij knikte tevreden.

'En jullie dan?' vroeg Jon een beetje verlegen.

'Maak je geen zorgen,' zei Remer. 'We dragen allemaal zo'n cape, alleen die van ons zijn wit.'

'Ben ik de enige met een zwarte?'

'Natuurlijk,' zei Poul Holt. 'Jij bent de eregast.'

37

'Klootzakken,' riep Paw vanaf de stoel. 'Hier zullen jullie spijt van krijgen!' Henning en Mohammed hadden hem vastgebonden met het touw dat ze hadden meegebracht en Katherina hield het namaakpistool op Paw gericht. Nu zat hij te schelden en te vloeken met een blik vol haat.

'Ga je naar een verkleedfeestje?' vroeg Mohammed terwijl hij de witte cape omhooghield die Paw om had gehad.

'Dat moet jij zeggen,' snoof Paw.

Mohammed negeerde hem.

'En dit hier?' hij hield de koperen amulet die om Paws nek had gehangen voor hem omhoog. 'Is dit je vipkaartje?'

Paw gaf geen antwoord, hij staarde alleen woedend terug.

'Laten we er maar van uitgaan dat dat zo is,' constateerde Mohammed terwijl hij de amulet aan Katherina gaf. 'Dan is de vraag: waarvoor?' Hij keek afwachtend naar Paw, die demonstratief zijn hoofd wegdraaide.

Katherina onderzocht de koperen amulet. Hij was rond, had de grootte van een flinke munt, met middenin een gat waar een leren veter in vast was gemaakt zodat hij om de hals kon worden gedragen. Langs de rand stonden kleine, sierlijke lettertekentjes.

'Wat heb jij daar dan aan?' vroeg Henning. 'Jij bent toch al geactiveerd.'

Paw glimlachte.

'Dat zal me wat geweest zijn, die activering van jou,' voegde Henning er spottend aan toe. 'Wat was jouw RL-waarde ook alweer? Nul komma zeven? Dat is waarschijnlijk niet eens genoeg om een fietslamp te laten branden.'

Paws glimlach verdween. Hij richtte zijn blik op Henning. Katherina zag dat zijn kaken opeen waren geklemd van woede.

'Het is dus maar goed dat je wordt beschermd door de organisatie,' ging Henning verder. 'Op zwakke Lettores zoals jij moet worden gepast. Kunnen ze jou eigenlijk wel érgens voor gebruiken?'

Paws ogen schoten vuur, zijn gezicht was rood geworden van de opwinding.

'Oké, je bent inderdaad geïnfiltreerd in Libri di Luca, maar dat kwam alleen doordat Luca medelijden met je had. Hij kon van kilometers afstand zien hoe zwak je was.'

'Houd je bek,' riep Paw woedend en hij wierp zich zo ver naar voren in de stoel als het touw het toeliet.

Henning boog naar hem toe, precies zo ver dat Paw niet bij hem kon. 'En nu? Jouw taak is vervuld. Wat heeft de Schaduworganisatie nog aan een zwakkeling als jij?'

'Kom nog maar eens terug na de reactivering, dan zal ik je dat laten zien,' siste Paw.

Henning en Katherina keken elkaar aan.

'Reactivering?' herhaalde Henning. 'Is dat wat er vanavond gaat gebeuren?'

Paw gaf geen antwoord.

'Hebben jullie een manier gevonden om de activering over te doen?' vroeg Henning sceptisch. 'Om hem te versterken?'

Er vormde zich een glimlachje op Paws lippen.

Katherina voelde dat dat precies was wat er zou gebeuren. Bijna alle mensen die naar Alexandrië waren gevlogen waren volgens de informatie van de school al geactiveerd. De hele opzet van de bijeenkomst op deze plek leek te wijzen in de richting van iets wat groter was dan een rituele ceremonie zonder praktisch doeleinde. Ze hield haar adem in. Als een reactivering de gaven van een Lettore kon verbeteren, wat zou er dan met Jon gebeuren? Hij kwam nu al boven de schaalverdeling uit en was direct levensbedreigend als hij niet onder controle werd gehouden. Ze zag dat de anderen hetzelfde dachten. Mohammed en Henning wisselden ongeruste blikken.

'Hoeveel sterker kunnen jullie worden?' vroeg Henning ten slotte.

'Genoeg om een fietslamp te laten branden,' bauwde Paw hem na en hij glimlachte geheimzinnig.

'Wat jammer nou dat jij daar niet bij zult zijn,' viel Katherina in. Ze knikte naar de touwen waarmee hij was vastgebonden. 'Het is een beetje moeilijk om naar een reactivering te gaan als je vastgebonden zit aan een stoel.'

Paw keek haar aan. Er was een spoortje onzekerheid in zijn blik geslopen.

'Ze komen me halen,' zei hij. 'Ze kunnen er ieder moment zijn.'

Mohammed keek op zijn horloge.

'Dat duurt nog minstens een half uur,' constateerde hij. 'Tijd genoeg om jou hier weg te krijgen.'

Paw lachte zenuwachtig

'Wij hebben vrienden hier in de stad,' ging Mohammed verder. 'Hoe dacht je anders dat we je gevonden hadden? Die zijn heel goed in iemand opsporen en ook in dingen laten verdwijnen.'

Paw keek van de een naar de ander, maar hij vond nergens steun. Toen keek hij Katherina smekend aan.

'Je moet me vrijlaten, Kat,' zei hij wanhopig. 'Ik heb dit nodig. Het is mijn beloning.'

'Voor wat?' vroeg ze.

'Voor Libri di Luca,' antwoordde hij geïrriteerd.

'Heb jíj Luca vermoord?'

'Nee, nee,' zei Paw en hij schudde zijn hoofd. 'Het is mijn beloning omdat ik bij jullie ben geïnfiltreerd.' Hij kreeg een lijdende blik in zijn ogen. 'Kom op, Kat, ik zal echt niet zeggen dat jullie hier zijn. Laat me gewoon gaan, dan kan ik mijn *boost* krijgen.'

'Wanneer gaat het gebeuren?' vroeg Katherina.

Paw draaide zijn hoofd af zodat hij hun niet in de ogen hoefde te kijken. Hij zweeg heel lang, toen antwoordde hij: 'Vanavond, zoals jullie al zeiden.'

'Hoe?'

'Net als een gewone activering,' zei Paw. 'Maar Jon dient als een soort medium. Ik weet niet precies hoe het werkt.' Hij wrikte zijn hoofd heen en weer. 'Het heeft iets te maken met de energie van de bibliotheek en Jons gaven. Als die bij elkaar komen, *bingo!* Dan schieten we allemaal een stuk omhoog op de schaalverdeling.'

'En Jon?'

Paw schudde zijn hoofd.

'Dat weet niemand. Misschien gebeurt er niets, misschien gaat hij ook omhoog, misschien blijft hij erin.'

Katherina zou hem het liefst beetpakken en de onverschilligheid uit zijn lijf rammelen. Ze verspilden hun tijd terwijl de Schaduworganisatie op het punt stond om Jon te offeren.

'Hoe komen jullie binnen?' vroeg Mohammed.

Paw knikte naar de cape.

'We moeten dat ding dragen, en de amulet.'

'Hoeveel komen er?'

'Veel,' zei Paw. 'Ze komen van over de hele wereld.'

'En de taal?' vroeg Henning. 'Jon kan toch niet in alle talen reactiveren?'

'Dat weet ik niet,' siste Paw. 'Het heeft geloof ik iets te maken met die ontladingen. Die raken iedereen.'

'En daarna?'

'Daarna kan niemand ons tegenhouden.' Paw glimlachte.

Mohammed knikte naar Henning en Katherina en nam hen mee naar de andere hoek van de kamer, zodat Paw niet zou horen wat ze zeiden.

'Wat vinden jullie?' vroeg Mohammed zacht.

'Ik geloof hem,' antwoordde Henning met een zucht.

Katherina keek met een schuin oog naar Paw, die nu een tevreden glimlach op zijn lippen had.

'Ik ook,' fluisterde ze. 'Helaas. Het ziet er somber uit. Nog erger dan ik had gedacht. We moeten ze tegenhouden.'

'Maar hoe?' riep Henning met wanhoop in zijn stem. 'Wij zijn met z'n drieën en zij met ik weet niet hoeveel honderd.'

'Maar er is maar één Jon,' zei Mohammed.

'Wat bedoel je?' vroeg Katherina.

'We moeten voorkomen dat hij meedoet aan het feest,' antwoordde Mohammed nuchter. 'Geen Jon, geen feest.'

Katherina wilde liever niet weten hoe ver ze zouden moeten gaan om Jon te stoppen, maar ze wist dat Mohammed gelijk had. Jon was de sleutel van alles en zolang hij aan de kant van de Schaduworganisatie stond, was hij gevaarlijk.

'En hoe voorkomen we dat precies?' vroeg Henning.

'We moeten ook naar dat feest,' constateerde Mohammed. Hij knikte naar Paw. 'Een van ons heeft een vrijkaartje om binnen te komen.'

'Dat ben ik,' zei Katherina vlug.

De twee anderen keken elkaar aan.

'Ik ken hem het best,' zei ze koppig. 'We hebben samen geoefend, dus ik weet waartoe hij in staat is.'

Mohammed knikte.

'Oké. Jij neemt de amulet. Henning en ik proberen een andere manier te vinden om binnen te komen.'

Henning stemde met een knikje in.

'Zeg eens,' riep Paw achter hen. 'Ik denk dat het zo langzamerhand tijd is om mij vrij te laten.'

De drie glimlachten naar elkaar met een blik van verstandhouding.

Toen draaiden ze zich om naar hun gevangene.

38

Nog maar een paar uur en het zou zijn volbracht.

Jon kon het bijna niet geloven. Het grootste deel van zijn leven had men hem ervan weerhouden om zijn eigen lot te volgen en tot het laatste toe hadden ze geprobeerd hem te misleiden, maar nu zou hij eindelijk de plek kunnen innemen waarvoor hij was bestemd. Onderweg ernaartoe had hij vele hindernissen moeten overwinnen en daardoor was hij heel erg opgehouden. Hij wenste hartgrondig dat hij meer tijd had gehad om zich voor te bereiden. Hij was pas een paar dagen geleden ingewijd in de ware aard van de Orde en het irriteerde hem dat hij zich niet helemaal klaar voelde, al zei Remer dat hij dat wel was. Hij begreep natuurlijk wel dat het belangrijk was voor de Orde dat de reactiveringen konden beginnen. Hoe langer ze zouden wachten, hoe meer kans op invloed ze zouden missen, maar toch voelde hij zich onzeker. Nog maar een paar uur geleden had het weerzien met Katherina hem heel erg van zijn stuk gebracht en als Remer niet zo resoluut had ingegrepen, had het helemaal fout kunnen gaan.

Dat mocht niet nog een keer gebeuren.

Dus de Jon die samen met de roodharige Patrick Vedel op de achterbank van de landrover zat op weg naar de Bibliotheca Alexandrina was een geconcentreerde, zwijgzame Jon. In zijn handen had hij het boek waaruit ze zouden lezen. Er stond geen titel of naam van een schrijver op de omslag en op het zwarte leer was niets te zien wat iets over de inhoud verried. Dit was het boek waarmee alle activeringen binnen de Orde werden uitgevoerd, het was speciaal voor dat doel geschreven en geladen met zoveel energie dat Jon het bijna had laten vallen toen hij het voor de eerste keer in zijn handen kreeg. Zijn vingers tintelden door het pulserende ritme dat het boek uitzond, maar op een aangename, geruststellende manier, die hem hielp zijn concentratie vast te houden in plaats van die te verstoren. De inhoud was al even verrassend. Toen Jon eerder op de avond de gelegenheid had gehad om er wat in te lezen, kwam hij erachter dat de beschrijvingen in het boek en de beelden die het opriep op een merkwaardige manier meeslepend waren. Er was geen sprake van een samenhangend verhaal. Het boek was geschreven met het doel de gaven zo goed mogelijk te ondersteunen en het stond vol scènes die door de zender met zoveel mogelijk effect vertolkt en geladen konden worden. Remer had Jon uitgelegd dat dit exemplaar er slechts één was van een grote hoeveelheid identieke boeken die bij de reactivering gebruikt zouden worden. Ze waren allemaal geladen door middel van talrijke rituelen.

Terwijl ze onderweg waren van het platteland naar de stad, sloeg het weer om. Het begon harder te waaien en donkere schaduwen joegen langs de avondhemel. Toen ze in de buurt kwamen van de boulevard Al-Comiche, zagen ze dat het water tegen de golfbrekers beukte en het opgeklopte schuim wervelde in grote witte vlokken over de rijbaan.

Ze waren eerder op de dag ook al langs de bibliotheek gereden, maar nu zag hij er heel anders en spectaculair uit tegen de achtergrond van de donkere avondlucht. Het ronde bibliotheekgebouw zelf was uitgelicht met spots die op de buitenmuren waren gericht en het glazen dak straalde een onwerkelijk wit schijnsel uit. Rondom het gebouw in de vorm van een rugbybal, waarin een planetarium was gevestigd, liep een lichtgevende blauwe band. Achter de bibliotheek lag de bibliotheekschool, een gebouw in de vorm van een piramide dat groen glansde in het licht van krachtige projectielampen. Al die verlichte gebouwen bij elkaar boden een prachtige aanblik. Vanaf zee moest het een waardige vervanging zijn voor de vuurtoren uit de oudheid.

Behalve Jon en Patrick Vedel op de achterbank, zaten voorin nog Poul Holt, die de auto bestuurde, en Remer op de passagiersplek. Ze hadden alle vier eenzelfde soort cape om. Het enige verschil was dat die van Jon zwart was en die van de anderen wit. In eerste instantie had Jon het een beetje komisch gevonden dat ze zich moesten verkleden, maar nu was hij het ermee eens dat ze respect moesten tonen voor het ritueel en bij het zien van het historische decor dat daar voor hem lag, werd hij verder gesterkt in die overtuiging. Tegelijkertijd had de cape een zeer rustgevende uitwerking op hem. Een sterk gevoel van saamhorigheid daalde op hem neer. Afgezien van een klein restje nervositeit voelde hij zich eigenlijk heel goed en hij keek ernaar uit om zo goed mogelijk te presteren. Hij herkende het gevoel van al die keren dat hij zijn slotpleidooi had moeten houden in de rechtbank, maar deze keer stond er veel meer op het spel dan het lot van zijn cliënt of zijn eigen trots.

Poul Holt bracht de auto vlak voor de bibliotheek tot stilstand en de drie anderen stapten uit. De wind kreeg onmiddellijk vat op hun capes en het trio haastte zich naar de ingang terwijl Poul Holt de auto ging wegzetten. De façade van het gebouw was van glas en vanaf de deur voerde een rode loper verder naar het binnenste van de bibliotheek. Achter de glazen deuren stonden twee Arabisch uitziende mannen in dezelfde witte cape. Ze verwelkomden de gasten. Toen ze Jons zwarte cape zagen, bogen ze diep voor hem en stamelden een paar zinnetjes in het Arabisch. Daarna controleerden ze de amuletten en toen mocht het gezelschap naar binnen gaan door nog een paar glazen deuren.

De hal waarin ze binnenkwamen strekte zich tien meter uit naar boven, massieve pilaren van lichte zandsteen reikten omhoog als boomstammen en eindigden in de metalen draagbalken van het dak hoog boven hun hoofd. Jon voelde meteen de intense energie die in de ruimte aanwezig was. Heel anders dan in Libri di Luca, lang niet zo opdringerig, maar hij was op een vanzelfsprekende manier aanwezig, als een achtergrondstraling die hem overal omgaf.

Er waren ruim tweehonderd mensen bijeen in de voorhal, ze droegen allemaal een witte cape. Sommigen hadden de kap omhoog, anderen niet. Er klonk een gonzen van stemmen en levendige discussies in de vele groepjes waarin de mensen bij elkaar stonden. Jon ving een paar verschillende talen op, maar als Remer en Jon langsliepen, verstomden de gesprekken, om weer verder te gaan als ze voorbij waren. Ze werden overal gevolgd door gefluister.

Remer voerde hem mee naar een groep van ongeveer tien mensen,

die hen allemaal in het Deens begroetten toen ze zich bij hen aanslo-
ten.

Remer stelde Jon voor aan de groep. Hij legde uit dat dit de kern
was van de Deense afdeling van de Orde.

Alle leden van de groep hadden eenzelfde boek als Jon in hun handen. Ze kwamen een voor een naar hem toe en stelden zich voor met
een passende welkomstgroet. Jon groette beleefd terug, maar hij herkende niemand. Te oordelen naar hun gezichtsuitdrukking en hun
vriendelijke houding leken ze hem wel al te kennen.

'De ceremonie wordt in de leeszaal gehouden,' zei Remer tegen
Jon.

'Een fantastische omgeving,' viel iemand uit de groep in en de anderen bevestigden het meteen met ijverig knikken en instemmend
commentaar.

'Hoe kunnen jullie dit allemaal geheimhouden?' vroeg Jon en hij
wees met zijn hand naar de mensenmenigte. 'Dit is nou niet bepaald
discreet.'

Remer lachte.

'Dat kun je wel zeggen,' gaf hij toe. 'Maar de beste manier om iets
te verbergen is vaak om het openlijk te doen.' Hij knipoogde naar Jon.
'We roepen natuurlijk niet van de daken wat hier gaat gebeuren. Officieel is het een liefdadigheidsevenement en we geven ook een aardige
donatie aan de bibliotheek. Niet dat het zomaar een gift is, want het
personeel bestaat natuurlijk uit onze mensen, ook de mensen die hier
overdag werken.'

Intussen bleven er groepjes Lettores binnenkomen. Jon schatte het
aantal mensen nu op ruim driehonderd. Steeds meer mensen hadden
hun kap opgedaan om aan te geven dat ze klaar waren en er werden
verwachtingsvolle blikken in zijn richting geworpen. Hij richtte zijn
blik op het plafond tien meter boven hem en had opeens het gevoel
dat het dak op zijn schouders rustte in plaats van op de massieve pilaren.

Katherina trilde van de zenuwen. Ze stond op een afstandje van de ingang te kijken hoe de andere deelnemers aankwamen. Tot haar op-

luchting hadden sommigen de kap al over hun hoofd getrokken, dus dat deed zij ook. Dat hielp.

Henning en Mohammed hadden haar op veilige afstand van de bibliotheek afgezet. Zij hadden geen cape en geen amulet en ze moesten een andere manier zien te vinden om binnen te komen. Het was in ieder geval uitgesloten dat ze via de hoofdingang binnen zouden komen, constateerde Katherina bij het zien van de twee wachters die bij de deur stonden. Ze hadden net als alle anderen een cape om, maar ze kon duidelijk zien dat het daaronder potige kerels waren en de bulten ter hoogte van hun heup verrieden dat ze ook wapens droegen – echte wapens en geen namaakwapens zoals het pistool waarmee Mohammed Paw bang had gemaakt.

Ze hadden Paw goed vastgebonden achtergelaten in de badkamer van zijn hotelkamer. Katherina vond dat dat zijn verdiende loon was en bovendien dachten ze dat het te riskant zou zijn om te proberen hem daar weg te halen. De kans dat hij zou worden gevonden voordat Katherina veilig en wel binnen was, was vrij klein. Hij had hevig tegengestribbeld toen het eindelijk tot hem doordrong dat hij niet op tijd zou worden vrijgelaten om bij de reactivering te zijn. Zijn wanhoop was duidelijk te zien geweest en hij probeerde zich in uitzinnige woede-uitbarstingen los te rukken. Katherina begreep dat wat er die avond zou gaan gebeuren veel meer was dan een gezellig samenzijn voor bibliofielen. Er stond veel op het spel, misschien zelfs levens. Onder andere dat van Jon.

Katherina haalde diep adem en duwde een van de glazen deuren open. Ze stond oog in oog met een glimlachende wachter die haar in het Engels verwelkomde. Hij keek haar verwachtingsvol aan. Haar hart ging nog sneller kloppen. Had hij haar nu al door? Moest ze een wachtwoord zeggen? Had hij gezien dat de cape een beetje te lang was voor haar?

De wachter klopte op zijn borst en wees naar haar hals.

De amulet.

Katherina keek omlaag en zag dat de amulet onder haar cape was geschoven. Opgelucht haalde ze het ding tevoorschijn en mompelde een verontschuldiging. De wachter glimlachte nog breder en maakte een armgebaar naar de volgende deuren.

Ze liep vlug door en duwde de glazen deuren naar de grote hal open. De vorige keer dat ze daar was geweest, was hij helemaal vol geweest met lawaaiige toeristen in bontgekleurde kleding en met flitsende camera's. Nu stonden er een paar honderd eender geklede mensen zachtjes te praten, alsof ze op een gewone receptie waren. Hoe moest ze Jon vinden tussen al die mensen?

Twee rijen dikke, rustieke kaarsen in smeedijzeren houders voerden naar de leeszaal. Katherina bewoog zich voorzichtig in die richting. Ze ging precies dicht genoeg bij een groepje deelnemers staan zodat het net leek of ze bij hen hoorde, en precies ver genoeg van hen vandaan om hun aandacht niet te trekken. Aan de taal te horen waren het Fransen.

Ruim de helft van de aanwezigen had zijn kap op, maar aan de rest kon ze zien dat het mensen uit heel verschillende etnische groepen waren. Toen ze het zwarte boek zag dat sommigen in hun handen hadden, raakte ze weer bijna in paniek omdat ze dacht dat het boek ook een toegangsbewijs was. Maar toen ze zag dat het grootste deel van de deelnemers helemaal geen boek had, kalmeerde ze snel weer. Overigens hadden ontvangers geen boek nodig voor een activering.

Een eindje van haar vandaan stond een wat grotere groep mensen, die vrij veel aandacht trok. Toen ze een tijdje naar hen had staan kijken, zag ze waarom. Een van hen droeg geen witte cape maar een zwarte. De persoon werd omringd door de anderen en ze kon niet veel meer van hem zien dan een schouder, een arm of zijn rug als hij bewoog. Van onder haar kap had ze ook niet bepaald goed zicht, dus ze probeerde discreet naar een plek toe te lopen vanwaar ze kon zien wie het was.

Dat moest de leider zijn. Misschien zelfs Remer?

Katherina hield haar adem in en ging nog een stap dichterbij staan. Ze wist dat ze een risico nam, want ze zou opvallen doordat ze alleen stond tussen alle groepjes.

De persoon met de zwarte cape draaide zijn hoofd om. Het leek wel of hij haar recht aankeek.

Het was Jon.

Even leek het of zijn ogen haar vasthielden, tussen al die anderen, maar toen liet hij zijn blik verder glijden over de verzameling mensen en daarna richtte hij zijn aandacht weer op de groep waar hij bij stond. Waarschijnlijk had iemand iets grappigs gezegd, want hij lachte en knikte naar een van de anderen.

Katherina kon haar blik niet van hem losmaken, ze stond als verlamd te kijken hoe hij stond te praten en actief luisterde, alsof hij onder goede vrienden was. Het kostte haar moeite om haar gevoelens in bedwang te houden. Ze had nog het meeste zin om naar hem toe te rennen en hem te omhelzen en hem vast te houden totdat de echte Jon weer tevoorschijn zou komen. Het was zo vreemd om te zien dat hij zich vermaakte in gezelschap van de mensen die hem tegen zijn wil hadden ontvoerd en die ook zijn ouders hadden vermoord.

Jon kon er niet goed aan wennen dat hij het middelpunt van de belangstelling van al die mensen was. Hij had het gevoel dat ze allemaal stonden te kijken naar de minste beweging die hij maakte en hij betrapte zichzelf erop dat hij de degenen die om hem heen stonden naar de mond praatte om niet al te zeer onder de indruk van de situatie te lijken. Vooral een van de deelnemers had hem recht aangestaard, zonder te proberen het te verbergen. Hij had geprobeerd om het te negeren, maar zelfs nu hij er met zijn rug naartoe stond, voelde hij dat de betreffende persoon doordringend naar hem staarde. Hij keek om en constateerde dat hij gelijk had. De persoon in kwestie stond ongeveer twintig meter bij hem vandaan. Aan de vormen te zien, was het een vrouw. Ze stond helemaal alleen en nam hem op van onder de schaduw van haar kap.

Hij knikte naar haar bij wijze van groet. Er ging een schok door haar heen en ze stapte onmiddellijk uit zijn gezichtsveld. Jon fronste zijn wenkbrauwen. Had hij een lok rood haar gezien toen ze zich omdraaide? Nee, dat kon niet. Zij kon het niet zijn. Het was onmogelijk dat Katherina hier binnen was gekomen. Hoe zou dat haar gelukt zijn? Bovendien waren er vast wel meer Lettores met rood haar. En het was natuurlijk logisch dat er naar hem werd gekeken; met die zwarte cape kon hij zich moeilijk verbergen.

'Alles goed?' vroeg Remer naast hem.

Jon schudde even zijn hoofd heen en weer en richtte zijn aandacht op Remer.

'Jawel,' antwoordde hij met een glimlach. 'Ik ben alleen een beetje gespannen.'

'Dat zijn we allemaal,' zei een van de anderen lachend. 'En het wordt er niet beter op als onze gids zenuwachtig is.'

'Maak je niet ongerust,' verzekerde Remer hen. 'Campelli is er helemaal klaar voor. Niets kan ons nog tegenhouden.'

Jon knikte.

'Wanneer kunnen we beginnen?'

'Bijna,' zei Remer. 'Ik ga even met de deurwachters overleggen.'

Remer liep weg van de groep en ging naar de ingang. Jon volgde hem met zijn blik en zag hem kort met de wachters praten, die op hun horloge keken en instemmend knikten.

'Klopt het dat je het testlokaal onder de Demetriusschool hebt vernield?' vroeg een wat oudere man die rechts van Jon stond.

'Ja, er was niet veel van over,' antwoordde Jon. Er verscheen een bezorgde uitdrukking in de ogen van de man. 'Maar dat was een ongecontroleerde oefening,' verzekerde Jon hem. 'Daarna hebben we getraind, dus ik kan nu precies het juiste niveau pakken.'

'Maar we hebben allemaal verschillende niveaus,' zei de man, lichtelijk nerveus. 'Hoe kun je weten of het niveau waarop je gaat zitten voor sommigen niet te heftig is?'

'We beginnen heel voorzichtig,' antwoordde Jon geruststellend. 'Dat niveau is voor sommigen waarschijnlijk te laag om er iets aan te hebben, maar als het gaat zoals het móét gaan, gaan de zwaksten als eersten een niveau omhoog en dan kunnen we daarna de intensiteit verder opvoeren en de rest op een hoger niveau brengen.'

De man knikte. Hij leek tevreden met het antwoord. Jon was er zelf helemaal niet zo zeker van hoe het in werkelijkheid zou gaan. De reactivering was Remers theorie en ze hadden geen garantie dat het zou werken, of dat het onder controle gehouden kon worden.

'Bovendien zijn er heel veel ontvangers die het effect kunnen dempen als er problemen zouden ontstaan,' voegde Jon er nog aan toe, met naar hij hoopte een overtuigende gezichtsuitdrukking.

'Er zullen geen problemen ontstaan,' zei Remer, die weer bij de groep was komen staan. 'Het duurt nu niet lang meer. Er moeten er nog een paar komen, en dan kunnen we beginnen.' Hij zette zijn kap op en wees in de richting van de leeszaal. 'Zullen we gaan?'

De anderen in het groepje zetten hun kap op en volgden Remer, die langzaam tussen het pad van kaarsen door liep. Jon volgde hun voorbeeld en de rest van de aanwezigen kwam in beweging. Algauw waren alle hoofden bedekt met een kap en de gesprekken verstomden. Het enige wat je hoorde waren de voetstappen op de stenen vloer en het ruisen van de stof van de capes.

Vanuit de hal liep de processie door een gang naar het hart van de bibliotheek, de leeszaal. De overgang van de relatief smalle gang naar de grote ruimte van de leeszaal was een ervaring die Jon bijna de adem benam. Een paar deelnemers die in zijn buurt liepen hielden zelfs even hoorbaar de adem in toen ze de enorme ruimte betraden die zich over zeven verdiepingen uitstrekte. Ze kwamen binnen op de derde verdieping en daarvandaan konden ze naar beneden kijken, naar de verdiepingen die onder hen lagen. Ze waren gebouwd als verspringende terrassen, het leken net akkers die tegen een steile bergwand aan lagen. De verdiepingen rustten op dikke pilaren en die strekten zich verder uit naar het schijfvormige dak en hielden dat omhoog. Jon had het tot nu toe alleen nog maar van de buitenkant gezien.

Op deze verdieping waren de leesplekken weggehaald, maar op de niveaus eronder kon je zien hoe de tafels en stoelen in een lichte houtsoort een werkplek boden aan de dagelijkse gebruikers van de bibliotheek.

De ruimte was indrukwekkend, maar de concentratie van energie die Jon voelde toen ze zich door de grote zaal bewogen was nog veel indrukwekkender. Het leek wel of ze onder een vergrootglas liepen, en de krachten zo sterk werden gecontroleerd en versterkt dat de lucht verzadigd leek van een elektrische lading, waardoor de haren op je armen overeind gingen staan. Jon voelde zo'n sterk kriebelend gevoel dat hij het niet kon laten om te glimlachen.

In plaats van tafels en stoelen stond er in het midden van de zaal een cirkel van kaarsen. Midden in die cirkel stond een spreekgestoelte van donker hout. Jon had wel een idee voor wie dat bestemd was.

Langzaam en zwijgend stroomde de mensenmenigte de zaal binnen en verspreidde zich rondom het spreekgestoelte. Remer voerde Jon met zich mee naar het centrum van de kaarsencirkel. Ze gingen naast het spreekgestoelte staan en keken zwijgend naar de toestromende menigte. Je kon geen gezichten zien onder de kappen. Jon voelde zich naakt in zijn zwarte cape. Hij was de enige die zich niet kon verstoppen.

Naarmate er meer mensen de leeszaal binnenstroomden, kwamen de deelnemers steeds dichter om hen heen staan. Jon dacht een paar keer dat hij de vrouw uit de hal zag die hij voor Katherina had gehouden, maar steeds was er iets in de manier van lopen of de houding wat hem ervan overtuigde dat zij het niet was en dat hij zich had vergist.

Ondanks het feit dat er zoveel mensen bijeen waren, zei niemand iets. De stilte zorgde ervoor dat ze konden horen hoe de deuren van de zaal werden gesloten door een van de deurwachters. Hij ging pal voor de deur staan met zijn handen op zijn rug.

Op datzelfde moment beklom Remer het spreekgestoelte. Dat was een meter boven de vloer verheven en alle blikken richtten zich onmiddellijk op hem.

Hij kuchte een paar keer en begon te spreken. Het was Latijn. Jon herkende het. Het kwam uit een hoofdstuk uit de kroniek van de Orde dat Poul Holt hem had voorgelezen. Poul Holt had uitgelegd dat het de paragraaf met de originele doelstellingen van de Orde was, die de leden opriep om hun gaven voor eeuwig te blijven verbeteren en geheim te houden voor niet-ingewijden. Verder bevatte het nog een lofzang op de gaven en de rol die de leden in de wereld speelden. Ze waren als herders die de onwetende schapen moesten leiden – dat waren alle mensen zonder gaven.

Jon verstond de woorden die Remer las niet en hij gebruikte de tijd om de mensen om hem heen te bekijken. Die kenden de tekst kennelijk heel goed. Hun gezichten waren opgeheven naar Remer, waardoor Jon hun monden kon zien. De meesten vormden de woorden die Remer uitsprak. Er was er maar één die niet opkeek naar Remer, maar in plaats daarvan Jon recht aankeek. Die persoon stond een paar rijen van hem af, maar hij kon het gezicht niet zien door de schaduw van de kap. Maar er was geen twijfel mogelijk dat de blik op hem was gericht. Jons hart begon sneller te kloppen. Het kon haar niet zijn. Langzaam richtte de persoon haar hoofd op en richtte haar blik op Remer, net als alle anderen. Vanuit de schaduw kwam de onderkant van het gezicht tevoorschijn. Een paar smalle lippen vormde een glimlachje. Jon zag een klein litteken op de kin. Katherina's litteken.

39

Katherina was er zeker van dat Jon haar had gezien. De eerste keer in de grote hal toen hij naar haar had geknikt. Wat betekende dat? Dat hij klaar was en op haar wachtte of was het gewoon een groet geweest naar iemand van wie hij dacht dat het een van zijn broeders was? Met bonkend hart was ze met de anderen meegelopen naar de leeszaal. Als hij haar had herkend in de hal, kon ze ieder moment worden ontmaskerd. Toen ze de leeszaal binnenkwam, waren haar zenuwen naar de achtergrond verdwenen. De energie leek nog meer geconcentreerd dan de vorige keer dat ze er was. Misschien kwam het door de sfeer met de kaarsen, de capes en de vele mensen, die allemaal samen de aandacht vestigden op de bijna fysieke aanwezigheid van spanning in de lucht.

De tweede keer dat Jon naar haar had gekeken was vlak nadat Remer op het spreekgestoelte was gaan staan en was begonnen met het lezen van de Latijnse tekst. Katherina begreep niets van wat er werd voorgelezen. Ze hield Jon in de gaten. Hij stond naast het spreekgestoelte en liet zijn blik over de luisterende menigte gaan, alsof hij iemand zocht. De kap van zijn cape was niet helemaal naar voren getrokken, dus je kon het grootste deel van zijn gezicht zien. Ze zag dat zijn blik op haar viel en bleef hangen. Ze voelde haar hartslag omhooggaan. Het waren dezelfde ogen die nog maar zo kort geleden vol liefde naar haar hadden gekeken. Nu straalden ze twijfel en verwarring uit.

Misschien was er nog hoop. Twijfel was duizend keer beter dan de haat die ze had gevoeld toen hij haar eerder die dag op de markt had gezien. Misschien had hij, zoals Henning had gesuggereerd, een terugval gekregen alleen doordat ze elkaar hadden gezien. Ze kon het niet laten om te glimlachen toen ze haar aandacht weer op Remer vestigde.

Ze twijfelde er niet aan dat Remer de tekst die hij voorlas laadde, maar aangezien ze niet begreep wat er werd voorgelezen, had het op haar geen invloed. Dat gold niet voor haar buurman, een tamelijk gezette man wiens cape maar net om zijn lichaam paste. Al na korte tijd begon hij zachtjes heen en weer te zwaaien. Bij sommige passages in de tekst knikte zijn hoofd onder de kap ijverig. Ze keek om zich heen en zag dat er nog meer mensen waren die zich zo gedroegen. Maar het grootste deel stond stil, net als Katherina zelf, en luisterde naar de voordracht.

Katherina concentreerde zich op hoe Remer de gaven gebruikte. Hij was een goede zender, misschien zelfs nog beter dan Luca was. Zijn beïnvloeding leek gemakkelijk en gelijkmatig te gaan, alsof hij een krachtige wind opwekte door zachtjes te blazen. Toen ze zich nog sterker concentreerde, kwam ze erachter waar dat door kwam. Het grootste deel van de aanwezige ontvangers had zijn gaven geconcentreerd op Remers voordracht. Ze ondersteunden hem allemaal tegelijk. Dat was ontzettend moeilijk als er zoveel mensen meededen en het vereiste volledige overeenstemming over wat de tekst moest overbrengen. De minste aarzeling of verkeerde beïnvloeding kon de illusie kapotmaken. Katherina wist van haar trainingen met de ontvangersgroep hoe moeilijk het was, maar hier was iedereen volledig geconcentreerd. Er was geen spoortje van onzekerheid in de voordracht te ontdekken.

De laatste zin die Remer voorlas werd hardop herhaald door alle aanwezigen. Hij keek uit over de menigte, knikte kort en stapte toen van het spreekgestoelte af. Katherina zag dat hij een paar woorden met Jon wisselde, die vervolgens Remers plaats innam. De mensen die in haar buurt stonden begonnen onrustig heen en weer te schuifelen. Ze had geen idee wat hun verteld was, maar ze leken allemaal vol verwachting en een tikkeltje zenuwachtig.

Katherina nam de gelegenheid waar om een stukje achteruit te gaan. Als Jon Remer had gewezen waar ze stond, moest ze voorzichtig zijn. Maar Remer bleef naast Jon staan en hij zag er niet uit alsof hij erg alert of ongerust was.

Uit de binnenste rij stapte een groep van ongeveer tien mensen naar voren. Ze gingen om het spreekgestoelte heen staan. Ze hadden allemaal een zwart boek bij zich, dat ze opensloegen. Daarna keken ze op naar Jon. Katherina zag dat de andere mensen in de menigte die hetzelfde boek in hun handen hadden dat ook deden.

Jon schraapte zijn keel en begon te lezen.

Meteen toen hij begon te lezen, voelde hij een warm, tintelend gevoel, alsof hij in een bad met warm water werd gedompeld. Hij werd ontvangen en omsloten door krachten, alsof iedereen voor hem werkte, hem ondersteunde en hem droeg naar waar hij maar heen wilde. De rusteloze energie van het boek leek samen te komen met de massieve lading van de leeszaal en dat alles werd nog verder ondersteund door de aanwezige ontvangers. Hij herkende de ondersteuning van Patrick Vedel als een zware hand op zijn schouder, iets dwingender dan tijdens hun trainingen, maar dat kwam waarschijnlijk door de zenuwen.

Jon begon in een rustig, gelijkmatig tempo zodat de Lettores makkelijker konden invallen en toen de zenders die om het spreekgestoelte heen stonden instemden met het lezen, voelde hij de energie nog verder omhoogschieten. Samen met Remer en Poul Holt had hij doorgenomen hoe de seance zou verlopen, welke fases ze zouden moeten doorlopen om er zeker van te zijn dat ze het maximale resultaat behaalden. Het was belangrijk dat hij er in het begin niet te veel druk achter zette, maar rustig de tijd nam om in het ritme van de tekst te komen en zijn gedachten te concentreren. Dat was makkelijker gezegd dan gedaan. Hij had iemand gezien tussen de toehoorders en hij dacht dat het Katherina was, en dat beeld verstoorde zijn concentratie. Was ze het echt, of was het zijn fantasie die met hem op de loop ging? Hij twijfelde in ieder geval zo erg, dat hij niets tegen Remer zei toen ze van plek wisselden.

Toen Jon eenmaal op het spreekgestoelte stond, kon hij Katherina niet meer vinden. De plek was leeg. Hij wist niet goed of dat hem geruststelde of juist nog onrustiger maakte.

De scène die Jon voordroeg speelde zich af op een kerkhof. De tekst zat heel goed in elkaar, waardoor het makkelijk was om hem voor te lezen, en hij had alle mogelijkheid om de situatie te kleuren zoals hij wilde. Hij had de tekst al eerder doorgenomen, dus hij kende de omgeving en wist welke sfeer hij wilde overbrengen. Het was een zonnige dag en de hoofdpersoon bracht een bezoek aan het graf van zijn vrouw en dochter. Zij waren omgekomen bij een auto-ongeluk.

Jon concentreerde zich op de scène en voor zijn ogen ging de leeszaal in Alexandrië langzaam over in de rustige omgeving van het kerkhof. De pilaren veranderden in beukenbomen bij de muren van het kerkhof en de leden van de Orde werden de vele grafstenen om hem heen. Er stond een milde wind die de geur van voorjaar met zich meedroeg. De stralen van de zon werden gebroken door de vele grafstenen en de takken van de bomen, en er vielen scherp afgetekende schaduwen op de grond. Jon voelde dat hij het punt naderde waarop de tijd leek te worden afgeremd totdat hij alleen nog maar vooruitkroop en dat gaf hem de gelegenheid om de scène precies zo te bewerken als hij wilde en precies zo gedetailleerd te maken als hij wilde.

De hoofdpersoon legde een boeket bloemen op het graf van zijn geliefden en knielde voor de steen. Het gras was nat en zijn broekspijpen waren al snel doorweekt, maar hij trok zich er niets van aan. De wind leek toe te nemen en de bladeren van de bomen ritselden aan de heen en weer zwaaiende takken.

De weduwnaar strekte zijn hand uit en raakte de grafsteen aan.

De scène versprong abrupt. Het leek wel een blikseminslag en Jon maakte hem nog scherper en sneller, zo scherp en snel als hij durfde. Ze zaten in een personenauto, de hoofdpersoon, zijn vrouw en zijn dochter. Ze waren op weg naar huis door het donker. Het echtpaar had ruzie. Het kind huilde. Plotseling dook er uit het niets een paar verblindende koplampen op in de voorruit en het geluid van verbuigend metaal en versplinterend glas overstemde net niet het geschreeuw dat van de achterbank kwam. Lichten en beelden schoten in hoge snelheid voorbij, terwijl de auto rondtolde en de passagiers en de inventaris door elkaar heen werden gegooid.

Terug op het kerkhof.

Jon vroeg zich af of hij te ver was gegaan. Hij had zich op het afgesproken niveau gehouden, maar het zou kunnen dat de overgang voor sommige mensen te heftig was geweest. Het kerkhof was rustig en heel stil in vergelijking met de flashbackscène in de auto. In plaats van het claustrofobische gevoel in de cabine was de weidsheid van het kerkhof gekomen. Jon liet donkere wolken aankomen aan de horizon. De wind nam nog verder toe. Bladeren wervelden omhoog en werden voortgejaagd over de grond.

Hij voelde een schokje in de scène, alsof er een beeldje uit een filmstrook was geknipt. Dat was een signaal van een ontvanger, dacht hij, maar het was niet zomaar een ontvanger. Het kon alleen Katherina zijn – dat voelde hij.

Op het moment dat Jon de flashbackscène las, sprong er een felle, blauwe vonk tevoorschijn, die langs zijn zwarte cape omhoogkronkelde als een slang en vervolgens oversprong naar het dichtstbijzijnde lichtpunt, dat meters boven hun hoofd zat. De mensen die eromheen stonden, deden verschrikt een stap achteruit en er klonk hier en daar gemompel van bezorgde stemmen. Remer hief zijn armen en maakte een geruststellend gebaar.

'It is okay,' zei hij luid. 'This is what we have been waiting for.'

De onrust stierf weg en de zenders die waren gestopt met lezen pakten het met een zekere aarzeling weer op. Katherina zag dat er mensen waren die elkaar angstig aankeken en sommigen deden voor de zekerheid een paar passen weg van het spreekgestoelte.

Jon ging onverstoorbaar verder met lezen, hij had geen idee wat er om hem heen gebeurde. Hij droeg het verhaal met rustige, beheerste en meeslepende stem voor. Dat leek de toeschouwers gerust te stellen, zelfs toen een paar kleine vonkjes even over zijn cape heen en weer bewogen.

Katherina keek koortsachtig rond. Waar bleven de anderen? Als Mohammed en Henning niet gauw zouden opduiken om te zorgen dat het ritueel werd stopgezet, zou de reactivering een feit zijn. Dat voelde ze. De hele sfeer vibreerde van de energie, de kaarsen flakkerden terwijl er helemaal geen wind was in de leeszaal, en ze had opeens het gevoel dat het kouder werd. Katherina twijfelde er niet langer aan of er iets zou gebeuren; de vraag was alleen wát.

De mensen in de menigte die niet lazen staarden als verlamd naar de verschijnselen die voor hun ogen ontstonden. Met zoveel ontvangers die allemaal dezelfde kant op werkten, kon Katherina niets uitrichten. Ze voelde dat Jons voordracht werd gedragen op een golf. Door de oeroude krachten die in de bibliotheek aanwezig waren, maar ook door de ondersteuning van zenders en ontvangers. Tegen die stroom in gaan zou hetzelfde zijn als proberen een tsunami tegen te houden met een stuk papier.

Katherina sloot haar ogen. Het enige wat ze kon doen was zich mee laten voeren op de stroom. Ze concentreerde zich op Jons voordracht. Dat was een gevoel dat ze kende van hun oefeningen. Het leek een eeuwigheid geleden. Zijn accentueringen hadden een aparte stijl, en de energie die hij uitzond had een heel speciaal ritme, dat ze overal zou herkennen. Ze voelde dat de meeste ontvangers zich al hadden gevoegd naar dat ritme en ze ondersteunden het bij iedere piek.

Misschien moest ze helemaal niet proberen om hem tegen te houden?

Ze deed haar ogen weer open en keek op naar het spreekgestoelte. Jons lichaam stond onbeweeglijk stil, als een standbeeld. Alleen het geluid van zijn stem en het bewegen van zijn lippen verraadden dat hij bij bewustzijn was. Zijn cape leek te dienen als een soort doek, waarop de vonken ingewikkelde patronen vormden. Katherina ontdekte een verband tussen de frequentie van de patronen en het ritme van Jons energie. Door haar ogen en gaven tegelijkertijd te concentreren, begon Katherina het ritme aan te voelen en al snel kon ze voorspellen wanneer de volgende ontlading zou komen. Ze ademde diep in en wachtte.

Met een mentale krachtsinspanning duwde ze de volgende piek in Jons ritme een stukje verder omhoog. Ze voelde een enorme sprong in de energie en op hetzelfde moment schoot er een hevige elektrische ontlading uit Jons lichaam naar een van de lampen boven hen. Toen die ontlading de lamp raakte, vlogen de vonken in het rond en ze daalden op hen neer als gloeiende sneeuwvlokken.

De mensen die om Katherina heen stonden deden instinctief een stap naar achteren. Sommigen renden weg, maar de meesten bleven staan, tegengehouden door hun fascinatie voor de verschijnselen en door de onweerstaanbare kracht van het verhaal. Ze hadden de zaal niet eens kunnen verlaten, al hadden ze het gewild, en ze hadden geen idee van wat er om hen heen gebeurde.

In de stroom van beelden die Jon uitzond ontving Katherina opeens een glimp van zichzelf.

Het leek net of er dia's tussen de scène door werden gegooid, bijna te kort om ze te kunnen zien, maar hij wist zeker dat ze van haar waren. Jon had gevoeld dat ze er was en dat had zijn concentratie verstoord. Ze bundelde onmiddellijk al haar krachten om juist die beelden te laden en er doken er steeds meer op. Beelden van hen samen in Libri di Luca, in Kortmanns tuin, samen in bed en een glimp van haar profiel tegen de achtergrond van een autoraampje. Katherina aarzelde niet om de gevoelens als verlangen, liefde en geborgenheid in de brokstukjes die ontstonden te versterken.

Het duurde niet lang voordat ze voelde dat er een reactie kwam. Langzaam ontstonden er beelden met een warmte en een gloed die van Jon kwam en niet van haar. Was ze tot hem doorgedrongen?

Misschien was het een wensgedachte, maar ze dacht dat ze een verandering zag in Jons lichaamshouding. Het leek wel of hij zijn hoofd probeerde te draaien, maar werd tegengehouden.

Katherina deed een stap naar voren, maar bleef toen opeens weer staan.

Remers houding was veranderd. Zijn lichaam was rechter dan eerst, hij leek wel vastgevroren. Hij staarde zonder ook maar één keer te knipperen naar zijn tekst. Het leek wel of hij niet meer wist waar hij was en wat er om hem heen gebeurde, maar wat Katherina nog de meeste angst aanjoeg waren de kleine zwarte vonkjes die heen en weer schoten over zijn witte cape.

40

Vanaf het moment dat Jon begreep dat Katherina er was, en dat ze probeerde contact met hem te maken, werd hij overweldigd door herinneringen. Beelden van hen samen die hij onmogelijk kon negeren bleven maar opduiken in zijn gedachten. Hij herinnerde zich dat ze heel gelukkig waren, dat hij gelukkiger was dan hij ooit was geweest, en langzaam groeide de wens om dat gevoel terug te vinden. Het lezen ging door, maar hij gebruikte iets minder tijd om de tekst te laden, zodat hij energie overhad om herinneringen terug te zoeken. Wat had hen uit elkaar gedreven?

Hij zag de test in de school voor zich, en het moment dat hij haar had weggestuurd, zodat haar niets zou overkomen. Toen kwam de hulpeloosheid die hij had gevoeld toen Poul Holt de eerste keer voor hem las en hoe hij zich ten slotte had overgegeven.

Het leek wel of hij wakker werd uit een nachtmerrie.

Waar was hij mee bezig?

Jon probeerde te stoppen met lezen, maar dat ging niet. Iemand hield hem vast, net zoals Katherina had gedaan toen ze voor de eerste keer haar gaven als ontvanger aan hem had gedemonstreerd in Libri di Luca. Het was Patrick Vedel, dat voelde hij, maar hij was niet de enige. Jon kon niet anders dan doorgaan met lezen, maar hij lette veel beter op hoe hij de tekst accentueerde.

De hoofdpersoon was nog steeds op het kerkhof. Hij was begonnen aan zijn monoloog tegen de zwarte grafsteen voor hem. Jon liet grijszwarte wolken over het dal trekken waarin het kerkhof lag en de stenen om hem heen zagen er ruwer en vuiler uit. Je kon het gewicht van de aarde onder de voeten van de hoofdpersoon voelen, donker en vochtig, vol wormen die zich door de compost onder het gras heen ploegden.

Jons aandacht werd getrokken door een grijzige mist rechts van hem. Hij staarde naar het verschijnsel. Tot dat moment had hij de volledige controle over de scène gehad. Hij kende de vorm van iedere grafsteen, hij wist waar ieder grassprietje stond en kende elke beweging die het maakte. Maar die grijze mist kon hij niet sturen. Hij veranderde, werd op sommige plaatsen dichter en loste op andere plaatsen op en al snel zag hij vaag de omtrekken van een persoon. Hij probeerde de figuur weg te laten blazen door de wind, maar hij bleef stevig staan, en nam steeds vastere vormen aan. Een spook? Dat paste wel bij de scène, maar er kwamen geen spoken voor in de tekst en hij had het er niet zelf bij verzonnen.

In het begin was het een vage menselijke gedaante, maar toen leek het wel of de moleculen de juiste plek vonden en opeens werd de figuur vast als een standbeeld. Als laatste vielen de details van het gezicht op hun plaats, maar toen was er bij Jon ook geen enkele twijfel meer.

Hij had er nooit bij stilgestaan dat hij zelf als Lettore een onderdeel was van de scène die hij controleerde. Hij had zijn eigen rol altijd gezien als die van een buitenstaander die de voordracht beïnvloedde, net zoals een filmeditor dat doet aan zijn montagetafel.

Toen hij de figuur van Remer zag, wist hij dat hij zelf ook aanwezig moest zijn in de wereld waarvoor de tekst de kaders schiep. Hij kon niet langs zijn lichaam naar beneden kijken om het met eigen ogen te zien, maar hij begreep heel goed dat hij op het moment dat hij over de drempel ging, dáár waar de ontladingen begonnen, binnenstapte in de ruimte van het verhaal. Dat verklaarde het gevoel van loskomen uit je eigen lichaam dat hij had als het gebeurde.

Dat Remer zichtbaar werd betekende dat de reactivering was gelukt en dat hij daarmee gedeeltelijk dezelfde gaven had gekregen als Jon.

De Remer-figuur leek om zich heen te kijken. Zijn ogen bewogen niet, maar zijn gezicht draaide rond en bekeek de wereld waarin ze zich bevonden. Toen zijn blik op Jon viel, of op de plek waar Jons verschijning zich bevond, stopte de beweging. Zijn nog kleurloze lippen vormden een glimlach.

Een combinatie van angst en woede welde in Jon op. Hij moest koste wat het kost voorkomen dat Remer sterker werd. Hij balde zijn vuisten, puur mentaal en versterkte de effecten zoveel hij kon. De kleuren werden zo rijk, dat de scène een met de computer gemaakte reconstructie leek, met messcherpe randen en een helderheid die zelfs het beste beeldscherm niet kon weergeven. Door zich heel sterk te concentreren op het gebied rond Remers figuur probeerde Jon hem uit te wissen door de intensiteit van al het andere in zijn omgeving te versterken.

Remers gelaatstrekken zagen er verwrongen uit en de details van zijn gestalte begonnen langzaam te vervagen, alsof hij een standbeeld van zand was dat in de harde wind stond. Het oppervlak leek uiteen te vallen in atomen die een langgerekte sliert achter de figuur vormden, als de staart van een komeet. De glimlach wapperde achter het hoofd aan totdat hij één lange streep was, en de overgang tussen het lichaam en de ledematen werd steeds minder zichtbaar. Er klonk een onheilspellend gejammer uit de wolk, het geluid leek uit een keel te komen die niet in het dierenrijk thuishoorde.

Jon deed nog harder zijn best, maar hij voelde dat hij deze intense inspanning niet lang meer vol zou kunnen houden. De figuur was gereduceerd tot de helft en de moleculen fladderden er als een langgerekte wimpel achteraan, maar het leek wel of hij niet bij de kern kon komen om hem voorgoed weg te vagen.

Langzaam voelde Jon zijn concentratie afnemen. De kleuren en de scherpte om hem heen verdwenen. Het geluid dat de gestalte maakte veranderde. Het klonk nu als een nijdig gegrom en Remers lichaam begon zich opnieuw op te bouwen, alsof de film werd teruggespoeld. Algauw had de figuur weer een menselijke vorm aangenomen, nu met nog scherpere contouren dan eerst.

'Campelli,' klonk Remers stem buiten adem toen zijn lichaam was gereconstrueerd.

'Indrukwekkende truc, maar niet zo'n aardige manier om een vriend te verwelkomen.'

Geschokt deed Katherina een stap achteruit.

Er was een hevige vonk overgesprongen van Jon naar Remer en die bleef als een oncontroleerbare sliert tussen hen in staan. De sliert nam toe in dikte en intensiteit. Remers lichaam sidderde even en hij kromp ineen, maar hij keek geen moment op uit het boek waarin hij las.

Onder de deelnemers was paniek uitgebroken. Sommigen probeerden weg te komen door naar de deur te rennen, maar in de verwarring struikelden er een paar en degenen die achter hen liepen struikelden weer over de eersten. Anderen probeerden te vluchten door over de balustrade te klimmen en naar de verdieping eronder te springen. En weer anderen doken ineen op de grond of probeerden bescherming te zoeken langs muren en pilaren.

Remers gezicht was verdraaid alsof hij pijn had, maar hij bleef nog steeds doorlezen. Hij boog zich bijna om het boek heen, alsof hij het met zijn lichaam wilde beschermen.

Rondom het spreekgestoelte stonden nog steeds ongeveer honderd mensen die deelnamen aan het ritueel, door te lezen of door de lezenden te ondersteunen. De meesten keken af en toe angstig naar Remer en Jon, om vervolgens weer terug te keren naar de tekst.

Het rook branderig en de lucht was geladen met elektriciteit. De haren op Katherina's armen gingen overeind staan.

De vonk tussen Jon en Remer leek te verbleken. Hij bewoog zich in een langzamer tempo, hij werd dunner en de felheid nam af. Tegelijkertijd richtte Remer zich op en de pijn verdween van zijn gezicht.

Nieuwe vonken omsloten twee andere Lettores. Degenen die te dichtbij stonden sprongen weg en gilden luid van de pijn of vielen ter plekke flauw. Anderen die in de buurt stonden schoven een stukje opzij of gingen ervandoor. Overal klonk lawaai. Mensen lazen, anderen discussieerden of schreeuwden of probeerden weg te komen, en dat alles onder begeleiding van het woedende gesis van de vonken.

Katherina liep voorzichtig naar achteren, bij het spreekgestoelte vandaan. Ze probeerde Jon te blijven steunen en tegelijkertijd rond te kijken. De anderen moesten nu toch snel komen. Het was te laat om de reactivering te stoppen, maar ze moesten alles doen wat ze konden om de schade zo beperkt mogelijk te houden. Ze liep tegen een pilaar aan en ging ertegenaan staan. Er liep een groepje Lettores langs haar heen naar de uitgang. Hun ogen straalden angst uit. Ze probeerde al het andere buiten te sluiten en concentreerde zich volledig op haar steun aan Jon.

Opeens zakte een van de Lettores die als laatste was gereactiveerd met een kreet in elkaar. Het gebeurde geheel onverwacht. Hij had geen enkel teken van zwakte of pijn getoond en Katherina kreeg het gevoel dat het ieder van hen had kunnen zijn.

Aan weerskanten van Remers gestalte dook een nieuwe wolk op. Ze hadden de vorm van mensen, maar waren nog niet helemaal gevormd.

Remer glimlachte.

Jon voelde opnieuw dat de beelden met een schok versprongen, een teken van Katherina dat hij uitlegde als een waarschuwing. Hij voelde haar steun groeien en hij bundelde al zijn krachten. Het wolkendek werd gitzwart en de wind raasde over het kerkhof. Grafstenen vielen om en woelden de aarde los, die in kleine tornado's door de lucht werd geblazen.

Misschien kon hij Remer niet nog een keer misleiden, maar hij had een flinke verrassing in petto voor de twee nieuw aangekomen gedaantes. Nog voordat ze hun volledige vorm hadden aangenomen, versterkte Jon alle effecten rondom de gedaantes zoveel mogelijk. Hij wilde dat ze verdwenen, hij wilde ze wegvagen uit het verhaal als de drukfout die ze eigenlijk waren. Ze begonnen weer uiteen te vallen. Een van de twee verdween bijna meteen, hij wervelde mee op een van de tornado's die een afzuiginstallatie in vloog. De andere hield stand.

Remer glimlachte nu niet meer. Hij keek beurtelings naar zijn metgezel en naar Jon.

Opeens veranderde de grafsteen naast Jon van vorm. Hij schrok, en verloor even zijn concentratie. Voor zijn ogen werd het graniet vloeibaar en de steen veranderde van rechthoekig in een kruis.

Jon keek verward rond. Om hem heen veranderden nog meer dingen. Er kwamen hekjes tevoorschijn, op sommige plekken groeide de beplanting en op andere plekken verdween ze. De lucht werd lichter en de wind nam af.

'Dit is geweldig!' riep Remer verheugd. Hij stak zijn armen in de lucht.

De gestalte naast hem was nu helemaal gevormd en Jon herkende hem als een van de Lettores die hij in de grote hal had ontmoet. De nieuw aangekomen gedaante keek verwonderd rond. Achter hem ontstonden nog drie wazige figuren.

Remer lachte.

'Je hebt geen schijn van kans, Campelli,' riep hij. 'Geef je over.'

'Waarom?' antwoordde Jon. 'Je hebt toch al gekregen wat je wilde.'

'Dat is waar,' gaf Remer toe, 'maar we hebben nog steeds plek voor een man als jij binnen de Orde.' Hij spreidde zijn armen. 'Kijk eens wat wij samen kunnen presteren.'

'Je hebt me belazerd,' snauwde Jon. 'Je hebt me gedwongen om mijn eigen mensen te verraden.'

'Dat had je al in je, Campelli. Ik heb het alleen maar aan het licht gebracht.'

De drie gestalten achter hem namen langzaam vastere vorm aan.

'En al het andere weggestopt in het donker,' constateerde Jon. 'Katherina, de winkel, mijn familie. Je hebt ervoor gezorgd dat ik mijn familie vergat, Remer.'

'Het heeft geen zin om in het verleden te blijven hangen,' zei Remer geïrriteerd. 'Zelfs jouw vader zou dat hebben erkend. Hij zou het geweldig hebben gevonden om in de geschiedenis te kunnen stappen, en hem te bewerken, zoals wij dat kunnen.'

'Maar je hebt hem de kans niet gegeven,' zei Jon. 'Je hebt hem vermoord.'

Remer haalde zijn schouders op.

'Dat moest wel,' zei hij. 'Hem hadden we nooit kunnen bekeren.'

Jon voelde de woede opkomen. Met een hevige lichtflits werden de wolken boven hun hoofd weer gitzwart en een bliksemschicht doorkliefde de lucht met een nijdige knal.

Remer wierp een onzekere blik op de wolken.

'Wie heeft het gedaan?' vroeg Jon tussen opeengeklemde kaken door.

'Wat maakt dat uit?'

'Wie?' schreeuwde Jon, begeleid door opnieuw een donderslag boven hun hoofd.

'Patrick Vedel, de ontvanger,' antwoordde Remer nonchalant. 'Het moest wel.'

'Patrick Vedel,' herhaalde Jon. Nog maar een uur geleden hadden ze naast elkaar op de achterbank van de auto gezeten op weg naar de bibliotheek. Zijn woede groeide verder en hij wist dat Patrick Vedel het voelde, want de hand die op zijn schouder lag leek een moment zijn greep te verslappen, maar toen pakte hij hem nog steviger beet. Patrick Vedel hield Jon nog steeds vast in het verhaal en daar deed hij verstandig aan.

'Luca was erachter gekomen wat wij hier deden,' ging Remer verder. 'Ik geloof dat hij begreep hoe diep het vaarwater was waarin hij zich begaf.'

'Is mijn vader hier geweest?' vroeg Jon. Het idee dat Luca zo ver weg van de winkel was geweest leek hem onwaarschijnlijk.

'Hij had een goede detective kunnen worden,' gaf Remer toe. 'Net als jij, maar ik denk toch dat we hem verrast hebben.' Remer schudde zijn hoofd. 'Je weet nooit wat een man in paniek gaat doen. Hij moest worden tegengehouden.'

'En dus hebben jullie hem vermoord.'

'Hij had naar de autoriteiten kunnen stappen,' riep Remer. 'Dat was net zo erg geweest voor jouw vriendinnetje en haar leeskameraadjes. Daar zou geen enkele Lettore iets aan gehad hebben, geen enkele.'

De drie gedaantes achter Remer hadden hun definitieve vorm aangenomen en stonden verbaasd om zich heen te kijken. Een van hen was Poul Holt.

Remer glimlachte.

'Nou, Campelli, zeg het maar, wat wordt het?'

Katherina hapte naar adem. De lucht in de leeszaal leek steeds zwaarder te worden, de rook brandde in haar longen. Er waren de hele tijd drie of vier grote vonken die contact maakten met balken, pilaren of losse voorwerpen. Een paar Lettores werden tijdens hun vlucht geraakt en tegen de grond gesmakt, waar ze bleven liggen of verder moesten kruipen.

De energie in de ruimte leek nu nog sterker dan eerst. Toen had het een deken geleken die over de zaal lag, maar nu was ze van karakter veranderd. Nu leek ze meer op een voortstromende rivier, heftig, kolkend en onweerstaanbaar.

Katherina was bij de pilaar gaan staan zodat ze Jon en Remer in de gaten kon houden. Tussen de stroom van beelden die Jon uitzond had ze opeens een glimp van een roodharige man opgevangen. Ze herkende hem als een van de mannen die achter haar aan hadden gezeten op de markt en te oordelen naar de gevoelens die Jon in de beelden legde, was hij niet bepaald dol op de roodharige man. De woede die in de beelden lag was enorm groot en toen er korte beeldjes van Luca tussendoor schoten, begreep ze waarom.

De roodharige man was de ontvanger die Luca had vermoord.

Door zijn woede verminderde Jons concentratie en Katherina moest haar eigen boosheid opzijzetten om hem te kunnen helpen. Het kostte haar moeite, maar ze maakte de gevoelens in de beelden van Luca minder sterk en ondersteunde in plaats daarvan het verhaal zo goed ze kon. Langzaam hervond Jon zijn concentratie en hij werkte zich verder door de tekst heen. Ze voelde niet precies wat er gebeurde op de plek waar hij zich bevond, maar het was heel zeker dat daarbinnen iets gebeurde wat de woorden en zinnen van de tekst oversteeg, alsof iedere letter een landschap op zichzelf vormde.

Katherina liep dichter naar het spreekgestoelte en naar Jon toe. De afstand deed er niet toe, maar ze voelde zich beter als ze dichter bij hem was. Aan zijn gezicht was niets te zien, geen gevoelens en geen gezichtsuitdrukkingen die je kon interpreteren.

Opeens voelde ze dat de kap van haar cape naar achteren werd getrokken en er werd een hand op haar schouder gelegd. Ze draaide zich langzaam om.

Voor haar stond de roodharige man van de markt, degene die Jon net had aangewezen als Luca's moordenaar.

'Ik denk dat je verdwaald bent,' zei hij met een triomfantelijke glimlach.

Katherina's hart ging hevig tekeer, ze kreeg even geen lucht. Zonder de bescherming van de kap voelde ze zich machteloos. Opeens was het honderd tegen één en ze kon nergens naartoe. Ze had gefaald.

'Je kunt beter met mij meekomen,' zei de roodharige man en hij trok haar mee aan haar schouder.

De beelden van hem die ze van Jon had ontvangen doken weer op, maar nu werden ze gekleurd door haar eigen woede.

Katherina haalde diep adem.

Met een harde stoot duwde ze de man van zich af, hij wankelde een paar passen en viel toen met een schreeuw achterover op zijn rug. Sommigen van de mensen die om hen heen stonden draaiden zich naar haar om en slaakten verwonderde kreten. Ze begon te schreeuwen, zo hard ze kon, en duwde tegen de mensen die het dichtstbij stonden. De eersten stapten verschrikt opzij en ze liep tegen nog meer mensen op en trok aan iedereen bij wie ze in de buurt kon komen. Ze rukte alle boeken die ze te pakken kon krijgen uit de handen van de verbijsterde eigenaren en smeet ze zo ver weg als ze kon. Ze trok, sloeg en duwde terwijl ze riep en schreeuwde zo hard ze kon. Er was geen enkele kans dat iemand haar zou komen helpen, maar ze kon op z'n minst de concentratie van de aanwezigen verbreken, misschien lang genoeg dat Jon zou kunnen stoppen met lezen.

De mensen om haar heen begonnen te begrijpen wat er gebeurde en Katherina werd door steeds meer handen beetgepakt. Ze rukte zich een paar keer los, maar ze behandelden haar steeds ruwer en opgewonden stemmen in alle mogelijke talen hagelden op haar neer. Ten slotte kon ze zich niet meer bewegen. Ze werd door minstens zes personen vastgehouden en een zevende probeerde haar mond dicht te houden. Ze beet zo goed ze kon van zich af, maar iemand duwde een boek tussen haar kaken en toen kon ze niet meer schreeuwen.

Een stem die Arabisch sprak vermengde zich met de wirwar van vloekende stemmen rondom Katherina. Het was een van de twee in pij gehulde wachters die zich een weg tussen de opgewonden deelnemers door baande. Hij sprak op geruststellende, gezaghebbende toon en pakte haar ruw vast en draaide haar armen op haar rug. De anderen lieten haar een voor een los en deden een stapje achteruit. Katherina keek koppig rond, terwijl de wachter haar meevoerde naar de deur. De Lettores gingen opzij en volgden haar nauwlettend met hun ogen. De meesten hadden het incident gevolgd, maar Jon bleef nog steeds doorlezen, net als een aantal andere Lettores, die rondom het spreekgestoelte stonden en onaangedaan leken. Binnen in haar groeide de wanhoop en ze had bijna geen kracht meer om op de been te blijven, maar de wachter sleurde haar genadeloos mee. Toen ze bijna bij de deur waren, probeerde ze zich nog een laatste keer los te rukken, maar de wachter verstevigde alleen zijn greep.

'Verdomme, doe eens rustig, mens,' fluisterde hij in onmiskenbaar Deens. 'Ik ben het, Mohammed.'

41

Jon voelde dat Katherina's steun opeens weg was.

De kleuren in de omgeving verbleekten onmiddellijk en de details om hem heen vloeiden uit. Hij moest harder zijn best doen om de scène intact te houden. Het beeld van het kerkhof zwakte af en de sfeer was niet meer zo massief aanwezig als hij was geweest. Tegelijkertijd ontstond er een hevige onrust in de energie. Eerst was het een homogene steun geweest die de intensiteit van de scène versterkte, maar nu schommelde de kracht regelmatig een korte of langere periode. Het leek wel een beetje op de variatie in het signaal van een transistorradio die het hele frequentiegebied langs scande.

Remer had het ook gemerkt, maar in plaats van dat hij aarzelde, glimlachte hij.

'Trek het je niet aan,' zei hij zelfverzekerd. 'We hebben ze niet nodig.' Hij strekte zijn beide armen naar opzij en hief zijn gezicht op naar de wolken aan de hemel.

De kleuren veranderden, van boven naar beneden, alsof iemand er verf over uitstortte die als een waterval over het landschap naar beneden stroomde. Eerst waren ze bleek en pastelachtig maar nu werden de nuances zo fel en zuiver, dat het bijna pijn deed om ernaar te kijken. De grafstenen richtten zich weer op en er verschenen gedetailleerde ornamenten op zoals waterspuwers en reliëfs van fantasiewezens.

Jon kon het niet bijhouden, hij was de controle over de scène kwijt, alsof de servicebeurt was overgegaan naar zijn tegenstander.

'Niet slecht,' zei hij op spottende toon, terwijl hij probeerde zijn bezorgdheid te verbergen. Wat was er met Katherina gebeurd? Hij had niet genoeg kracht meer om het nog lang alleen vol te houden. Misschien was ze gevlucht. Hij hoopte dat ze was gevlucht. Als hij maar zeker wist dat ze in veiligheid was. Kon hij zijn hoofd maar even naar buiten steken om zich ervan te verzekeren dat ze in orde was.

Er verschenen nog drie mensen van Remer.

Het leek een nederlaag. Hij was de steun van Katherina kwijt en steeds meer van Remers mensen werden gereactiveerd. Het kon niet lang meer duren. Hij voelde dat zijn energie bijna op was, maar hij kon nog steeds niet stoppen met lezen. De invloed van Patrick Vedel was opgehouden, maar er waren nog andere ontvangers die hem gevangen hielden in de tekst.

De hoofdpersoon bij de grafsteen hield een pauze in zijn monoloog. Hij deed zijn ogen dicht en liet zijn hoofd zakken. Hij boog zich langzaam naar voren totdat zijn voorhoofd de steen raakte.

Donker. Ze waren terug in de auto. De zijkanten en het dak van de cabine waren ingedeukt, zodat hij zich niet kon bewegen. Achter in de auto klonk geschreeuw, gedempt alsof iemand in een deken schreeuwde, maar het was dwingend en het was onmogelijk om het niét te horen. De hoofdpersoon moest hoesten door de sterke geur van benzine die zijn neusgaten binnendrong. Door die beweging spande zijn lichaam zich en een hevige pijn in zijn benen deed hem luid schreeuwen.

Jon was overrompeld door de plotselinge overgang van de scène, maar hij hervond zich snel. Het donker beperkte de mogelijkheden om de omgeving te manipuleren en dat gaf hem de kans om even te ontspannen. Hij probeerde weer op krachten te komen, maar hij wist dat het niet lang zou duren voordat de scène weer zou verspringen.

'Alles goed met u?' vroeg een stem buiten de auto.

De hoofdpersoon kon niets anders dan schreeuwen.

Daarna geluiden. Het geluid van metaal op metaal, blik dat verboog en meegaf, de carrosserie die jammerde en kraakte. Benzinedamp vulde zijn longen en hij moest weer hoesten. Hij voelde dat hij werd vastgepakt. De pijn was ondraaglijk. Hij gilde. Er werd hard aan zijn lichaam getrokken. Opeens voelde hij water op zijn gezicht. Regen. Hij zag de contouren van de auto terwijl hij werd weggetrokken. Hij zag het verfrommelde dak en de motorkap die helemaal in elkaar zat. Hij zag een blauwe vonk uit de achterkant van de auto komen.

Toen voelde hij de warmte over zich heen rollen.

Toen Mohammed en Katherina eenmaal op de gang waren, uit het zicht van de mensen in de leeszaal, vielen ze elkaar in de armen.

'Waar bleven jullie nou?' vroeg Katherina.

'Het was niet zo makkelijk om binnen te komen,' antwoordde Mohammed. 'En we moesten die wachters ook nog even overhalen om ons hun toga te lenen.'

'Waar is Henning?'

'Hij zit boven,' zei Mohammed en hij knikte naar de trap die naar de verdieping erboven leidde. 'Hij leest in een of ander boek dat we hebben gevonden.'

Ze renden vlug de trap op en gingen een verdieping hoger de leeszaal weer binnen. Op deze verdieping waren de stoelen en tafels niet weggehaald. Ze stonden in lange, rechte rijen en vormden een scherp contrast met de chaos op de verdieping eronder. Ongeveer halverwege de verdieping, een paar meter van de balustrade, zat Henning met een boek in zijn handen. Toen ze dichterbij kwamen, hoorden ze hem met een heldere stem lezen.

'Pas op,' zei Katherina terwijl ze Mohammed tegenhield. Er liep een vonk over de bladzijden van het boek waar Henning in las. 'Hij is gereactiveerd.'

'Is dat goed?' vroeg Mohammed ongerust.

'Geen idee,' antwoordde Katherina met een zucht. Ze liep naar Henning toe en bestudeerde zijn gezicht. Zijn ogen staarden in het boek, maar ze leken meer te zien dan alleen letters en woorden. Er stonden zweetdruppels op zijn voorhoofd en op zijn wangen lag een roze gloed.

'Hij is helemaal van de wereld,' constateerde Mohammed.

'Laat hem maar met rust,' zei Katherina en ze liep naar de balustrade. Ze waren precies boven de plek waar het spreekgestoelte stond en ze konden de hele verdieping onder hen zien. Jon stond nog steeds te lezen, onberoerd door het feit dat er overal om hem heen mensenlichamen, kaarsen en boeken door elkaar lagen. De ontladingen uit de elektrische apparatuur zonden met regelmatige tussenpozen vonken de zaal in, korte bliksemschichten sprongen over tussen Jon en de acht andere gereactiveerde Lettores die om het spreekgestoelte heen stonden. Het leek wel of ze elkaar voedden met energie, soms waren het ogenschijnlijk toevallige uitbarstingen, andere keren ging het als een soort estafette over van persoon op persoon.

'Shit,' riep Mohammed naast haar. 'Wat gebeurt er in godsnaam?'

Voordat Katherina kon antwoorden, hoorden ze achter zich een rammelend geluid. Hennings lichaam had zich helemaal opgericht en stond nu gespannen als een boog boven de stoel waarop hij had gezeten. Er verscheen schuim in zijn mondhoeken en een akelig sissend geluid was in de plaats gekomen van het voorlezen. Katherina rende naar hem toe, maar ze durfde zijn lichaam niet aan te raken. Het begon hevig te trillen. Hennings ogen staarden niet langer naar het boek maar met een lege, bevroren blik naar het plafond. Een druppel bloed liep vanuit een van zijn neusgaten naar zijn mondhoek.

'Henning!' riep ze koortsachtig. 'Kun je me horen?' Er was geen enkele reactie te zien in zijn ogen.

Katherina wist niet wat ze moest doen. Ze wilde graag haar armen om hem heen slaan en hem vasthouden, maar ze durfde niet. Ze voelde tranen opkomen. Ze deed een stap naar achteren en legde haar handen op haar wangen, ze kon haar blik niet van Henning losmaken.

Plotseling hield het trillen van zijn lichaam op en zijn gezicht kreeg weer een menselijke uitdrukking. Toen gingen zijn ogen dicht en zakte hij in elkaar op de stoel.

Mohammed stapte aarzelend naar de Lettore toe en bekeek zijn gezicht grondig voordat hij twee vingers op zijn halsslagader legde. Na een paar seconden trok hij zijn hand weer terug en zuchtte.

'Hij is dood,' constateerde hij en hij keek naar zijn handen.

Het regende op het kerkhof. Na het donker in de flashbackscène was dat een broodnodige, frisse verademing. In de plaats van de stank van benzine was de geur van nat gras en bloemen gekomen.

'Wow,' riep Remer. 'Mooi intermezzo.'

Weer dook er een grijze schim op. Hij begon vaste vorm aan te nemen.

Remer glimlachte.

'Geef het op, Campelli, we zijn nu met acht tegen één.'

Opeens verstarde zijn glimlach en hij fronste zijn wenkbrauwen. De nieuw aangekomen gedaante was Henning.

Hij keek verbijsterd rond.

'Henning!' riep Jon opgelucht.

Henning oriënteerde zich even en kreeg toen Jon in het oog.

'Jon,' riep hij. 'Ben jij dat?'

Remer stootte een geërgerde kreet uit en richtte zijn handen op de plek waar Henning stond. Er stak een krachtige wind op.

'Negeer het, Henning!' riep Jon. 'Het is niet echt. Concentreer je.'

Henning staarde doodsbang naar zijn voeten. De wind nam toe. Een wervelwind kwam omhoog van de grond en rees als een soort koker om hem heen totdat hij helemaal bedekt was. Aarde en bladeren werden mee omhooggezogen en raasden in een steeds sneller wordend tempo om hem heen.

'Katherina,' riep hij. 'Ze is...' De wind nam zijn woorden mee. 'Bliksem... moet terug... weg...' Er verscheen een panische uitdrukking op zijn gezicht.

Jon probeerde de tornado te neutraliseren, maar Remers hulpjes zorgden ervoor dat hij nog sterker werd en steeds sneller rondjoeg. Jon probeerde de baan te veranderen, maar hij gaf niet mee. Hennings gestalte vervaagde. Zijn geschreeuw was niet langer te onderscheiden van het geraas van de wind en zijn lichaam werd snel onduidelijker. Ten slotte kon je zijn gedaante helemaal niet meer zien in het middelpunt van de wervelstorm.

Opeens hield de wervelwind op en alle stenen, bladeren en aarde die hij had meegesleurd daalden neer op de grond. Henning was weg.

Remer leek het hoopje aarde dat was overgebleven op de plek waar Henning had gestaan te bestuderen.

'Ik geloof dat je gelijk hebt, Campelli,' zei hij. 'Het draait om geloof.' Hij glimlachte. 'En ik geloof dat we het beste nog niet eens hebben gezien.'

Om hen heen veranderde het beeld van de omgeving opnieuw. Bliksemschichten doorkliefden de lucht, het begon te regenen, eerst met grote, zware druppels, toen met kleine watermeteoren die in een steeds hoger tempo neerkwamen. Het gras groeide terwijl Jon ernaar stond te kijken en de muren van het kerkhof leken steeds verder weg te schuiven, om plaats te maken voor nieuwe rijen grafstenen, witte kruisen onder grijze wolken.

Remer lachte. Er was een manische klank in zijn stem geslopen.

'Niets kan ons tegenhouden!'

De rijkdom aan details leek te exploderen, Jon kon de structuur van de boomschors waarnemen en microscopisch kleine schimmels op het oppervlak van de grafstenen, ongedierte onder de stenen op de grond en vocht dat zich in de uitsparingen van de grafstenen had genesteld. Hij kon het allemaal bijna niet bevatten, de indrukken drongen zich aan hem op en vulden zijn hoofd, hij dacht dat hij zou flauwvallen.

Een van Remers broeders viel op zijn knieën en greep naar zijn hoofd. Hij begon te schreeuwen en de omtrekken van zijn lichaam vervaagden langzaam. Terwijl de moleculen van de Lettore uiteenvielen, werd het geluid van zijn geschreeuw steeds zachter en hij veranderde in een wolk van kleine deeltjes, die onmiddellijk werden verstrooid op de wind.

'Remer,' zei Poul Holt met veel moeite. 'Je moet je een beetje inhouden.' Zijn gezicht was verwrongen van de pijn.

Remer staarde hem vol verachting aan.

'Inhouden?' riep hij. 'We zijn niet zo ver gekomen om ons in te houden.'

'Hij heeft gelijk,' zei Jon. 'Je bent te ver gegaan.'

Remer draaide zich woedend naar hem om.

'Te ver?' Remer glimlachte.

Jon voelde dat de wind toenam. Aarde en regendruppels wervelden langs hem heen en hij werd bekogeld met indrukken van de vorm, snelheid en de baan van iedere druppel afzonderlijk, maar hij kon ze niet onder controle krijgen. Remer stuurde en vormde ze tot in het kleinste molecuul.

In plaats van ertegen te vechten en te proberen de macht weer over te nemen, probeerde Jon zich op één ding te concentreren. Eén kleine stap. Hij kon zijn fysieke lichaam niet voelen, maar hij probeerde uit alle macht zijn linkervoet naar achteren te verplaatsen. Hij stelde zich voor hoe hij over de vloer van het spreekgestoelte schoof, centimeter voor centimeter, achteruit, steeds verder achteruit. Dat vulde zijn gedachten. Eén kleine beweging.

Steeds meer losse voorwerpen werden meegesleurd. Bladeren, stenen, planken, takken en borden suisden in een steeds hoger wordend tempo langs hem heen.

Eén stap.

'Is dit ver genoeg, Campelli?' riep Remer voldaan. Zijn stem was nauwelijks hoorbaar in de wind.

De pijn in zijn achterhoofd sneed als een flits door Jons bewustzijn. Hij lag op zijn rug aan de voet van het spreekgestoelte. Door de val van de drie treden was het boek dat hem gevangen had gehouden uit zijn handen gevlogen. Hij kon niet zien waar het was terechtgekomen.

Er waren nog een stuk of acht Lettores over bij het spreekgestoelte. Jon staarde naar hen. Hij begreep nu waarom de andere Lettores zo bang waren geweest voor zijn gaven. De lucht voelde elektrisch geladen en de geur herinnerde hem aan de metalige geur van lekke batterijen.

Jon probeerde op te staan, maar een felle steek in zijn linkervoet deed hem luid kreunen van de pijn. Hij keek ernaar. Hij lag in een heel vreemde hoek en het deed pijn als hij er zelfs maar over dacht om hem te verplaatsen.

'Wat gebeurt er?' klonk een nerveuze stem achter hem.

Hij draaide zich om en zag Patrick Vedel, slechts twee meter van hem af.

'We moeten hier weg,' zei Mohammed.

Katherina knikte, maar ze kon haar blik niet losmaken van Hennings levenloze lichaam.

'Heb je gehoord wat ik zei?' Mohammed kwam voor haar staan, zodat hij oogcontact met haar kon krijgen. Zijn blik was rustig en dwingend.

'Jon,' zei Katherina. 'We moeten Jon meenemen.'

Ze liepen naar de balustrade en keken naar de verdieping onder hen. De elektrische activiteit leek nog verder toegenomen. Er klonk een voortdurend, droog geknetter van de ontladingen, en de vonken hielden langer aan dan eerst.

Terwijl ze stonden te kijken, zakte nog een van de Lettores bij het spreekgestoelte in elkaar. De witte cape had net zo goed leeg kunnen zijn. Hij viel geruisloos op de grond. Een donkere vloeistof verspreidde zich op de grond onder het lichaam.

'We moeten naar beneden,' zei Katherina vastberaden.

'Wacht,' riep Mohammed en hij pakte haar beet.

Onder hen wankelde Jons lichaam bijna onmerkbaar, maar het bewoog.

'O, nee,' riep Katherina en ze sloeg haar hand voor haar mond.

Op hetzelfde moment viel Jon achterover, van het spreekgestoelte af, en hij landde met een akelig, dof geluid op zijn rug. Het boek dat hij in zijn handen had vloog weg en verdween in de schaduwen. Hij bleef even stil liggen, veel te lang, vond Katherina, maar toen bewoog hij. Zijn hoofd kwam omhoog en hij richtte zich langzaam op op zijn elleboog en keek om zich heen.

Katherina snikte van opluchting. Haar gevoelens waren de afgelopen vierentwintig uur over een achtbaan gegaan en ze voelde dat ze nu bijna niet meer kon. Ze wilde het liefst meteen naar Jon toe rennen, maar haar lichaam gehoorzaamde niet. Het trilde en het kostte haar moeite om op de been te blijven.

'Hij is oké,' zei Mohammed met een grijns. Hij legde zijn handen op haar schouders en kneep er even in. 'Hij is oké,' herhaalde hij.

Onder hen draaide Jon zich opeens om naar de schaduwen achter hem. Er trad een gestalte naar voren in het licht. Katherina herkende hem als de man met het rode haar van de markt. Ze konden de woordenwisseling die volgde niet horen. Jon was duidelijk boos, maar hij was blijkbaar niet in staat om op te staan. De man met het rode haar ging op zijn hurken naast hem zitten, maar Jon trok zich een beetje terug en keek zoekend rond.

'Een boek,' raadde Katherina. 'Hij heeft een boek nodig.'

'Welk boek?' vroeg Mohammed.

'Dat maakt niet uit,' antwoordde Katherina. 'Haal gewoon maar een boek, dan probeer ik zijn aandacht te trekken.'

Mohammed verdween.

'Jon!' riep Katherina zo hard ze kon. 'Hier!'

Jon keek verward rond. De man met het rode haar stond op en liet zijn blik over de verdieping glijden.

'Hierboven!' riep ze en ze zwaaide met haar armen boven haar hoofd.

Jon keek op en zag haar eindelijk. Er was een behoorlijke afstand tussen hen en het licht was slecht, maar ze kon zien dat hij haar herkende. Een brede glimlach verscheen op zijn gezicht. De man met het rode haar kwam overeind en zette zijn handen in zijn zij. Jon maakte gebruik van het moment dat zijn aandacht was afgeleid, pakte de man bij zijn enkels en trok er hard aan, zodat zijn lichaam achteroverviel. Toen rolde hij zo snel mogelijk weg. Waarom stond hij niet op?

Mohammed kwam terug met een boek.

'Hier,' zei hij. 'Dit was het eerste wat ik kon vinden.'

Katherina pakte het en riep opnieuw Jons naam.

Hij draaide zich op tijd om om haar met het boek te zien zwaaien. Hij knikte ijverig en ze gooide het naar hem toe. Het landde een paar meter van hem vandaan, en hij kroop er met veel moeite naartoe. Intussen was de man met het rode haar overeind gekrabbeld.

Het enige wat Jon nog bij bewustzijn hield was de woede. Alle energie was uit zijn lichaam weggezogen, de kleinste beweging kostte hem de grootste moeite. De pijn in zijn voet maakte het er ook niet beter op, maar die hield hem gelukkig nog wel wakker.

Toen hij Patrick Vedel zag, de moordenaar van Luca, klemde hij zijn kaken op elkaar. Hij moest zich inhouden om hem niet ter plekke aan te vallen. Maar zijn positie, liggend op de grond met een waarschijnlijk gebroken enkel, was niet bepaald een goede uitgangspositie, dus hij bleef kalm.

'Wat gebeurt er?' vroeg Patrick Vedel nog een keer en hij ging op zijn hurken naast Jon zitten.

'Je baas heeft zijn verstand verloren,' antwoordde Jon kortaf. Het deed bijna fysiek pijn om zo dicht in de buurt van Patrick Vedel te zijn. Hij keek rond. Er lag niets binnen zijn bereik wat hij kon gebruiken om zich mee te verdedigen.

De ogen van Patrick Vedel schoten onrustig heen en weer.

'Remer weet wat hij doet,' zei hij. 'Hij doet wat het beste is voor de Orde.'

'Hij is bezig de Orde *uit te roeien*,' siste Jon. 'Zie je dat dan niet? Hij is te ver gegaan.'

De man met het rode haar schudde zijn hoofd.

'Nee, de Orde is zijn leven, óns leven.' Hij keek bewonderend naar zijn leider. 'Hij zal alles doen om hem te beschermen.'

'Ja, hij wil er zelfs voor doden,' zei Jon sarcastisch.

Patrick Vedel staarde hem onderzoekend aan.

'Wat is het leven van een oude boekhandelaar waard in verhouding tot dit alles?' vroeg Jon verbitterd. Hij bleef Patrick Vedel strak aankijken, hij zag dat hij probeerde te doorgronden of Jon de waarheid kende.

De man met het rode haar sloeg zijn blik neer.

'Het kon niet anders,' zei hij.

'Jullie zijn te ver gegaan,' zei Jon. 'Zoals nu. Wat denk je? Zou Remer op dit moment aan de Orde denken of aan zichzelf? Ik ben geweest waar hij nu is. Ik weet het antwoord.'

Patrick Vedel verbeet zich.

'Hij zou nooit...'

'Jon!'

Jon herkende Katherina's stem en keek rond. Patrick Vedel stond op en keek ook.

Ze riep nog een keer, dit keer klonk het van boven en Jon ontdekte haar op de verdieping boven hen. Er ging een grote opluchting door hem heen.

'Dat rotwijf!' riep Patrick Vedel nijdig.

Jons woede laaide weer op en dat gaf hem nieuwe kracht. Hij stak zijn handen uit naar Patrick Vedel en greep hem bij zijn enkels. Met een krachtige ruk trok hij de benen onder de Lettore vandaan en hij viel met een smak op zijn rug.

Jon kroop en tijgerde zo snel mogelijk weg van de man met het rode haar. Hij was nog maar vijf of zes meter bij hem vandaan toen hij Katherina opnieuw hoorde roepen. Ze zwaaide met een boek. Vanuit zijn ooghoek zag Jon dat Patrick Vedel was opgestaan en naar hem toe kwam.

Het boek landde een paar meter van Jon af en hij worstelde zich het laatste stuk vooruit, terwijl Patrick Vedel dichterbij kwam. Het was een klein, dun, in leer gebonden boekje. Jon sloeg het met trillende handen open. Hij had nog steeds een kans om hier weg te komen.

Toen hij het boek in Jons handen zag, bleef Patrick Vedel staan.

'Rustig,' zei hij en hij hield zijn handpalmen afwerend omhoog. 'Er is geen enkele reden om te...'

Toen Jon de eerste woorden las, zonk hem de moed in de schoenen. Het boek was in het Italiaans.

Jon knarsetandde. Dit kon niet waar zijn. Niet hier, niet nu.

Patrick Vedels gezichtsuitdrukking veranderde van nerveus in opgelucht.

'Vind je het geen leuk boek?' vroeg hij lachend.

Jon richtte zijn aandacht weer op het boek. Hij *kende* toch Italiaans. Het was lang geleden dat hij de taal had gelezen, en het was maar de vraag of hij de taal goed genoeg beheerste om zich te beschermen, maar hij moest het proberen.

Hij voelde dat Patrick Vedel de kraag van zijn cape had beetgepakt en hem meetrok over de vloer.

Jon bleef zich op het boek concentreren en las stamelend de eerste woorden. Hij zweette. Zijn handen trilden van de zenuwen. Hij begreep niets van de eerste zin. Het kostte hem grote moeite om zich te concentreren, maar hij dwong zichzelf om door te gaan.

Patrick Vedel lachte weer en hij trok hem verder naar de balustrade toe.

Jon stamelde zich woord voor woord verder naar de volgende zin en toen merkte hij opeens dat hij de tekst kende. Hij herkende de zin die hij net had gelezen en hij wist precies wat de volgende zin was.

Hij had dit boek eerder gelezen.

42

Jon wist niet meer hoe vaak Luca *Pinocchio* aan hem had voorgelezen. Zijn moeder had hem eens verteld dat hij er al mee was begonnen voordat Jon geboren was. Luca had haar en het ongeboren kind bijna iedere avond voorgelezen. Ze vonden het heel grappig om haar groeiende buik te vergelijken met de walvis in het verhaal en ze hadden daar zo hard om gelachen dat Luca bijna niet verder kon lezen. De eerste jaren was *Pinocchio* het verhaal dat Jon het liefst wilde horen. Hij kreeg er nooit genoeg van en hij zeurde zijn ouders iedere avond aan hun hoofd of ze nog één hoofdstuk wilden voorlezen. Meestal gaven ze toe. Vooral zijn moeder. Zij vond het verhaal ook leuk en ze las alle rollen met inleving en stemmetjes die Jon nooit zou vergeten.

Het was een magisch boek in een magische taal die alleen hij en zijn ouders spraken. Zo leek het in ieder geval. Hij was dol op de klank van de woorden en kende algauw hele passages uit zijn hoofd. Luca testte hem vaak door opeens een zin te beginnen en dan maakte Jon hem af; het maakte niet uit of ze in de bus zaten of bij de slager in de rij stonden of aan tafel zaten. Zijn moeder bekeek hen hoofdschuddend, maar daar trokken ze zich niets van aan. Het was hun spel en Jon vond het prachtig.

Nog beter dan de woorden waren de beelden die ze erbij creëerden. Jon kende iedere steen en ieder grassprietje uit het verhaal. Hij had ontelbare keren door dat landschap gedwaald en hij wist precies hoe de huizen eruitzagen, hij kende de kronkels van de boomtakken en de gelaatstrekken en de mimiek van de personages. Er bestond geen enkele twijfel over de beweging van de golven, de afmeting van de boot of de kleur van walvis.

Jon had zich de beelden zo vaak voor de geest gehaald dat ze bijna meteen naar voren sprongen toen hij begon te lezen. De leeszaal in Alexandrië verdween en in plaats daarvan kwamen de zachte kleurennuances en de vriendelijke vormen van het landschap in het verhaal. Hij hoefde zich nauwelijks in te spannen. Tijdens de eerdere seances was dat heel anders geweest. Toen had hij echt zijn best moeten doen om de beelden tot leven te laten komen, hier kwamen ze vanzelf en hij had nog tijd over om ervan te genieten. Weg was de pijn in zijn voet. Hij maakte zich niet langer druk om Remer. Hij voelde een geborgenheid die hij in geen jaren had gevoeld en hij voelde ook dat het allemaal goed zou komen.

Jon begreep dat de beelden die hij schiep in werkelijkheid helemaal niet zijn eigen beelden waren. Waarschijnlijk had Luca ze tijdens het lezen aan hem overgedragen. Als hij inderdaad zo'n goede Lettore was geweest als iedereen beweerde, was het logisch dat hij zijn kind de allermooiste ervaring wilde bezorgen. Dat hij daarmee het leven van zijn zoon zou redden had hij natuurlijk niet kunnen voorspellen, maar Jon kon niet geloven dat het toeval was. Waarom zou hij nou juist dít boek in handen krijgen, op de meest ondenkbare plaats in de meest onwaarschijnlijke omstandigheden, net nu hij het het allermeest nodig had? De kans dat dat zou gebeuren moest duizelingwekkend klein zijn.

Jon nam de scène rondom hem opnieuw goed op. Alles was op de goede plek en ging zoals het moest gaan. Het stelde hem gerust dat hij wist dat dit Luca's werk was. De beelden die hem tijdens het grootste deel van zijn kindertijd hadden vergezeld waren zo helder en zuiver alsof Luca hem het verhaal nu voorlas. Toen Jon eenmaal zelf kon lezen, had hij *Pinocchio* vaak gelezen, maar hij vond het altijd leuker als Luca hem voorlas. Zelfs toen hij interesse begon te krijgen in verhalen met meer actie, bleef *Pinocchio* nog steeds het boek dat hij wilde horen als hij naar bed ging. Hij vond het heerlijk om in slaap te vallen bij het geluid van Luca's stem.

Hij kon hem nu ook bijna horen.

Toen ze het boek had gegooid, bereidde Katherina zich voor om Jon te ondersteunen zodra hij begon te lezen. Op het moment dat Jon het boek te pakken kreeg, stond ze klaar, maar toen hij het na een blik in het boek opgaf, werd ze zenuwachtig.

'Wat was het voor boek?'

Mohammed haalde zijn schouders op.

'Geen idee. Het was het eerste dat ik kon vinden.'

De man met het rode haar had Jon vastgepakt.

'We moeten naar beneden,' zei Katherina.

Mohammed rende weg, maar Katherina bleef opeens staan.

Jon las.

'Ik kom zo,' riep ze terwijl ze zich concentreerde op Jons lezen. Ze bundelde zijn laatste energie zodat hij zich kon inwerken in de tekst en probeerde alle andere indrukken buiten te sluiten en zijn aandacht bij het verhaal te houden. Langzaam kwam hij op gang.

Na slechts een paar zinnen begon de man met het rode haar te gillen. Maar hij had Jons kap stevig vast en liet niet los, al trilde zijn lichaam hevig. Opeens klonk er een harde knal en de man met het rode haar werd met een enorme kracht bij Jon vandaan geslingerd. Hij vloog achteruit totdat zijn lichaam tegen een stenen pilaar aan smakte en op de grond viel.

Hij stond niet meer op.

Katherina liet zich met haar rug tegen de balustrade op de grond zakken. Ze deed haar ogen dicht en concentreerde zich op het ontvangen. Jons beelden verschenen voor haar ogen, vriendelijke, rustige beelden, beelden die ze kende.

Het volgende moment begon de energie in de zaal te veranderen. Eerst was het een kolkende rivier geweest die in een waanzinnig tempo voortstroomde, nu namen de intensiteit en de snelheid stukje bij beetje af, om ten slotte helemaal stil te blijven staan. De energie bewoog zich nu niet meer in één richting, maar had een regelmatig ritme, als een reusachtige ademhaling. De energie omsloot hen op een heel andere, aandachtige manier en bracht een warmte en geborgenheid met zich mee die totaal anders was dan de hectische, opdringerige sfeer die daarvoor had geheerst. De opgespaarde energie van de hele bibliotheek richtte zich naar een bepaald ritme, een ritme dat Jon beheerste.

Katherina voelde dat het veilig genoeg was om op te staan. Jon lag nog op dezelfde plek, hij las rustig voor uit *Pinocchio* vanaf zijn plek op de vloer.

Bij het spreekgestoelte stonden nog steeds vijf mensen te lezen. De uitdrukking op Remers gezicht was gespannen, de aderen op zijn slapen waren duidelijk zichtbaar en op zijn voorhoofd glinsterde een laagje zweet. Katherina merkte bij het ontvangen dat ze heel hard moesten werken om hun concentratie vast te houden. Ze moesten de verandering in de energie gevoeld hebben en vochten er nu tegen met hun laatste krachten.

Katherina rende de gang op en de trap af. Ze moesten hun kans grijpen om weg te komen, nu Remer nog in beslag werd genomen. Een verdieping lager botste ze bijna tegen Mohammed op, die als verlamd naar het tafereel stond te kijken.

'Shit, wat moeten we doen?' vroeg hij. 'Dit gaat helemaal fout.'

Katherina wierp een blik op Remer. Zijn gezicht was veranderd. Het had een gepijnigde uitdrukking gekregen en de rest van zijn lichaam begon licht te beven.

'Jon is de enige die dit kan laten ophouden,' antwoordde Katherina en ze rende naar de plek waar Jon lag. Hij zag eruit alsof er niets aan de hand was, alsof hij bijna toevallig op de grond was gaan liggen, zijn blik vast op het boek gericht. Ze concentreerde zich op zijn voordracht, voegde zich naar zijn ritme en gaf hem het teken om te stoppen. Het ritme van de energie maakte een extra sprongetje, en na een paar onregelmatige uitschieters stopte het eindelijk. Jons blik veranderde en richtte zich op Katherina. Hij glimlachte, maar leek zich toen opeens te herinneren waar hij was. Zijn glimlach verstarde en zijn blik gleed naar het spreekgestoelte.

Remers lichaam trilde nu nog heviger dan eerst. Hij had de energie niet langer onder controle en hij was zijn concentratie kwijt. Die schoot alle kanten op. Katherina voelde dat Remer koppig streed om de controle terug te krijgen. Het was een ongelijke strijd, er waren te veel tegengestelde energiestromen en er was geen ontvanger meer over om hem te helpen, maar hij weigerde het op te geven. Hij werd even omhuld door een paar vonken, er kwam bloed uit zijn oren, dat via zijn hals in de kraag van zijn cape liep, die langzaam rood kleurde. Hij klemde zijn kaken op elkaar en las door. Alle kleur was uit zijn gezicht verdwenen. Het stak griezelig wit af tegen het rood van het bloed en het was vertrokken van de pijn. Er liepen nu ook straaltjes bloed uit zijn beide neusgaten op zijn witte cape.

Zelfs van een afstand konden ze het sissende geluid horen dat in zijn voordracht was geslopen. Opeens klonk er een hevige knal. Katherina werd verblind door een korte lichtflits. Het werd doodstil in de bibliotheek. Het geluid van de vonken was opgehouden en niemand las nog. De lichamen van de vijf overgebleven Lettores bleven nog even overeind staan, toen won de zwaartekracht het en vielen ze om.

Jons hele lijf deed pijn en hij was onvoorstelbaar moe. Toen hij probeerde van zijn plaats te komen, kon hij er niets aan doen dat hij een kreet slaakte van de pijn in zijn voet. Katherina zat naast hem en keek in zijn ogen. Ze lachte en huilde om beurten. Haar gezicht was bedekt met stof en de tranen hadden dunne sporen getrokken in het vuil op haar wangen.

'Gaat het?' vroeg hij moeizaam.

Katherina knikte en kuste hem op zijn voorhoofd. Hij tilde zijn hand op en veegde een traan van haar wang. Haar groene ogen stonden vol tranen en ze begroef haar gezicht in Jons hals. Hij legde zijn arm om haar heen en drukte haar tegen zich aan.

Toen pas zag Jon Mohammed, die een paar meter van hen af stond, met zijn handen in zijn zij, en de zaal rondkeek. Af en toe schudde hij zijn hoofd en mompelde iets onverstaanbaars.

'Wat doe jij hier in godsnaam?' vroeg Jon. 'Ben je op vakantie?'

Mohammed lachte en kwam naar hen toe.

'Zoiets ja. Ik dacht dat ik hier wel een boek zou kunnen lenen voor een tochtje naar het strand.'

Katherina en Jon konden een grijns niet onderdrukken.

Jon kreunde. Zijn hele lijf deed pijn en het lukte hem alleen met Katherina's hulp om overeind te komen.

'Ik denk dat ik mijn voet gebroken heb,' zei hij.

'Het ziet er inderdaad niet goed uit, chef,' zei Mohammed. 'We moeten je maar naar buiten dragen.'

Katherina knikte en probeerde de tranen uit haar gezicht te vegen.

'Waar is Henning?' vroeg Jon.

Mohammed schudde zijn hoofd.

'Hij heeft het niet gehaald.'

De woede gaf Jon de nodige kracht om met de hulp van de anderen op te staan.

'Laten we gaan,' zei hij. 'We zijn klaar hier.'

Mohammed en Katherina pakten Jon elk bij een arm en ze verlieten zwijgend de Bibliotheca Alexandrina.

43

Het was een vreemd gevoel voor Jon dat hij nu naar huis zou vliegen, terwijl hij zich helemaal niet herinnerde dat hij hiernaartoe was gevlogen. Tijdens de reis naar Egypte was hij verdoofd geweest en het leek wel of zijn gevoel voor oriëntatie in Denemarken was achtergebleven en hem niet meer kon inhalen.

De gebeurtenissen in de bibliotheek waren ook nog niet helemaal tot hem doorgedrongen en hoe meer tijd er voorbijging, hoe onwerkelijker het hem allemaal voorkwam. Hij herinnerde zich alles wat er was gebeurd, maar het leken de herinneringen van iemand anders, niet van hemzelf. Katherina vertelde hem over de dingen die hij niet zelf had meegemaakt en die waren al net zo ongelooflijk. Iedere keer dat hij dacht aan wat zij allemaal hadden moeten doormaken om hem te hulp te komen, werd hij overspoeld door een diep gevoel van dankbaarheid. Hij dacht aan alle scenario's waarbij het helemaal fout had kunnen lopen, en hoeveel geluk ze hadden gehad. Dat gold natuurlijk niet voor Henning, en Jon begreep dat hij zijn leven aan hem te danken had. Ze vonden het dan ook vreselijk dat ze zijn lichaam hadden moeten achterlaten in de bibliotheek, maar ze verzekerden elkaar er steeds weer van dat ze geen keus hadden gehad.

Volgens de kranten was de bliksem ingeslagen in de bibliotheek en dat had een kleine brand veroorzaakt, maar er werd niet gesproken over gewonden of doden. Het was duidelijk dat er nog steeds leden van de Schaduworganisatie in de stad waren die konden bepalen wat de autoriteiten te horen kregen. Zelfs de portier Nessim, die toch goede contacten had, kon niets ongewoons ontdekken.

Katherina, Mohammed en Jon hadden zich een paar dagen gedeisd gehouden en met elkaar besloten dat er genoeg bloed was gevloeid. Ze hadden de Schaduworganisatie een dodelijke steek toegebracht. Alleen de sterksten waren in staat gebleken om het verhaal binnen te gaan en juist die waren omgekomen. Ze konden alleen maar hopen dat dat de organisatie zou afremmen.

Het had geen zin om nog langer in Alexandrië te blijven, dus Jon en Katherina hadden plaatsen gereserveerd in het eerste het beste vliegtuig naar huis. Mohammed had het erg naar zijn zin in Alexandrië, dus hij wilde nog een paar weken blijven. Hij was goed bevriend geraakt met Nessim en omdat hij voor zijn werk alleen een computer en een internetverbinding nodig had, kon hij het overal uitvoeren waar hij maar wilde. Bovendien had hij niet zo'n haast om thuis te komen in het herfstige Kopenhagen en een kort en klein geslagen appartement.

Jon had een arts die Nessim kende naar zijn voet laten kijken. Hij bleek alleen verzwikt te zijn, maar hij kon er niet op staan en hij had een kruk gekregen. Het was tamelijk lastig geweest om aan boord van het vliegtuig te komen, maar ze hadden wel plaatsen gekregen met extra beenruimte.

Jon bekeek de andere passagiers. Afgezien van een paar zakenmannen met laptops, die ze aanzetten zodra ze binnen waren, zagen de meesten eruit als toeristen die op weg naar huis waren van hun vakantie. Jon gokte dat hun vakantieherinneringen het niet haalden bij die van hem.

Ze hadden het gehad over wat er feitelijk was gebeurd in de bibliotheek, maar ze hadden niet veel tijd verspild aan de betekenis van de gebeurtenissen. Het was nog te vers en Jon vond het heel moeilijk om onder woorden te brengen wat hij had meegemaakt. Het gevoel dat Luca hem beschermde was zo overweldigend geweest, dat hij eerst moest verwerken wat er was gebeurd. Maar één ding wist hij zeker, en dat was dat hij nooit meer advocaat zou kunnen worden.

Dus het was niet zijn baan die hem naar huis deed verlangen. Het was een plotselinge behoefte om de belletjes boven de deur van Libri di Luca te horen, een verlangen om de geur van perkament en leer op te snuiven en een bijna fysieke behoefte om de boeken in de kasten aan te raken. Hij had zelfs het gevoel dat hij werd verwacht, dat hij zou worden ontvangen met een goedkeurend knikje van Luca, die met een boek op schoot in de leunstoel zat, en dat hij zou worden verwelkomd door een warme glimlach van zijn moeder, die met haar ellebogen op de balustrade van het balkon geleund stond, en dat hij stilzwijgend zou worden geaccepteerd door zijn grootvader Arman, die met zijn rug naar hem toe stond en boeken op hun plaats zette in de kast. Ze waren er allemaal, de Campelli's, aanwezig in het stof op de planken, in de schaduwen tussen de kasten en in de lucht die slechts met tegenzin in beweging kwam als de deur openging.

Maar meer dan wie ook wilde hij Katherina weer in Libri di Luca zien. Hij kon zich de winkel niet meer voorstellen zonder haar. Het was de plek waar hij haar voor het eerst had gezien, zwevend tussen woorden en boeken waarin ze nooit zou kunnen doordringen, maar toch met zoveel liefde voor hun wereld.

Jon keek even naar Katherina, die in de stoel naast hem zat met haar hoofd op zijn schouder. Hij had zijn ogen dicht en het grootste gedeelte van zijn gezicht werd bedekt door haar rode haar, dat ze had losgemaakt zodra ze zaten. Hij stak zijn hand uit naar het vliegtuigblaadje in het vak voor hem. Katherina reageerde niet. Voor anderen leek het of ze sliep, maar Jon voelde duidelijk haar aanwezigheid toen hij begon te lezen.

Het was een fijn gevoel.

Hij hoefde zich niet meer eenzaam te voelen.